How to write [illegible]th style

By Kurt Vonnegut

International Paper asked Kurt Vonnegut, author of such novels as "Slaughterhouse-Five," "Jailbird" and "Cat's Cradle," to tell you how to put your style and personality into everything you write.

Newspaper reporters and technical writers are trained to reveal almost

mainly for what they [illegible] show you or make yo[illegible] Did you ever admire [illegible] headed writer for his [illegible] of the language? No.

So your own win[illegible] begin with ideas in your head.

1. Find a subject you care about

Find a subject you care about and which you in your heart feel others should care about. It is this genuine caring, and not your games with language, which will be the most compelling and seductive element in your style.

I am not urging you to write a novel, by the way – although I would not be sorry if you wrote one, provided you genuinely cared about something. A petition to the

Simplicity of language is not only reputable, but perhaps even sacred. The *Bible* opens with a sentence well within the writing skills of a lively fourteen-year-old: "In the beginning God created the heaven and the earth."

4. Have the guts to cut

It may be that you, too, are capable of making necklaces for Cleopatra, so to speak. But your eloquence should be the servant of the ideas in your head. Your rule might be this: If a sentence, no matter how excellent, does not illuminate your subject in some new and useful way, scratch it out.

5. Sound like yourself

The writing style which is most

名文の書き方

カート・ヴォネガット

新聞記者や専門的な文書を書くテクニカル・ライターは、自分が書くものに自分自身についての情報を入れないように訓練されている。これは物書きの世界ではまれなことで、インクまみれで仕事をする哀れな作家のほとんどは、自分自身について多くのことを読者に暴露している。それが偶然であれ、意図的であれ、こういう暴露こそ、いわゆる文体の種といえる。

これらの暴露された情報は、読者に、いま自分が時間を割いて読んでいる文の作者がどんな人物なのか教えてくれる。その人物は無知なのか博識なのか、まぬけなのか聡明なのか、嘘つきなのか正直なのか、くそまじめか冗談好きか――？　その他もろもろ。

ではいったいなぜ、人は文体を吟味し、自分の書く文をよりよくする必要があるのだろうか？　それは読んでくれる人に敬意を示すためだ。何を書いていようがそれは同じ。もしも自分の考えを自分の好きなように書きなぐっていたら、読者はきっと無視されているように感じるだろう。その文を書いた人間を、自己中心的なうすのろと断定するだろう――へたをすると読むのをやめてしまうかもしれない。

作家が自分自身の情報として読者にもっとも悟られてはいけないことは、おもしろいテーマとおもしろくないテーマの見極めがつかないということだ。誰だって、作家の好き嫌いは、その作家がどんなテーマを選んで、どんなことを読者に考えさせようとしているかという点で決めるだろう。頭のからっぽな作家を、文章がうまいからという理由で尊敬することがあるだろうか？　ありえない。

だから、独自の魅力的な文体を身につけるには、まず頭の中の考えから魅力的にしなくてはいけない。

1. 自分が関心のあるテーマを見つけること

自分が関心のあること、そしてほかの人も関心を持つべきだと心から思うことを見つけよう。人が書く文の中で、もっとも注目を集める魅力的な要素は、そういう心からの関心であって、言葉の工夫や言い回しではない。

断っておくが、私は小説を書くことを勧めているのではない――もちろん、本当に何かに関心があるのであれば、小説を書くのもいい。だが、たとえば、自宅の前にある深い穴についての市長への嘆願書とか、隣家の女の子へのラブレターでもかまわないのだ。

2. ただし、だらだらと書かないこと

これについては、だらだらと書かない。

3. 簡潔に書くこと

言葉遣いに関しては、ふたりの偉大な言葉の大家、ウィリアム・シェイクスピアとジェイムズ・ジョイスを思い出そう。ふたりとも、もっとも深刻な場面にさしかかったところで、ほとんど子どもが書くような文を書いた。「To be or not to be?（生きるべきか、死ぬべきか？）」とシェイクスピアのハムレットは自問する。この文では、いちばん長い単語でも３文字しかない。ジョイスは、気分さえ乗っていれば、クレオパトラの首飾りのように複雑できらびやかな文章を書くこともできた。しかし彼の短編『イーヴリン』の中で私がいちばん好きなのは、「She was tired（彼女は疲れた）」という文だ。この小説のこの段階で、３つの単語から成るこの文以上に読者の胸を突く文は考えられない。

簡潔であることは、単にすばらしいだけではなく、神聖ですらある。聖書の書き出しは、利発な十四歳の生徒でもじゅうぶん書けるような文で始まる。「はじめに神は天と地をつくられた」

4. 勇気を持って削除すること

クレオパトラの首飾りのように書ける才能があっても、その文筆の才は、頭の中の考えの下僕でなくてはならない。そこで、従うべきルールはこうだ。もしある文がいくらうまく書けたとしても、それが肝心の主題を、新しく、意味のある形で際立たせていないなら、その文は削除すること。

5. 自分らしい響きをもたせること

自分にとってもっとも自然な文体は、子どものころに聞いた話し言葉の影響を受けているはずだ。小説家のジョゼフ・コンラッドにとって、英語は第三言語だった。コンラッドが使うきびきびした魅力的な英語は、おおかた彼の第一言語であるポーランド語の影響を受けているにちがいない。また、アイルランドで育った作家はとても幸運だ。なぜなら、そこで話されている英語は、とてもおもしろくて音楽的だからだ。私自身はインディアナポリスで育ったが、そこで普通に話されている英語は、帯鋸でトタン板を切るような響きで、(→)

写真１｜インターナショナル・ペーパーは、『スローターハウス５』『ジェイルバード』『猫のゆりかご』などの著者で小説家のカート・ヴォネガット氏に、文章を書くときにどうやって独自の文体や個性を作り上げたらよいかについて、解説をお願いした。

写真２｜**セリフ１「私はみずからの衝動に従って行動すべきか、それとも何もせずにこの世から消えてなくなるべきか？」／セリフ２「生きるべきか、死ぬべきか？」**「簡潔に書くこと。シェイクスピアもハムレットの有名な独白でそうした」

読者に憐れみを

ヴォネガットが教える
「書くことについて」

KURT VONNEGUT AND SUZANNE McCONNELL
カート・ヴォネガット＆スザンヌ・マッコーネル 著
金原瑞人／石田文子 訳

PITY THE READER
ON WRITING WITH STYLE

FILM ART
フィルムアート社

PITY THE READER

ON WRITING WITH STYLE

by Kurt Vonnegut, Suzanne McConnell

カート・ヴォネガット。1969年、マサチューセッツ州バーンスタブル湾。
著者撮影。

過去と未来の私のすべての教え子と、カートのすべての教え子へ

目次

凡例

・本書は、Kurt Vonnegut and Suzanne McConnell, *Pity the Reader: On Writing with Style*, Seven Stories Press, Inc., 2019の全訳である。

・原著者による注は、本文中に（ ）付の数字で示し、巻末にまとめて掲載した。

・文中の［ ］は原著者による補足を表す。

・文中の〔 〕は訳者による補足説明を表す。ただしそれ以外にも、文意に即して最低限の範囲で語を補う。

・本文中で言及されているヴォネガット作品については、初出は『原書タイトル（日本語タイトル）』で記し、以降は日本語タイトルで記した。なお、日本語タイトルは必ずしも既訳書のタイトルと同一ではない場合もある。

・本文中に引用されているヴォネガット作品の翻訳はすべて、邦訳があるものについても既訳を参照しつつ本書訳者が改めて訳出した。なお、本書で参照したヴォネガット作品の既訳書については、巻末の文献一覧に原書の邦訳書として〔 〕で記載した。

・言及されている作品で未訳のものは、原題の後に（未）と記した。

・長編作品および書籍タイトル、雑誌・新聞紙名、映画作品、楽曲のタイトルは『 』で示した。

・短編作品のタイトル、テレビ番組名、店名は「 」で示した。

・アート作品のタイトルや建築物は《 》で示した。

・文中の［……］は原著者による引用の中略を表す。

人間らしく書くように。　作家らしく書くように。

――カート・ヴォネガット・ジュニア

アイオワ大学文芸創作講座の受講生へのメッセージ、一九六六年

はじめに
INTRODUCTION

今回もまた、実生活で経験したことと個人的見解を寄せ集めて、ひとつの大きくて珍妙な動物、たとえば、米国の偉大な絵本作家ドクター・スースが創作したウーブリックとか、グリンチとか、ローラックスとか、スニーチみたいな本にしようと思っている。

——カート・ヴォネガット『Fates Worse Than Death（死よりも悪い運命）』より

一九六〇年代の後半、私はアイオワ大学でカート・ヴォネガット・ジュニアが講師を務める文芸創作講座の学生だった。それ以来、彼が亡くなるまでずっと、友だちとしてつきあってきた。私は彼から作家として、教師として、人間として、たくさんのことを学んだ。この本は、作家や、読者や、そのほかあらゆる人々に向けて、そんなヴォネガットのアドバイスを伝えることを目的としている。

＊

アイオワ大学で教えはじめたとき、カート・ヴォネガットはまだ有名ではなかった。しかし、すでに長編小説を四冊出版し、『Slaughterhouse-Five（スローターハウス5）』を執筆中だった。年齢は四十二歳だ。初めてヴォネガットを見たとき、私は（彼のことを知らなかったが）、なんとなくおもしろい人だなと思った。彼は講師を務める他の作家たちといっしょに講堂の前のほうに立っていた。背が高くて、猫背で（「バナナみたいだろ」と本人はいっていた）、長くて黒いシガレットホルダーでタバコを吸っていた。首を傾けて煙を吐くようすは、ひどく滑稽で、きざったらしくて、しかもそのことを重々承知しているという感じだった。言い換えれば――オスカー・ワイルドが人生における第一の義務として述べていたように――見栄を張っているように見えた。

のちにわかったことだが、ヴォネガットは当時、真剣にタバコの害を減らしたくて、シガレットホルダーを使っていたのだそうだ。

アイオワ大学の芸術修士課程は二年間の課程で、その間に学生は、親和性の高い講師に、まるで吸収されるかのように、知らず知らず引き寄せられていく。私は修士課程の二年目に入る前にヴォネガットのクラスにたどり着いた。

ちょうどその頃、私は当時のヴォネガットの最新作だった『Cat's Cradle（猫のゆりかご）』と『Mother Night（母なる夜）』を読んだ。つまり、それらの作品を通して作家としてのヴォネガットを知ると同時に、教師として、人間としての彼を知るようになったのだ。

最初の一年間、私は大学院生がたくさん住んでいたブラックス・ガスライト・ヴィレッジという場所で、ヴォネガット家のすぐ隣に住んでいた。その後も私たちの活動範囲はつねに近かった。私はマサチユーセッツ州ケープコッドのバーンスタブルにいたカートをよく訪ねたし、ミシガン州で初めて教師を務めたときは、やはりミシガン州で講師をしていた彼と会った。そしてカートと同じ頃にニューヨーク市に引っ越し、ここ三十五年間は、カートが二十年間住んでいたケープコッドから一時間の場所で夏を過ごしている。カートと私は、ときどきランチをしたり、手紙を出し合ったり、電話で話したり、いろいろなイベントでぐうぜん出会ったりした。私が結婚したときは、すてきな吹きガラスの花瓶を贈ってもらった。お互い、連絡を絶やすことは決してなかった。

※

いっぽう、たいていの人はヴォネガットのことを、おそらく彼の作品を通じて知っただろう。年齢によって、高校や大学で課題として読んだという人もいれば、みずから選んで読んだという人もいると思う。彼のいちばん有名な作品『スローターハウス5』を読んだなら、彼がそれを書く原因となった体験についても知っているだろう。なぜなら、その本の第一章で、それについて説明されているからだ。第二次大戦中、ヴォネガットは二十歳で、ドイツ系アメリカ人としてドイツ軍の捕虜となり、ドレスデンに連行された。その後、ドレスデンはイギリス軍とアメリカ軍による焼夷弾爆撃を受けた。ヴォネガットと仲間の捕虜たちは地下の食肉処理場へ移送されていて助かったが、地上では多くの人間、動物が抹殺され、草木も一掃された。

その出来事は、ほかのさまざまな出来事とともにヴォネガットを執筆に駆りたて、彼の思想を形成した。(しかし、よく誤解されているように、それがきっかけでものを書きはじめたわけではない。彼は軍に入隊した時点ですでに作家になる道を歩みはじめていた。)ヴォネガットのアドバイスは迷路のように錯綜している。私はその中を、人形劇の監督兼人形遣いのように案内していくつもりだ。ヴォネガットが伝授する知恵はどうやって得られたのか、彼の人生における経験から明らかになりそうな場合は、その経験について語っていく。あるアドバイスが彼の人生のどの時点で生まれたのか——まだ作家として新米だった頃か、それとも中堅になってからか、あるいはもっと円熟してからか——、可能なかぎり特定していきたい。ヴォネガットに関する逸話や私自身の人生における出来事も、必要に応じて述べていく。

＊

私はこの本を、ヴォネガット財団からの要請で書くことになった。当初は作家のダン・ウェイクフィールドが書くはずだった。しかし彼はすでに、ヴォネガットに関するすばらしい本を二冊(注釈付きのヴォネガットの書簡集『Letters(未)』と講演集『If This Isn't Nice, What Is?(これで駄目なら)』)編集して疲れており、本来の仕事である小説の執筆にもどりたいと思っていた。そこで私に電話してきたのだ。「きみこそこの本をつくるのにふさわしい」ダンは言葉巧みにいった。「ずっと文芸創作の教師をしてきたし、きみ自身小説家でもあるし、カートの教え子で、彼のことをよく知っている。まさにうってつけだ」

内容の六割がたはカート・ヴォネガット自身の言葉でなければならないが、それ以外は構成もまったく自由だという。

ダンによると、私がやらなければならないのは、私自身の経歴書とこの本についての簡単な企画書を送ることだけだった。その際に、私の能力や文体を示すために、これまでに『ブルックリンレイル』や『ライターズ・ダイジェスト』などの雑誌に掲載されたヴォネガットの回想録もいっしょに送らねばならない。送り先はヴォネガット財団のトップで彼の友人でもあった弁護士のドン・ファーバーと、電子書籍出版社ロゼッタブックスの社長のアーサー・クレバノフ。ダン・ウェイクフィールドはこのふたりに私のことをすでに話していた。

それから一ヵ月後、私はブルックリン・ブックフェアのカート・ヴォネガット記念図書館のブースでボランティアをしていた。すると、カート・ヴォネガット記念図書館の館長のジュリア・ホワイトヘッドが、私をダン・サイモンに紹介してくれた。サイモンはセブンストーリーズ・プレスという出版社の創業者で、ヴォネガットの最後の二冊の本を出版し、彼のことをよく知っていた。私はサイモンにこの本の企画について話した。すると彼は「うちで出したいな」とつぶやいた。その結果、ヴォネガット財団とロゼッタブックスとセブンストーリーズ・プレスと私のあいだで新たな契約が結ばれることになった。おかげで、この本は紙の書籍にも電子書籍にもなった。

＊

アメリカの小説家でエッセイストのウィルフレッド・シードは、ヴォネガットのことを「たとえよい教養でも、ひとつの教養に縛られるのを拒む」といった。さらに、「自分の政治的見解を、持論の反戦主義でさえ、臨機応変に変化させる」のを好んだという。[1] ヴォネガットにはコインの裏側を見るというか、物事の両義性や矛盾を見る傾向があった。

それも当然だろう。彼を捕らえ、拘留し、死体を荷車で運ぶ労働に駆り出した敵は、安易で独裁的な解決策を求める大衆の欲望と盲目的崇拝に毒されていたのだから。

ヴォネガットはおそらく、スイス人アーティスト、アンドレ・トムキンスの作品のタイトル《DOGMA I AM GOD（教義こそ神なり）》いう回文を気に入ったことだろう。

そこで私も、カート・ヴォネガットのアドバイスから教義を作り出したいという、私自身や読者の衝動をできるかぎり回避したいと思う。そのための方法として私が採用したいのは、〝エンダークンメント（愚蒙化）〟というコンセプトだ。

このコンセプトは、一九七九年に出版されたウィル・シュッツ著『Profound Simplicity（未）』という本の受け売りだ。表紙のコピーによると、「人間性回復運動〔一九六〇年代のアメリカで生じた社会運動。集団訓練、指導により自尊心や対人関係を高める〕に意味を与えた一冊」だという。ウィル・シュッツは人間性回復運動において指導的な立場にあった精神科医で、早くからそれにふさわしい業績をあげていた。人間性回復運動が生み出した知力、体力、精神力アップのためのあらゆる方法を研究し、エサレン協会〔アメリカ・カリフォルニア州にある心理療法、啓蒙活動などを行なう施設〕で数多くのセミナーを主導してきた。この本は、簡潔で現実に即した、ほんとうに役に立つ本だ（残念ながらいまは絶版になっている）。それはともかく、その本の中で四十年間ずっと私の心に残っているのが、「エンダークンメント」という最後の章だ。その章はこんな風に始まる。「成長しようと奮闘していると、それがときどき、私自身を見物している私の一部にとって、笑いの種になることがある」。つまり、著者のシュッツはときどき、奮闘することにうんざりしたというのだ。

そこで彼は「エンダークンメント」というセミナーを考案した。セミナーの参加者は、素直でなかったり、軽薄だったり、みずからみじめな状態におちいったりすることを奨励される。また、深酒をしたり、タバコをやたらと吸ったり、ジャンクフードを大食いしたりすることも勧められる。そして、自分がこんなことになったのは、下はセミナーの受講仲間から上は全能の神にいたるまで、自分以外のすべての者の責任だというようにする。さらに、セミナーの参加者は順番で講師役を務め、その際に自分のいちばんひどい欠点を明らかにして、どうやったらそんな欠点を身につけることができるのか、他の受講生に教えることにする。ある男性は、自分は何事も最後までやり遂げることができないと話し、どうしたらそんな風になれるのか、来週の水曜日にみんなに教えると約束した。水曜日になったとき、その男性はすでにそのセミナーをやめていた。

「エンダークンメント」セミナーの結果は驚くべきものだった。人生には喜劇的要素があると気づくために、普通のセミナーと同じくらい効果があった。また、人は自分の行動をみずから選んでおり、他の選択をすることも可能なのだと気づくためにも、同じくらい効果的だった。

私はこの「エンダークンメント」という言葉に少し手を加え、この本で案内役を務めるための原則とした。先に出てきたアドバイスやアイデアに対する代替案や逆説や警告や矛盾などが出てきたら、それは「エンダークンメント」を意図したものだ（当初、そういう箇所は太字にして目立たせてあったが、そういうよけいな押し付けは編集段階で削除された）。この言葉とこの手法によって、真実には（事実とは違って）多くの側面があることと、ヴォネガットは人間であり、教条的な神ではないということへの理解が深まることを期待している。[2]

＊

この本の執筆依頼を受けた直後、私はカート・ヴォネガット記念図書館長のジュリア・ホワイトヘッドのおかげで、ティム・ユードというアーティストに注目するようになった。彼はその少し前からカート・ヴォネガット記念図書館でパフォーマンスをしていた。どんなパフォーマンスかというと、作家が使っていたのと同じ型のタイプライターを使い、作家が書いていた場所か、作品の舞台となった場所で、一長編小説をそっくりそのままタイプするというものだ。ただし、小説の最初から最後まですべてを、一枚の紙の上に繰り返し打っていく。紙の下にクッションシートを敷いて、どこを打っているか見失わないように、文章を「ブツブツとつぶやくように」読みながら打っていく。そのうち紙が破れるが、破れた部分にマスキングテープを貼って打ち続ける。偶然にあいた穴や破れた跡によって、形ある作品ができあがる。最後にクッションシートから紙をはがして、両方を額縁に入れる。

カート・ヴォネガット記念図書館でティム・ユードがタイプ打ちしていたのは、第一週目が『Breakfast of Champions（チャンピオンたちの朝食）』で、二週目が『Slapstick（スラップスティック）』だった。使われたタイプライターはスミス・コロナ製電動式タイプライター、Coronamatic 2200だ。「二週間みっちりヴォネガットの作品に浸りきったおかげで、彼の非凡な才能を認識することができた。

とくにその索漠たる雰囲気をね」ユードはそういった。

ティム・ユードのパフォーマンスの目的のひとつは、作家の作品そのものに人々の注目を集めることだ。「人々は（ジャック・）ケルアックの作品を読むよりも、彼の書いた巻物のような原稿を見ることに興味を持つようになっている。キー・ウェストにあるヘミングウェイの家についても同じだよね」。有名作家の身の回りの品をあがめるフェティシズムが起こる原因は、ユードによると、「実際に本を読むのはとてもたいへんなことだから」だという。

ヴォネガットの場合も関連グッズが増殖している。マグカップやグリーティングカード、しおり、メモ帳、マウスパッド、Tシャツはもとより、インディアナポリスではダウンタウンにヴォネガットを描いた壁画がある。彼の作品のフレーズがコーヒーショップやバーやバンドの名前に使われているし、タトゥーにしている人もいる。

それらがヴォネガットにとって名誉なことなのか、その反対なのか、霊験あらたかなお守りなのか、俗悪ながらくたなのか、考え方は人それぞれだろう。

＊

ティム・ユードは自分のパフォーマンスもフェティシズムを助長するかもしれないと自覚している。私自身も同じかもしれない。なぜなら私はヴォネガットのすばらしい言葉の数々を、その文脈から切り取っているからだ。私はそれらの言葉を、変換したり、短くしたり、倒置したり、圧縮したりして、こ

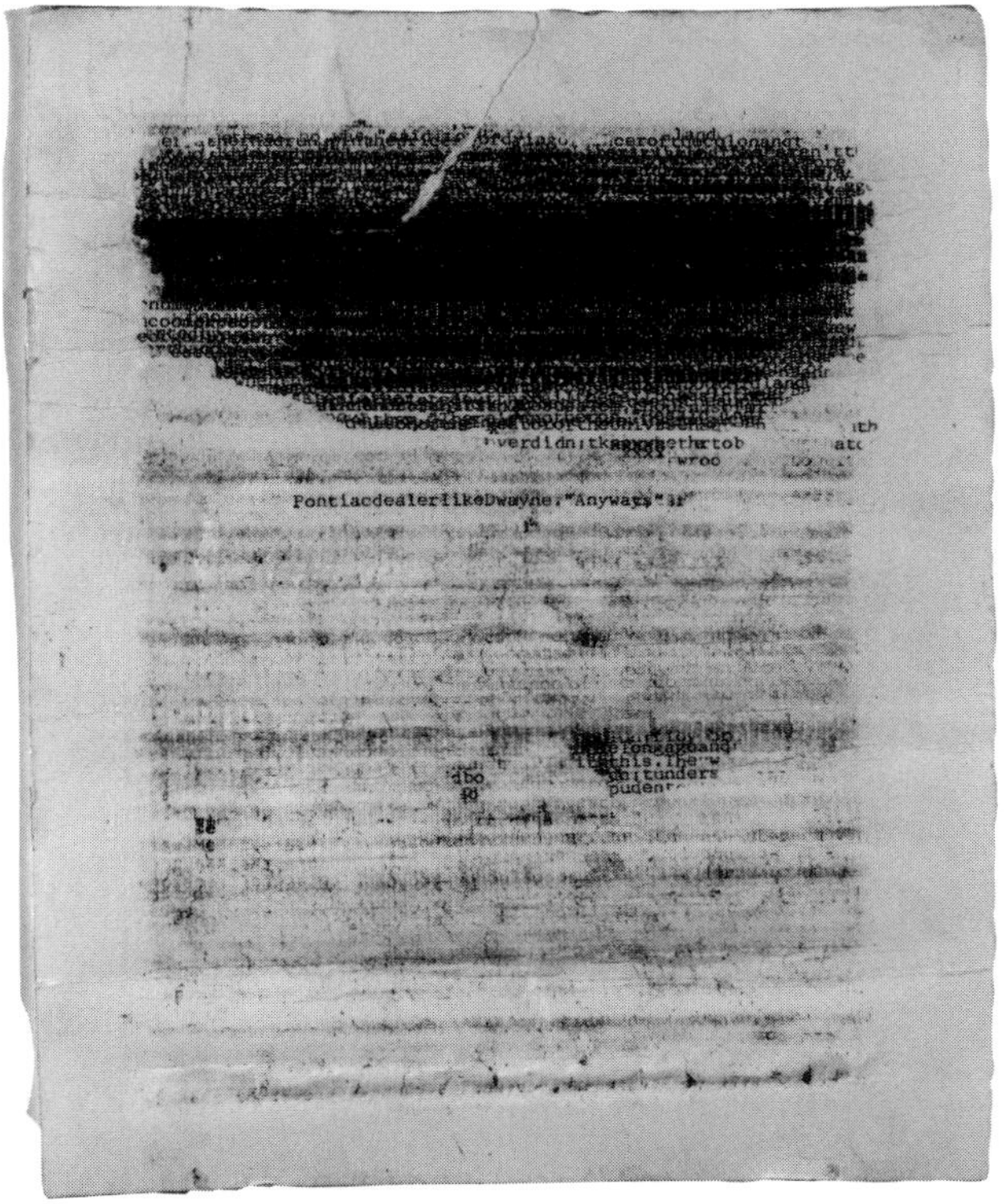

の本の目的に合うように成形した。

それはネット上でよく見かけるヴォネガットの作品からの引用と同じだ。誰の作品の引用でもそうだが、それらは文脈から切り離されているし、ときには誤解を生むこともある。たとえば、ヴォネガットが『Bagombo Snuff Box（バゴンボの嗅ぎタバコ入れ）』という短編集のまえがきで箇条書きした短編小説を書くときのルールは、長編小説にあてはめることを意図したものではない。しかしネット上では、すべての小説を書くためのルールとしてよく登場する。

ティム・ユード《カート・ヴォネガットの『チャンピオンたちの朝食』》2013年。タイプライターインクとタイプ用紙とスミス・コロナ製タイプライターCoronamatic2200を使用し、インディアナ州インディアナポリスのカート・ヴォネガット記念図書館で2013年9月に303ページ分をタイプしたもの。

この本はヴォネガットの小説を読んだことのない人でも読むことができる。しかし、この中に出てくる彼の言葉には、本来の出所、それが生まれた場所があることを忘れないでほしい。

＊

ダン・ウェイクフィールドが一九五〇年代に彼にとって初めてのベストセラーになる小説を書いたとき、その小説を出した出版社はヴォネガットの本も出していた。そしてヴォネガットに、ウェイクフィールドの小説の編集をするように頼んだ。そのとき、ヴォネガットがした編集の仕事について、ウェイクフィールドはこう語っている。「彼は二ページの手紙を送ってきた。その中には、僕の小説をよくするための提案が七つ書かれていた。僕はそのうちの四つを実行して、おかげでそれは以前よりよい作品になった。しかしヴォネガットのアドバイスの中で何よりも重要だったのは、彼が提案したからというだけで、それらの提案に従うのはよしたほうがいい、というものだった。ヴォネガットが強調したのは、『自分にとってピンとくる』提案だけを実行すべきだということだった。彼（あるいはほかの編集者や作家）がいったから、何かを書き加えたり、変更したりするべきではない。それらの提案が、その本についての僕自身の意図や考えにぴったり合ったときだけそうすべきだといったんだ」。ウェイクフィールドによると、それは「編集に関して僕が学んだ、いままでもっとも貴重な教訓だった」という。

ヴォネガットの講座での課題をいま振り返ってみると、文章を書く技術より、もっと大事なことを教えるためのものだったとわかる。それは私たち学生に、自分で考えさせたり、自分はどんな人間かを理解させたりするものだった。自分は何が好きで、何が嫌いで、どんなことで感情が爆発するのか、どんなことでときめくのかを自覚させるためのものだった。

私はこの本に収めたヴォネガットの言葉によって、読者にも同じようなことを理解してもらいたいと願っている。

※

カート・ヴォネガットはこういった。

私はものを書くとき、両手両足がなく、口でクレヨンをくわえている人間になったような気がする。[3]

これはアドバイスだろうか？　私にとってはアドバイスだ。この言葉はこういっている。「あなたにもできる。どんな作家も、自分は無能だと感じている。カート・ヴォネガットでさえそうなのだ。だから椅子にすわって、タイプを打ち続けるのだ」

しかし、それ以上にこの言葉がユニークで、いかにもヴォネガットらしいところは、それが滑稽なほど常軌を逸していて、もっとバランスの取れた見方が必要だと思わせるところだ。たとえば、私はここでいわれている状況よりももっと幸運だ。手もあるし足もある。クレヨンだけでなく、いろいろなものを持っている。ほとんどの人はそうだ。

だからこそこれは、教えることに絶望した教師にとっても、難しい文章が理解できないで悩んでいる読者にとっても、よいアドバイスとなる。何かの課題と格闘して、自分は無能だと感じているすべての人にとって、よいアドバイスとなる。それは私たち全員を、まさしく受け入れてくれる。やり続けろ！へこたれるな！ 笑い飛ばせ！ 我々はみんな、果たすべき課題に対して力不足なんだ、と。

✼

ヴォネガットの作家としての意欲を駆りたてていたのは、人道的な問題に人々の注意を引き寄せたいという思いだ。彼の教えを直接受けることができた私たち学生はラッキーだった。しかし彼の作品の読者こそ、彼の最大の、もっとも大切な教え子なのだ。

教師としてのヴォネガットは熱血漢で、しょっちゅう憤慨していた。あえぐような声で笑った。思いやりがあって、鋭くて、機知に富んでいて、サービス精神があって、頭が切れた。要するに、彼の本の作者のイメージそのままだ。気取ってみせることがなかったわけではないが、しゃべるときも、何かを書くときも、とても自然に素の自分――ひょうきんで、まじめで、真実を追い求める、率直なインディアナっ子――を出していた。

カート・ヴォネガットは、いつも教えていた。いつも学んで、自分が学んだことを伝えていた。

私はこれまで幅広い生徒に、ヴォネガットの小説やエッセイを課題として教えてきた。彼の作品は、年齢も、民族も、時代も越える。私が行なったいままでで最高の授業、もっとも盛り上がって、もっとも成果をあげた授業は『猫のゆりかご』を扱ったもので、ひとつはデルタ・コミュニティ・カレッジで一九六〇年代末に行なった文学入門講座、もうひとつはハンター・カレッジ〔ニューヨーク市立大学ハンター校〕で二〇〇一年の同時多発テロのすぐあとに行なった六〇年代の文学の講座だ。このふたつの講座は、三十年もあいだが空いている。

ヴォネガットが短編小説を読む楽しみについて述べた言葉を引用して説明すると、私がこの本でもくろんでいることは、彼が読者と交わしていた「とてもおもしろい会話を盗み聞きすること」だ。

私はいま、名前も知らないけれど、信頼が置けて、できれば熱心に耳を傾けてくれる誰かに手紙を書くときの書き出しの言葉を思い浮かべている。それは「関係者各位」という言葉だ。通常の使われ方からすると、形式的でよそよそしい言葉に聞こえるかもしれない。しかし、どうかそれを文字どおり、「関心を持ってしかるべき方々へ」という風に解釈して、心からの歓迎を表す言葉として受け取ってほしい。すべての関係者各位へ、この本を捧げる。

第1章 何かを書こうとしているすべての人へのアドバイス

ADVICE FOR EVERYONE ON WRITING ANYTHING

私はこれまで、アイオワ大学での二年間の文芸創作講座や、シティ・カレッジ〔ニューヨーク市立大学〕や、ハーヴァード大などで教えてきたが、教師として人に教えるときは、作家志望の人間に教えたいとは思わない。教えたいと思うのは、強い気持ちを抱いている人、何かをとても気にかけている人だ。

——カート・ヴォネガット『Like Shaking Hands with God（未）』より

一九八〇年、アメリカの製紙会社インターナショナル・ペーパー・カンパニーの後援により、各界の著名人の助言を二ページ仕立ての記事で届ける連載企画が『ニューヨーク・タイムズ』紙で始まった。毎回、助言の要点が太字の見出しになって、その下にくわしい説明が書かれ、イラストが添えられている。連載された記事には、ジャーナリストのジョージ・プリンプトンによる「スピーチの仕方」や、ハーヴァード・ビジネススクールのジェロルド・サイモンによる「レジュメの書き方」、詩人のジェイムズ・ディッキーによる「詩の楽しみ方」などがあった。

「私は化学、機械工学、人類学などは落第したも同然で、文学や創作の講座などいっさい受けたことがない。それらの事実にもかかわらず、よい文体について書くよう選出された」カート・ヴォネガットはこの連載に寄稿することになったいきさつについて、そう語っている。[4]

私はヴォネガットの書いたその記事「名文の書き方」を、最初に『ニューヨーク・タイムズ』に掲載された時点で読んだ。それ以来、その記事のコピーを、ハンター・カレッジで文芸創作講座を開くたびに、教え子たちに配っている。この本の第一章も、それに従って進めていきたい。それは、何かを書くことについての、すべての人に向けたアドバイスで、そこには七つの「ルール」が書かれている。

まず、五つの段落から成る序文があって、そのすぐあとにくるのが、もっとも大切なアドバイス「**自分が関心のあるテーマを見つけること**」だ。

ヴォネガットがそれについてどのように書いているか見ていこう。彼は、誰でも人間であるからには、何かに関心を持っているはずだということを前提としている。だから、やるべきことは、自分の心の貯蔵庫を探しまわって、関心のあるものを見つけることだけだ。しかし、太字の見出しのあとに書かれた説明は、もっと複雑だ。

> 自分が関心のあること、そして**ほかの人も関心を持つべきだと心から思うこと**を見つけよう。人が

書く文の中で、もっとも注目を集める魅力的な要素は、そういう心からの関心であって、言葉の工夫や言い回しではない。

断っておくが、私は小説を書くことを勧めているのではない——もちろん、ほんとうに何かに関心があるのであれば、小説を書くのもいい。だが、たとえば、自宅の前にある深い穴についての市長への嘆願書とか、隣の家の女の子へのラブレターでもかまわないのだ。(5)［太字は筆者による］

ヴォネガットが、そういったごくありきたりな文について本気でアドバイスしていることは、次のエピソードからもうかがえる。彼は自伝的エッセイ『Palm Sunday（パームサンデー）』の中で、自分の六人の子どもたちのことを語り、自分から彼らに受け継がれた芸術的な趣味や嗜好、たとえば木工や絵や音楽やチェスなどについて書いている。当時、息子のマークは初めての著書を出し、娘のエディーはある本のイラストを手掛けたところだった。ヴォネガットはふたりの仕事をほめると同時に、ほかの子どもたちの芸術的な成果や一般的な能力もほめている。しかし、中でもいちばん高く評価しているのは、もうひとりの娘のナネットが見ず知らずの他人に宛てて書いた手紙だ。

子どもたちがいままでにつくったすべての芸術作品の中で、私がいちばんいいと思うのは、おそらく末娘のナネットが書いた手紙だろう。とても自然体で血の通った手紙だ。宛先は「ミスターX」。ナネットが一九七八年の夏にケープコッドのレストランでウェイトレスとして働いていたときにきた怒りっぽい客だ。その客はある晩、自分がレストランで受けた対応にひじょうに腹が立ったので、経営者に苦情の手紙を書いた。経営者はその手紙を厨房の掲示板に貼りだした。
それに対してナネットは次のような手紙を書いたのだ。

親愛なるミスターXへ
私は新米ウェイトレスのひとりとして、先ごろあなたがABCインに宛ててお書きになった苦情の手紙にお答えする義務があると思います。あなたの手紙は、この夏、ひとりの若い新米ウェイトレスを苦しませることになりました。それは、あなたがレストランでスープをよいタイミングで出してもらえなかったり、パンを早々に片付けられてしまったりして感じた不快感よりずっと深刻なものなのです。
あなたはたしかにその新米ウェイトレスからお粗末なサービスを受けたのでしょう。私はあの晩、彼女があわてふためき、うろたえていたことを覚えています。それでも彼女は、自分の失敗が、無様ではありますが、不慣れなための過ちだと大目に見てもらえることを願っていました。私自身も失敗したことが何度もあります。幸いにも、お客様はみなユーモアと思いやりのある方々でした。私はそれらの失敗からとても多くのことを学びました。そしてほんの一週間、ウェイトレス仲間のサポートとお客様のご理解をいただいたおかげで、いまではもう、自信を持って仕事ができるようになり、失敗もほとんどしなくなりました。
キャサリンはきっと有能なウェイトレスになると私は信じています。ウェイトレスが学ばなければならないことは、曲芸師が学ばなければならないこととほとんど同じだということをわかってください。適切なバランスやタイミングを把握するのは難しいのです。でもいったん身についたら、しっかりした揺るぎないスキルになります。

ＡＢＣインのように細かいところまで神経の行き届いたレストランでも、失敗の余地はあるはずです。ウェイトレスも人間であることを許容されるべきです。たぶんあなたは、自分が若いウェイトレスを名指しで非難することで、経営者が彼女をクビにしなければならなくなることを理解しておられなかったのかもしれません。キャサリンはいま、新学期の開始が迫るなか、ケープコッドでの夏の仕事を失ってしまいました。

いま、このあたりで新しい仕事を見つけるのがどれだけ難しいか、想像できますか？　いまどきの多くの学生にとって、お金のやりくりをするのがどれほど大変か、おわかりですか？　人生で大切なのは何か、よく考えてください。このようにあなたにお願いするのは、人間としての私の義務だと感じています。あなたが公平な立場から、私のいったことをよく考えて、今後はもっと思いやりを持って人道的に振る舞われることを望みます。

ナネット・ヴォネガット[6]

私自身もナネットの手紙の内容には、ひじょうに共感するところがある。初めて出版された私の短編小説は、横暴な上司に復讐をするレストランの皿洗いを主人公にしたものだった[7]。私は学生のときずっとウェイトレスをしていた。のちに、ウェイトレスの賃金は臨時教員の賃金と変わらないことを知った。詩人のジェイン・ハーシュフィールドが皮肉を込めていっているように、多くの作家は〝飲食業〟に従

事した経験がある。(8)

それはともかく、ナネットの手紙は彼女の父親がもっとも重視する基準をクリアしていた。彼女はこの問題について、手紙を書くくらい関心を持っている。そしてほかの人、とくに自分の上司や、苦情の手紙を書いた男性や、解雇されたウェイトレスや、さらにはレストランの他の従業員たちも、もっと関心を持つべきだと思っている。

ナネットの手紙はとても真剣なものだ。しかし、真剣なテーマをおもしろおかしく書くこともできる。実際、カート・ヴォネガットはそういうものを書いたことがある。

ナネットの手紙の三十一年前、カートが二十五歳のとき、彼は自分と妻のジェインが遵守すべき事柄をまとめた契約書を書いた。ふたりは結婚したてで、ジェインは初めての子を妊娠していた。

カート・ヴォネガット・ジュニアとジェイン・C・ヴォネガットの契約書

一九四七年一月二十六日土曜日より有効

私、カート・ヴォネガット・ジュニアは、以下に記載された約束事項を忠実に遵守することをここに誓います。

1　私は、妻が本件に関してがみがみ文句をいったり、とがめたり、その他もろもろの方法で私を困らせることがないという合意のもと、週に一回、私自身の都合のよい日時に、バスルームとキッチンの床掃除を実施し、さらに、それは徹底したすばらしい床掃除であることを約束する。その意味するところは、妻によると、バスタブの下、およびトイレの後ろ、および流しの下、および冷蔵庫の下、および部屋のすみずみまできれいにすることである。また、そのときたまたま当該箇所の床の上に存在する移動可能な物体は、なんであれ持ち上げ、移動させることによって、その周囲だけでなく下も掃除しなければならない。さらに、私はこれらの務めを果たしているあいだ、「くそっ」や「ちくしょう」や、それに類する下品な言葉を口にしないことを約束する。なぜなら、そのような言葉は、避けられない義務に直面していること以外に深刻な事態が起きていない状況で家の中で発せられると、神経を逆なでするからである。もし私がこれらの約束を履行しなかった場合、妻は好きなだけ文句をいったり、とがめたり、その他の方法で私を困らせることによって、私がいかに多忙であろうと、床掃除をさせることができる。

2　私はさらに、以下に掲げる些細な礼儀作法に従うことを約束する。

当該衣服や靴を身に着けていないかぎり、服はハンガーに掛け、靴は下駄箱に入れること。

玄関マットで靴を拭わなかったり、寝室用のスリッパでごみを出しにいったり、その他もろもろの行為によって、必要以上に泥を家の中に持ちこまないこと。

使用済みの紙マッチや、タバコの空き箱や、ワイシャツの襟に入っていた厚紙などは椅子の上や床の上などに放置せず、ごみ箱に捨てること。

髭剃り用品を使ったあとは洗面所の収納スペースにもどすこと。

風呂に入ったあとにバスタブに残る水垢の直接的な原因が私にある場合、浴用タオルではなく、風呂掃除用のブラシとクリーナーを使ってその水垢を取り除くこと。

　妻が洗濯物を集めて洗濯物袋に入れ、それを廊下の目につくところに出すという合意のもと、その洗濯物袋を、それが廊下に出されてから三日以内にクリーニング屋に持っていくこと。さらに、その洗濯物を、汚い状態でクリーニング屋に持ちこんでから二週間以内に、きれいになった状態で持ち帰ること。

　タバコを吸うときに使用する灰皿を、傾いている場所や、ゆがんでいる場所や、くぼんでいる場所や、しわになっている場所や、ちょっとした拍子に崩れてしまう場所などに置かないよう、あらゆる努力をすること。また、上記の場所には、椅子の端に危なっかしく積まれた本の上や、肘掛け椅子の肘の上や、私の膝の上も含まれると了解すること。

　赤い革製のくず入れや、愛する妻が一九四五年に私へのクリスマスプレゼントとしてつくってくれた型押しレザーのくず入れの縁にタバコを置いたり、その中にタバコの灰を落としたりすることは、それらのくず入れの美しさと根本的な実用性を著しく損なうことになるため、ぜったいにしないこと。

　もし妻が私に何かすることを要請し、その要請が妥当であり、（とくに妻が妊娠中である場合に）男性のやるべきことの範疇に完全に収まっている場合は、妻がその要請を提示してから三日以内にそれに応じること。ただしその三日間に、妻は私に対して、「ありがとう」という以外は、その件に関して何も言及しないこと。しかし万一、相当の時間が経過したのちも私がその要求に応じなかった場合、妻は私がなすべきことをするまで、がみがみ文句をいったり、とがめたり、その他もろもろの方法で私を困らせる権利を完全に有する。

上記の要請を実施するまでの三日間の猶予は、ごみ出しに関するかぎり、認められないものとする。なぜなら、ごみ出しはどんなマヌケでもわかるとおり、そんなに長く待てることではないからである。私は妻からごみ出しの必要性を指摘された場合、三時間以内にそれを実施することとする。ただし、私が自分の目でごみ出しの必要性を認識した時点で、その務めをみずから進んで果たすことによって、妻がわざわざそれを指摘しなければならないという、彼女にとって不快な事態を防ぐことができれば、そのほうが望ましい。

万一、これらの約束事項がなんらかの意味で不合理であったり、私の自由をあまりにも束縛すると判明した場合、私は合法的に提示され、丁寧に議論された代案をもって、それらを修正する措置を講ずるものとし、単に卑猥な言葉をわめくか何かして不法に自分の義務を放棄したり、その後もかたくなに無視したりしてはならない。

この契約書の条件は、私たちの子どもが生まれたあと、（医師の定めるところに従って）妻がふたたびすべての身体および精神の機能を完全に回復し、現在妥当とされている以上に骨の折れる仕事をこなすことが可能となるまで拘束力を持つものとする。(9)

こんな手紙を受け取った妻の気持ち（とくに、家事は議論の余地なく妻の仕事と考えられていた一九五〇年代の妻の気持ち）を想像してほしい。少なくとも、妻は夫が自分の不満に耳を傾けてくれたことがわかるだろう。その不満を、注目に値するものとみなしてくれたことがわかるだろうし、それらの不満や、妻のことや、結婚のことや、妻と日々仲よくやっていくことについて、十分に気にかけているからこそ、わざわざこんなものを書いたのだと納得するはずだ。そしてそんな夫を大好きになるだろう。この先、また夫の灰皿から山盛りの吸い殻を捨てることになっても、許してやろうとさえ思うかもしれない。

＊

ＡＢＣインの客への手紙であれ、結婚契約書であれ、これらの文章が現実の状況や人々にどんな影響を与えたか想像してほしい。例の新米ウェイトレスは、仕事に復帰できたかどうかは別として、自分の立場を弁護してもらえたと感じたはずだ。文句をいった客や彼女を解雇した上司は、もっと思いやりを持つようにうながされ、実際にそうなったかもしれない。（私も十六歳のときに、初めてやったウェイトレスの仕事をクビになって、自分は何をやってもだめだとひどく落ち込んだ。私の姪もウェイトレスとして働いていたレストランで、チップのかわりに「お願いだから繁殖しないで」と書かれたナプキンを置いていかれた。私も姪も、自分を弁護してくれる手紙を誰かが書いてくれていたら、とてもありがたかったと思う。）カートとジェインは、おそらく、カートがあんな契約書を書く引き金となった数々のけんかを乗り越え、平穏に暮らせるようになったに違いない。

＊

要するに、よい文章を書くためには、それが普通の手紙であれ、慎重を要するメールであれ、時間と労力をたっぷりとかけ、しっかり考えて書かなければいけないということだ。何かについて書くときは、それだけのエネルギーをかけるに値するくらいそのことを気にかけ、それを書くコストと、書かないコストを比較しなければならない。

＊

ときには、書くべきテーマが自然に見つかることもある。関心のあることをみずから探し求めなくても、何かが目の前で起こったために、そのことがひどく気にかかって、自分の存在と一体化してしまうような場合だ。

カート・ヴォネガット・ジュニアは戦争捕虜となったあと、ふたたび連合国側の領土にもどったとき、やむにやまれず家族に手紙を書いた。というのも、故郷のインディアナポリスにいる親類縁者は、カートはもう死んだとみなしているかもしれなかったからだ。彼はずっと行方不明だった。自分の身に起こったことを、なんとしても家族に知らさねばならなかった。

差出人
アメリカ合衆国陸軍　12102964
カート・ヴォネガット・ジュニア上等兵

宛先
インディアナ州インディアナポリス
ウィリアムズ・クリーク
カート・ヴォネガット様

親愛なるみなさんへ

みなさんは僕が「戦闘中に行方不明」になっていただけで死んではいなかったということを、まだ知らされていないかもしれない。そう聞かされました。もしかしたら、僕がドイツで書いた手紙もまったく届いていないのかもしれません。ということで、たくさんのことを説明しなければなりません。要約するとこんな感じです。

僕はずっと捕虜になっていたのです。一九四四年十二月十九日、ルクセンブルクとベルギーに対するヒトラーの最後の猛攻撃によって、僕の所属する師団は寸断されました。ドイツ軍の凶暴な装甲部隊七個師団が、僕たちをホッジス将軍率いる第一軍から切り離したのです。両翼にいたほかの師団は、なんとか撤退することができましたが、僕らはその場に留まって戦うことを余儀なくされました。戦車に対して、銃剣では太刀打ちできません。弾薬も、食糧も、医薬品も底をつき、死傷者の数はまだ戦える人員の数を上回りました――そこで僕らは降伏したのです。この戦いのおかげで、第一〇六師団は大統領から表彰され、イギリスのモンゴメリー元帥からも何かの勲章をもらったそうですが、そんなものもらってなんになる。僕は負傷しなかった数少ない兵のひとりです。そのことだけは神に感謝したい。

ともかく、僕らはナチスの超人たちに連行されて、飲まず食わずで夜どおし歩かされ、六十マイルほど離れたリンブルクというところに着きました。そこで、暖房もなく小さくて息が詰まるような有蓋貨車に、一両につき六十人ずつ詰めこまれました。その貨車には便所もなく、床にはまだ乾いてもいない牛糞がそこら中に落ちていました。全員が横になれるスペースはないので、半分が眠っているあいだ、残りの半分は立っていました。それから数日間、クリスマスの日も含めて、僕らはそのリンブルク待避線上の貨車で過ごしました。クリスマス・イブにイギリス空軍がやってきて、捕虜護送用の印のついていなかったその貨車に爆弾を落としたり、機銃掃射をしたりしました。そのせいで百五十人もの捕虜が死にました。クリスマスの日は少し水をもらえて、貨車はゆっくりとドイツ国内を横断しはじめ、ベルリンの南のミュールブルクにある大きな捕虜収容所に着きました。貨車の中から解放されたのは、年が明けた一月一日のことです。ドイツ軍は僕らのシラミを取るために、やけどしそうなほど熱いシャワーを浴びさせました。十日間、極寒の中で飢えと渇きに苦しんだあと、そんなシャワーを浴びて、多くの捕虜がショックで死にました。でも僕は死にませんでした。

ジュネーブ条約によって、士官と下士官は捕虜になっても労働を課されることはありません。でもご存じのとおり、僕は兵卒です。そういう下等人間の仲間百五十人とともに、一月十日にドレスデンの強制労働収容所に送られました。僕はドイツ語が少し話せるので、捕虜たちのリーダーとなりました。サディスティックで狂信的な守衛たちが僕らの担当だったのが運の尽きです。医療措置も衣服の支給も拒否され、長時間、過酷な労働に駆り出されました。食事は一日につき、二百五十グラムの黒パンとなんの味もない一パイント〔約〇・四七リットル〕のジャガイモスープだけ。二ヵ月間、なんとか処遇を改善してもらおうと努めたあげく、冷笑しか引き出せなかった僕は、守衛たちに「ソ連軍が侵攻してきたときには、おまえらをひどい目に遭わせてやるからな」といってしまいました。おかげでさんざん殴られました。捕虜たちのリーダー役もクビになりました。でも、殴られるくらいはなんてことないのです。ある兵士は餓死しましたし、食料を盗んだといって、ふたりが親衛隊に撃ち殺されました。

二月十四日くらいにアメリカ軍がやってきて、そのあとイギリス空軍もやってきて、両軍で二十四時間のうちに二十五万人の人々を殺し、ドレスデンの街——おそらく世界一美しかった街——を徹底的に破壊しました。でも僕は死にませんでした。

その後、僕らは防空壕から死体を運び出す仕事に駆り出されました。女性や子どもや老人が、衝撃で吹き飛ばされたり、炎で焼かれたり、窒息したりして死んでいました。僕らは街の人々からののしられ石を投げられながら、それらの死体を、街の中につくられた巨大な火葬用の薪の山まで運んでいきました。

パットン将軍がライプツィヒを攻略したとき、僕らはドレスデンから徒歩で（チェコスロバキアとの国境に近いザクセン州へ？）疎開させられました。そこで終戦を迎えました。守衛たちは僕らを置いて逃げました。その幸せな日に、ソ連軍が、僕らのいる地域で立てこもっている不法な抵抗勢力を一掃しようとやってきました。ソ連軍機（P－39）の爆撃により、十四人の捕虜が死にました。でも僕は死にませんでした。

そのあと、仲間八人で荷馬車とそれを牽く馬を盗みました。それに乗ってあちこちで物をくすねながら、ズデーテン地方とザクセン地方を八日間まわり、王様のような気分を味わいました。ソ連兵はアメリカ兵が大好きなのです。ドレスデンでソ連軍に拾われて、彼らがアメリカから貸与されていたフォードのトラックに乗せられ、ハレにあるアメリカ軍の前線基地に着きました。そこからは飛行機でフランスのルアーブルに送られました。

この手紙は、ルアーブルの本国送還者収容所の赤十字会館で書いています。すばらしい食事と娯楽を提供されています。アメリカへ帰る船はもちろん混んでいるので、辛抱して待たなくてはいけないけれど、一ヵ月もすれば帰れるのではないかと思います。帰国したら、アタベリーでの二十一日間の保養休暇と六百ドルくらいの未払いの給料をもらって、それからさらに六十日間の賜暇をもらいます。

まだまだいくらでも話すことはあるけれど、残りは帰るまで待ってください。ここでは手紙は受け取れないから、返事は書かなくていいよ。

一九四五年五月二十九日

愛を込めて

カート・ジュニアより

この手紙はヴォネガットの死後、二〇〇八年に『Armageddon in Retrospect（追憶のハルマゲドン）』の中で初めて公表された[10]。驚くべきことに、こうして改めて見ると、ヴォネガットのファンなら誰でもわかるとおり、この手紙にはカート・ヴォネガットの書き方、とくに『スローターハウス5』の文体の原型が、その執筆をうながし、彼の人生と作品のすべてに影響を及ぼした経験とともに存在している。その文体はこの手紙の内容と切り離すことができない。

文体はそれを書く人の関心事によって決まるというカートの主張を、この手紙は見事に裏付けている。彼は最初から「さて、このことをどんな文体で書くべきか？」とか「未来の読者を感動させるために、このことをどんな風に書いたらいいか？」などと考えたりはしなかった。

＊

この手紙を書いたとき、彼は二十二歳だった。自分の身に起こったことを、どうしても家族に知らせたいという強い思いから書いていた。自分が生き延びたことに対して驚きと困惑を覚えながら書いていた。そしておそらく、自分がすさまじい出来事、政治的・文化的に多大な意味をもつ出来事、のちの彼自身の言葉によると〝途方もない〟出来事の、ひと握りしかいない貴重な目撃者のひとりであることも意識しながら書いただろう。

人の書く文の中で、もっとも注目を集める魅力的な要素は、そういう心からの関心なのであって、言葉の工夫や言い回しではない。[11]

＊

「形状は機能に従う」は、建築家のルイス・サリヴァンの有名な言葉だ。

「僕は、進化は天のエンジニアがつかさどっているとほんとうに思うんですよ」二〇〇五年九月、ニュースバラエティ「ザ・デイリー・ショー」に出演したヴォネガットは、司会のジョン・スチュアートにこういった。「そうとしか思えない。そのエンジニアは自分が何をしているのかはっきりとわかっていて、進化がなぜ起きて、どこへ向かっているかも知っている」。そこでヴォネガットは黙りこみ、スチュアートは続きを待った。「だからこそ、世界にはキリンやカバや淋病が存在するんだ[12]」

ヴォネガットのジョークのとおり、天のエンジニアの進化のプランは、手あたり次第といった感じかもしれない。しかし、生物の驚くべき多様性に関する彼の発言によって、私たちは、そのエンジニアが個々の生物をデザインするにあたって発揮した合理性に改めて驚かされる。すべての生物は、それぞれの機能と生存にすばらしく適した形につくられている。サリヴァンのいう建築の原則もそれにならっている。

私たちもそれにならったほうがいい。書くときは自分の目的に従って書くのだ。

＊

ヴォネガットはハイスクールでも大学でも学生新聞をつくっていた。どちらもすばらしい新聞だ。そこで積んだ訓練が、家族に書いた手紙にも影響を与えていたに違いない。彼は戦場のレポートをしていたのだ。ヴォネガットはもともとジャーナリスト志望だった。入隊後の基礎訓練にはタイプライターを持参していった。人はみな自分の中に、ある種の方向に成長させたいと思う何か、運命的な何かを持っていると私は信じている。それは、私自身が作家になるにあたって実際に経験したことでもある。若き日のカート・ヴォネガット・ジュニアは、軍隊での経験が、自分の人生において発展する可能性のある出来事――ほかの人々が死んでいく中で、なぜ自分はけがもせず死にもしなかったのかという問いや、そのほかさまざまな問いとともに、生涯脳裏から離れない出来事になるとわかっていたに違いない。そしてあの手紙はそういったことすべてを記録したものだったのだ。

＊

「名文の書き方」でヴォネガットが二番目にあげているアドバイスは、「**だらだらと書かないこと**」だ。

この件に関する彼の説明にならって、私もこの件については、これ以上だらだら書かないことにする。

三番目のアドバイスは「**簡潔に書くこと**」。あらゆる文学の中で、もっとも深みのあるセリフはもっとも簡潔なものだ、とヴォネガットは指摘している。「シェイクスピアのハムレットは『To be or not to be?（生きるべきか、死ぬべきか？）』と自問した」

『ニューヨーク・タイムズ』の記事には、風刺漫画風のシェイクスピアのイラストが添えられている。こめかみに指をあて、「To be or not to be?」といいながら、頭上には頭の中で考えていることを示す吹き出しがあり、「私はみずからの衝動に従って行動すべきか、それとも何もせずにこの世から消えてなくなるべきか？」と書かれている。

ヴォネガットはこう続けている。

簡潔であることは、単にすばらしいだけではなく、神聖ですらある。聖書の書き出しは、利発な十四歳の生徒でもじゅうぶん書けるような文で始まる。「はじめに神は天と地をつくられた」だ。[13]

古めかしくて、複雑で、難しい言葉がいっぱい出てくる難解な文は、率直でわかりやすい文より高尚で知的だと思われる。一読して理解できないとしたら、それはとても高級な文に違いない。ヴォネガットは、そういう前提がばかばかしいという思いに基づいて、いくつかの長編小説を書いている。

文芸評論家の中には、ヴォネガットの文章が単純すぎるといって批判する者もいる。ジョン・アーヴィングはそういう評論家を批判してこう書いている。彼らは「とても複雑で読むのに難儀するような作品であればすばらしいものだ」と考え、反対に「明快で歯切れがよく、すらすらと流れるような文で書かれている場合は、単純で深みにかけるくだらないものだと疑ってかかるべきだ、と考えている。それこそ単純な批評であり、安易な批評でもある」

「なぜ〝読みやすい〟ことが、今日、それほど悪いことなのか？」それは「自分が読んだものを苦労して理解することに喜びを見出す」人々がいるからだ。「私はむしろ、わかりやすい文を書くために多大な努力を払っている作家から喜びを得ることが多い(14)」

ヴォネガット自身も文芸評論家を批判して、彼らは「ロココ建築のように華美で冗舌な」文を書く、といっている(15)。

＊

どうすればだらだらと書くことを防げるのか？　どうすれば「簡潔に書くこと」ができるのか？　そのためには、ヴォネガットの第四のアドバイス「**勇気を持って削除すること**」に従うとよい。

たとえクレオパトラの首飾りのように書ける才能があっても、その文筆の才は、頭の中の考えの下僕でなくてはならない。そこで、従うべきルールはこうだ。もしある文がいくらうまく書けたとしても、それが肝心の主題を、新しく、意味のある形で際立たせていないなら、その文は削除すること(16)。

よけいなことをだらだら書いたり、ぶつぶつ論じたり、細部にこだわったりする癖があるとしたら、それに対処するためのひとつの方法は、どんどん書きたいように書くことだ。好きなだけだらだらと書いて、きらびやかに飾りたててもかまわない。

そういう傾向を抑えつけ、あふれ出てくるものに蓋をすると、ダイヤモンドが出てくる可能性をつぶしてしまうことになる。それよりは、最初はとりとめなくごてごてと飾りつけ、あとでよけいなものを削除するほうがいい。

※

私自身から、何かを書こうとしている人に贈るアドバイスは、書く作業と編集の作業を切り離すことだ。最初はとにかく全力で書き、書いているものを吟味したりしない。できあがったら、しばらく放っておく。そのあと、新鮮な目で読み、編集したり修正したりする。このプロセスを繰り返す。自分ができあがりに納得するまで、必要に応じて何度でも。

この方法は作文を教える教師のあいだでは常識となっている。いわゆる「自由記述法《フリーライティング》」と呼ばれる方法だ。[17] 小学生なら知っているだろう。自由記述法《フリーライティング》があるということは、それ以外の方法、自由でない方法があることや、編集による自由の制御があることを示している。

かつては自由記述法《フリーライティング》など誰も知らなかった。私たちは文を図表化して考えていた。それは時間がかかるけれどおもしろいゲームだった。私たちは言葉の構造をそうやって覚えた。それは美しい幾何学模様のようだった。

私は作文の構造を教わったのも覚えている。それについて、冗談でこんな風にいっていた。まず自分がいおうとしていることをいう。そのあとそれをいう。そのあとそれをいったという。作文も私にとっては幾何学模様のようだった。文は主語と動詞と目的語から成る。段落はいくつもの文から成る。まず段落の主題を明らかにする文、そのあと主題の要点を述べたり詳しく説明したりする複数の文、そしてすでに述べたことをまとめたり強調したりする結びの文。作文全体はいくつもの段落から成る。段落を積み上げていけば、ジャジャーン、作文のできあがり！

✲

アイオワ大学のヴォネガットの授業では、書く作業と編集の作業を分けよなどとは教わらなかった。それはヴォネガットの書き方ではなかったからだ。おそらく、彼がショートリッジ・ハイスクールで学生新聞をつくるためや、教師に出す作文を書くために習い覚えた書き方でもなかっただろう。

一九七四年のインタビューで、ヴォネガットはこんな質問を受けている。「執筆の方法について少し教えていただけますか。何ページか書いたら、そのつど書き直すのですか？」彼の答えはこうだ。

> 〔作家には〕すらすら型と、ぶち壊し型のふたつのタイプがある。で、私はたまたまぶち壊し型なんだ。つまり、壁に頭をがんがん打ちつけて、壁を壊して、やっとこさ二ページ目に到達する。それからまた壁を突破して三ページ目に到達する。その繰り返し。まあ、書き方は人それぞれだけどね。たとえば、私は電動タイプライターなんてまったく必要ないし、いまでも、なんであんなものがつくられたのか理解できないくらいだ。でも、すらすら型の書き方はね——うらやましい書き方でもある。なぜって、あんな風に書けたら気持ちいいだろうから。そういう作家は、一冊の本をたぶん一ヵ月かそこらで書いちゃうんだ。一気に仕上げてしまう。そのあと最初から見直す。何度も何度も、繰り返し。私はそういう書き方はできたためしがない。でも『The Sirens of Titan（タイタンの妖女）』はそれに近いやり方だった。あれはほとんど自動書記《オートマティック・ライティング》といっていいものだったな。難儀して壁を壊しながら書いたものではなかった。ただ書きはじめたら書けたんだ。[18]

ヴォネガットは『タイタンの妖女』を長い紙に一気に書いた。ケルアックのように、タイプ用紙を何枚も何枚も貼りあわせて。ヴォネガットの作品を収めたインディアナ大学の資料館には、その原稿が巻物のように巻かれて保管されている。

『タイタンの妖女』の草稿。著者撮影。インディアナ州ブルーミントン、インディアナ大学のリリー・ライブラリー所蔵。

※

「名文の書き方」という記事自体ももちろん編集されている。以下にその編集の例をいくつかあげた。カッコ内に傍線（破線）で書かれた部分は編集者が削除した部分である。最初の例は五段落から成る出だしの文章だ。

［紙の上に何かを書きはじめるときにぜひ覚えておいてほしいのだが、］作家が自分自身の情報として、読者にもっとも悟られてはいけないことは、おもしろいテーマとおもしろくないテーマの見極めがつかないということだ。誰だって、作家の好き嫌いは、その作家がどんなテーマを選んで、どんなことを読者に考えさせようとしているかという点で決めるだろう。頭のからっぽな作家を、文章がうまいからという理由で尊敬することがあるだろうか？　ありえない。

この文章の最初のフレーズを編集者が削ったのは正解だっただろう。「〜のときに」という条件をつけるより、条件なしの平叙文のほうが強い。一般的にそうだ。[19]「おもしろいテーマとおもしろくないテーマの見極め」は、「何かを書きはじめるとき」にかぎらず大事なことだし、「ぜひ覚えておいてほしい」というフレーズには、「そうでないとだめ」というニュアンスがあるが、そういう説教くさいことをいわれるのは誰でもいやなものだ。何より、「紙の上に何かを書きはじめるときにぜひ覚えておいてほしいのだが、」というフレーズは、「主題を際立たせて」いない。

✻

ヴォネガットはこの出だしの文の冒頭で、新聞記者や専門的な文書を書くテクニカルライターは自分自身について暴露しないよう訓練されているが、それ以外の作家はみな、「たくさんのことを［……］読者に暴露している」と述べている。

これらの暴露された情報は［読者にとっては魅力的だ。なぜならそれは］読者に、いま自分が時間を割いて読んでいる文の作者がどんな人物なのか教えてくれる［からだ］。その人物は無知なのか博識なのか、［異常なのか正常なのか、］まぬけなのか聡明なのか、嘘つきなのか正直なのか、くそまじめか冗談好きか——？　その他もろもろ。

編集者は「魅力的だ」という部分を（この記事で何度も出てくる「読者」という言葉とともに）削除し、すぐに本題に入るようにしている。「異常なのか正常なのか」という部分も削除しているが、それは「〜か〜か」の例示が多すぎるからだろう。四つもあげれば十分だ。

※

「いいたいことを的確にいうこと」の項では、編集者はふたつの文を削除している。

［現代の作家も昔からある文体から大きく離れないようにすべきだ、と主張するのが学校の教師だけなら、無視してもかまわないだろう。しかし実際は読者もまったく同じことを要求している。読者は］私たちの書くものが、いままでに読んだことのあるものとよく似ていることを望んでいるのだ。

編集後の文はこうなった。

読者はページの上に書かれているものが、いままでに読んだことのあるものとよく似ていることを望んでいる。

なぜ勇気を持って削除しなければならないのか？　それは力強い文にするためだ。よけいなものを排除して、できるだけ少ない言葉でいったほうが、その言葉が的確な場合は、より効果的だ。

＊

ヴォネガットの五番目のアドバイスは「**自分らしい響きをもたせること**」だ。

＊

自分にとってもっとも自然な文体は、子どもの頃に聞いた話し言葉の影響を受けているはずだ。小説家のジョゼフ・コンラッドにとって、英語は第三言語だった。コンラッドが使うきびきびした魅力的な英語は、おおかた彼の第一言語であるポーランド語の影響を受けていたに違いない。また、アイルランドで育った作家はとても幸運で、なぜなら、そこで話されている英語は、とてもおもしろくて音楽的なものだからだ。私自身はインディアナポリスで育ったが、そこで普通にしゃべられている話し言葉は、帯鋸でトタン板を切るような響きで、モンキーレンチと同じくらい装飾性に欠ける語彙を使用している。

多様な話し言葉はどれも美しい。どの種類の蝶も美しいのと同じだ。自分の生まれ育った場所の言葉がどんなものであれ、それは生涯大切にすべきだ。たとえそれが標準語でなくても、あるいは標準語で書こうとしたときにそれが自然と表に出たとしても、その結果はたいてい魅力的なもので、たとえていうなら、片方が青い目で、もう片方は緑の目のとてもかわいい女の子のような感じになるだろう。(20)

※

ヴォネガットのいいたいことを理解するために、以下のさまざまな文の響きをチェックしてみよう。どれも短編小説の出だしの文だ。どれもヴォネガットの文とは似ていない。どれも互いに似ていない。指紋や雪の結晶がひとつひとつ違うように、どれもが独特だ。巻末の注を見て出典を確認したりせず、ただ声に出して読んで、その響きに耳を傾けてほしい。

あなただって昔のあたしに会っていればうれしかったはずよ。あたしは若さを存分に堪能していたから。そう、あの幸せな日々のあいだずっと、あたしはその辺の女とは違っていた。その日々は、はかない夢のように目の前を素通りしていったのではないの。火曜日も水曜日も、土曜日の夜と同じように愉快だったわ。(21)

ヘンリーの食堂のドアが開き、ふたりの男が入ってきた。ふたりはカウンター席にすわった。(22)

おめくらさんってのは、気をつけて見てごらん、みなハミングが癖になってる。そりゃあ、まったく無理もないことでね、そばにそういう人がいりゃわかるけど、目が見えないと、人と知り合うのにえらい苦労をするんだから。最初はどっからともなくハミングが聞こえてきてたまげるけど、いったん慣れたら、教会の中に入ったようなもんさ、教会じゃ、太ったおばちゃんも、じいちゃんも、神父様が何かいうたんびに、のどの奥でもごもご唱えるでしょうが。[23]

こんな夢を見た。海辺の村へ続く道路沿いのたくさんの果樹園が、ぱっと燃えあがった。風のないその日の午後いっぱい、いくつもの炎の舌が、休むことなく果樹園の花々のあいだを突き進んでいった。[24]

※

どれもとてもすてきな響きだ。だが、どれもそれぞれに違っている。

※

アメリカ中西部の話し言葉に対する辛口のコメントに反して、ヴォネガットの文はカラフルで精密で音楽的だ。響きは意味に調和し、言葉本来の機能に従っている。

［……］そこで普通に話されている言葉は、帯鋸でトタンを切るような響きで［……］

彼女の放つ色気は祖母のトランプ用テーブルが放つ色気と似たり寄ったりだった。(25)

地球の表面は絶え間ない創造に沸き立ち、ぼこぼこと煮えくり返えっていた。(26)

［〝統合失調症《スキッツォフリーニア》〟という言葉を聞いて］私は、フレーク石鹸の吹きつける嵐の中で人がくしゃみをしている絵と音を想像した。(27)

＊

ヴォネガットのアドバイスは次のように続いている。

私自身、自分の書いたものにいちばん自信がもてて、人からもいちばん信頼されるように思うのは、インディアナポリスの人間らしい響き、すなわち自分らしい響きがあるときだとわかった。この私に、ほかにどんなやりようがあるだろう？　それについて、学校の教師たちからもっとも熱心に勧められたのは、一世紀かそこら前の教養あるイギリス人のように書け、ということだった。同じようなことをいわれた経験のある人は多いだろう。

現代の教師たちがまだそんなことを強要しているとは思えないが、ヴォネガットが学校に通っていた頃はそうだったのだろう。教師たちはそれ以外にも生徒たちの心をくじけさせるようなことをいろいろ要求する。

＊

ヴォネガットは『チャンピオンたちの朝食』で、そういう教師たちの要求を大いに茶化し、おもしろがっている。

「よくない言葉遣いだったかもしれません」とパティはいった。彼女は自分の言葉遣いについてしょっちゅう謝っていた。そうすることを学校で奨励されていた。ミッドランド・シティの白人のほとんどは、しゃべることに自信がなく、できるだけ短い文で、できるだけ簡単な言葉を使うようにしている。そうすれば恥ずかしい間違いを最小限にすることができるからだ。ドウェインは間違いなくそうしていた。パティももちろんそうしていた。

なぜなら、英語の教師たちは、生徒が第一次世界大戦より前のイギリスの貴族のようなしゃべり方をすることを要求し、それに失敗するたびに、顔をしかめたり、耳をふさいだり、落第点をつけたりするからだ。また、生徒たちは、大昔にはるか遠くに住んでいた人々について書かれた不可解な小説や詩や戯曲、たとえば『アイヴァンホー』のようなものを理解して好きになることを要求され、それができなければ、英語をしゃべったり書いたりする資格はない、ともいわれていた。

［……］

しかし黒人たちはそんなことを我慢したりしなかった。彼らは英語を好きなようにしゃべった。自分たちが理解できない本を読むのを拒んだ——読んでも理解できないからという理由で。そしてこんなぶしつけな質問をした。「なんでおれが『二都物語』なんか読まなきゃいけないんだ？　なんで？」

［……］

パティ・キーンは『アイヴァンホー』を読んで鑑賞しなければならない学期に、英語の授業で落第点を取った。『アイヴァンホー』は鉄の甲冑を身に着けた男たちと、その男たちを愛する女たちの話だ。パティは補習授業を受けさせられ、そこで『大地』という本を読まされた。それは中国人たちについて書かれた本だった。(28)

＊

ヴォネガットはいかにもインディアナっ子らしい自分の文体につねに自信を持っていたわけではない。

あるとき、演劇プロデューサーのヒリー・エルキンズといっしょになった。彼はちょうど『猫のゆりかご』の映画化権を購入したところで、私は都会風のしゃべり方をしようとした。ちょっとあかぬけた言葉をいくつか口にしたところで、ヒリーは首を振ってこういった。「いやいやいや、よしてくれ。ウィル・ロジャーズ〔素朴なコメントで人気を博したコメディアン、ユーモア作家〕でいこう。ケーリー・グラント〔上流階級的なしゃべり方をした二枚目俳優〕じゃなくて」

この会話が交わされたのは一九六〇年代の半ばで、ヴォネガットがアイオワ大学で教えていたときだった。彼はこのエピソードをすぐさま私たちに明かした。そのとき、情けなさそうに笑っていた。私がそのときのことを鮮明に覚えているのは、その週に妹が私のもとを訪ねてきて、彼女を創作講座の授業に連れていったからだ。私は妹にその講座の雰囲気、とくにヴォネガットの雰囲気を知ってほしかった。ところがその日、ヴォネガットはいなかった。ニューヨークに行っていたのだ。リチャード・イェーツが代理で授業をしてくれた。（ものすごい代理だ！）

当時ヴォネガットはようやく成功をつかみつつあった。『猫のゆりかご』の映画化権が売れるなど、とつぜん、あちこちでいろいろな可能性が広がっていた。彼は経済的な安定を見出しつつあった。「私は安定を欠いては取り戻すの繰り返しだ。しかし、これこそすべての大衆小説の基本的なプロット。つまり、私自身がひとつのフィクションなのだ」ヴォネガットはヒリー・エルキンズとの会話を紹介した文のすぐ前でこう述べている。(29)

「私がいま理解するところによると、当時、教師たちから、自分の書いたものと比較してみなさいといわれた昔のエッセイや小説などは、その古めかしさや異国的な響きのせいで優れていたのではない。作者のいいたいことが的確に表現されているからこそ優れていたのだ」ヴォネガットは第六のアドバイス「**いいたいことを的確にいうこと**」の説明でそう書いている。

教師たちは、正確に書きなさいといった。必ず、もっとも効果的な言葉を選んで、ひとつひとつの言葉を機械の部品のように精密に、誤解の余地がないように結びつけなさいと要求した。彼らは結局、生徒をイギリス人に仕立てたいわけではなかった。ただ、わかりやすい文章を書くこと――それによって、人に理解してもらえるように書くことを望んでいた［……］もしも句読点のルールをまったく無視して、どの言葉にも自分の好きな意味をもたせ、それをでたらめにつなぎ合わせたりしたら、まるで理解してもらえないだろう。

だから、「もし語るべきことがあって、それを人に理解してもらいたいと思うなら」、そういうことは避けたほうがいいとヴォネガットはいっている。(30)

＊

＊

『チャンピオンたちの朝食』では、抽象表現主義の画家、ラボ・カラベキアンが自分の絵をミッドランド・シティ芸術センターに売る。その絵は「幅二十フィート〔約六メートル〕、高さ十六フィート〔約四・八メートル〕」の全面に、金物屋で買った「緑色の壁用ペンキ」が塗られていた。

縦に入った線は、派手なオレンジ色の蛍光反射テープだった〔……〕その絵の値段は世間の度肝を抜いた。［なんと五万ドルだ！］〔……〕

ミッドランド・シティの市民はいきり立った。

〝芸術センターの開館を祝う芸術祭の著名なゲスト〟がたくさん泊まっているホテルで、ラボ・カラベキアンはボニー・マクマオンという地元出身のウェイトレスに、芸術祭の女王役を務める十代の少女についてたずねる――白い水着を着て首にオリンピックの金メダルをかけたその少女の写真は、芸術祭のプログラムの表紙を飾っていた。

この女の子はミッドランド・シティでただひとりの国際的な有名人なんです。メアリー・アリス・ミラーという名前で、女子二百メートル平泳ぎの世界チャンピオンです。まだ十五歳なんですよ。

ボニーはそう説明した。［……］

［……］メアリー・アリスのお父さんはシェパーズタウンで更生保護委員会の委員を務めていますが、メアリー・アリスが八ヵ月のときから泳ぎを教えはじめ［……］三歳からは毎日、少なくとも四時間泳がせるようにしました。

ラボ・カラベキアンはそれについて少し考えてから、まわりの人々にも聞こえるように、大きな声でこういった。「娘を船外モーター機に仕立て上げるとは、なんという父親だ！」［……］

ボニー・マクマオンはかっとなった。［……］「なんですって？」とボニーはいった。「なんですって？」［……］

「メアリー・アリス・ミラーなんかたいしたことないって思ってるの？　じゃあいうけど、あたしたちだってあんたの絵なんかたいしたことないって思ってるわ。五歳児だって、あれよりましな絵を描けるわよ(31)」

＊

まだ『チャンピオンたちの朝食』を読む喜びを味わっていない読者のために、同書の語り手が「この本の精神的なクライマックス」と呼ぶカラベキアンの言葉、すなわち彼がホテルのバーにいた人々に自分の絵について説明したスピーチをここで引用するのは差し控える。しかしカラベキアンは見事な説明をした。

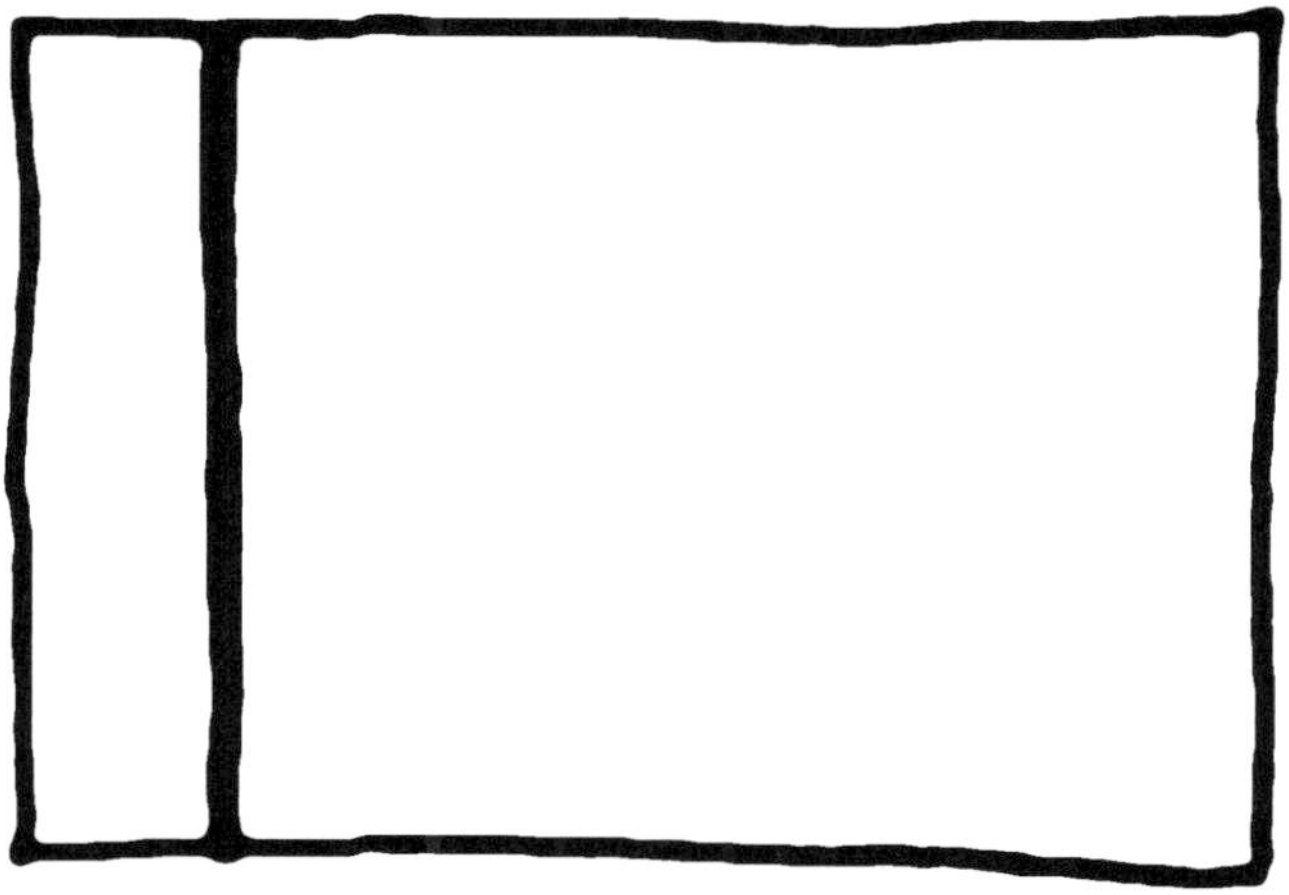

ラボ・カラベキアンの蛍光反射テープを使用した絵画のイラスト。『チャンピオンの朝食』より。

このエピソードの次の章の冒頭には、このように書かれている。

カラベキアンのスピーチはすばらしい好評を博した。今では誰もが、ミッドランド・シティは世界屈指の名画を手に入れたと思っている。

「必要なのは説明だけだったのね」とボニー・マクマオンはいった。「やっとわかったわ」

「あの絵に説明することがあるなんて思いもしなかったぜ」建設作業員のカーロ・マリティノが驚いた様子でいった。「ところがどっこい、あったんだな」

宝石商のエイブ・コーエンはカラベキアンにこういった。「芸術家がもっと説明をすれば、みんなもっと芸術が好きになるのにねえ。そう思いませんか？[32]」

＊

あるインタビュアーがヘミングウェイに、どれくらい書き直しをしますかとたずねた。ヘミングウェイは、場合によると答えた。「『武器よさらば』の最後のページは、納得できるものになるまで、三十九回も書き直した」

「何がそんなに難しかったんですか？」とインタビュアーはきいた。

「適切な言葉にすることだよ」(33)

＊

ヴォネガットは書くことによって、自分がいいたいことを発見していた。

タイプライターから現れるメッセージはひじょうに粗削りだったり、分別に欠けていたり、誤った印象を与えるようなものだったりするが、十分に時間をかけてタイプを打っていけば、やがて私の中のもっとも知的な部分が顔を出して、それが語ろうとしていることを理解できるようになるんだ。(34)

ヴォネガットのもっとも愛されている短編のひとつ「Harrison Bergeron（ハリスン・バージロン）」の

初期の草稿――いたずら書きのようになぐり書きされて途中で終わっているので、おそらく第一稿だろうが、それは次のような書き出しで始まっている。

西暦二〇八一年。

四月はもちろん、いまだにもっとも残酷な月だ。湿気と、闇と、春は永遠にこないのではないかという恐れは、小さな家の中で、テレビ画面の放つほのかな光によってかろうじて食い止められている。これら絶望の三騎士たちは、テレビが消えた瞬間に、ジョージとヘイズルのバージロン夫妻を窒息死させようと、手ぐすね引いて待っているようだった。

「ほんとうにすてきな踊りだったわね」とヘイズルがいった。

「騎士たち」のメタファーがあまり上出来でないことはさておき、ヘイズルがいっている踊りとはいったいどんな踊りだろうか？　ヴォネガットはその答えを鉛筆で書き加えていて、その結果、修正された原稿ではこうなっている（傍線の部分が鉛筆で書かれていた部分）。

これら絶望の三騎士たちは、テレビが消えた瞬間に、ジョージとヘイズルのバージロン夫妻を窒息死させようと、手ぐすね引いて待っているようだった。テレビ画面には数人のバレリーナが映っていた。

「ほんとうにすてきな踊りだったわね、あの人たちのいまの踊り」とヘイズルがいった。(35)

これで読者は、ジョージとヘイズルがテレビで踊りを見たことだけでなく、いつ、どのような踊りを見たかということまではっきりとわかる。

最終的に出版された作品では、「騎士たち」という奇妙な言葉が消えている。しかし、多少の修正を施されて、四月の気候に関する説明は残っている。第一段落は大幅に書き直された。そしてとびきり上等な出来となっている。

西暦二〇八一年、あらゆる人間はついに平等になった。神と法の下に平等なだけではない。あらゆる面で平等なのだ。誰もほかの者より賢くはない。誰もほかの者より美しくはない。誰もほかの者より強かったり敏捷だったりしない。これらの平等はすべて、合衆国憲法修正第二一一条と第二一二条と第二一三条および合衆国ハンディキャッパー総局の局員たちによる不断の監視により実現した。[36]

＊

ヴォネガットは何度も何度も書き直しをした。それは、自分の作品の読者に大変なスキルが要求されることを痛いほど認識して、読者に同情していたからだ。

［読者は］紙に書かれた無数の小さな印を識別し、その意味を即座に理解しなければならない。読者は読まなければならないが、読むという技術はひじょうに難しく、ほとんどの人は小学校から高校まで、十二年間も勉強しても、完全にマスターすることはできない。

そこで七番目のアドバイス「**読者を憐れむこと**」の出番だ。

読者は書き手に、思いやりのある辛抱強い教師であることを求め、つねに簡単で明瞭な文を書くことを望んでいる。(37)

「紙に書かれた印」とは記号である。記号は認識する内容そのものではない。それは音と音の組みあわせを表しているにすぎないので、そこから意味を解読しなければならない。「紙に書かれた印」は、読書という無音の音楽を奏でるための楽譜なのだ。

※

じつのところ、人類の読書の歴史はそう長くはない。最初の文字が生まれたのは紀元前二〇〇〇年ごろだ。(38)それから三千年以上たった西暦一一〇〇年ごろ、中国の畢昇《ひっしょう》という人物が最初の活字をつくったが、それが広く活用されるにはさらに数世紀待たねばならなかった。およそ三百五十年後の一四五〇年、グーテンベルクが印刷機を発明した。つまり、文字の出現から三千年以上かかって、ようやくひとつひとつの文字を活字にする機械が考案され、それからさらに四百年かそこらたってグーテンベルクの印刷機が広く利用されるようになり、一般の人々が本を読めるようになって、印刷物がごくあたりまえのものとして普及しはじめた。

ある種の人々の脳は、紙に書かれた文字をうまく解読できない。難読症と呼ばれる「読むことに関する特殊な学習障害」だ。それは神経系の障害で、遺伝性のことが多く、知性や訓練とはまったく関係がない。この障害があると、すらすら本を読んだり、音読したりするのが難しく、内容が理解できない場合もある。語彙の発達が阻害されたり、正しい綴りが書けなかったりして、自信喪失や不安につながることもある。アメリカ人の十五パーセントが難読症と推定されている[39]。

しかし、文字を正しく解読できる脳を持った人でも、ヴォネガットが指摘したように、読むことを学ぶには学生時代のすべての時間を必要とする。それだけやっても、多くの人が、読むことは難しいと感じている。ある調査によると、アメリカ合衆国に住む三千二百万人の成人は読むことができない。これはアメリカの成人全体の十四パーセント、およそ七人にひとりにあたる。また、成人の二十一パーセントは小学校五年生以下のレベルの読解力しかない。これらの統計は、おそらく難読症の人々を含めたものだろう[40]。

ヴォネガットは読むことを「技術」と呼んでいる。それは生まれつき身についているものではない。学ばなければ身につかないし、すべての技術と同様に、生涯その能力を高めていくことができ、それによって喜びを見出し続けることができる。

✻

ヴォネガットは『猫のゆりかご』の読者がその作品の重要な概念のひとつである〈アイス・ナイン〉を理解し、思い描くことができるように苦心した。そのために、ブリード博士という〈アイス・ナイン〉の専門家とおぼしき人物を登場させ、語り手に説明させている。読者も語り手といっしょにブリード博士から教わるのだ。

「液体が結晶化する――すなわち凍る――すなわちその原子が整然と堅固に積み重なるには、幾とおりもの形が考えられる」ブリード博士は私にそういった。

手にたくさんのシミの浮いた高齢の博士は、郡庁舎の芝生の庭に大砲の弾を積み上げるときや、木箱の中にオレンジを詰めるときのいろいろな形を私に考えさせた。

「結晶の中の原子もそういう風に積み重なっている。そして同じ物質の結晶でも、形が違えば、まったく異なる物理的性質を持つようになる」[……]

「では、郡庁舎の庭の大砲の弾や、木箱の中のオレンジをもう一度想像してみよう」ブリード博士はそういって、それらの砲弾やオレンジの山のいちばん下の層の並び方が、その上の層の砲弾やオレンジの並び方や安定度を決定することを私に理解させた。「いちばん下の層が、その上にくるすべての砲弾やオレンジがどのように振る舞うかの種になる。上にくる大砲やオレンジの数がいくら多くなってもそれは同じだ」

「では、仮にこう考えてみよう」ブリード博士は楽しそうに笑みを浮かべながらいった。「仮に、水が結晶化する、すなわち凍るにはたくさんの形があり得るとしよう。つまり、我々がよく見るスケート場の氷やハイボールに入れる氷は――仮に〈アイス・ワン〉と呼ぶとすると――何種類もある氷の一種にすぎないのだ。そして、地球上で水がつねに〈アイス・ワン〉の形でしか凍らないのは、地球では水が〈アイス・ツー〉や〈アイス・スリー〉や〈アイス・フォー〉の形で凍るための種がなかったせいだとするとどうだろう？〔……〕さらにいうと、」ここでブリード博士はあの老けた手で自分の机をまたポンとたたいた。「水の結晶には、我々が〈アイス・ナイン〉と呼んでいる種類があって――それはこの机と同じくらい堅い――融点はだいたい華氏百度〔摂氏三十八度〕、いや百三十度〔摂氏五十四度〕くらいになるとしよう」

「なるほど。そこまではわかりました(41)」

＊　＊

この「わかりました」こそ、書き手が読者に求めるものだ。

だからこそヴォネガットは、読者への思いやり、「読者を憐れむこと」を熱心に忠告して、「名文の書き方」を締めくくっている。

＊

私はヴォネガットの小説を読んでいるとき、話の筋を追えなくなることがある。もともと私はあらすじを追うのが得意ではない。何が起こったかよりも、共感できることのほうに興味がある。だから物語の筋や出来事の因果関係などにあまり注意を払わなかったりするのだ。

しかしそれは私だけの責任ではない。ヴォネガットにも責任がある。彼は何が起こったかを必ずしもはっきりと書かない。ときには、あまりにもたくさんのことが起こったりする。

以前に読んだある書評は、誰の書評でどの作品について書いたものか忘れてしまったが、私と同じように、ヴォネガットの作品を読んでいると、起こったことを忘れてしまうと書いてあった。そこで、その人は読むスピードを上げることにしたという。私のアドバイスはその反対で、読むスピードを落とすこと、ゆっくり読むことだ。

この本を書くために、私はヴォネガットの全作品を読み直したが、メモを取りながら読んだので、とても時間がかかってしまった。しかしそのおかげで、それらの作品は、読者に読み続けたいと思わせる工夫が施されていることがわかった。さらに、ゆっくりと読むことで、おもしろさも理解も味わいも、何もかも増すように書かれていることもわかったのだ。

第2章 小説を書くことについて
ABOUT WRITING FICTION

作文の技術についてのアドバイスは、何を書く場合にも役立つことが多い。しかし、特別な知識や技術が必要な文を書くには、特別なアドバイスが必要となる。

たとえば、詩人のロバート・フロストの名言に、「韻を踏まずに詩を書くのは、ネットを張らずにテニスをするようなものだ」というものがあるが、これは詩人でもないかぎり役に立つ名言ではない。詩人でも、現代の詩人の多くにはピンとこないだろう。押韻詩は最近はやらないからだ。

ノンフィクション系の作家にはジャーナリストやコラムニスト、自伝作家、伝記作家、随筆家、評論家などがいる。いっぽうフィクション系の作家には超短編作家や短編作家、長編作家がいて、純文学、SF、ロマンス、ミステリーなどのさまざまなジャンルがある。また、詩人や劇作家、脚本家などもいるし、もちろんブロガーもいて、ほとんどの人はふたつ以上のジャンルをまたいでいる。しかし、ほとんどの作家は、ある特定の形式、ジャンルを好み、それに秀でている。

カート・ヴォネガットは生涯、ものを書いてきた。その間、彼が目指したものや、表現の形式、環境などは変化した。また、文芸に関する世の中の流行や経済環境も変化し続けてきた。しかし、アメリカを代表する表現者としてのヴォネガットの名声は、彼の小説、とくに長編小説によってもたらされ、それが変わることはなかった。また、彼自身、自分は基本的に長編小説家だと考えていた。

教師として教えるときも、ヴォネガットは小説の書き方を教えた。小説家として考え、教えることに慣れていたために、一般人を対象とした「名文の書き方」を書いたときも、「勇気を持って削除すること」という項の説明の部分で、小説を書く人間だけに向けた一文を付け加えてしまい、その部分を編集者によって削除されている。

したがって、書くことに関してヴォネガットが提供する珠玉の知恵は、小説を書く技術と、小説家のあり方に関するものである。

＊

以下にあげるのは、ヴォネガットが小説とノンフィクションの違いについて説明したものだ。書かれたのは一九七〇年代で、ちょうどトルーマン・カポーティの『冷血』やトム・ウルフの『The Pump House Gang（未）』などによって〝ニュー・ジャーナリズム〟と呼ばれるノンフィクションのジャンルが開拓された時期だ。それらの作品が批評家によってニュー・ジャーナリズムと名付けられたのは、従来のジャーナリズムと違って、作者が自分自身の匿名性や客観性を重視せず、語り手として登場するからだ。

私はいま改めて、優れた小説は真実を伝える方法としてニュー・ジャーナリズムよりもはるかに優れていると確信している。いいかえれば、最高のニュー・ジャーナリズムは小説であるということだ。ニュー・ジャーナリズムでも小説でも、ひとりの個性的なレポーターがいる。しかしニュー・ジャーナリズムのレポーターは、小説のレポーターたる小説家にくらべると、話の伝え方も見せ方も、はるかに制限されている。ニュー・ジャーナリストには、読者を連れていけない場所がたくさんある。いっぽう、小説家は読者をどこへでも連れていける。たとえば木星にだって、そこに見るべきものがあるなら、連れていけるのだ。［……］

こうしてジャーナリズムと小説について考えているうちに、遠い昔、コーネル大学の一年生だった頃に、騒音と音楽の違いについて物理の教授が実演をまじえて説明してくれたことを思い出した［……］その教授は銃剣ほどの長さの細い板を、教室のコンクリートの壁めがけて投げつけた。「これが騒音」と教授はいった。

そのあと教授は同じような板を七枚持ち上げると、先ほどの壁に向かって、まるでサーカスのナイフ投げのように次々と投げつけた。連続して壁にぶつかった板は、「メリーさんのひつじ」の冒頭のメロディーを奏でた。私はびっくりして心を奪われた。

「これが音楽」教授はいった。

小説は音楽で、ジャーナリズムは従来のジャーナリズムもニュー・ジャーナリズムも騒音だ。(42)

この文を書いてから何年ものちに、ヴォネガットはこう述べている。

歳を取るにつれて、私はどんどん説教好きになってきた。何かをいうときは、思っていることをそのままいう。イースター・エッグのように隠して人に探させるようなことはしない。だから、もし何か思うところがあって、それが自分にとって疑いのないものであれば、それを小説の中にはめ込んだりしない。エッセイの形で、できるだけはっきりと書く。(43)

私自身の考えはこうだ。どんなジャンルの作品でも、騒音もあれば音楽もある。ヴォネガットのエッセイの多く、たとえば『パームサンデー』などは純粋な音楽だ。そしてヴォネガットの小説のほとんどは純粋な音楽だ。想像力にあふれ、生き生きと、機知と真実を歌い上げている。

＊

しかしそれらは彼が磨きをかけて出版にまでこぎつけた作品だ。駄作として捨てられたものも、いくつもある。

第3章 原動力

THE PRIME MOVER

作家ならば、「ほかの人も関心を持つべきだと思う」主題がなくてはならない。それは、鉛筆よりも、ペンよりも、紙よりも、パソコンよりも、何よりも重要なツールだ。作家は「自分の心の中から」突き動かされなくてはならない。でなければ、小説を書くような難しいことはできないだろう。

書くことは難しい。うまく書くことはとても難しい。気力と忍耐を必要とする。「作家はじっと座っていなければならない」とヴォネガットはいっている。「それは肉体的に心地よいことではない。人によっては、長時間じっと座っているのは体に悪いだろうし、ひとりでそんなに長く過ごすのは社会生活を営む上でも問題がある。作家の労働環境はほんとうによくない。それへの対処法はいまもって誰も発見できていない(44)」

ここで改めて〝作家〟という言葉の定義を考えてみよう。ヴォネガットは最初の長編小説『Player Piano（プレイヤー・ピアノ）』で、こんなことを書いている。「ブラトプールの国王《シャー》にして六百万人の信者を率いるコルフーリ教の指導者」は、合衆国国務省のハリヤード博士とともに、お抱え運転手付きのリムジンに乗っていた。道端に美しい女性が立っているのを見つけた国王《シャー》は、その女性を性奴隷だと思い、車に乗るように誘う。彼の国では奴隷とエリートの二種類の人間しかおらず、このような女性はたいてい性奴隷だった。女性は車に乗ったが、元気がなさそうだった。そして重い口を開き、ハリヤードにこう説明した。自分はこの国王《シャー》が何を望んでいるかわかっているし、それに応じるつもりだ。なぜなら、自分の夫は作家なのだが、仕事をするのに必要な「分類番号」を持っておらず、困窮しているからだ。そこでハリヤードはたずねた。

＊

「では、なぜあなたはご主人のことを作家と呼ぶのですか？」「……」

「書いているからです」女性は答えた。

「奥さん」ハリヤードはさとすようにいった。「それで通るなら、我々はみな作家ですよ」

＊

ハリヤードと同じ文句が浮かんだ人は多いだろう。ヴォネガットは『プレイヤー・ピアノ』のこの場面を一九四〇年代の末に書いた。当時でさえ、登場人物のハリヤードがこんな風にいえるとしたら、現代ならいったいどうなるだろう。今日、人々はみな、かつてなかったほど書くことにいそしんでいる。ブログも書いているし、メールも書いているし、コメントを投稿している。オンライン上のチャットルームで指を使って「チャット」しているし、ビデオチャットで専門家と相談もしている。ツイッターでつぶやき、テキストメッセージを作成している。みんなパソコンの前に「じっとすわっている」ことが多い。

これで我々はみな作家だといえるのか？

＊

先ほどの会話は次のように続く。

「二日前には、夫はW‐四四一〔〈小説家見習い〉に与えられる番号〕を持っていました」と女性はいった。

「小説を完成させるまで、その番号を持っているはずでした。小説ができたら、W‐四四〇〔〈一人前の小説家〉に与えられる番号」か〔……〕W－二五五〔〈広報担当者〉に与えられる番号」をもらえるはずだったんですが〔……〕二ヵ月前、夫は完成した作品を国立芸術文学評議会に提出しました。そこで批評をしてもらって、どこかのブック・クラブに推薦してもらうためです」〔……〕

「いずれにせよ」と女性はいった。「夫の作品は評議会によって不合格とされました」

「出来が悪かったんでしょう」ハリヤードはつんとすましていった。「あそこは水準が高いですからな」

「すばらしい出来でしたわ」女性は粘り強くいった。「でも、ページ数の上限を二十七ページ上回っていたんです」〔……〕

「しかも」と女性は続けた。「その小説のテーマは『機械の排斥』だったんです」

ハリヤードの眉が吊り上がった。「なんだって！　そんなものは出版されないようにしてほしいもんだな！　ご主人は自分がやっていることをわかっておられるんですか？　あきれたもんだ。機械設備の破壊とかを扇動したとして、牢屋にぶち込まれなかっただけ幸運ですよ。そんなものを誰かが出版してくれると本気で思っていたんですかね？」

「夫は出版されるかどうかなんて気にしてませんでした。ただ、それを書かずにいられなかったんです。だから書いたんです」

「クリッパー船のこととか、そういうものについて書いたらどうです？　たとえば昔のエリー運河について書かれた本ですが、それを書いた人物は大儲けしていますよ。たくましい労働者を描いた小説は人気があるんです」

女性は途方に暮れたように肩をすくめた。「夫はクリッパー船やエリー運河なんかには腹が立たなかったんだと思います」

「社会に適応しにくい人物のようだな」ハリヤード博士は不愉快そうにいった。〔……〕

〔……〕「私の夫は、**社会に適応できない人間が少しはいなくてはいけない、というんです。社会での居心地が悪いせいで、なぜみんなここにいるのか、どこに向かっているのか、なぜそこへ向かおうとしているのか、疑問に思う人間がいるべきだ、と。**でもそれが夫の作品のよくないところなんです。そういう疑問を提起しているので不合格にされるんです。だから、夫は広報の仕事に就くように指示されました[45]」〔太字は筆者による〕

※

つまり作家とは、社会での居心地が悪くなることをいとわない——あるいはもともと社会での居心地が悪いせいで、世の中の現状や今後の方向性に疑問を抱くことができる人間なのだ。作家はそういう疑問を抱くリスクを進んで冒すことができる。それくらい、みずからのテーマに関心を持っているのだ。

※

『プレイヤー・ピアノ』から三十五年、長編小説を十作書いたのち、ヴォネガットは別の作品で登場人物たちに同じことを話しあわせている。出てくるのはベテラン小説家のスラジンジャーとアマチュア伝記作家というふれこみのミセス・バーマンだ。

「誰も彼も作家になれると思っておる」スラジンジャーは気取って皮肉っぽくいった。

「なりたいと思うのは罪じゃないでしょう」ミセス・バーマンはいった。

「簡単になれると思うのは罪だ」とスラジンジャー。「だが、きみがもし本気なら、すぐにわかるだろう。作家になるのは、この世でもっとも難しいことだ」

「いうべきことが何ひとつない場合は、とくにそうね」とミセス・バーマンは返した。「作家になるのが難しいと人々が思うおもな理由はそれでしょう？　完璧な文章が書けて、辞書が使えるのなら、小説を書くのが難しい理由はそれしかないわ。そういう人は何も知らなかったり、何も気にかけていなかったりするんじゃないの？」

ここでスラジンジャーは作家のトルーマン・カポーティのセリフを拝借した〔……〕「きみは『書くこと』ではなく『タイプすること』についていっとるんだな[46]」

※

ヴォネガットは他の作品でも、皮肉たっぷりに同じことを述べている。

「きみは広告宣伝関係で活躍するだろう」クラフトはいった。

「たしかに私はクライアントの伝えたいことを邪魔するような強い信念は持ってませんからね」と私はいった。(47)

彼は存命中も、あるひとつの点で死人のようだった。つまり彼は、どんなことでも、ほとんど問題ないと思うのだった。(48)

※

ヴォネガット自身は、個人について関心を持つと同時に、人類全体の心情や思想が社会にどんな影響を及ぼすかにも関心を持っていた。

おやまあ――なんという人生を人々は送ろうとしているのか。

おやまあ――なんという世界に人々は自分を追い込もうとしているのか！(49)

この短い一節、とくに二行目に、ヴォネガットの全作品が要約されている。

若い頃のヴォネガットは、SF小説というジャンルに魅せられた。彼はその理由を、『God Bless You, Mr. Rosewater（ローズウォーターさん、あなたに神のお恵みを）』の主人公、エリオット・ローズウォーターが、あるSF文学会議でSF作家たちに向けて語る言葉で説明している。

「私はろくでなしの諸君を愛している」エリオットはミルフォードのSF文学会議でいった。「私が読むのは、もうきみたちの書いたものだけだ。いま進行しているめちゃくちゃ恐ろしい変化について語ろうとしているのはきみたちだけだ。生命が宇宙を旅していて、しかもその旅が短いものではなくて、何十億年も続くものだと理解できるほどいかれているのも、きみたちだけだ。未来について、心の底から気にかけているのはきみたちだけだ。機械が私たちをどうするか、戦争が私たちをどうするか、都会が私たちをどうするか、大きくて単純な思考が私たちをどうするか、とてつもない誤解や失敗や事故や災害が私たちをどうするか、ほんとうに気づいているのはきみたちだけだ。無限に続く時間や空間や、永遠に消えない謎について悩むほどたわけたやつらはきみたちだけだ。この先十億年かそこら続く宇宙の旅が、天国へ向かうのか地獄へ向かうのか、私たちがいまこの瞬間に決めているということに悩むほど狂っているのも、きみたちだけだ」

ヴォネガットは人々や問題に対して強い思いを持つことが作家の原動力であるべきだと堅く信じていた。だから、上手に書くよりは、下手くそでも情熱をもって書くことを勧めている。

このあとエリオットは、SF作家たちの文章が下手だということを認めた。しかし、それでもかまわないと断言した。文章が下手くそでもSF作家はともかく詩人だとエリオットはいう。なぜなら、彼らはどんなに文章がうまい者よりも、重要な変化を敏感に感じているからだ。[50]

ヴォネガットがすばらしいといわれるゆえん、人々が彼を愛し、必要とする理由は、ものすごくユーモアがあるからということに加えて、視点がユニークだからだ。ヴォネガットの視点はスケールが大きい。

人類学を学んで以来、私は歴史や文化や社会を、どんな登場人物にも負けない生き生きした登場人物とみなすようになった。[51]

＊

ヴォネガットは人類学の学位は取得していない。しかし取得しようと試みたことで、きわめて貴重な何かを得た。何年ものちに彼はこう語っている。

私はひじょうに貴重なアイデアを（いまようやくわかったのだが）人類学から学んだ。それは、文化とはT型フォードのように、いじくることができるおもちゃだということだ。[52]

文化は致命的な毒を含む場合がある［……］たとえば、銃を崇拝する文化、男はなんらかの肉体的な勝負にのぞんだ経験がなければ本物の男ではないとする文化、女は現在進行中のほんとうに重要なものごとをどうしても理解できないと信じる文化、その他もろもろ［……］〔人類学で〕学んだ、このほれぼれするほど刺激的な考えは［……］私が前提とする考えとなった。(53)

私は自分の属する社会の外に立つことを学んだ。人々は私のことを、地球を訪れた火星人のようだといっている。［……］私にとって、自分の文化の外に立つことは簡単だった。しかし、それがまったくできない人がたくさんいることに気づいた。［……］そういう人々は、自分たちの文化を自分の皮膚のように変えることができないものと考えているので、その外に立ってみてと頼まれると、自分の皮膚を剝いでみてといわれているように感じるらしい。(54)

※

ヴォネガットが自分の文化の外に立つためにトレーニングを行なった証拠がある。

修士論文研究計画書：北米インディアンの土着的カルトの神話についての研究
カート・ヴォネガット　一九四七年夏

私が関心を寄せているのは、急速な文化変容の時期に生じる新しい神話であり、預言者ダンス教、スモハラ教、ピュージェット湾近辺のシェーカー教、一八七〇年から一八九〇年のゴースト・ダンス教、ペヨット教など、北米インディアンの各部族の間で勃興したさまざまな宗教に関連する神話の調査を行なう所存である。

ヴォネガットはこの計画書の中で、ネバダ州で先住民管理官を務めていたある歩兵大尉の手紙を引用している。その手紙には、インディアンたちのあいだで白人に関して生じているさまざまな預言が説明されている。たとえば、タビボというもっとも影響力のある祈祷師は、「ひとりで山の中に入って、そこで大いなる聖霊に（何度も）出会い」、もどってくると、トランス状態になって、その精霊のさまざまなお告げを伝えたという。どのお告げも、「数ヵ月のあいだに」大きな惨事が起きるというものだった。あるお告げは、「白人のつくったものは［……］すべて残るが、白人たちはのみ込まれてしまうだろう。しかしインディアンは助かるだろう」というものだった。

別のお告げは、「インディアンも白人も、全員がのみ込まれるだろう［……］しかし三日目の終りに、インディアンたちは生き返るだろう［……］しかしインディアンの敵の白人は永遠に滅びるだろう」というものだった。

また別のお告げは、「預言を信じたインディアンは生き返るが［……］信じなかったインディアンは［……］白人とともに、永遠に呪われるだろう」だった。[55]

いっぽう、これとは正反対の神話も生まれていた。ある神話は、地上は「楽園」になると予想している。「生命は不滅になり、人種による違いはなくなる」[56]。シャイアン族はキリストについてのお告げを受けて、ある者はこう報告している。「私と私の同胞たちは無知のまま生きていたが、私は外に出て真実を見つけた。白人もインディアンもすべてはきょうだいだとそこで教えられた。そのことを私はいままで知らなかった」(57)。シャイアン族はキリスト教を独自の方法で解釈し、自分たちの文化に組み込んだ。

このようなさまざまな事例に共通するものは何だろう？　ひとつひとつの人工物はどのように文化を形づくるのだろう？　人類学者はそういった疑問を持つように訓練される。それこそ、ヴォネガットが関心を持ったものだった。

＊

『プレイヤー・ピアノ』では、文化の変容に対するヴォネガットの関心が、我々自身の社会に向かっている。みんなが関心を持つべきだと彼が思っていた関心事は何だったのか？　それは、機械がますます人間の仕事を担い、人間に取って代わることの代償だった。機械化によって、人間は「必要とされ、役に立っている実感、自尊心の基盤となる感覚」を奪われる。そのことによる計り知れない犠牲、損失にヴォネガットは憤っていたのだ(58)。

それは彼が大恐慌の最中の子ども時代に見聞きしたことや、のちにゼネラルエレクトリック社の広報部で三年間働いたときの経験に基づいている。

ヴォネガットは一九二二年に生まれた。十歳になった一九三二年、建築家だった父は失業する。周囲の大人たちはみな、仕事がなく、収入がほとんどないという屈辱に苦しんでいた。

大恐慌の時代、人々は経済的な問題を解決する画期的な方法を求めていた［……］みんな、科学者や技術者や数学者が世の中を動かしていくべきだ、良識があるのはそういう専門家だけだと信じていた。［……］

私の父と兄はテクノロジーの信奉者で、世界はテクノロジーによって作り変えることができると信じていて、私もそのことを熱心に信じていた……真理の信奉者、科学的真理の信奉者だった。ところがその後、前にも書いたことがあるが、「ヒロシマに真理が落とされた」。［……］そして私はひどく幻滅した(59)。

私の初めての長編小説『プレイヤー・ピアノ』は［……］ゼネラルエレクトリック社に対する風刺だよ。私は自分を食わせてくれた会社の手を嚙んだんだ(60)。

見事な嚙みっぷりだ。『プレイヤー・ピアノ』の登場人物ルディ・ハーツは優れた機械工で、彼の動きは記録され、機械によってそっくりまねできるようになった。それによって、彼自身も彼の同僚の機械工たちも職を失った。ルディはこの小説の主人公で工場長のポールに会ったときに両手を上げてこういう。

「以前と変わらない、いい手でしょう。こんな手はどこを探したってない」

ポールに妻が電話してくるとき、その会話はいつもまったく同じやりとりで終わる。
「愛してるわ、ポール」
「僕も愛してるよ、アニータ」［……］
アニータは結婚生活の機械的操作法を、もっとも微細な取り決めにいたるまで、完璧にマスターしていた。

また、ある登場人物は〝愚鈍な男〟だが、有力なコネがあるおかげで最高の職に就くことができる。

最悪なのは、その愚鈍な男の尊大な態度が、現在の地位を苦労して手に入れた同僚の技術者たちからしぶしぶ賞賛されていることだ。


『プレイヤー・ピアノ』の世界には、自動チェッカー機をはじめ、さまざまな機械が存在し、もちろん自動演奏をするピアノもある。そこに、革命をくわだてる秘密結社「ゴーストシャツ同盟」が生まれる。

しかし工場そのものはこんな感じだった。

まるで大きな体育館の中で、無数のチームが正確に美容体操をしているようだ――（機械たちが）ひょこひょこお辞儀をしたり、回転したり、飛び跳ねたり、ぐいと押したり、揺れ動いたり

［……］新時代の中でも、これだけはポールも気に入っていた。機械そのものは、見ていて楽しい、魅力的な存在なのだ。(61)

＊

ヴォネガットはこれらの問題を気にかけていた。そしてそれを小説という形式に変換して伝えた。しかし、ヴォネガット自身はたしかにテクノロジーや、科学や、労働の機械化について懸念していたが、教師として新米作家に教えたりアドバイスしたりするときに重視していたのは、自分にとって気がかりなことではなかった。

彼はかつてアイオワ大学文芸創作講座の受講生だったジョン・ケイシーに、面談でこんなことをいっている。

機械の問題は重要だ。僕らはそれについて書かなくていけない。

だが、きみは別に書かなくてもいいよ。僕はきみにそんなことを勧めたりしてないだろう？　機械なんかどうでもいい。(62)

第4章 回り道をしながら前進

DETOURING FORWARD

自分が本気で気にかけているテーマについて書くことはリスクを伴う。そこには重大な危険がいくつもある。ヴォネガットもそのいくつかに遭遇した。もちろん、私も遭遇した。小説家は全員、そういった危険に遭遇したことがあると言い切ってもよい。

たとえば、自分が気にかけているテーマについて書くためには、どんな視点を用いて、どんなに距離を取ったとしても、生の経験に近づきすぎる可能性がある。

そのテーマについて伝えたいという気持ちが強すぎて、うまく書けないもどかしさを感じることもある。なぜなら、言葉は言葉でしかなく、どうしても不十分だからだ。それは経験そのものではない。

人によっては、まだ作家としてのスキルを十分身につけていない場合もあるだろう。

実体験にこだわりすぎて、その真実を虚構に作り替えて伝える能力が阻まれている場合もある。

また、自分の懸念や意見を伝えたいあまり、説教くさい作品になってしまうこともある。

さらに、トラウマを追体験して苦しむおそれもある。実体験の記憶を深堀りして、処理しきれない精神的ストレスを感じたり、幸福を犠牲にしてまで追求する価値のないことを追求してしまうかもしれない。

読者の反応や、編集者の拒絶や、書き直しの示唆などによって、こてんぱんに打ちのめされることもある。それは、批判を許容できず、消化できないからだ。言い換えれば、執筆の技術に対するフィードバックと、作品のベースとなっている個人的な経験に対するフィードバックを区別することができないのだ。

＊

ヴォネガットはこういっている。

> アイオワ大学文芸創作講座の創設者ポール・エングルは［……］私にこういった。もしこの講座が自前のビルを建てるとしたら、そのエントランスに掲げる言葉はこうだ。「あんまり真剣になるな[63]」
> そうはいっても、私たちは真剣だった。ものすごく真剣だった。

ヴォネガットも真剣だった。

彼はのちに『スローターハウス5』になる作品を書いていた。
もう二十三年間もそれを書こうとしていた。

＊

もし、先ほどあげたような危険が自分に起こるとしたら、どうするべきか？

その答えは、カート・ヴォネガットの二十三年の歩みの中に見つかるかもしれない。そのいくつかの指針を紹介しよう。

＊

カート・ヴォネガットがドレスデン空襲や戦時中の体験を『スローターハウス5』の中に直接的に書く方法を見つけるには、二十三年の歳月が必要だった。しかし、それまでに彼が書いた小説を順番に読んでいけば、彼がそのテーマにしょっちゅう手を出し、形を変え、品を変えて、苦労して近づいていったことがわかる。

ヴォネガットの初期（一九五〇年ごろ）の写実主義的な作品で、彼の存命中は出版にいたらなかった『Basic Training（未）』という中編小説がある。その中で、ティーンエイジャーの娘たちから〝将軍〟と呼ばれている登場人物は、インディアナ州にある自分の農場を軍隊式に運営している。数人の農作業員を〝分隊〟に分け、掲示板をつくって全員が彼の〝指令〟を見られるようにしたりして、それがときにはひじょうにばかばかしかったりする。その農場の名は、娘のひとりによると、「戦闘を記念した名前で、農場内のあらゆるものは同じく戦闘を記念して名づけられている」。〝将軍〟はおしゃべりな自慢屋で、みなの笑い者になっているが、責任感のある復員軍人でもあり、この小説の主人公で孤児となった甥のヘイリーを養子にしている。〝将軍〟が戦争中の体験談を話すと、娘も甥も騒音のように聞き流す。

「さて、二四〇ミリ榴弾砲だが」と将軍はいった。「コンクリート製の掩蔽壕《バンカー》に対しては、空爆よりはるかに効果的だ。いまでも覚えているが、バルジの戦いの直前［……］」

ヘイリーはうとうとしてきて、サンルームの窓のほうへ顔を向けた。あくびを将軍に見られないためだ。(64)

二四〇ミリ榴弾砲は、ヴォネガットが実際に使用するための訓練を受けた武器だ。そして彼は将軍と同じように、バルジの戦いの直前のことを覚えていただろう。なぜなら、彼はバルジの戦いの最中に捕虜になったからだ。

このように、ほかのプロットや設定、主題の中にまぎれて、ヴォネガットの身の上の物語が顔を出している。『スローターハウス5』以前に書かれ、出版された小説は、どれも彼の戦争中の体験をそのまま書いたものではない。

しかし、以下にあげる長編小説（出版された順）からの引用を見れば、ヴォネガットが想像力を駆使して自分の経験を利用していること、それが作品のあちこちにあふれ出ていることがわかるだろう。『プレイヤー・ピアノ』（工業化された社会をテーマにしたSF小説）にはこんな一節がある。

✲

リムジンは立ち往生していた［……］その間、鈍い雷鳴のような爆発音があちこちで響いていた。まるで酔っ払った巨人が町中を歩きまわっているかのようだ。煙が立ちこめて、昼間なのに夕暮れのようになった。ハリヤードが、いまなら脱出できるのではと思って頭を上げ、爆発音が小やみになった周囲をうかがうたびに、新たな暴徒や略奪者の集団がやってきて、また床に伏せなければならなかった。

「よおし」ハリヤードはついにいった。「たぶんもう大丈夫だ。なんとかして警察署まで行こう。そこなら、この騒動が終わるまで守ってもらえる」

運転手はハンドルにもたれて、ふてぶてしくのびをした。「フットボールの試合かなんかでもみてるつもりだったんですか？　何もかも、もとどおりになると思っているんですか？」(65)

＊

『タイタンの妖女』（人類と宇宙の意味と本質をテーマにしたSF小説）にはこんな一節がある。

つねに自分の義務を果たさないような兵士がいたとしたら、そいつは狂っている。アンクはそう認めざるを得なかった。

病院で何よりも大切なルールだと教えられたのは、次のようなものだった。上官の命令には、必ず一瞬のためらいもなく従え。［……］

ブラックマンがアンクのところにきて、こう命令した。杭に縛られている男の前まで軍隊式の歩調で進み、男を絞め殺せ。

これは上官命令である、とブラックマンはアンクに告げた。

そこでアンクはいわれたとおりにした。(66)

＊

『母なる夜』（ある二重スパイについての小説）ではこうだ。

メンゲルがいっているのは、アウシュビッツの死の収容所の所長ルドルフ・フランツ・ヘスのことだった。ヘスの行き届いた配慮により、文字どおり何百万というユダヤ人が毒ガスで殺された。メンゲルはヘスのことを少し知っていた。イスラエルへ移住する前の一九四七年、メンゲルはヘスの絞首刑を手伝ったのだ。

法廷で証言したとか、そういうことではない。実際に自分の大きな両手を使ってやったのだ。

「ヘスが吊るされたとき、やつの足首を縛っていたベルトだが——それはわしが巻いて締めたんだ」メンゲルはいった。

「それであなたは気が済みましたか？」と私はたずねた。

「いいや」とメンゲルはいった。「わしはあの戦争を経験したほとんどの人間とおんなじだ」

「どういう意味です？」

「なんにも感じなくなってしまったんだよ。どんな仕事も、ただやるだけ。どんな仕事も、ほかの仕事よりいいとか悪いとかいうことはない」

メンゲルは続けていった。「ヘスの処刑が終わったあと、家へ帰るためにスーツケースに服を詰めた。スーツケースの留め金が壊れていたので、大きな革のベルトを巻いてふたを閉めた。一時間のうちに二度、ほとんどおんなじことをしたんだ。最初はヘスの足に、二度目はスーツケースに、ベルトを巻いて締めた。どっちもおんなじにしか感じない」(67)

＊

『猫のゆりかご』（宗教と科学者の責任をテーマにしたＳＦ小説）では次の一節。

私は尾根の上に立つ彼女に追いついた。彼女は眼下に広がる天然の大きなくぼ地に見入っていた。泣いてはいなかった。

泣いていても不思議ではなかった。

そのくぼ地で、何万もの人が死んでいたのだ。(68)

＊

『ローズウォーターさん、あなたに神のお恵みを』（貧しい人々を助けた男性についての小説）からは以下の一節。

エリオット（ローズウォーター）はバスがインディアナポリスの郊外にきてようやく、ふたたび顔を上げた。そして町全体が火災嵐に包まれているのを見て驚いた。いままで火災嵐を見たことはなかったが、読んだことはあったし、何度も夢に見ていた。

エリオットはある本を事務所に隠していた。なぜそれを隠しているのか、なぜそれを取り出すたびにうしろめたく感じるのか、なぜそれを読んでいるのを見られることを恐れているのか、自分でもわからなかった。彼がその本に対して抱いている気持ちは、意思の弱い清教徒がエロ本に対して抱く気持ちに似ていた。しかし、その本ほどエロティシズムからほど遠い本はない。それは『ドイツへの爆撃』という本だった。ハンス・ランプという人物が書いていた。

なかでもエリオットが、呆けたように、手に汗を握りながら、繰り返し繰り返し読んでいたのは、ドレスデン空襲に関する記述だった。〔……〕

エリオットはバスの座席から立ち上がり、インディアナポリスの火災嵐を見つめた。火柱の荘厳さに圧倒された。〔……〕

〔……〕エリオットは意識を失った。〔……〕次に目覚めたときは、水のない噴水池の平らな縁にすわっていた。〔……〕

エリオットは顔を上げ、鳥を見て、青々と繁る緑の葉っぱを見た。そして、インディアナポリスの中心街にあるこの庭園が、さっき見たあの火災を免れることができたはずはないと思った。ということは、火災嵐なんてなかったのだ。彼はその事実を穏やかに受け入れた。[69]

※

ということは、『スローターハウス5』の主人公ビリー・ピルグリムより先に、エリオット・ローズウォーターも「時間の中に解き放たれて」いたのだ。ヴォネガットはエリオットの体験を、「時間の中に解き放たれた」と書いてはいない。さらに、エリオットがそういう体験をしたのは一度だけだった。しかし、それがのちに、『ローズウォーターさん、あなたに神のお恵みを』の次の作品、ヴォネガットを一躍有名にした『スローターハウス5』のテーマのひとつとなるのだ。

このように遠回りをすることで、ヴォネガットは何を得たのだろう？　成熟するための時間、作家としてのスキル、自信、じょじょに高まる評判、などを得た。五冊の長編小説と一冊の短編小説集、雑誌に掲載された数多くの短編、戯曲、エッセイなどをものにした。

みずからの苦しい体験から距離を置くことは、最終的にそれと向き合うために、あちこちをかき分け、探りつつ前進する準備期間だった。

そういう回り道について、ヴォネガットは学生へ向けてこんなアドバイスをしている。

作家はいずれにせよ、自分の人生について書くことになる。しかし、もしつまらない西部劇を書いていたら――つまらないものでなくても、たとえば『真昼の決闘』みたいな傑作の西部劇を書いていたとしても、書いている本人は自分の人生のことを書いているとは気づかない。なぜなら、作品のどこかに、作家の精神的な問題がそれとなく紛れ込むからだ。だから、テレビの宇宙ものの脚本を書いていても、そういった問題がどうしても、未解決の葛藤として作家の頭の中に存在する。だから、そこに書くしかないし、それこそが自分の抱える葛藤に対処する方法でもある。早く書きあげたい、よけいなことに邪魔されたくないと思ったとしても、そうするしかないんだ。(70)

このアドバイスはあと知恵によるものだということに注意してほしい。もしつまらない西部劇なりなんなりを書いていたら、「書いている本人は自分の人生について書いているとは気づかない」とヴォネガットは述べている。彼自身、書いているときは気づかなかった。たいていの作家はそうだろう。だから、自分がそれを書いているかどうかは気にしなくてもいい。

※

私が担当していたハンター・カレッジの創作入門講座で、ある学生が最初に書いたふたつの作品は、妊娠中絶と薬物依存症を扱ったものだった。どの文芸創作講座でも、ひとクラスに最低ひとりは妊娠中絶について書き、ふたクラスにひとりは薬物依存症について書く。しかし、初心者の学生が、最初のふたつの作品でその両方を書くのはめずらしい。その学生は、かわいらしくまじめな若い女性だったが、妊娠中絶や薬物中毒の問題に関心を持ち、みんなも関心を持つべきだと思っていて、それらについての小説をどうしても書きたがっていた。しかし、思いが先行するばかりで能力が追いつかなかった。初心者が短編小説を書くときによくあることだが、長編でないと書けないくらい間口を広げすぎだったのだ。そのせいで登場人物には現実味がないし、説教くさい作品になってしまっていた。私はその女性に、あまり欲張りすぎないように助言した。最後に彼女が提出したのは、独創的で魅力的な作品だった。太った女性――肥満体というほどではないがちょっと太り気味の女性がダイエット教室に通うという話で、登場人物も現実味があり、ウィットに富んでいた。

✻

私はアイオワ大学の文芸創作講座に入る前に、ある短編小説を書いていて、それを提出して受講を認められた。それから四つの短編を書き、そのあと長編を書きはじめた。何度も何度も書き直しながら、六ヵ月かけて最初の章を仕上げた。それは私にとってひじょうに大切な作品だった。だが、それを批評会で披露すると、クラスのみんなから、望んでいたような反応をまったく得られなかった。

それはどんな小説だったのか？

ある少年が有罪判決を受けて一年間投獄される話だ。第一章は彼が収監された最初の日のことが書かれていた。

その小説のベースとなったのは何か？

私の初恋の相手が実際に投獄された経験だ。私は二週間に一度、面会に行った。そのためには、まず彼のお父さんといっしょに車で長時間かけて刑務所まで行き、所内に入るのに身体検査を受け、面会中も見張られて、彼が感じている後悔や屈辱や不満、離れ離れのつらさに辛抱強く耳を傾けねばならない。

私はこの経験がよい小説になると確信していた。登場人物はみな大きな葛藤を抱えている。それは社会的な問題でもある。ほとんどの人にはなじみのない世界で、私自身にとってもなじみがない。悲劇的要素がある。

しかし私には、それについて書く能力が不足していた。彼とは結局、その年のうちに別れた。恋人の投獄と彼との関係から、私はトラウマを負い、罪悪感にさいなまれ、怒りに駆られた。当時はそういうことも理解できていなかった。

要するに、私は自分の実体験にあまりにもとらわれすぎていたのだ。十分な距離を置くことができなかった。

もちろん、十分なスキルもなく、その素材を扱うにはどうしたらいいかもわからなかった。

野心が先走って、専門的な技術がまるで追いついていなかった。当時の私は「最初の二十編の駄作」を書きはじめたばかりだった。「最初の二十編の駄作」とは、私がアーカンソー大学で初めて受講した文芸創作講座の恩師ウィリアム・ハリスンの言葉だ。ハリスンは、短編小説の技術をマスターするには、最低でも二十編くらいは作品を書かなければならないといっていた。長編小説はまた次元の違う難物だ。

＊

クラスで不評を買ったすぐあと、私は学生仲間のゲイル・ゴドウィンが学生食堂で昼ご飯を買っているのを見かけた。ゲイルは私より年上で、作家としての経験も私より上で、自信に満ちていた。私は以前、この作品が自分にとっていかに大切なものかということをゲイルに話していた。批評会はどうだった、とゲイルはきいた。そして私が落ちこんでいるのに気づき、彼女のテーブルでいっしょに食べようと誘ってくれた。私の作品に対するクラスの学生たちの批評は、要約すれば、ドラマチックな要素はあるけれど話が込み入っていて理解しにくい、というものだった。ゲイルはその批評について私が話すのを、熱心に聞いてくれた。

そのあとゲイルは「あなたはなぜ小説を書くの？」ときいた。私はびっくりしたが、なんとか答えた。するとゲイルは少し身を乗りだして、「スザンヌ、あなたはなぜ書くの？」とまたきいた。私はまた別の答えをいった。するとゲイルはさらに身を乗り出し、もう一度、さらにもう一度きいてきた。彼女の青い目に射すくめられて、とうとう私は泣きだした。

「私には書くことしかできないの！」

ゲイルは満足したように椅子の背にもたれかかった。そして、何かばかばかしいものとか、まったく違う種類のものを書いたらどう、といった。とにかく書きはじめる、なんでもいいから書くのよ、といった。私は、混雑した騒がしい学生食堂の中を、ぼうっとしながら歩いていった。自分自身や、ほかの人間や、まわりのすべてから完全に切り離されたような、不思議な感じがした。学生たちがヴェトナムについて熱弁をふるったり、コーヒーカップでカタカタ音をたてたりするなか、私はすわって、一行、また一行と書きだした。このとき初めて、自分の想像力によって、まったく別の場所のことを書いた。それは現実とはまったく関係がなかった。少なくとも関係がないように思われた。自分のトラウマについて書きたいという切羽詰まった思いとも関係がないように思われた。

二週間後、そうやって書いた幻想的な短編をクラスで披露したら、みんなその作品を気に入ってくれた。

それから何年もたって、私は別の趣向の長編小説の中で、主人公の女性が十代の頃を思い出すシーンを書いた。それは、彼女が当時、恋に落ちた少年（のちに主人公と結婚し離婚することになる男性）に会いに刑務所を訪ねたときの思い出だった。複数の章にまたがるその回想シーンに、思い出の中の少女と大人になった女性の両方の視点から、虚構をまじえて、かつて私がどうしても伝えたかったことがすべて書かれている。(71)

＊

自分自身に思いやりをもたねばならない。猶予を与えるのだ。時間はまだある。望みを高く持ちすぎて自分をこきおろしたりしないように。のんびりいこう。大切な素材は、いつか必ず日の目を見るときがくる。

＊

第5章 まっしぐらに前進 DEAD AHEAD

聞きたまえ——ヴォネガットは長年、ドレスデンの体験をありのままに書こうともしていた。

※

アトランティック・マンスリー
一九四九年八月二十九日

拝啓、ヴォネガット様
［……］ドレスデン空襲に関する報告も、「金の卵の適切な値段は？」というあなたの記事も、両方とも好意的な意見は出ましたが、最終的に採用にはいたりませんでした。［……］

敬具（このあと、「エドワード・ウィークス」のサインが入っている）(72)

＊

小説家は普通の人以上にうつ状態にあるだけではなく、平均してブルーミングデール百貨店の化粧品売り場の販売員と同程度のＩＱしかない。小説家の武器は粘り強さだ。我々は書くことによって愚鈍な人間でも少しは賢く見えることを発見した。ただしそのためには、同じことを何度も何度も繰り返し書き、書くたびに少しずつ質を上げていかなくてはならない。それはまるで自転車用の空気ポンプで飛行船をふくらますようなものだ。誰にでもできる。必要なのは時間だけだ。(73)

＊

私の夫は、社会に適応できない人間が少しはいなくてはいけない、というんです。社会での居心地が悪いせいで、なぜみんなここにいるのか、どこに向かっているのか、なぜそこへ向かおうとしているのか、疑問に思う人間がいるべきだ、と。(74)

カート・ヴォネガットにとって、家へ送った手紙に書かれた出来事から小説を書くことは、どれほどつらいことだったのか？　それを考えるために、第一章に掲載した彼の手紙を読み直してほしい。ゆっ

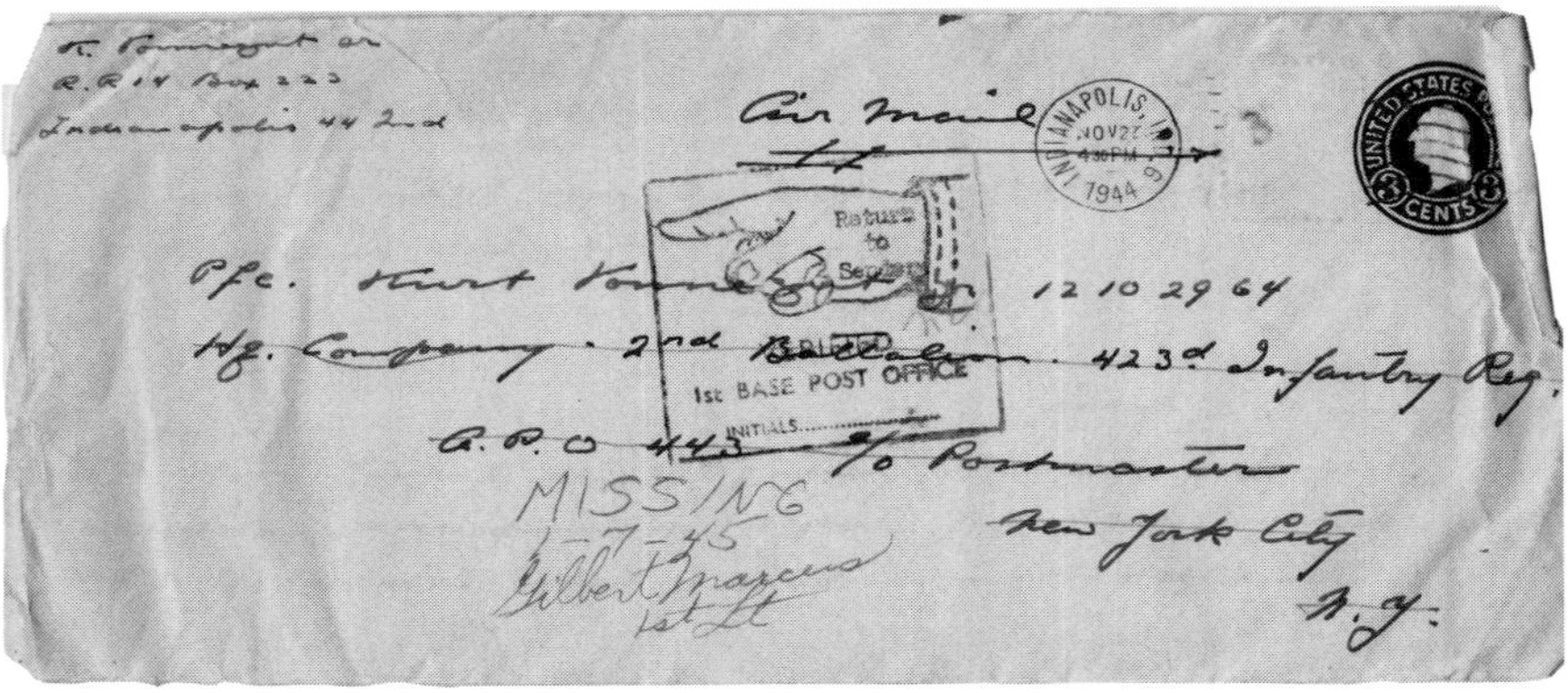

カート・ヴォネガット・シニアからカート・ヴォネガット・ジュニアへ1944年11月に送られた手紙。クリス・ルファーヴ撮影。ヴォネガット記念図書館所蔵。ヴォネガットの家族提供。

くりと。いろいろな思いが圧縮された手紙だ。この手紙を受け取った彼の家族の一員だと想像しながら読むといいだろう。ときは一九四五年。K（家族内でのカートの呼び名）の消息に関する最後の手がかりは、父親のカート・ヴォネガット・シニアが何ヵ月も前に彼に出した手紙が宛先人行方不明として送り返されてきたことだった。

そんなとき、家の郵便箱に、Kからの手紙が届く。あなたは大喜びする。Kは生きていたんだ！　手紙の封を切り、家の中へ駆けこんで、「Kから手紙がきた！」と、そこにいる誰かれに向かって叫ぶ。みんなに聞こえるよう、声に出して読む。そのあともう一度、黙読する。注意深く、Kが自分の身に起こったといっているすべてを、よくかみしめながら。

※

一九六九年、ヴォネガットはあるインタビューで、

「苦しい時期が続いたのち、ようやく『スローターハウス5』というヒット作が生まれて、どんな気分ですか？」ときかれ、次のように答えている。

まあ、それはビジネス・ストーリーとしてはおもしろいと思うよ。でも、私の本はこれまでもずっと出版されてきたからね。ただ、単行本になったのはこれが初めてというだけで。

まずそういってから、核心に入っていく。

それはもう大量の紙を使ったね。何回書き直したかわからないくらい。［……］英雄譚のようなやつもふたつ書いたくらいだ。

それからヴォネガットはちょっと押し黙り、『キャッチ＝22〔ジョーゼフ・ヘラーの小説のタイトル〕』に書かれた空襲の場面を覚えているか、とインタビュアーにたずねる。主人公のヨッサリアンが、負傷したパイロットの腕に丁寧に包帯を巻いたあと、そのパイロットのジャケットのファスナーを開けると、中からパイロットの内臓がぜんぶこぼれ落ちてくる場面だ。(75)

先ほどの質問に対する答えはこれだ。『スローターハウス5』を書くために、彼は自分の内臓がすべてこぼれ落ちるほどの苦痛を味わった。

こんなことというのもなんだけど、(『スローターハウス5』という) 取るに足らないお粗末な本を書くために、どれだけの金と時間と精神的な負荷がかかったか、計り知れない。二十三年前、第二次世界大戦からもどってきたときには、ドレスデンの壊滅について書くのは簡単だと思っていた。自分が見たことをそのまま書けばいいだけだから。そうすればそれは傑作になるか、少なくとも大金が稼げるだろうと思っていた。なぜなら、それはとても大きなテーマを扱っているからだ。[76]

このインタビューより前のインタビューで、ヴォネガットは次のように語っている。

私がドレスデンについて、ドレスデン空襲について書くことは、至上命令のように感じていた［……］なぜなら、それはヨーロッパ史上最大の虐殺だし、私はヨーロッパの人間の血を引いているし、作家だし、その場にいた。だから、それについて何かをいわなくちゃいけない。でもそれには長い時間がかかったし、つらかった。[77]

また、のちには次のように語っている。

どんなに書こうとしても、うまく書けない。出来そこないばっかり書き続けた。[78]

長編小説は長く困難な〝探求の旅《クエスト》〟だということにヴォネガットは気づいた。[79] まさか、内臓がこぼれ落ちるほどの苦労をして書かねばならないとは思っていなかった。だが実際、それくらい苦しかった。

『猫のゆりかご』の中でボコノン教を生み出す頃には、ヴォネガットはもうそろそろ年貢の納めどきだと思っていたに違いない。なぜなら、彼はボコノンに次のような金言を吐かせているからだ。

奇妙な旅に誘われたら、神がダンスの手ほどきをしてくださるのだと思え。(80)

✼

また、『猫のゆりかご』の冒頭では、旧約聖書に出てくる預言者ヨナ〔英語では「ジョーナ」という発音になり、不幸をもたらす者という意味もある〕を引き合いに出している。

私のことはジョーナと呼んでくれ。両親はそう呼んでいた。というか、それに似た名で呼んでいた。両親は私をジョンと呼んでいたのだ。

私はジョーナ――ジョン――だ。もしサムという名前だったとしても、私はやっぱりジョーナだ。それは私がまわりに不幸をもたらす人間だからではない。それよりも、誰かが、あるいは何かが、特定の時間、特定の場所に、私が必ずいるように仕向けたからだ。〔……〕

いまよりずっと若かった頃、私は『世界が終わった日』という本を書くための資料を集めはじめた。

その本は事実に基づいた本になるはずだった。

その本は、アメリカの要人たちが、日本のヒロシマに世界で初めて原子爆弾が落とされた日に何をしていたかを説明する本になるはずだった。

その本はキリスト教の本になるはずだった。当時私はキリスト教徒だったからだ[81]。

しかしジョンは結局その本を書かなかった。そのかわり、たくさんの事が彼の身に起こる。たとえば、ボコノン教への改宗もそのひとつだ。カート・ヴォネガットにも、『スローターハウス5』を書く旅の途上でいろいろな事が起こった。どんな作家にも、自分の特別な素材が奏でる音楽に合わせてダンスをするうちに、さまざまなことが起こる。

✻

インディアナ大学の資料館のリリー・ライブラリーに、ヴォネガットの書いた原稿が保管されている。私はそこで、彼が「出来そこない」と呼んだ原稿をいくつか見つけた。筋の通った物語をつくりあげようとあれやこれや試したことを証明するたくさんのページを実際に手にして、私は感動し、胸が締め付けられる思いさえした。

ヴォネガットはタイトルもいろいろと考えていた。Captured（捕らわれて）、We Are Captured（我々は捕虜）、Rolling Pisspots and Flaming Prams（転がるヘルメットと燃える乳母車）、Calvados（カルヴァドス）などと並んで、A Commedy of Manners（風俗喜劇）というサブタイトルのついたSlaughterhouse-Five（スローターハウス5）もある。

主人公もいろいろ考えたようだ。ミロス・ヴァーノンというケープコッドの建築家。ビリー・ピルグリムというアメリカ中西部のポンティアック〔ゼネラルモーターズの大衆車〕のディーラー。ディヴィッド・マックスワンというユニテリアン派教会の牧師の息子を主人公にしたものでは、正体不明の一人称の人物が語り手となっている。

さらに、同じ出来事や場面や人々を、違うやり方で扱うことを試みていた。それらは完成版にも登場するが、さまざまな草稿で、違う形で描かれている。

原稿にはメモも書かれていた。ヴォネガットは創作講座の授業中に、私たちにこういった。「とても大きな紙に色鉛筆を使っておおまかなあらすじを書き、壁のあちこちに貼りつけていた」そのことは『スローターハウス5』の第一章にも書かれている。

ビジュアルもいろいろ工夫しようとしていた。ある草稿では、年代順に出来事が描かれているが、ドレスデン空襲の日に近づくにつれて、タイプ打ちされた行と行、字と字の間隔がどんどん狭くなっていく。一九四五年二月十三日の空襲当日までくると、原稿がまっ黒になっていた。(82)

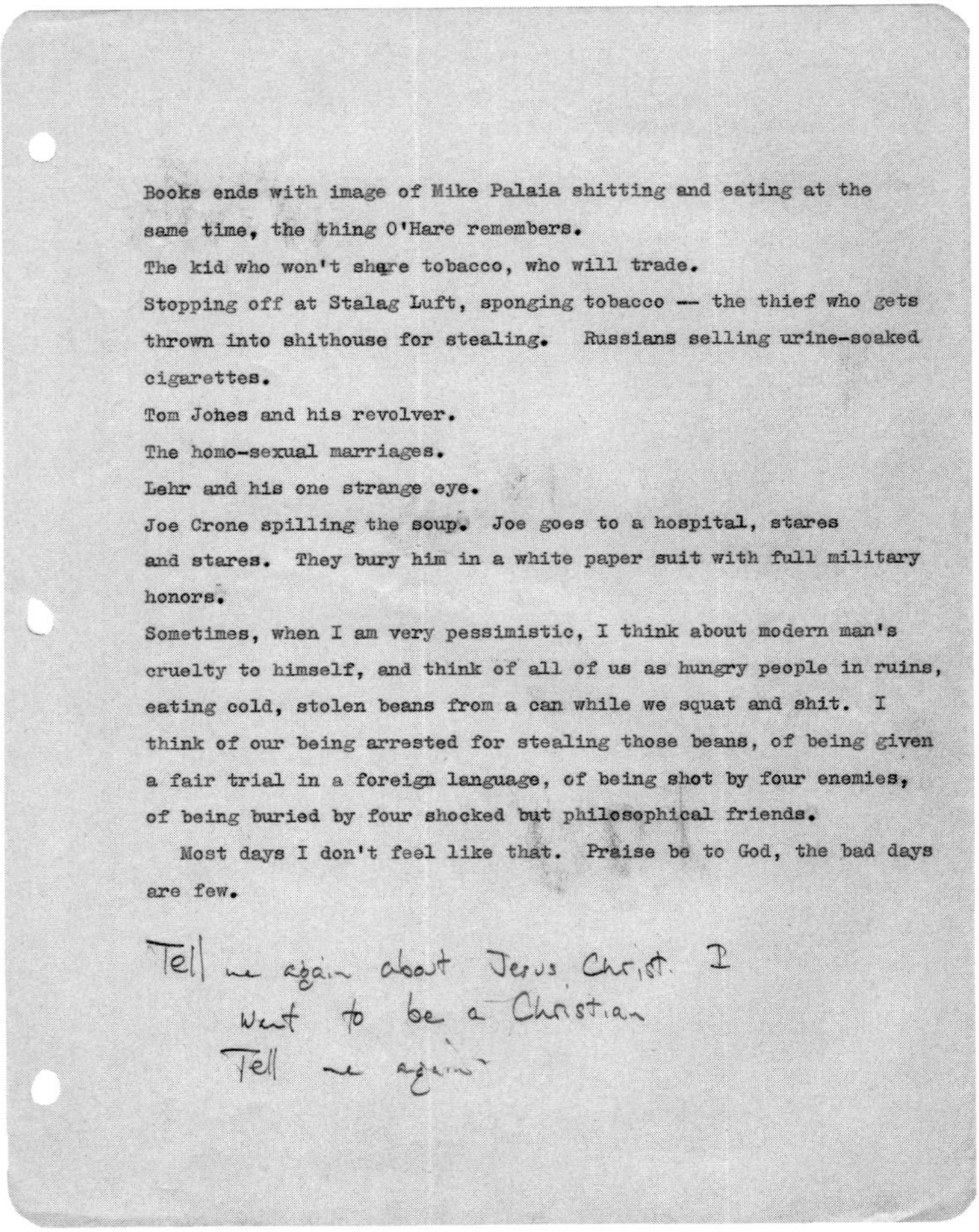
Books ends with image of Mike Palaia shitting and eating at the same time, the thing O'Hare remembers.
The kid who won't share tobacco, who will trade.
Stopping off at Stalag Luft, sponging tobacco -- the thief who gets thrown into shithouse for stealing. Russians selling urine-soaked cigarettes.
Tom Johes and his revolver.
The homo-sexual marriages.
Lehr and his one strange eye.
Joe Crone spilling the soup. Joe goes to a hospital, stares and stares. They bury him in a white paper suit with full military honors.
Sometimes, when I am very pessimistic, I think about modern man's cruelty to himself, and think of all of us as hungry people in ruins, eating cold, stolen beans from a can while we squat and shit. I think of our being arrested for stealing those beans, of being given a fair trial in a foreign language, of being shot by four enemies, of being buried by four shocked but philosophical friends.

Most days I don't feel like that. Praise be to God, the bad days are few.

Tell me again about Jesus Christ. I
want to be a Christian
Tell me again

『スローターハウス5』の草稿。インディアナ州ブルーミントン、インディアナ大学リリー・ライブラリー提供。


〈訳〉

本はマイク・パレイアがクソをしながらものを食っている場面で終わる。これはオウヘアが思い出した。／タバコを分けようとせず、物々交換する若者。／スタラグ・ルフトに立ち寄り、タバコをかっぱらう——盗人が便所の中に放りこまれる。ロシア人が小便に浸したタバコを売っている。／トム・ジョーンズとやつの拳銃。／同性愛結婚。／レーアとやつのおかしな片目。／ジョー・クローンがスープをこぼす。ジョーが病院に行く。ただじっと見つめ続ける。ジョーは白い紙製の軍服を着せられ、立派な軍葬の礼をもって埋葬される。／僕はときどき、ひじょうに厭世的な気分に襲われたとき、現代人が自分自身に対して行なう残虐行為について考える。また、我々全員が廃墟の中で飢えて、盗んだ缶詰の冷たい豆を食べながら、しゃがんでクソしているところを想像する。自分がその豆缶を盗んだせいで捕まり、外国語で行なわれる公正な裁判とやらを受け、四人の敵兵によって射殺されるところを想像する。そして、ショックを受けながらも冷静な四人の友人たちによって埋葬されるところを想像する。

　ほとんどの日はそんなに厭世的にはならない。ありがたいことに、悪い日はそんなにない。

(以下、手書き文字)

イエス・キリストについてもう一度教えてくれ。僕はクリスチャンになりたい。もう一度教えてくれ。

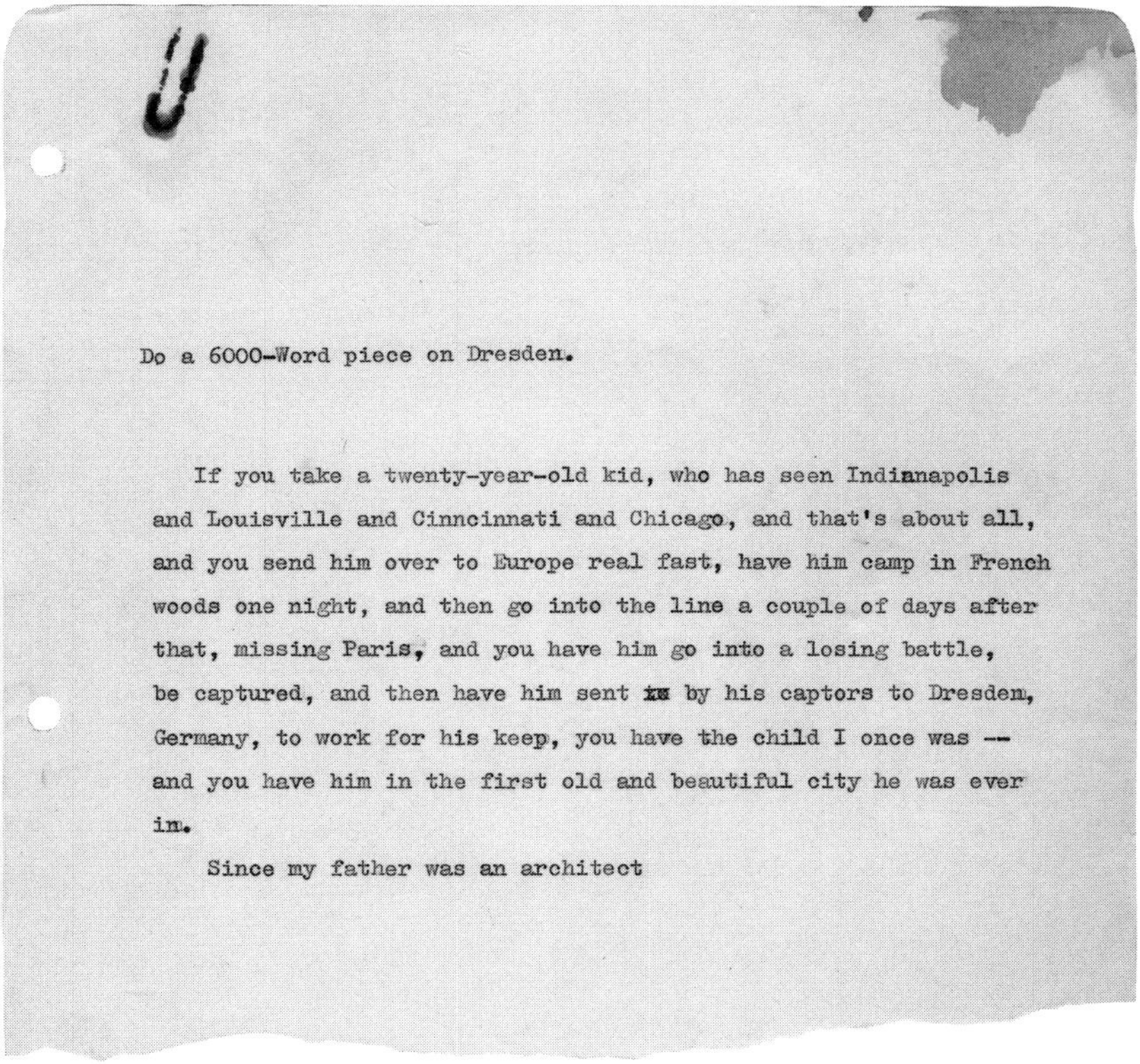

Do a 6000-Word piece on Dresden.

If you take a twenty-year-old kid, who has seen Indiannapolis and Louisville and Cinncinnati and Chicago, and that's about all, and you send him over to Europe real fast, have him camp in French woods one night, and then go into the line a couple of days after that, missing Paris, and you have him go into a losing battle, be captured, and then have him sent ~~xx~~ by his captors to Dresden, Germany, to work for his keep, you have the child I once was -- and you have him in the first old and beautiful city he was ever in.

Since my father was an architect

『スローターハウス5』の草稿。インディアナ州ブルーミントン、インディアナ大学リリー・ライブラリー提供。

〈訳〉

ドレスデンについて六千語の作品を書くこと。

　インディアナポリスとルーイヴィルとシンシナティとシカゴくらいしか見たことがない二十歳の若者を、あっという間にヨーロッパに送り、フランスの森の中で一晩野営させ、パリも見せず、その二日あとに戦列に放り込み、負け戦に参加させ、敵に捕まらせて、ドイツのドレスデンに移送させ、生きるために働かせる。そうしたら、かつての僕と同じ子どもができあがる――その子どもは、それまで見たこともないような、最高に美しくて古い都市の中にいる。

　僕の父は建築家なので

第6章 突破

BREAKTHROUGH

カート・ヴォネガットはいったいどうやって行き詰まりを突破し、『スローターハウス5』を完成させることができたのだろうか。まず、ごくあたりまえのこととして、彼が年齢を十分に重ね、実際の出来事から十分に距離を置くことができ、作家として十分な経験を積んだということがあっただろう。さらに、彼自身の努力と運命の歯車が思いがけなく重なる幸運もあった。

一九六五年から六七年にかけて、ヴォネガットはアイオワ大学の文芸創作講座の講師の職に就いた。そこで作家仲間に出会い、文学的な雰囲気にひたり、創作について話し合う機会を得た。また、安定した収入を得ることもできた。こうして彼は戦時の体験に基づいた本を書くことに専念するようになった。

当時、公民権運動やヴェトナム反戦運動やカウンターカルチャーの興隆などで世の中が騒然とするなかで、小説の形式や内容についてもさまざまなことが起こっていた。創作講座でも、みんなそのことを敏感に感じ取っていた。トルーマン・カポーティやトム・ウルフはジャーナリズムの客観性という常識をひっくり返した。ジョン・バース（かつてアイオワ大学で自作のおもしろい上演会をした）やホルへ・ルイス・ボルヘス（ゲスト・スピーカーとしてアイオワ大学を訪れた）やロバート・クーヴァー（ヴォネガットが講師をやめた年にアイオワ大学の講師となった）やフリオ・コルタサルなど、名前をあげればきりがないが、多くの作家たちが喜々として形式をいじくったり、約束事を破ったりしていた。評論家はそんな作家たちを分類し、さまざまなレッテルを貼った。ニュー・ジャーナリズム、マジックリアリズム、メタフィクション、等々。アイオワ大学で教えていた評論家のロバート・スコールズは『The Fabulist〔「寓話作家」の意〕（未）』という本を書き、ヴォネガットを寓話作家《ファビュリスト》のひとりに分類した。

この頃、『ニューヨーク・タイムズ』紙がヴォネガットに新しい『ランダムハウス大辞典』の書評を書いてほしいと依頼してきた。ヴォネガットはそれに応えて、彼独特の率直で風変わりな書評を書いた。その中で彼はランダムハウス社の社長で編集者でもあるベネット・サーフの言葉を引用した。ジョンソン大統領がヴェトナム戦争について行なった演説の言葉遣いはくだけすぎではないか、と記者にたずねられたサーフがいった言葉で「いまアメリカ合衆国の大統領が心配すべきことは、自分の話す英語が格調高いかどうかということではない」というものだ。その書評がかつてサーフの下でランダムハウス社の副社長を務めていたシーモア・ロレンスの目にとまった。ロレンスはそのときデル出版社の提携出版社デラコートのために新しい作家を探していた。ロレンスとヴォネガットは会い、ヴォネガットはいま『スローターハウス5』という本を書いているが、自分の本は売れないと話した。ロレンスはヴォネガットに、彼がこれから書く本を三冊出版するという契約を申し出た。[83]

こうしてヴォネガットは『スローターハウス5』に関して、自分自身の思い入れとともに、ロレンスに対する義務も背負うことになった。自分を信じてくれたロレンスの信頼に応えなければならないと感じたのだ。

このような責任を負うことは強い原動力になる。全力で創作に打ち込むことによって、運命は親切な守護妖精となり、必要なドアを開け閉めしてくれるものだ。[84]

実際、そうなった。

守護妖精はヴォネガットに、一流の出版社を用意してくれるとともに、形式と内容について新たに重要なイメージを授けてくれた。

＊

次にあげる事柄は、順番に起こったように見えるが、それは実話を物語風に語る便宜上そうなっているだけで、ほんとうに起こった順序は私にはわからない。スクランブルエッグのようにごたまぜに起こったのかもしれない。

1　ヴォネガットの戦友バーナード・オウヘアの妻メアリー・オウヘアがヴォネガットをにらみつけて、「たまにはほんとうのことを書いてみたらどうなの」という——つまり、戦地にいたヴォネガットも、ほかの兵士たちも、みんなまだ子どもで、映画スターが演じるようなヒーローではなかったことを書けといったのだ。[85]

2　ヴォネガットは実際ところ、当時のことをあまり思い出せないことに気づく。必要は創作の母だ。物語を埋めるために、ヴォネガットは創作をしなければならなくなる。そして、以前に書いたSF小説のネタからトラルファマドール星の話をつくりあげ、同じく以前に自作に登場したSF作家キルゴア・トラウトを登場させる。(トラルファマドール星とキルゴア・トラウトの両方のエピソードで七千二百五十一語、およそ二十五ページを追加する。内訳はトラルファマドール星についてが四千八百五十一語、キルゴア・トラウトについてが二千四百語だ。)

3　第一章を著者の率直な語りで書くというアイデアを思いつく。それは、虚構の枠組みを維持するという小説の基本的なルールを破るものだ。「この本に書かれたことはすべて、だいたいそのとおりに起こった」と、のっけから暴露する。さらに、戦争捕虜となりドレスデン空襲を体験したことが土台となっていることや、それを書こうと苦労したこと、その過程について説明する。そうやって読者を、まるで友人のように話に引き込むのだ。

ヴォネガットはなぜこんなことをするにいたったのか。一九六六年に、ランダムハウス社は絶版になっていた彼の三作目の長編『母なる夜』を再発行している。そのときヴォネガットは改めてまえがきを書き、それはその後の版でずっと入るまえがきとなるが、その中で彼はこの小説の教訓と自分が考えていることについて率直に語っている。その前例が『スローターハウス5』の第一章のアイデアのもとになったのかもしれない。文芸創作講座で教えていたことや、実験的な形式を試そうという雰囲気があったことも影響したに違いない。ヴォネガットはすでにドレスデンについて、ノンフィクションでもフィクションでも書こうとしていた。その試みを単に合体させただけだともいえる。しかし、私がもっとも大きな要素だと思うのは、自分がいかにこのテーマを気にかけているかを確実に伝えたい、読者にそのことをわかってほしいという彼の切迫した思いだ。

4　『スローターハウス5』が出版された一年かそこらあと、私がバーンスタブルのヴォネガット家を訪ねたとき、妻のジェインはこんなことをいった。「最初は『スローターハウス5』のあの自伝風の第一章が大嫌いだったけど、それが時間に関係することだとわかって、そうでもなくなった」。実際、ヴォネガットは第一章でセリーヌとレトケの言葉を引用しているが、それはどちらも時間に関するものだ。彼自身は「そして私は現在について自問した。それはどれくらいの広さと深さがあるのか、そのうちどれくらいが私には残っているのか」と述べている(86)。この情感のこもった一節は、中年の思いを歌いあげている。当時ヴォネガットはまさに中年に差しかかっていた。時が過ぎていくことを敏感に感じるようになって、ぐずぐずしていられない、当たって砕けろという気持ちへ駆り立てられたのだろう。

5　ヴォネガットは観念した。この本は自分が思い描いていたような本にはならない、自分が望んでいたような形に仕上げることはできないという思いに屈した。完璧な仕上がりをあきらめることは、多かれ少なかれ、どの作家にも起きうる。(87) ヴォネガットのたくさんの草稿には、完成した原稿に負けないくらいすばらしい部分がある。彼は現時点で自分が実際に提供できるもののために、理想の本をあきらめねばならなかった。

それでも、なんとか仕上げた。『スローターハウス5』の第一章の終わり近くで、ヴォネガットは旧約聖書に登場するロトの妻——振り返るなという神の命令に背いて塩の柱に変えられてしまう女性——の故事を引いて、こういっている。

私はもう戦争に関する本は書き終えた。次に書く本は、楽しい本にしよう。この本は失敗作だ。そうなるしかなかった。なぜなら、この本は塩の柱によって書かれたのだから。

それは［……］それはとても薄っぺらい［……］『The Bobbsey Twins（未）』〔米国の子ども向けの小説〕くらいの長さしかない。

それくらい短い本なので、これを連載物として掲載した『ランパーツ』誌は、これで終わりか、とヴォネガットにたずねた。(88)

作家はいつも大作を書けるわけではない。できるかぎりのことをやって、次に進まなくてはならな

い。でなければ、一生同じ本を書いて過ごすことになる。(89)

＊

ヴォネガットが『スローターハウス5』の行き詰まりを打破し、成功にいたったいきさつを、創作のアドバイスに変換するとこんな風になる。

1　全力で打ち込むこと。
2　運命や自分の守護妖精を信じること。
3　真実を書くこと。
4　こつこつとやり続けること。
5　完璧な仕上がりをあきらめること。

自分が必要と思うアドバイスを心に留め、自分の実情に合うように適宜変更してほしい。

＊

私を含め、多くの人々は、兵士でなかった人たちから戦争や戦場の様子についてたずねられると、ぴたっと口を閉ざしたものだ。それがまた流行でもあった。自分の戦争体験を語るのに効果的な方法は、語るのを拒否することだ。〔……〕

しかし、私やほかの作家を解放してくれたのはヴェトナム戦争だと思う。あの戦争のおかげで、アメリカの指導力と動機がいかにいかがわしく、どうしようもなく愚かであるかが明るみに出た。〔……〕我々はそのとき初めて語ることができるようになった。我々がひどいことをしたということを。〔……〕私が見たもの、私が報告しなくてはならないものは、戦争がいかに醜いか教えてくれる。ご存じのように、事実はじつに大きな力をもつことがある。思いもよらないほどの力を。

このあとヴォネガットはこう付け加えている。

いうまでもなく、戦争について語らないもうひとつの理由は、とても語れるものではないからだ。(90)

『スローターハウス5』にこんな一節がある。

ようやく、道が二股に別れた地点にある石造りの田舎家に到着した。そこは捕虜たちを集める場所だった。ビリーとウィアリーは家の中へ入れられた。中は暖かく、煙が立ちこめていた。暖炉で火がシューシュー、パチパチ音を立てながら燃えている。薪がわりに家具が放りこまれていた。二十人ほどのアメリカ人の先客がいて、壁を背に床の上にすわって炎を見つめていた——何か考え事をしていようだが、じつのところ、何も考えていなかった。

みんな黙りこくっていた。話したくなるような戦争の話など、誰も持ちあわせていなかった。[91]

『母なる夜』の主人公ハワード・キャンベルは、かつては脚本家だったが、第二次世界大戦の勃発後、二重スパイとなった。彼は歳を取ってから、こんな会話を交わす。


「もう何も書かないの?」と彼女がいった。

「書きたいと思ったことなんて、もうずっと何もない」私はいった。

「あれほどいろんなものを見て、いろんなことを経験したのに?」

「いろいろ見て、いろいろな目に遭ったからこそ、何も書けなくなったんだ。筋の通ったことを書くコツがわからなくなってしまった。僕が文明世界に向かって話すのは、わけのわからないことばかりで、文明世界が僕に返す答えも同じようなものだ[92]」

第7章 価値あるテーマを見つけることへの不安、すなわち死の欠乏

FEAR OF FINDING A WORTHY SUBJECT OR A DEARTH OF DEATH

書くことが好きで作家になりたいけれど、これまであまりたいした出来事を経験したことがないとしたら、どうすればいいのか。書く価値があるほど重大な出来事は自分の人生に存在しなかったとしたら、どうすればいいのか。それに関して、ヴォネガットはこんなことをいっている。

辛抱

僕が昔、
シティ・カレッジで文芸創作を教えていた女性が、
こんな告白をした。
いかにも恥じ入ったように、

まるでそのせいで本物の作家になれないというように、
私、死んだ人を見たことがないんです。
僕は彼女の肩に手を置いて、
こういった。
「人間、辛抱が肝心だ(93)」

＊

この詩はヴォネガットのアドバイスのひとつだ。以下にあげるのも、また別のアドバイスだ。

(ドレスデンの) 街が破壊されたとき、それがどれくらいひどいものか見当がつかなかった。[……]映画で見たものくらいしか比較するものがなかったからだ。国に帰ったときは、自分も戦争の体験談を書こうと思った (私はコーネル大学で日刊紙『コーネル・サン』をつくっていたときから作家だったからね。まあ作家経験といえばそれくらいだったけど)。友だちもみんな国へ帰っていて、みんな驚くべき経験をしていた。私は『インディアナポリス・ニューズ』という地元の新聞社へ行って、ドレスデン空襲についての情報を探した。すると、ドレスデン上空にいたアメリカの飛行機のうち二機が行方不明になったというほんの小さな記事がひとつあっただけだった。そこで私は、なんだ、ドレスデン空襲なんて第二次世界大戦の中ではほんとに取るに足らない出来事だったんだ、と思った。みんな私よりずっとたくさん書くネタを持ってるんだろう、と。当時、さっそく本を出していたアンディ・ルーニーをうらやましく思ったのを覚えている。ルーニーとは面識がなかったが、彼は戦後初めて戦争の話を出版した人物だと思う。『Air Gunner〔「機上狙撃手」の意〕(未)』という本だった。残念ながら、私はそんなかっこいい冒険はしていない。だが、ときどきヨーロッパの人間に会って、戦争の話になると、私はドレスデンにいたことを話した。すると相手は驚いて、必ず、もっと話を聞かせてくれといった。そうこうするうちにデイヴィッド・アーヴィングがドレスデンについての本を出版し、これはヨーロッパ史上最大の虐殺だ、といった。なぁんだ、やっぱりすごいことを目撃してたんだ、と思ったね。(94)

もしかしたら誰もが、知らないうちにすごいことを見ているかもしれない。身近な場所で目撃したなんの変哲もないようなことは、ほんとうはすごいことかもしれない。ヘンリー・デイヴィッド・ソローはマサチューセッツ州コンコードに住んでいた。そして、こんなことをいっている。「私はコンコードで大きな旅をした」ヴォネガットはこの言葉を最初のノンフィクション作品集『Wampeters, Foma & Granfalloons（ヴォネガット、大いに語る）』の題辞に使った。その理由についてこう語っている。

この句を初めて教わったのは、たぶん母校のハイスクールのすばらしい先生方のひとりからだったと思う。いまにして思えば、ソローはいま私がしているように、子どもの視点で書いていたのだと思う。彼がコンコードについて述べたことは、すべての子どもが自分の生まれ故郷について感じること、感じるに違いないことだ。どこで生まれようと、そこには、その子にとって一生続くような驚きや感動が十二分に存在する。

呰があるかって？　インディアナポリスにも呰は山ほどある。(95)

※

小説を書くために、死や破壊や苦悩を経験する必要はない。ただ、何かに関心をもつ必要があるだけだ。あなたの関心のあることは、もしかしたら楽しいことかもしれない。

アイオワ大学の文芸創作講座で、小説形式論という科目があった。それは作家の視点から小説について考察する文学の必修科目で、八十人ほどの学生が受講していた。カートはその科目で、チェーホフの短編小説を教えていた。なんというタイトルだったかは思い出せない。しかし、私はその小説のねらいがよくわからなかった。なぜなら、あまり何も起こらない話だからだ。ある思春期の少女がいろいろな少年に恋をする。少女は小さな犬か何かを指差して笑う。それだけだ。葛藤もないし、劇的な転機や変化もない。カートはこう指摘した。その少女は、人生の盛りにさしかかった純粋な喜び、生気に満ちている喜び、ロマンスが期待できる喜びを、表現する言葉を持ちあわせていない。口では言い表せないその喜びが、おもしろくもないものを見たときに、笑いとしてあふれ出す。それがこの小説で起こったことだ。その少女が生き生きと喜びにあふれている様子を、カートはとてもおもしろがっていて、それは学生たちにとって、とても励みになるものだった。そのおかげで私は、このような何でもない瞬間でも、捨てたものじゃないと教えられた。そういう瞬間も、小説にする価値があるものなのだ。

＊

先ほどの詩に出てきたシティ・カレッジの女学生のように、若者には年配の人間と同じような経験や実績をもつことは不可能だろう。私はアイオワ大学の文芸創作講座に入門した当時、短編小説をひとつ書いただけで、社会学を専攻していて、作家という職業についてほとんど何も知らなかった。カートと同じように、自分は同級生より劣っていて、英文学について無知だと感じていた。それなのに私は、作家である講師たちと自分をしょっちゅう比較していた。彼らは私より少なくとも二十年は長く人生を歩み、本を読み、作品を書いていたというのに！

ヴォネガットは世代について、ある大学の卒業式でこう述べている。

同じ時代を生きる少し年上の者たちが、少し年下の者たちに求めるものは何でしょう？　それは、長きにわたり、しばしば想像力を駆使して、厳しい条件のもとで生き延びてきたことを評価してほしいということです。ところが年下の者たちは、そういう評価をすることを、ひどくしぶります。

いっぽう、少し年下の者たちが少し年上の者たちに求めるものは何でしょう？　それは私が思うに、何よりも承認であり、自分たちがもう間違いなく大人であることをさっさと認めてほしいということだと思います。ところが年上の者たちは、そういう承認を与えることをひどくしぶります。[96]

以前に、ジョン・バースやカート・ヴォネガットやその他の作家たちのグループインタビューの記事を読んだことがある。その中でヴォネガットは、どんな作家でもすべての作家の書く理由は、もちろん、世界を変えたいからだ、といった。するとバースが異議を唱えた。そんなことはない、僕はそんなことのために書いているんじゃない、とバースはいった。たしか彼はこんなことをいっていたと思う。僕はただ言葉と戯れたいから書くんだ。

✼

〝同世代の作家たち〟に対して、どんな親近感を感じますか。あるインタビューでそう問われて、ヴォネガットは次のように答えている。「もちろん、親しみは感じるよ。でも、中には話をするのも難しい相手もいるね。なぜなら、お互いにかなり違う種類の仕事をしているように思えるから［これについて彼は別の場所で「足病医と深海ダイバーくらい違う」といっている］。その理由は、長いあいだわからなかった[97]」しかしその後、ヴォネガットの友人でグラフィック・アーティストのソール・スタインバーグがその謎を解いてくれたという。スタインバーグはこういった。「芸術家にはふたつのタイプがあって、どちらが優れているということはないが、ひとつ目のタイプは人生そのものに反応して創作する。ふたつ目のタイプは、自分が専門とする芸術の歴史に反応して創作するんだ(98)」

私は［ひとつ目の］タイプだった［……］そうならざるを得なかった。歴史上の文学者たちと競い合ったりするようなことはできなかった。なぜなら私は文学の歴史を系統的に学んだことなどなかったからだ(99)。

歴史上の文学者たちを尊敬している人もいるだろう。そういう人は、文学の歴史に反応して書くタイプのアーティストかもしれない。もしかしたらそれが、その人の関心のあることかもしれない。

＊

あまり論理的ではないが、ヴォネガットは次のような見解も述べている。

私が思うに、もし文学を創造する人間の頭の中に、それまでの文学の歴史とは別のことが存在したら、ものすごく新鮮でおもしろいことになる。文学は、いってみれば、自分の尻尾を食って消滅するようなことになってはいけないんだ(100)。

ヴォネガットは人生に反応してまじめに書いているのだが、よく知られているように、書き方はふざけている。おもしろおかしく茶化している。『チャンピオンたちの朝食』ではとくに、彼自身が小説の中にしょっちゅう登場して、ほかの登場人物たちをからかい、ひいては読者をからかっている。それによって、本という宇宙の創造主であることは、すごくおもしろくて、ばかばかしいことでさえあると示しているのだ。

＊

「ブラック・アンド・ホワイトの水割りをひとつ」ウェインはウェイトレスがそういうのを聞いた。そのとき彼は耳をそばだてるべきだった。なぜならその酒は、普通の人間が注文したものではなかったからだ。その酒を注文したのは、ウェインの今日までの不幸のすべてを生み出し、彼を殺すことも、億万長者にすることも、刑務所に送り返すことも、そのほかどんなことも好きなようにすることができる人物だった。つまりその酒は私が注文したのだ。(101)

＊

鮮やかなブルーのカバーに太陽と月と星が描かれた、その名も『Sun Moon Star（お日さま お月さまお星さま)』という幼児向けの絵本がある。カート・ヴォネガットとアイヴァン・チャマイエフが協力してつくって一九八〇年に初めて出版されたものだ。アイヴァン・チャマイエフはPBSやMobileやNBCのロゴマークをつくるなど、さまざまな方面で活躍するグラフィック・デザイナーで、たまたま私が夏を過ごす家の隣人だった。どうしてふたりが知り合って、いっしょに絵本をつくることになったのか、私は不思議に思っていた。たぶんふたりで一定の時間をかけ、ストーリーと絵のアイデアをぶつけ合ったのだろうと思っていた。

ところが、アイヴァンはその予想とは違ういきさつを話してくれた。

ふたりは一九七〇年代に共通の知人を通じて知り合った。当時アイヴァンはコラージュを制作していて、共通の知人から、そのコラージュをヴォネガットに見せたらどうかと勧められた。「僕は太陽や月や星の形がそれぞれ異なることや、それらの天体の関係などに興味があって、たくさんコラージュをつくっていたんだけど、それをどうするかは考えていなかった」とアイヴァンはいった。彼は友人の勧めにしたがって、「カートに百枚ほどのコラージュを手渡した。そのあと三ヵ月間、なんの音沙汰もなかった。僕は、まあいいや、彼は興味が湧かないか、忙しいか、どっちかなんだろうと思っていた。そしたら電話がかかってきた。カートは僕の家にきて、僕の大きな机の上に足をのせて、自分がつくってきたものに僕が目を通すのをじっと見ていた」アイヴァンは笑いながらいった。「カートは太陽とも月とも星ともまったく関係のないことを書いてきて、僕のコラージュを自分の決めた順番で、自分の考えに基づいて使っていた。それは、ここまでやるかと思うほど、僕の考えとはほど遠いものだった。ただ、僕が考えたタイトルを変えることだけはしていなかった」アイヴァンはくすくす笑い続けた。「カートは僕の反応を見てすごく喜んでいた。そして僕も彼に驚かされたことがうれしかった」

ヴォネガットがアイヴァンのコラージュから組み立てたストーリーはどんなものか？　それは、宇宙の創造主の誕生を、生まれたての創造主の視点から綴った物語だ。

＊

ふたりの共作のプロセスは、その絵本のカバーの折り返しにも書かれている。

この本は、耳ではなく、目のための音楽をつくる実験です。

アイヴァン・チャマイエフがまず絵をかきました。その絵にはなんの説明もありませんでした。そのあと、カート・ヴォネガットがその絵に合う言葉をかきました。

ですからこの本は、曲が先にできた歌です。

印刷機のための簡単な讃美歌です。みなさんも、チャマイエフの曲に、自分の言葉をのせれば、おもしろいかもしれません。

＊

ふたりの大人の男たちが遊んでいる。ひとりはいろいろな形とそれぞれの形の関係について。もうひとりはいろいろな言葉といろいろな形の関係について。

✲

せいぜいふざけてみるといい。または、音楽にのせて書くのもいい。

第8章 原動力の切り札、すなわち恐れないこと

THE LAST WORD ON THE PRIME MOVER OR FEAR NOT

もしもほんとうに〝心の底から〟みんなが耳を傾けるべきだと思うテーマを持っているなら、その強い思いが探求《クエスト》の旅を長年にわたって続けるのを支えてくれるはずだ。その間、立ち止まっては進み、間違った道を選んだり、苦しく単調な日々を送ったり、歓喜に震えたり、絶望に沈んだり、波乱万丈の浮き沈みを経験することだろう。

自分の中に存在する興味、関心に動機づけられているほうが、実利的な目的に動機づけられている場合より大きな成功がもたらされる。それは科学的にも証明されている。(102)

ヴォネガットは、友人のチリの作家ホセ・ドノソが書く意欲を失ったとき、彼に手紙を書いて送った。その手紙は、ヴォネガットの伝記を書いたチャールズ・シールズによると、「作家にとって書き続けるのは苦しいが、それについてのヴォネガットの個人的な気持ちがもっともよく表れたもの」だという。(103)

ホセ・ドノソもアイオワ大学文芸創作講座で講師を務めており、彼とカート、彼の妻とカートの妻は親

しい友人になった。当時、カートはもう二十二年間も『スローターハウス5』を書こうとし続けていた。いっぽう、ホセ・ドノソは十年間、『夜のみだらな鳥』を書こうとしていた。ホセはカートにその執筆をあきらようと思うと手紙で書いてきた。彼は自殺したいとさえ考えていた。その作品を書くことは恐ろしい苦痛を伴い、自分は無力で無能で意志の弱い人間だと感じていた。そして、千ページもある原稿をすべて箱に詰めてしまったところだった。

そのときカートは戦友のバーナード・オウヘアとともに、『スローターハウス5』の調査をするために、ドレスデンを再訪する途上にいた。ふたりは「コミュニストの旅行業者にものの見事にだまされ」、その業者のつくったでたらめな書類のおかげで、すでに費用を払ったレニングラードまでの行程を進めなくなった。そこでふたりはルートを変更して、ヘルシンキにいた。ホセへの鉛筆書きの手紙に、そのいきさつや、もろもろの出来事をしたためたあと、カートはこう書いている。

ところで、僕がほんとうに気にかかっていることは、きみが『鳥』の本を書くのをやめたということだ。これはとんでもないことだし、ばかげたことだ。ドノソはドノソを見捨ててはならない。なぜ十年前の自分を軽蔑するのだ。十年前のきみはきっと魅力的な作家だったはずだし、いまのきみと同じく、傾聴するに値する作家だったはずだ。きみにひとつ素朴な質問をしよう。きみは結末が必要なのか？　もしそうなら、すぐさまそれをこしらえるんだ。それがかつてのきみだった人物への最低限の配慮だろ。我々を、いまは亡き彼の著作権管理者にするんだ。彼はその千ページ（なんてすごい量だ！）で、いいたいことを十分いったのか？　文章の途中で終わらせてもかまわないと

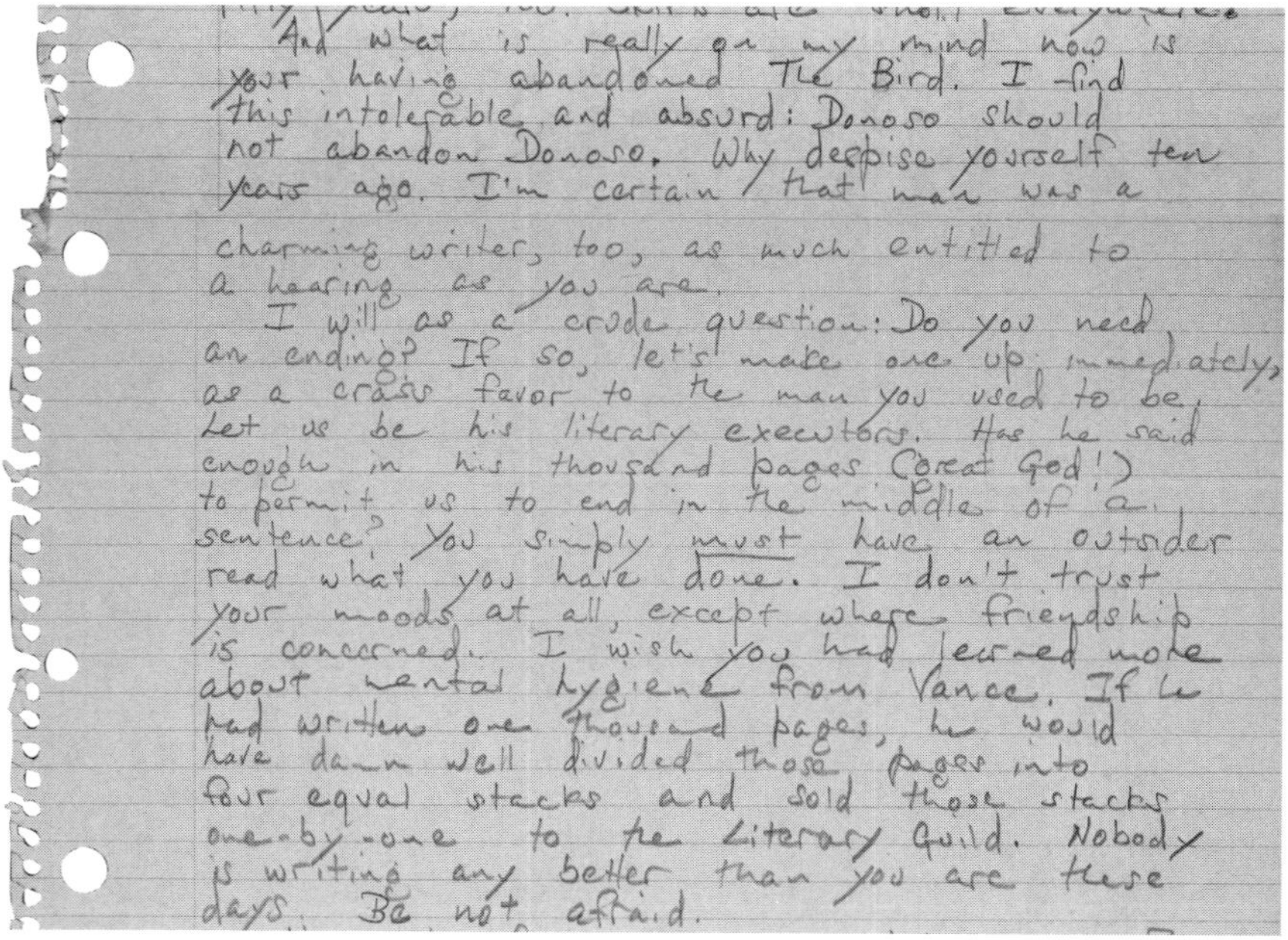

And what is really on my mind now is your having abandoned The Bird. I find this intolerable and absurd: Donoso should not abandon Donoso. Why despise yourself ten years ago. I'm certain that man was a charming writer, too, as much entitled to a hearing as you are.

I will as a crude question: Do you need an ending? If so, let's make one up immediately, as a crass favor to the man you used to be. Let us be his literary executors. Has he said enough in his thousand pages (Great God!) to permit us to end in the middle of a sentence? You simply must have an outsider read what you have done. I don't trust your moods at all, except where friendship is concerned. I wish you had learned more about mental hygiene from Vance. If he had written one thousand pages, he would have damn well divided those pages into four equal stacks and sold those stacks one-by-one to the Literary Guild. Nobody is writing any better than you are these days. Be not afraid.

1967年10月にカート・ヴォネガットからホセ・ドノソに送られた手紙。ニュージャージー州プリンストン、プリンストン大学図書館、貴重図書及び特別蒐集品部、ホセ・ドノソ文書提供。

いうくらいに？　きみはぜったいに、いままで書いたものを外部の人間に読んでもらわないといけない。僕はきみの一時的な気分なんかぜんぜん信頼していない。もちろん友情に関しては信じているが。きみがヴァンスからもっと精神衛生について学んでいればなぁ。ヴァンスなら、もし千ページも書けたとしたらだが、きっとそれを四等分して、リテラリー・ギルド〔アメリカのブッククラブのひとつ〕にひとつずつ売っていくさ。近ごろのきみほどうまく書いている作家はいない。恐れるな。

もしあなたが自分のテーマについて切迫した思いを抱いている作家なら、この手紙から突破のための六つ目のアドバイスを拝借しよう。それは「恐れるな」だ。

第9章　魂の成長

SOUL GROWTH

芸術活動にたずさわる最大のメリットは、上手であれ、下手であれ、それによって魂が成長することだ。(104)

ヴォネガットはこの信念を、とくに歳を取るにつれて、何度も、さまざまな形で主張し続けた。「書くことは父にとって精神的な修養だった」ヴォネガットの息子のマークはそう述べている。「それは父がただひとつ、心から信じていたことだ(105)」

＊

ワインライターのアラン・ヤロウは、自身のブログの中で年に一回、ヴォネガットに関するある逸話を紹介している。そのブログは、金銭的なメリットにかかわらずワインライターになりたいという人々に向けて書かれたブログだ。

私はある年の春に、小説の創作の授業を取った。そのときの女の先生が自分の友人に、「熱心で純真な大学生相手の授業だから」といって、一時間だけ代理で授業をしてほしいと頼み込んだ。その代理教師、猫背のカート・ヴォネガットは、居心地の悪い薄暗い教室で、我々十二人の学生に対して、魅力的なかすれた声で、開口一番にこういった。「長編小説は死んだ。いまどき小説など誰も読まない。アメリカはみずからの想像力を失った。もう終わりだ」

私の記憶では、ヴォネガットはそういったあと、ひっきりなしにタバコを吸いながら、さらにだらだらと話し続けた。もしかしたらタバコを吸っていたというのは私の記憶違いかもしれないが、彼のいったことは正確に覚えている。ヴォネガットの長口舌が終わったあと、学生のひとりが蚊の鳴くような声でおずおずとこう質問した。

「ということは、先生は、そのぉ、僕たちは小説を書くとか、そういうことはよしたほうがいいとおっしゃってるんですか?」

これに対して、ヴォネガット先生は(もちろん、タバコの火をもみ消しながら)、椅子の上で心持ち背筋を伸ばし、心持ち目に輝きを取り戻して、こういった。

「いやいや、違う。誤解してもらっちゃ困る。きみたちは小説家として生計を立てることはないだろう。いくらがんばっても無理だ。しかし、だからといって、書いてはいけないということではない。きみたちはダンスのレッスンを受けるのと同じ理由で小説を書かねばならない。高級レストランでのフォークの使い方を学ぶのと同じ理由で書かねばならない。世界を見る必要があるのと同じ理由で書かねばならない。それはたしなみだ(106)」

このときヴォネガットは大学の初心者向けの授業で語っていた。しかし、もっと本格的に作家を目指している人々に対しても、さらに強調して、同じようなことをいっている。

ビル・ゲイツはこういっている。「あなたのコンピュータの成長を暖かく見守ってやってほしい」。しかし成長しなくてはならないのは人間なのだ。ばかなコンピュータなんか放っておけばいい。人間の成長というのは奇跡だ。この世に生まれて、仕事をしつつ成長する(107)。

芸術では食っていけない。だが、芸術というのは、多少なりとも生きていくのを楽にしてくれる、いかにも人間らしい手段だ。上手であれ、下手であれ、芸術活動に関われば、魂が成長する(108)。

＊

芸術活動をすることで「魂が成長する」というのは、あいまいで月並みな文句に聞こえるかもしれない。ヴォネガットは「魂が成長する」という言葉を、どういう意味でいっているのだろう？　そもそも

〝魂〟とはなんだろう？

『ウェブスター英語辞典』では、魂（soul）は次のように定義されている。

- 人間や動物の精神的、非物質的な部分で、不滅のものと考えられている。
- 人間の道徳的、感情的本性、すなわち本来の自分らしさ。

いっぽう、『チャンピオンたちの朝食』に登場する画家のラボ・カラベキアンの定義によれば、魂とは次のようなものである。カラベキアンは、自分の描いた抽象表現主義絵画について説明する中でそれを述べている。その巨大な絵画は、緑色に塗られた巨大なカンバスの上に蛍光オレンジの線が一本描かれたものだ。

> あの絵は、**あらゆる動物の意識**を描いた絵だ。それは**あらゆる動物の非物質的な核**――すべてのメッセージが送られる「我ここにあり」という部分だ。どんな動物でも、生きているのはその部分だけ――ネズミも、シカも、カクテルラウンジのウェイトレスもそれは同じだ。それは揺るぎなく、神聖である。どんな不合理な出来事が我々に降りかかろうとも。［……］**どんな人間でも、その中で生きているのは意識だけであり、おそらく神聖なのも意識だけである。**そのほかのすべては生命のない機械だ。[109]［太字は筆者による］

では、魂は――我々の意識は――どのようにして成長するのか？　それにはいくつかの方法と手段がある。

＊

ヴォネガットは初めてのエッセイ集の序文でこう述べている。

私は自分の書いたエッセイの中に、成長した証をほとんど見つけられない。そこには私独自のアイデアなどひとつもない。どれもこれも、第七学年になるまでに、ほかの誰かからくすね、つたない言葉で説明したようなことばかりだ。

しかし、小説を書くことによって経験してきたことは、少なくとも私にとっては、はるかに驚きに満ちて、おもしろいものだった。実際、私はその分野ではいくらか成長したかもしれない。もしそうだったら、それはすばらしいことだ。それは想像力を働かせることそのものに、創造する力があることを証明しているかもしれない。

もし、私のように明らかに凡庸な頭脳の持ち主が、想像力を働かせて作品を生み出すことに専念すれば、それによって、凡庸な頭脳が刺激され、悩まされて、聡明な頭脳に生まれ変わるのだ。私の友人で画家のジェイムズ・ブルックスは、去年の夏、こんなことを教えてくれた。「最初の一筆をカンバスに描く。するとそのあとは、その作品の少なくとも半分は、カンバスがやってくれるんだ」原稿用紙や、粘土や、フィルムや、振動する空気や、そのほかさまざまな生命のない物質にも、同じことがいえるかもしれない。人間は苦労してそれらの物質を自分の師や遊び仲間に変えてきたのだ。［……］

だから私はいま、こう信じている。アメリカ人がその凡庸さを脱して十分に成長し、自分自身を救い、この地球を救う手助けができるくらい成熟するには、自分たちの想像力の生み出すものに積極的に親しむしか方法はない。私は自分自身の想像力が生み出したもの、つまり自分の小説にとくに満足しているわけではない。ただ、自分の仕事が想像することであるとき、思いがけない洞察が生まれることに、とても強い感銘を受けているだけだ。それは、自分の仕事が事実を語ることである場合に、私の机の上を汚す、つまらないありふれたアイデアとは対照的なものだ。[110]［太字は筆者による］

なぜそうなるのだろう？　それは、事実を記述する場合は、単なる事実の確認や自己正当化につながりやすいからだ。書くことは、自分自身を惜しみなく分け与えることであり、分け与える相手には、他者だけでなく自分も含まれる。何かが起こったら、人はそれを書くことによって、その出来事について証言する。独自のやり方で考え、観察し、それを提示することによって、自分の個性を主張したり、自分の経験の価値を確認したりする。

しかし、フィクションを書くときは、想像力と無意識という不思議な世界に通じる扉が開く——言い換えれば、意識から隠されていたものすべてへの扉が開くのだ。

ハンター・カレッジの教授ルイーズ・デサルヴォの著書に、『Writing as a Way of Healing〔「癒しの方法として書くこと」の意〕（未）』というすばらしい本がある。その中でデサルヴォは、書くことがすべて癒しにつながるわけではないと述べている。自由記述法《フリーライティング》は癒しにつながらないし、トラウマについて客観的に記述することも、感情を吐き出すことも癒しにつながらないという。そして、癒しにつながる具体的な方法をあげている。「心の痛手となるような不快な出来事について詳しく述べたうえで、そのときその出来事についてどう感じたか、そしていまどう感じているかを書く。こういう方法だけが、これまで唯一臨床的に効果があるとされてきた」

デサルヴォの処方箋は、小説を書くプロセスでしばしば起こることとまったく同じだ。

小説には登場人物という覆面が欠かせない。つまり、虚構の人物の視点を借りることになり、それによって感情を表現しやすくなる。「人は覆面を与えたらほんとうのことを話す」とオスカー・ワイルドもいっている。

また、小説は変化を要求する。変化がなければ物語にならない。誰かが誰かと対立したり、何かの問題に直面したり、自分の内面にある何かに向き合ったりして、その状況が変化することがなければ、物語は進展せず、つまらないものになる。

さらに、小説は語りだ。それは一定の時間をかけて起こる。たとえほんの短いあいだの出来事であっても。だから、〝そのとき〟と〝いま〟という概念になじみやすい。

もちろん、すべての小説がデサルヴォの原則に忠実なわけではない。また、ノンフィクションでも癒しにつながる場合がある。回想録の場合はとくにそうだ。なんといってもデサルヴォの本はノンフィクションを書く人々に向けて書かれているのだ。しかし、小説であれノンフィクションであれ、条件統制された臨床実験によると、(書くことが癒しにつながるためには)「出来事の詳しい説明と、その出来事に対する感情――当時と現在の両方の感情――を結びつけるように書かなければならない」とデサルヴォは述べている。[111]

それはカート・ヴォネガットが長編小説でよくやっていたことだ。

その例をふたつ見てみよう。それはヴォネガットがみずからの魂の成長をうながした方法だが、誰にとっても魂の成長をうながすヒントになるかもしれない。

＊

作家のジョゼフィーン・ハンフリーズは「小説を解釈するひとつの方法」として、こう述べている。「小説は、作者が問うもっとも重要な問いに対する作者自身の回答とみなすことができる。その回答はしばしば複雑で、あいまいで、定まらない。しかし問いは簡潔でほとんどいつも同じだ。その問いが大きければ大きいほど、小説は危険になる」[112]

『スローターハウス5』の出版後まもなくのインタビューから、ヴォネガットがドレスデン空襲について問うたことに耳を傾けてみよう。

アメリカとイギリスの両空軍が、二時間のうちに、十三万五千人の人間を殺した。これは世界記録だ。

現地にいた我々アメリカ人は生き延びることができた。なぜなら、広々した屠殺場の中の宿舎に収容されていて、そこの地下三階には食肉貯蔵庫があって、それがドレスデンで唯一のまともな避難所だったからだ。そこで我々はその食肉貯蔵庫に下りていって、次に上がってきたときには、街は消滅して、人々はみな死んでいた。生きている人間に出会うまで、何マイルも歩かなければならなかった。すべての有機物は焼き尽くされていた。

ドレスデンが焼け落ちたことについてどう思うかって? わからない。多くの都市への空爆はナチスの蛮行へのお返しで、それはそれで正しい。でも、犠牲者を見たら、混乱してしまうんだ。そういう帳尻合わせみたいなことには心穏やかでいられない。ようやく戦争から帰ってきたとき、そのことで混乱した。なぜかというと、我々があちこちの防空壕を掃除するときに見たものは、火葬場を掃除するときくらいしかお目にかからないようなひどいものだったからだ。**いったいなぜドレスデンとアウシュヴィッツで帳尻を合わせたりするんだ? それで帳尻が合うのか? それとも、何もかもあまりにもばかげていて、それについて話すこともばかげているのか?**［太字は筆者による］

＊

まるで守護妖精のしわざのように、私はちょうどこの章を書いているときに、たまたま(彫刻家である夫の回顧展がリヒテンシュタイン・ミュージアムで開かれ、その初日に)、ドレスデン空襲の被害者に出会った。ドイツ人のフランク・プロイス氏だ。空襲があった当時、彼は五歳だった。

私はプロイス氏に、ヴォネガットの体験について話した。プロイス氏は、少しだがはっきり覚えていることがいくつかあるといい、のちほどそれについて電話で話してくれた。


私の最初の記憶は、イギリス軍が爆撃を始めた夜のことです。私たちはアパートにあったルフトシュッツ――地下室――にいました。弟と私は当時妊娠六ヵ月だった母の前でうずくまって、母の膝に顔を埋めていました。すごい物音とざわめきが聞こえ、近所の人たちが入ってきて、父は一晩中、その人たちを助けたり、その人たちの家財を運ぶのを手伝ったりしていました。

翌朝、私たちは午前中いっぱいかけて、十キロ離れた父の両親のところへ向かいました。そこら中がれきだらけで、煙が立ちこめていました。黒い服を着て、顔が血だらけの老婆がいました。私は母に、「顔が血だらけのおばあさんがいるよね?」とききました。灰色の制服を着た兵士が通りに倒れていましたが、頭がありませんでした。私は母に、「ママ、ママ、この兵隊さん頭がない」といいました。三十年後、父は自分の覚えていることを書きはじめました。そのとき父はそのことを書きました。私が「パパ、パパ、この兵隊さん頭がない!」といったというのです。

私たちは広い草地を抜けて、エルベ川にかかる橋を渡らねばなりませんでした。爆撃機が頭上を飛んでいました。爆弾は巨大で、リトファスゾイレのようでした。リトファスゾイレとは、当時ヨーロッパ中にあった直径が一・二メートルくらい、高さが三・五メートルくらいもある円柱の広告塔です。

とても怖かった。弟はまだ三歳で、何日間もしゃべらなくなりました。
およそ二週間後、二月の終わりくらいに、私たち一家は他の人々といっしょに船に乗って、北にあるハンブルグへ向かいました。爆撃機が私たちの船の乗務員をひとり撃ち殺しました。私は両親が目を離したすきに、自分たちの船室の扉を開けました。すると爆撃機のパイロットの顔が見えました。それくらい至近距離にいたのです。

プロイス氏がのちに聞いた話では、船で川を航行するのは、がれきのせいでひじょうに難しかったそうだ。

私はプロイス氏に、大人たちはあの空襲を振り返ってなんといっていましたかとたずねた。「私たちはその後、それについて話しませんでした。父も母も一度も話したことはありません」プロイス氏はそういって、ちょっと間を置いた。「私の世代の人間はだいたい、そのことについて両親と話していません。

それは予想外の出来事だったと、のちになって知りました。なぜならドレスデンは軍事拠点ではなく、疎開してきた人がいっぱいいるような場所だったからです。普段の人口は五十万人だったのが、百万人以上にまで膨れ上がっていました」

私はプロイス氏に、ヴォネガットも同じことを書いているといった。そして、空襲はチャーチルの指示だったとヴォネガットが書いている部分を読み上げた。

ドレスデンの問題は間違いなく自制心の問題、いや、自制心の欠如の問題だ。〔……〕政治家がおかしくなったんだ。政治家はしょっちゅうおかしくなる。多くの反対意見がある中で、ドレスデン空襲を実行した責任者はウィンストン・チャーチルだ。それは、ひとりの男の考え、ひとりの男の怒り、ひとりの男のプライドだった。(113)

「そうです」とプロイス氏は私にいった。「チャーチルが、復讐とドイツ人の士気を弱めるためにやったんです」

私たちは電話を終えた。プロイス氏の声に非難の響きはなかった。そこにはヴォネガットが投げかけたのと同じ、大きな問いがあるように私には思えた。ナチスの蛮行を理解し、それゆえにイギリス軍とアメリカ軍の復讐心を理解している。しかし、フランク・プロイスは五歳だった。心穏やかでいられない帳尻合わせだ。

＊

ヴォネガットはドレスデンの体験を苦労して小説の形に変え、それによって、ひとつのすばらしい洞察を得た。それは記憶とトラウマの本質についての洞察だ。

ドレスデンについて書く際にいちばん大変だったのは、自分がその出来事の中身をすっかり忘れてしまっていたことだ。私はそのことから大惨事に遭遇した人間の心理について学び、なだれや洪水や大火などに遭った人々と話をして、我々の脳にはある種の仕掛けがあることがわかった。その仕掛けとは、一定の規模を越える大きな災難に遭遇したとき、それを記憶するのを防ぐために、脳のスイッチを切る仕掛けだ。それは単に我々の神経系の限界なのか、それともなんらかの形で我々を守る便利な仕掛けなのかはわからない。だが私は実際に、ドレスデン空襲の現場にいたのに、そのことを何も覚えておらず、記憶を呼び覚ますために、それこそ催眠術師を雇う以外のあらゆることをした。いっしょにあの空襲を生き延びた仲間の多くに手紙を書いて、「思い出すのを手伝ってくれ」と頼んだ。しかし、返ってくるのは決まって拒否の返事、にべもない純然たる拒否の返事だった。みんな当時のことを考えたくないのだった。ある作家が『ライフ』誌に書いていたことだが、ウサギには記憶がなく、それはウサギの防衛機制のひとつなのだという。その作家がどれほどウサギや神経系に詳しいのかはわからないが、彼の主張によると、ウサギがほんの一時間のあいだに経験する危機一髪の状況をすべて思い出すとしたら、生きることは耐え難いことになるという。だから、ドーベルマンから逃げおおせたなら、その瞬間に、そのことについてぜんぶ忘れてしまうのがいい。ウサギたちにはそんなことを思い出す余裕はないのだ。(114)

この薄っぺらい本は、そんなことを本に書くのはどんな感じがするかについての本だ。私は核心にあまり近づけなかった。そのことについての記憶の中に入ろうとするのだが、ブレーカーが落ちて遮断されてしまう。もう一度入ろうとしても、思わず後ずさってしまう。この本はドレスデンとその影響を引きずって、そういう人生を二十年間生きてきた過程を記している。それはハインリヒ・ベルの『Entfernung von der Truppe〔「無許可離隊」の意〕(未)』と似ている。それは戦場の描写のないドイツ軍兵士の物語だ。兵士たちは出征してもどってくる。しかしその間に恐ろしい空白がある。[115]

ヴォネガットはこれと同じ現象を、孤児になった三人の甥たちの中に見つけた。自分の姉とその夫が二日のあいだに相次いで亡くなったあと、ヴォネガットはその子どもたちを引き取って、妻のジェインとともに育てた。

大人になった甥たちがヴォネガットに打ち明けたことがある。

ある気味の悪い事実について、かつて甥たちはとても心配だったという。それは、実の母親や父親のことをまったく覚えていない——記憶のどこを探してもない、ということだった。

子どもたちの頭の中の博物館は、極端に恐ろしいことが起こったとき、それに関する展示品をからっぽにして、子どもたちを永遠の悲しみから守るらしい。[116]

ヴォネガットの小説『Deadeye Dick（デッドアイ・ディック）』に登場する劇作家はこういっている。

私はどんな最悪の記憶でも、うまく処理するコツを知っている。これは芝居だと思い込むのだ。登場人物は俳優が演じていて、彼らのセリフも身振りも、様式化された悪ふざけで、私は芸術の現場

にいるのだ、と。(117)

ドレスデン空襲の被害者フランク・プロイスと最初に話をしたとき、彼はこういった。「少しだけどはっきりと覚えていることがいくつかあります。それらの記憶によって気分が悪くなったりすることはないし、トラウマもありません。それは単に鮮やかな記憶なのです」。後日、プロイス氏が語ったことを書いた原稿をメールで送ると、彼はこんな返事を書いて寄こした。「不思議です。これまで何度か自分の体験を話したことがありますが、それはまるで何かの物語を話すような感じでした。けれども、あなたの書いたものを読んだとき、ぞっとしました」

それは私が考えて書いたものではない。彼が語ったものだ。私は単にそれを紙の上に書きとめただけだ。

※

私がこれまで書いてきたことや、『スローターハウス5』の第一章でヴォネガット自身が述べていることなどから、彼が『スローターハウス5』の執筆を通して魂の成長を果たしたことは明らかだろう。ヴォネガットが最終的に決めたタイトルも、彼がさまざまな発見をしたことを伝えている。といってもそれは、表紙の真ん中に書かれるようになって久しいタイトル、つまり『スローターハウス5』のことではない。私がいっているのは、オリジナルのタイトルで、「すなわち」と「子ども十字軍」という

『スローターハウス５』の初版本（1969年、ニューヨーク、デラコート出版）。著者撮影。

言葉が表紙の真ん中に書かれたものだ。私が大事にしているサイン入りの一九六九年のハードカバーの本ではそうなっている。

ヴォネガット自身は自分の成長について、『スローターハウス５』の出版の数年後にこう述べている。

［『スローターハウス５』を］書き終えたあと、気が向かなければ、もう書かなくてもいいんだと思った。それはひとつのキャリアの終わりだった。なぜそう思ったのか、はっきりとはわからない。花が咲き終わったときに、なんらかの目的を達したことに気づくようなもんだと思う。花は花になりたくてなったわけではないし、私も私になりたくてなったわけではない。『スロー

ターハウス5』が終わって、私は花を咲かせたという気持ちがあった。だからもうやめだという気持ちになったんだろう。自分がやるべきことはやったし、それで何もかもオッケーだという感じ。これでもうおしまいだという感じ。これからは、自分自身のためにやるべきことがわかるかもしれないと思った。(118)

＊

「もうやめだという気持ち」になっても、ヴォネガットは書くことをやめなかった。彼の苦悩も終わらなかった。『スローターハウス5』の完成が、ほかの問題が詰まっているパンドラの箱を開けてしまったのだ。

ヴォネガットは一種の産後うつにかかった。

そして、長女のエリーの言葉を借りれば、〝大ブーム〟を体験しはじめていた。とつぜん大成功をおさめ、脚光を浴びることになったのだ。家族、自意識、自分の世界がばらばらになって、みずからの姿を変えはじめた。

ヴォネガットはもう小説は書かないと宣言した。彼の興味はしばらくのあいだ、即興喜劇や戯曲に向けられた。

しかし、彼はあることに気がついた。ずっとのちに、それについてこういっている。

『ハーパーズ』誌に書いた記事か、そこに送った手紙かの中で、「小説の死」についてこう述べたんだ。「人々は長編小説か、でなければ短編小説を書き続けるだろう。なぜなら、そうすることで自分の神経症を治療していると気づくからだ[119]」

※

ヴォネガットが新たに対処しなければならない問題として浮上したのは、自分の両親のことだった。ひとつのトラウマを治療したら、別のトラウマが顔を出したのだ。

作家の声は「ひとつの場面に端を発している」。アメリカの作家レイノルズ・プライスはそう述べている。「もっともよくあるのは、子どもの頃か、ごく若い頃に見た忘れられない場面だ。そして、目の肥えた読者なら気づくだろうが、その場面はほとんどつねに、その作家が書く理由が最初に生じたときの近くに存在する。それは、注意深くまわりを見ている子どもの前に、ひとつの大きな疑問が生じる具体的な瞬間であり、そのとき、生涯を通じて答えを探し求める情熱が点火される[120]」

おそらく、ヴォネガットが答えを知りたかった場面とは、夜中に両親がしていた激しい口論の場面だろう[121]。なぜ父さんと母さんはあんなに怒っているんだろう。子どもだったカートはそう思ったに違いない。これは僕のせい？

一九七三年のインタビューで、ヴォネガットは自分の作品にただよう悲しい雰囲気について質問されて、こう答えている。

まあ、子どもの頃から悲しいことがいろいろあったから、それが私の作品の悲しい感じと関係があるんだろうね。［……］インディアナポリスに（両親の墓石が）ふたつがあって、それが並んで立っているのを見たとき、こう思った――頭の中でその言葉が聞こえるくらい、自分が何を考えているのかよくわかったよ――それは、このふたりがもっと機嫌よく生きてくれればよかったのに、という思いだった。彼らにとって、もっと機嫌よく生きることくらい、めちゃくちゃ簡単なことだったはずだ。だから私はよけい悲しい。［……］

［……］両親は間違った考えにとらわれて人生をめちゃくちゃにした。そして腹立たしいことに、ふたりにまともなことを考えさせるのは、そんなに大変なことではなかったはずなんだ。(122)

インタビューの最後で、ヴォネガットはまた同じ話題にもどっている。

『チャンピオンたちの朝食』を書くことで、両親が機嫌よく生きてくれなかったことに対する私の怒りが、意識の上にはっきりと表面化した。［……］もしも私が、両親のように無意味な悲しみを自分の子どもたちに伝えることになったら、とんでもないことだ。そんなことは可能なかぎり避けたい。(123)

私は『チャンピオンたちの朝食』を読むと、無鉄砲なばか騒ぎをしているような感じ、危険なジェットコースターに大はしゃぎで乗っているような感じがする。登場人物たちは妄想に駆りたてられていて、子どもの落書きのような絵がふんだんに挿入されている。ヴォネガットは、彼らの破壊的で悲痛で不条理な思考や行動の中に、ごまかしやでたらめや間違った信念が存在することを暴き、それを厳しく批判している。

彼の両親はほんとうに、みずから努力すれば困難から抜け出せたのか、それとも、体質や育ち方によって、あらかじめ決められたようにしか行動できなかったのか？　人は遺伝や環境によって定められた体質や行動の型の限界を超えることができるのか？

ヴォネガットはセラピストのもとへ通って、うつ病や自分が定期的に起こす癇癪などについて理解しようとしていた。『チャンピオンたちの朝食』について、ヴォネガットはこう述べている。

すべての登場人物の動機は、体内の化学作用によって説明される。［……］自殺がこの本の核心にある。(124)

『チャンピオンたちの朝食』の語り手は自分自身に向かってこんなことを述べている。

おまえは自分が母親と同じように自殺するのではないかと恐れているんだ。(125)

ヴォネガット自身はこういっている。

実際の死に関しては——私はつねにそれに誘惑されてきた。母が自殺することによって、ひじょうに多くの問題を解決したことを知っているからだ。自殺した親をもつ子が、あらゆる問題の合理的な解決方法として死を、大いなる死を考えるようになるのは当然のことだろう。簡単な数学の問題の解決法としてさえ考えるかもしれない[126]。

彼の母親が自殺をはかったのか、誤って睡眠薬を多くのみすぎたのかは、はっきりしない。いずれにせよ、その死はタイミングが悪すぎた。カートは初年兵の基礎訓練を受けていたが、母の日にかけて三日間の離隊許可を取って、サプライズで家に帰っていた。姉のアリスも帰郷していた。カートが帰ってきてから三日目の朝——母の日の朝に、母親が死んでいるのが見つかった。

カートは、息子のマークによると、子どもが小さい頃は、自分の母親の死を自殺とはいっていなかった。カートの父親も兄も、その死が自殺かどうか確信はなかった。母親は作家を志していたにもかかわらず、遺書も書いていなかった。ただ、ひじょうにふさぎ込んで、心ここにあらずという感じで、自室に鍵をかけて長時間こもっていた。カートは母親のそういう放心状態を総合して「自殺」という見解にいたったのではないかとマークは見ている。

自殺であれなんであれ、死は究極の告別だ。残された者は、見捨てられたように感じる。もし誰かが——その誰かが母親であればとくに——自分のために生きようと思ってくれないとしたら、人は自分の価値を感じられなくなるだろう。自分が悪かったのかと感じるかもしれない。まさに生存者の罪悪感《サバイバーズ・ギルト》だ。

私自身、自殺者とその家族が身近にいる。姉が最初の夫を自殺で亡くした。だから、母親の死がカートにどれほどの衝撃を与えたか、察するにあまりある。

ちなみに、『チャンピオンたちの朝食』は、自殺をするという脅しではない。それどころか、そういう衝動をもう乗り越えたという誓いだ。こんなことを誓うのは、私にとってはけっこう大変なことなんだよ。これまで、スピーチを断ったり、締め切りを守らなかったり、請求書を踏み倒したり、カクテルパーティを欠席したりするのに、自殺はもってこいの方法だと思っていたくらいだから。(127)

※

例によって、長編小説という形式の探求《クエスト》の旅は、まっすぐ順調に進んだわけではない。もともと、『チャンピオンたちの朝食』と『スローターハウス5』はひとつの本になる予定だった。(128)しかしのちに、『チャンピオンたちの朝食』は、語り手以外のすべての登場人物がロボットという世界を描くことになった。そこではイエス・キリストでさえ、「私の罪のせいで死んだロボット」ということになる。(129)

『チャンピオンたちの朝食』がようやく完成したとき、ヴォネガットはこういった。

これは〔私自身の〕治療のための最後の作品になると思う。それは残念なことかもしれないけどね。芸術においては狂気のおかげで思いがけないすばらしい幸運に恵まれることがあるから。『チャンピオンたちの朝食』の最後の場面で、私はこれまで何度も繰り返し使ってきた登場人物たちを解放してやる。もうきみたちは必要なくなったよ、といってやるんだ。自分の好きな道に進むように、とね。たぶんそれによって、私も解放されて、自分の好きな道に進めると思う。彼らの世話を焼く必要はもうないんだから。[130]

✻

人はみな絶対的なものを求める。絶対的な教義を忌み嫌ったカート・ヴォネガットでさえそうだ。彼は自作の登場人物たちが解放されることと、自分が彼らから解放されることを望み、『チャンピオンたちの朝食』が「〔自分自身の〕治療のための最後の本」になることを望んだ。しかし、結局そのどれも実現しなかった。自殺願望のある人物や復員軍人もふくめ、おなじみの登場人物たちがもどってきて、彼らの抱える問題ももどってきた。しかし、自殺や戦争が作品の主なテーマとなることは二度となくなった。これは心理学的には期待どおりの展開だ。もっとも重大な懸念——自分の人生にもっとも深く影響を与えた出来事や人々に関する懸念は、いったん記憶に刻まれると、消えることはない。しかし、その影響を軽くすることは必ずできる。

✻

トラウマを克服しようと熱心に取り組むことは、逆効果になる可能性もある。[131]『ローズウォーターさん、あなたに神のお恵みを』の登場人物エリオット・ローズウォーターは、神経衰弱になって精神病院に入院する。ある音楽家が病院に慰問にきて、エリオットと出会う。その音楽家の娘がこういう。

「父はエリオットのことを、いままで会った中でいちばんまともなアメリカ人だと思ったのです。［……］私は父がエリオットを紹介したときの言葉を覚えています。『みんな、こちらは第二次世界大戦にきちんと注目した、これまでのところ、たったひとりのアメリカ人だ』［……］父はこういいました。『父さんがこんど家に連れてくるその若い大尉は――芸術を軽蔑しているんだ。想像できるかい？　**軽蔑しているん**だよ――しかも彼の軽蔑の仕方といったら、まさにそのせいで父さんはその大尉を好きにならずにはいられないんだ。彼がいっているのは、芸術が彼の期待に背いたということらしい。それは、軍務の一環として十四歳の少年を銃剣で突き刺した人間にとって、きわめて妥当な考えだよ[132]』」

第10章　避難所

SANCTUARY

書くことは魂を育むだけでなく、なぐさめとなり避難所となることにヴォネガットは気づいていた。

俺はなんの迷惑もかけずにいいことができる場所を見つけたのさ。

——セアラ・ホーン・キャンビー作『水星の洞窟のアンクとボアズ』のボアズのセリフ(133)

『Bluebeard（青ひげ）』にはこんな風に書かれている。

私は彼女に、書いてくれるか、とたずねた。手紙のことをいったつもりだったが、彼女は本のことだと思った。「あたしにはそれしかすることがないわ——書くこととダンスすること。それさえしていれば、悲しみを忘れていられるもの」その夏、彼女はずっと、聡明でユーモアがあって魅力的な夫をつい最近亡くしたことを忘れようと努めていた(134)。

エッセイ集『パームサンデー』にはこう書かれている。

「シカゴ大学でヴォネガットの指導教員だったジェイムズ・スロートキンは、」ソクラテス式問答法を使い、少人数クラスの学生たちにこうたずねた。「アーティスト——つまり、画家とか、作家とか、彫刻家とかは、いったい何をしているのかな?」

スロートキンはすでに答えを持っていて、当時執筆中だった本——その本は結局、出版されなかったが——に書いていた。しかし彼はその答えを授業の最後まで明かそうとしなかった。もし学生たちの答えが自分の考えていたものよりいいと思ったら、自分の答えを捨てていたかもしれない。その授業は夏期講習で、参加者は第二次世界大戦の復員兵ばかりだった。私たち復員兵が引き続き政府から生活費を受け取ることができるように、大学のほとんどが夏休みに入っている期間に編成されたクラスだった。

学生の誰かが何かいい答えを出していたとしても、それがいったいどんな答えだったか、いまはもうまったくわからない。しかしスロートキンの答えはこうだった。「アーティストたちはこういっているんだ。『私は、まわりで起こっている混乱に対しては、ほとんど何もできない。しかし、少なくともこの四角いカンバスは、この原稿用紙は、この石の塊は、完全な秩序あるものに変えることができる』」

そんなことは誰でも知っていると思うくらい単純明快な答えだ。

［……］

私は成人後の人生の大半を、縦十一インチ〔約二十八センチ〕、横八・五インチ〔約二十一センチ〕の紙の上に、なんらかの秩序をもたらすことに費やしてきた。この甚だしく制限された活動のおかげで、たくさんの嵐を無視することができた［……］。

［……］

九年ほど前、ここニューヨークでアメリカ芸術文学アカデミー協会からスピーチを頼まれた。当時、私は協会のメンバーではなかったので不安だった。その少し前に私は家を出て、東五十四丁目にある小さなアパートで、ほとんどの時間、壁紙に描かれている花を数えたり、テレビで「キャプテン・カンガルー」をみたりして過ごしていた。ギャンブル依存症の友人が私の銀行預金を使い切ってしまったり、息子がブリティッシュコロンビアで精神病を発症したりした直後だった。

私は妻に、精神的に参っているので、どうか訪ねてこないでほしい、と頼んだ。その頃ちょっとつきあっていた女性にも、同じ理由で、こないでほしいと頼んだ。するとふたりとも、手の込んだ処刑を執行するかのように、やけにめかし込んでやってきた。

私の命を救ったのは何か？　縦十一インチ、横八・五インチの紙だ。

［……］

ちょっとした小さなものに秩序らしいものを与えるコツを知らない人は気の毒だと思う。(135)

しかし、誰でもそのコツを知っている。そして実際にやっている。ヴォネガットはそのことをわかっていた。いかに無学な人でも、何も書きそうにない人でも、拘束されたときや、重要な出来事を記録するとき、人生の厄介な問題を理解しようとするときにはペンをとる。

『タイタンの妖女』の登場人物アンクは、記憶が消される前に、自分自身に対して手紙を書く。その手紙は第一級の文学だった。なぜならその手紙のおかげでアンクは勇敢になり、注意深くなり、内面的に自由になれたからだ。その手紙のおかげでアンクは苦難の時期に自分自身のヒーローになることができた。[136]

ヴォネガットのようにプロの作家なら、言葉の選び方や並べ方、句読点の打ち方、リズムなどについて厳密さを求めるだろう。イェーツがいうように「完璧であるがゆえにあざやかで見事な描写」を懸命に求めるだろうし、それには「[おのれの]すべての思考と愛」が必要となる。[137]少なくとも、没頭することが必要だ。それが避難所になる。

また、人は彫刻もできるし、パンも焼ける。

どんな五歳児でも描ける完璧な絵とは何か？　それは二本の揺るぎない光の帯だ。[138]

第11章

偉大な芸術をつくるもの、すなわち芸術と魂

WHAT MAKES GREAT ART OR ART AND SOUL

どんな子どもでもラボ・カラベキアンのような絵を描くことができるが、そのすべてに同等の価値があるわけではない。

『ウェブスター英語辞典』によると、魂（soul）の第三の定義は「とくに芸術作品や芸術的パフォーマンスで示される情緒的、知的エネルギーあるいはその激しさのこと」だという。

芸術作品を偉大なものにするのは何か？　魂だ。

では、芸術作品において魂とみなされるものは何か？　ヴォネガットはそれについて、自作の登場人物ラボ・カラベキアンを通して語っている。カラベキアンが別の登場人物のダン・グレゴリーという画家を評価している場面だ。

だが、彼［ダン・グレゴリー］には根性というか知恵というか、もしかしたら単に才能が欠けていた。

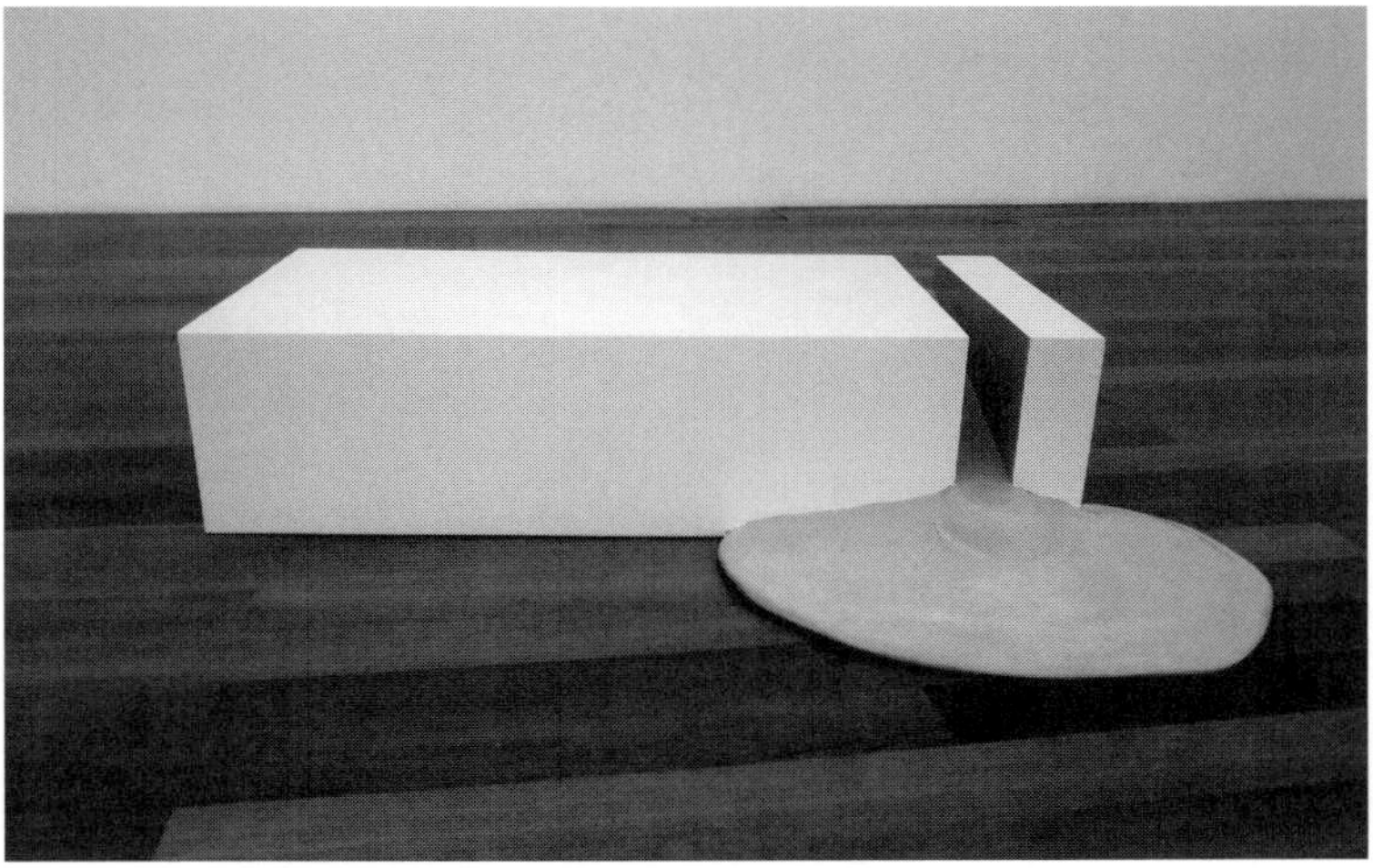

ゲイリー・キューン《実践者の喜び》1966年。スチール、グラスファイバー、エナメル製。フランクフルト・アム・マイン現代美術館所蔵。かつてはドイツの画商ロルフ・ニッケのコレクションの一部として、ザンクト・ガレン現代美術館（スイス）やリヒテンシュタイン現代美術館（リヒテンシュタイン、ファドゥーツ）などに所蔵されていた。作家提供。

だから、時間は流動的だということ、ある瞬間はほかのどの瞬間とも同じで、たいして重要ではないこと、すべての瞬間はあっという間に過ぎることを示せなかった。

言い換えれば、ダン・グレゴリーは剥製師だったのだ。一見大事そうに見える瞬間に詰め物をして台にのせ、ニスを塗り、防虫加工を施していたのだ。［……］

さらに言い換えれば、生命は当然ながら、決して静止することはない。それはどこに向かっているのか？　誕生から死へ、決して途中で止まることなく向かっている。梨を盛ったボウルがチェック柄のテーブルクロスの上に置かれた場面でさえ、もし巨匠の筆によってカンバスの上に描かれたら、その流れが見える。そうとも、もしちょっとした奇跡が起こっても、私には画家としてどうあがいてもできなかったし、ダン・

グレゴリーにもできなかったが、それを最高の抽象表現主義者たちが成し遂げた。それらの絵が偉大なのは、その中に誕生と死がつねに存在するからだ。(139)

ヴォネガットはこうもいっている。

私はドレスデンの破壊を嘆き悲しんだ。なぜなら、それはほんの一時期、ナチスに支配されていただけで、それまでの数世紀は、全人類の宝ともいうべき芸術品のような街だったからだ。ドレスデンは（ナチスの支配から抜け出し）ふたたび全人類の宝となる可能性があったというのに。同じことがアンコールワットについてもいえる。第二次大戦よりもっと後になって、軍事科学者たちは、アンコールワットを破壊することによって何か得るものがあると思いこんで、それを破壊した。(140)

いまこれを書いているあいだにも、こんどはシリアで「全人類の宝ともいうべき」芸術品が破壊されている。そんなものだ。

＊

『デッドアイ・ディック』の中に次のような一節がある。

［ハレル師は、芸術センターの開設に言及しながら］都市が持つことのできる最高の芸術センターは、建物ではなく人間であると断言した［そのあとハレル師は劇作家である主人公を指差していった］。「そのうしろの席にすわっているのはルディ・ウォルツという名の芸術センターです(141)」

第12章 変化の触媒

AGENTS OF CHANGE

作家業には少なくともひとつ、恵まれている点がある。それは、〔書くことによって〕毎日、自分の精神的な病を治療できることだ。もし私が幸運だとしたら、それは自分の本が、単に自分の治療のためだけでなく、それ以上のものになったことだ。私は役に立つ市民になりたいし、国家という組織体の中で専門的な機能を担うひとつの細胞でありたい。[142]

カート・ヴォネガットにとって、個人的なことと政治的なことは分かちがたく結びついていた。『スローターハウス5』がベストセラーになったすぐあと、あるインタビュアーがこんな質問をした。「書くことは生計を立てるための有効な手段になったでしょうが、それ以外にあなたが書く理由は何ですか？」それに対するヴォネガットの答えはこうだ。

私の動機は政治的なものだ。スターリンやヒトラーやムッソリーニは、作家は社会に貢献すべきだといっていたが、それには私も同感だ。どのように貢献すべきかという点では彼らと意見が異なるが。［……］

［……］作家は社会という有機的組織体の中で専門分化された細胞であり、進化する細胞だ。人類は何か別のものになろうとして、つねに新たなアイデアを試している。そして作家は社会に新たなアイデアを紹介する役割を担い、人生に対して象徴的に反応する役割を担っている。［……］

［……］我々作家は社会全体の声なんだ。［……］社会が大きな危機に瀕したとき、我々は警告を発するだろう。芸術とは炭鉱のカナリアだというのが私の持論だ。(143)

別のインタビューではこう語っている。

自分は書くことによって市民の義務を果たしている、少なくとも果たそうとしている。そう感じられなければ、私は書くことに興味を持ったりしないだろう。私の先祖がドイツからアメリカにやってきたのは、向こうで弾圧されたからではなくて、純粋に合衆国憲法や、アメリカの同胞愛精神に惹かれてのことだった。もちろん広い土地があったからでもある。つまり物質的な魅力も感じたんだ。私は合衆国憲法に夢中になるように育てられたし、アメリカはユートピアだという考えにわくわくするように育てられた。それはいまでも私にとっては実効性のある思想に思えるし、つねにそれを修復する方法を考えている。もし何かうまくいかないとしたら、いったい何が悪いんだろう、ほんとうにうまくいくようにするにはどうしたらいいんだろうと考えている。[144]

カート・ヴォネガット・ジュニアの育った環境には、みずからのコミュニティに貢献するのは立派なことで、人間として成すべきことだと、目に見える形で示すものがあった。カートの祖父は建築家で、現在もインディアナポリスで有数の広さを誇る公共施設を設計した。とても美しい施設だ。さらに、カートの祖父と父は、ある百貨店とその外側に設置された時計を設計した。百貨店のほうはもうなくなってしまったが、エアーズ・クロックと呼ばれる時計のほうは、いまも大きな交差点に立っている。また、カートの父は子ども博物館の創設者で、それはいまでも全米で最大級の子ども博物館だ。カートは子どもの頃から、祖父や父が市民としての義務を果たしたことを示す記念碑的建造物に囲まれていたのだ。祖父が建てた建造物からほど近い場所にはいま、カート自身を描いた巨大な壁画がある。

私は二〇一四年の春、カート・ヴォネガット記念図書館の資金調達イベントでスピーチをするために、インディアナポリスに招かれた。そのイベントが開かれた場所、つまり、私が聴衆にアイオワ大学で講師をしていたカートから教わったことを話し、彼の独特の意見が私たちみんなにとっていかに大切かを訴えた場所は、ほかでもない、カートの祖父のバーナードが設計した《アセニウム》という建物だった。それは第二次世界大戦前は《ドイツ館》と呼ばれていた。[145]

ちなみに、カートは戦争の記念碑にも囲まれて育った。インディアナポリスにはその類のものが驚くほどたくさんある。インディアナ州の公式ウェブサイトにはこう書かれている。「インディアナ戦争記念広場史跡地区は、インディアナポリス中心にあるふたつの博物館、三つの公園、二十四エーカーの敷地内に点在する記念碑、彫像、彫刻、噴水などから成っています。これによってインディアナポリスは、退役軍人に捧げられた記念碑の数と土地面積でワシントンＤＣに次ぐ規模を誇っています[146]」

※

私が思うに、作家は社会のもっとも大切な構成員だ。潜在的にそうであるだけでなく、実質的にそうなのだ。優れた作家は自分自身の意見を持ち、それを曲げてはならない[147]。

作家はおもに、変化をうながす触媒になるべきだと思う――生物学な意味でそうでなくてはならない[148]。

『アンクル・トムの小屋』（ハリエット・ビーチャー・ストウ）や『ジャングル』（アプトン・シンクレア）や『私のように黒い夜』（Ｊ・Ｈ・グリフィン）や『キャッチ＝22』（ジョーゼフ・ヘラー）や『見えない人間』（ラルフ・エリソン）や『次は火だ』（ジェイムズ・ボールドウィン）や『新しい女性の創造』（ベティ・フリーダン）や『沈黙の春』（レイチェル・カーソン）などの本を思い起こしてほしい。

変化をうながしたそういう本を、誰でもすぐにあげることができるだろう。

ヴォネガット自身の作品も、芸術は炭鉱のカナリアだという彼の持論の正しさを証明している。ヴォネガットは初めての長編小説『プレイヤー・ピアノ』について、何年ものちに振り返り、こう述べている。

あの本は、のちに実際に起こったこと、つまり、機械がひじょうに信頼性が高く、効率的で疲れを知らないうえに、どんどん安くなっていくこと、そして人間から多少とも尊厳のある仕事を奪っていく時代がくることを予言していた。(149)

＊

それはとくべつ先見の明があることとは思えないかもしれない。機械は産業革命以降、じょじょに使われはじめ、とくに第二次大戦中や、『プレイヤー・ピアノ』が書かれた戦後すぐの時期には、どんどん使われるようになっていた。

しかし次の点に注目してほしい。

『プレイヤー・ピアノ』の主人公ポールの車は旧式のプリムスだ。技術者のバッドは最新の車を持っていて、ポールに見せびらかす。それは驚くほど自動制御されていて、まるで現代の車のようだ。ヴォネガットがその小説を書いていた一九四〇年代末から五〇年代初頭の車とは似ても似つかない。当時はギ

ア の変換も、ウィンドウの上げ下げも、ドアのロックもその解除も、ハンドル操作も、ブレーキも、何もかも人間が手動でやらなければならなかった。(150)

また、ポールの秘書のキャサリンが、タイプした演説用の原稿をポールに渡す次の場面にも注目してほしい。キャサリンはその演説の内容がすばらしいとほめてこういっている。

たとえば、第二次産業革命について説明されているところとか［……］第一次産業革命で肉体労働の価値がなくなり、第二次産業革命で単純な頭脳労働の価値がなくなったことを説明した部分も［……］第三次産業革命は起こると思われます？

それに対してポールはこう答えている。

たぶん第三次産業革命はもう始まっていると思う。きみがいっているのが考える機械のことだとするとね。**おそらくそれこそ第三次産業革命だろう――人間の思考の価値をなくす機械が出てくることがね。**エピカックのような大型コンピュータは、専門的な分野ではそれを軽々とやってのけている。［太字は筆者による］

キャサリンは少しあとで、それに対してこう答えている。「最初は肉体労働で、次が単純な頭脳労働、それからおそらく真の頭脳労働がなくなるのね」

ポールは「その最終段階を目撃するほど長生きはしたくないもんだな」という[151]。

ヴォネガットはこれらを、パソコンやインターネットが登場する何年も前に想像し、書いていた。また、自動運転をする車が登場する何年も前にその登場を想像し、書いていた。自動運転する車は、私がこの原稿を書いているとき、つい先週に実現したばかりだ[152]。

✲

ヴォネガットの小説『Galápagos（ガラパゴスの箱舟）』が未来を正しく予測していることを祈ろう。その小説では、人類はみずからが犯した環境破壊の中で生き残ることができない。少なくとも、私たちが人間と呼ぶような肉体では残らない。

しかし生き残ることは生き残る。

ちなみに、ヴォネガットは『ガラパゴスの箱舟』を自分の最高傑作と考えていた。

なぜなら、『ガラパゴスの箱舟』で、彼の「炭鉱のカナリア」は、激しくさえずっているからだ[153]。

✲

作家は別の方法でも変化の触媒の役を果たすことができる。すでに消滅したものや亡くなった人物でさえ、書くことによって生き返らせることができる。作家はある種の救い主になれるのだ。

「彼は私が出会った中でもっとも刺激的で、役に立つことを教えてくれた先生だった」ヴォネガットはジェイムズ・スロートキンについてそう述べている。スロートキンは戦後、期限付き雇用でシカゴ大学の教員を務めていた、あまり人気のない人類学者だった。

彼は執筆中の本のいくつかの章を講義に使っていた。その本は社会の変化の力学に関する本で、結局出版されることはなかった。〔……〕

ケープコッドにいたある夜、私は酔っ払って、マスタードガスとバラの混じったようなくさい息を吐きながら、昔の友人やライバルたちに電話をかけまくっていた。当時はしょっちゅうそういうことをしていた。そして論文指導をしてくれた愛すべき恩師にも電話をした。すると、彼は死んだと伝えられた——まだ五十そこそこだったと思う。青酸カリをのんだのだ。彼は本を出版しなかった。かわりに自分があの世へ出奔した。

いま、彼の出版されなかった社会変化の力学についての論文がここにあったら、私のこのコラージュの中に貼りつけられたのに、と残念に思う。[154]

ヴォネガットはこれを書いた数年後に自分の望みを実現させた。小説『青ひげ』の登場人物スラジンジャーを通して、恩師の論文をよみがえらせたのだ。スロートキンの書いたものを一言一句再現したものではないかもしれない。しかしそれは彼の考えをうまく伝えている。

スラジンジャーは歴史から以下の点を学んだと主張している。人間が新しい思想に心を開くには、とくべつな構成員から成る精神開放チームが働きかける必要がある。でなければ、人間は従来とまったく同じ生き方を続けていく。それがいかに苦しくて、現実にそぐわなくて、不公正で、ばかばかしくて、つまらない人生であっても。

そのチームは、三種類の専門家で構成されなければならない、とスラジンジャーはいう。でなければ、政治的な革命であれ、芸術や科学やその他どんな分野の革命であれ、必ず頓挫するというのだ。三種類の専門家のうち、もっとも得難いのは、スラジンジャーによると、本物の天才――一般に流布していない、よさそうなアイデアを考えつくことができる人物だ。しかし、「そういう天才がひとりで働きかけると、例外なく狂人とみなされ無視される」とスラジンジャーはいう。

ふたつ目の専門家はもっと見つけやすい。それはおのおののコミュニティで確固たる地位を築いているひじょうに知的な市民で、天才の新しいアイデアを理解し、高く評価して、その天才は決して狂人ではないと証言してくれる人物だ。しかし、「そういう人物がひとりで働きかけた場合、変化が必要だと切々と訴えることはできても、それがどういう変化なのか、うまく説明することができない」とスラジンジャーはいう。

そして三つ目の専門家は、どんな種類のどんなに複雑なことであっても、説明することができ、相手がいかに愚かで頑迷であっても、ほとんどの人間に納得させることができる人物だ。(155) [太字は筆者による]

三つ目の専門家のような能力をもつのはどういう人々だろう？

優れた作家だ。

優れた作家ならたしかに、どんなことでも、誰にでも説明できる。いま引用した一節がそのよい例だ。

この一節がビジネス関係のサイトに掲載されているのを、私はたまたま発見した。[156] ヴォネガットの恩師の思想は、小説の形で再生、伝達された結果、インターネットを通じて、広く拡散している可能性がある。スロートキンの本が出版されていたとしても、そういうことは起きなかったかもしれない。

✻

キルゴア・トラウトはニューヨークの映画館の男子トイレで小便をした。［……］

ロールタオルの横のタイルの壁に落書きが書かれていた。

こんな落書きだ。

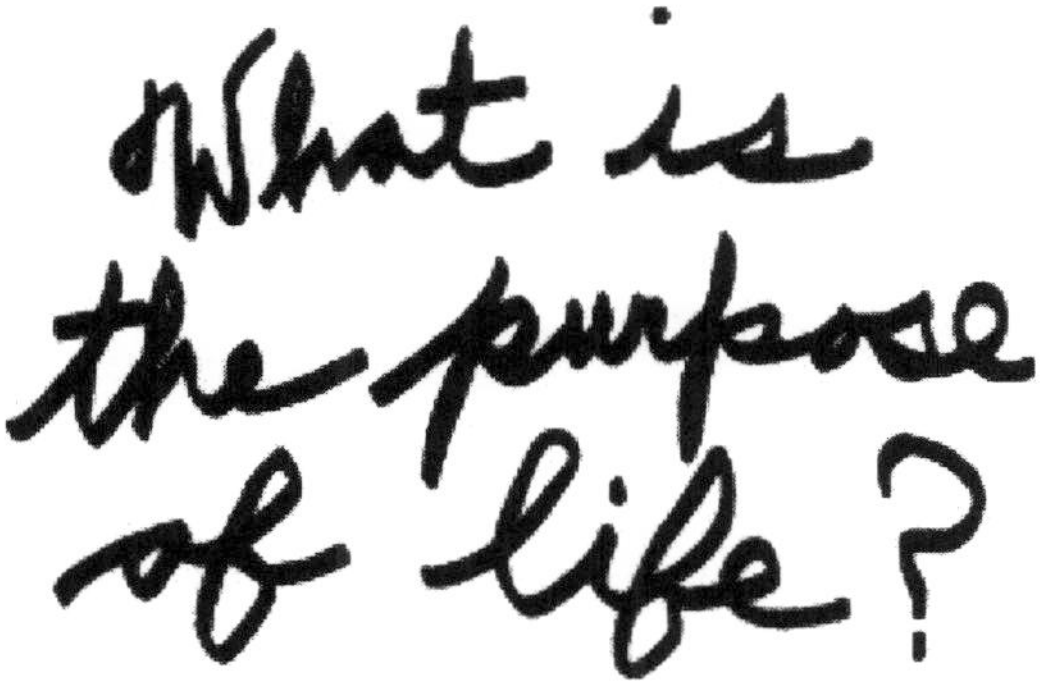
What is the purpose of life?

人生の目的とはなんだ？

トラウトはペンか鉛筆はないかとポケットを探った。この質問の答えを知っていたからだ。しかし何も書くものがなかった。マッチの燃えさしすらない。そこでトラウトはその答えを書かないまま去ったが、もし彼が何か書くものを持っていたら書いていたであろう答えはこうだ。

宇宙の創造主の
目となり
耳となり
良心となることだ、
ばかもの。(157)

これは小説の登場人物キルゴア・トラウトの答えだが、キルゴア・トラウトは明らかにヴォネガットの分身だ。

宇宙の創造主はどうやら目も耳も良心も持っていないらしい。ヴォネガットの別の小説の登場人物は、宇宙の創造主のことを「町いちばんのなまけもの」といっている。(158)

つまりヴォネガットの見解では、創造主の良心は我々にかかっているということだ。

なかでも、とくに作家にかかっている。

このほかのヴォネガットのさまざまな小説からも、彼のそんな見解が確認できる。

✻

「ハワード」と彼は私にいった。「未来の文明は――それがいまよりも優れた文明ならば――すべての人間を、どの程度の芸術家であったかという基準で評価することになる。未来の考古学者がどこかの町のごみ溜めに奇跡的に保存されていた我々の作品を発見したとしたら、きみも私もその作品の質によって評価される。それ以外のことはまったくなんの意味もないのだ[159]」

「一万年後には」とエリオットは酔っ払った頭で予言した。「我が国の将軍や大統領の名は忘れ去られる。我々の時代の英雄で、忘れられずに残っているのは、『２ＢＲ０２Ｂ（トゥー・ビー・アー・ノート・トゥー・ビー）』の作者だけだろう」これはトラウトの本のタイトルで、よく見るとハムレットが発したあの有名なセリフと同じだった[160]。

「すべての作家に、人類が正気を取りもどすまで、いっせいにストをしようと呼びかけるつもりなんだ。支持してくれるかい？」

「作家にスト権なんてあるのか？　それって警察官や消防士がストするようなもんじゃないか」

「それか大学教授とか」

「そう、大学教授がストするようなもんだ」私はいった。そして首を横に振った。「だめだ。そんなストを支持するのは僕の良心が許さない。人は作家になるとき、美と啓蒙となぐさめを全速力で創造するという神聖な義務を負うものだろう(161)」

この捕虜が身に着けていたものの中でもっとも危険なものは、長さ二インチ〔約五センチ〕のちびた鉛筆だった(162)。

＊

いっぽうでヴォネガットは文芸作品の影響力について疑念も持っていた。

私はスラムへ行って、社会的にひどく搾取されている人々を助けたい。貧しい人々を戯曲や小説でなぐさめることはできないからね(163)。

『青ひげ』の登場人物マリリーは、所有する円形の大広間に「なんらかのしるし」を残したいと考える。

「女性や子どもたちを雇って、死の収容所や、ヒロシマに落とされた原爆や、地雷の敷設や、もっと昔の魔女の火あぶりや、獣の餌食にされるキリスト教徒なんかの壁画を描いてもらおうかとも考えたわ。でも、そういうものは、ある意味で男たちにもっと破壊的で残酷になるようにそそのかすだけではないかと思うの(164)」

『母なる夜』はおそらくヴォネガットの小説の中ではもっとも暗いもの（そして私の考えでは彼の最高傑作のひとつ）だろうが、主人公はアメリカ人の二重スパイで、かつては劇作家だった。彼は上官のナチス宣伝相ゲッベルスから、ワルシャワのゲットーの反乱を鎮圧する際に亡くなったドイツ軍兵士をたたえる芝居を書くように命じられる。彼はその芝居を書き、「最後に全力を尽くして」というタイトルをつけた。それは上演されることはなかった。

しかしこの芝居は、ひとつ変わった効果をもたらした。それは、この芝居のタイトルのおかげで、ゲッベルスが、そしてヒトラーさえもが、エイブラハム・リンカーンのゲティスバーグの演説に注目したことだ。

僕は、ゲッベルスにそのタイトルはどこから取ったのかとたずねられ、彼のためにゲティスバーグ演説の全文を訳してやった。

ゲッベルスは唇を動かしながらそれを黙読した。そして、「これはきみ、すばらしいプロパガンダだよ。我々は過去に比べて自分たちが思っているほど進歩していないもんだな」といった。
「私の国ではひじょうに有名な演説です。子どもたちはみんな学校で暗記させられます」「……」

「この中にはドイツの軍人墓地の儀式でひじょうに印象的に使えそうなフレーズがいくつもある」とゲッベルスはいった。「正直にいうと、いままでの葬送演説にはまったく満足していなかった。これには私が探し求めていた特別な要素があるようだ。ぜひともヒトラー総統に送ってさしあげたい」

「どうぞそうなさってください」僕はいった。〔……〕

二週間後、そのゲティスバーグ演説の訳文がヒトラーから送り返されてきた。総統みずからの手書きのメモがその上に貼られていた。「この演説のいくつかの箇所で吾輩は思わず涙しそうになった。すべての北方人種は、兵士に対する深い思慕の点で一体なのだ。おそらくそれこそが、我々のもっとも偉大な絆である」[165]

さらに、ヴォネガット自身が『スローターハウス5』の第一章で語っている逸話がある。ファンにはおなじみのその逸話は次のようなものだ。

> これまで何年ものあいだ、人に会うたびに、いま何を書いていますか、とたずねられた。それに対していつも、おもにドレスデンに関する本を書いています、と答えてきた。
>
> あるとき、映画プロデューサーのハリソン・スターに同じように答えたら、彼は驚いたような顔をして「それって反戦小説かい?」ときいた。
>
> 「そうだと思います」と私は答えた。

「反戦小説を書いているという人間に僕がなんていうか知っているかい？」

「いえ、知りません。なんていうんですか？」

「反戦小説を書くくらいなら、反氷河小説でも書いたらどうだいっていうのさ」

ハリソン・スターがいいたかったのは、もちろん、戦争はつねに存在するし、それを止めるのは氷河を止めるくらい難しいということだ。私もそのとおりだと思う。

それに、もし戦争が氷河のようにつねにやってこなかったとしても、平時にも死はつねに存在するのだ。

※

ヴォネガットは〝役に立つ市民〟になりたいと願っていた。それはみんな知っている。しかしそれを立証するすばらしい逸話はあまり知られていないだろう。ケープコッドの食料品店「ウェルフリート・マーケットプレイス」とボストンの書店「ブックスミス」のオーナーのマーシャル・スミスが次のように書いている。

一九六七年、（ボストンの）ハーヴァード・スクエアにあるうちの本屋で店員をしていたラリー・Sから、ヴォネガットの小説のことを初めて聞いた。それまで、ＳＦ愛好家のあいだにはヴォネガットの熱心なファンがいたが、私も、純文学を愛好するうちの仕入れ担当者も、ＳＦにはあまり関心がなかった。「これはきっとヒットしますよ」とラリーはいった。『猫のゆりかご』っていうタイトルなんです」［……］そこで、仕入れ担当のクレオと私はしぶしぶそれを読んだ。

その本はすばらしかった。名作だ。それから数年後、『スローターハウス5』が出て、ヴォネガットの名は全米に知れ渡った。［……］

ヴォネガットは書店でサイン会をしないという主義だった。しかし私はひるまず手紙を書いて、本にサインはしなくていいが、長年の忠実なファンと会って話をしてみてはどうか、それをハーヴァード・スクエアで真夜中にやるのはどうか、と提案した。みんなが驚いたことに、ヴォネガットはそれをとてもしゃれたアイデアだと思ったらしい。［……］彼の外見は世間に知られているとおりだった——大きな口ひげ、長くてぼさぼさの髪、ちょっとくたびれたオーバーオール。感じのいい男性だった。

［……］私たちはヴォネガットを書店の外の広場に案内した。何千人ものファンがボストンとその周辺のあちこちからやってきた。おかげで道路が何時間も渋滞したくらいだ。ヴォネガットは二時間近く、学生たちと冗談を言い合ったりしていた。みんなヴォネガットのことが大好きだった。ヴォネガットも楽しんでくれたと思う。

なぜそんなに大勢の人が——ほとんどは学生だったが——やってきたのか？　なぜ彼らは二時間も冗談を言い合ったのか？　それは、『スローターハウス5』が、反戦運動に巻きこまれた当時の私たちの前に登場し、それ以前のヴォネガットの作品とともに、当時のあらゆる反体制運動（公民権運動やカウンターカルチャー運動など）に共通する時代精神《ツァイトガイスト》となったからだ。ヴォネガットはみずからの作品を通じて公正な批判的抗議を行なうという形で、まさに市民の義務を体現したのだ。

マーシャル・スミスはこう書いている。「何年ものち、私はマサチューセッツ自由人権協会が功績のあった人物に毎年贈呈している権利章典賞をカート・ヴォネガットに授与する栄誉に恵まれた。その賞は言論の自由を擁護する彼の歯に衣着せぬ弁論をたたえたものだ。彼は昔とちっとも変わっていなかった」

第13章 教師、すなわちもっとも気高い職業としての作家

WRITERS AS TEACHERS OR THE NOBLEST PROFESSION

「作家は何よりもまず教師だ」とヴォネガットはいっていた。

——ダン・ウェイクフィールド『これで駄目なら』序文より(166)

＊

今日では多くの作家が、作品を通じてだけではなく、教室で直接指導をしている。一九六〇年代後半にアイオワ大学でヴォネガットが教えていた頃は、文芸創作で修士号を出している大学は三つしかなかった。しかし、卒業生たちが同じような講座をつくりはじめた。一九七五年には、文芸創作を専門とする芸術修士課程は十五に増えた。今日では二百を超えている。(167)文芸創作課程を有する大学の協会であるライティング・プログラム協会には、五百以上の大学が登録されている。大学院以外でも文芸創作の科

目や学科を提供することは、どの大学の英文学部にとっても、現代社会の要請に応えるために必要不可欠となっている。

それに加えて、大学以外で急増している文芸学校や、YMCAやコミュニティセンターやリゾート地などで提供される無数の講座、作家が自宅で開催している教室などもある。これらすべてで、作家が教えている。

したがって、作家にとって教えるということは、教師としての役割に関わる問題であると同時に、作家としての役割にも関わる問題なのだ。

＊

ヴォネガットはある大学の卒業生に向けたスピーチで、こう述べている。

教職とは、民主主義社会の中でもっとも気高い職業だといえるでしょう。(168)

しかし、どういう教師がもっとも気高いのか？　すべての教師は平等に気高いのか？

ヴォネガットは尊敬する教師像をはっきりと特定している。

『猫のゆりかご』で、語り手がフィリップ・キャッスルという登場人物に、ボコノンについてたずねる場面がある。ボコノンはサンロレンゾという小さな島を支配する謎の宗教指導者だ。

「きみはボコノンのことも知っているのかい？」

「さいわいにも知っている。子どもの頃、家庭教師をしてもらっていた」キャッスルは感傷的にモザイク画を指し示した。「彼はモナの家庭教師でもあった」

「いい教師だったかい？」

「モナも僕も読み書きやかんたんな計算はできる」キャッスルはいった。「あんたのいういい教師がそういう意味なら[169]」

こういう皮肉ないい方で、ヴォネガットは、いい教師であるとはどういうことかという問いを投げかけている。

いい教師とはどんな教師だろうか？　教えるとは、技術を伝えることか？　特定のテーマについての情報や知恵を授けることか？　ＳＡＴ〔大学進学適性検査〕やＧＥＤ〔高卒相当修了認定試験〕で合格するのを助けてくれる人物がすばらしい教師なのか？

※

ヴォネガットが教師を尊敬する理由のひとつは、彼自身が自分の人生に大きな影響を与えたすばらしい教師に出会ってきたからだ。

私が信じていることはぜんぶ、大恐慌の最中に、初等公民科の授業で教わった。[170]

大恐慌の当時、人々は失業し、きわめて優秀な人材が教職に就いていた。ヴォネガットは公立のショートリッジ・ハイスクールに通っていた（両親は全財産を失っていたので、息子を私立校に通わせることができなかった）が、そこはすばらしい学校だった。それはいまも変わらないというもっぱらの評判だ。私はインディアナポリスにあるその学校を見たことがある。堂々たる正面玄関に、この学校が授けんとする科目が、何本もの円柱によって区切られたスペースに高く掲げられていた。音楽　詩歌　戯曲／教養　文化／商業　産業／哲学　倫理。

そこには大学なみの教師陣がそろっていました。〔……〕化学の先生は先生である前に化学者でした。同じく物理の先生は物理学者で〔……〕国語の先生はだいたい優れた文筆家でした。[171]

ヴォネガットはハイスクールの新聞に記事を書くことで経験を積んでいった。ショートリッジ・ハイスクールには印刷機があり、生徒たちは全国的にもめずらしいハイスクール日刊紙『ショートリッジ・エコー』を発行していた。ヴォネガットによると、「その歴史は古く、私の両親もその新聞作りに関わっていたほどだ」という。[172]

ヴォネガットの書簡集『Letters』や講演集『これで駄目なら』を編集した作家のダン・ウェイクフィ

ールドも、やはりショートリッジ・ハイスクールを卒業している。ヴォネガットより数年後輩だが、彼も『ショートリッジ・エコー』の発行にたずさわっていた。「カートはあの新聞のことをとても誇りに思っていた。僕もそうだ」ウェイクフィールドは私にそう話した。彼とヴォネガットはあるディナー・パーティーでぐうぜん出会ったが、ショートリッジの出身であることと、そこで新聞発行に関わっていたことから、ふたりの友情は固まったという。

＊

ヴォネガットに影響を与えた国語教師のひとりにマーガリート・ヤングという女性がいた。彼女について、ヴォネガットはこういっている。

〔彼女が取り組んでいたのは〕我がインディアナ州出身のユージン・ヴィクター・デブズの信頼のおける伝記を書くことでした。デブズは中産階級出身の労働運動指導者で社会主義者であり、大統領選にも立候補した人物です。一九二六年、私が四歳のときに死去しましたが、彼が大統領選に出たとき、何百万もの人々が彼に投票したのです。[173]

ヴォネガットはのちに、労働運動と「インディアナ州のもうひとりの中産階級出身の労働運動指導者」パワーズ・ハプグッドをもとに、長編小説『Jailbird（ジェイルバード）』を書くことになる。

博物学者のヒリス・L・ハウイーもヴォネガットにとってもっとも特別な教師のひとりだった。彼は一九二六年から一九七〇年まで、ティーンエイジャーの子どもたちを二ヵ月間の西部地方へのキャンプおよび原野探索の旅へ連れていった。一九三八年、十六歳だったヴォネガットもその旅に参加した。ヴォネガットの父親はその費用を、現地の簡易宿泊施設を設計することで支払った。その施設はふたりのナヴァホ・インディアンによって建てられ、いまでもそこにあるという。ヴォネガットは長編小説『ガラパゴスの箱舟』の冒頭に、ハウイーへの献辞を書いている。(174)

✻

シカゴ大学の人類学の教授たちは、文化相対主義という思想で、終戦直後のまだ若かったヴォネガットの度肝を抜いた。その思想は彼の世界観の基礎となった。ヴォネガットはかつて、「小さい子どもたちの手引きになるような本を書きたいとしょっちゅう思っていた」といったことがある。それは、子どもたちに自分がどんな惑星に住んでいるかを教える本だという。

その中で私が子どもたちにどうしても伝えたいことは、文化相対主義についてだ。〔……〕小学一年生の子どもは、自分たちの文化が合理的につくられたものではないことを理解するべきだ。ほかにもさまざまな文化があること、どの文化もきわめてうまく機能していること、すべての文化は事実より信念に基づいて機能していること、我々の社会にもたくさんの選択肢があることなどを理解するべきだ。私自身はそういうことを、シカゴ大学の大学院に入って初めてはっきりとわかった。それはものすごく刺激的な発見だった。(175)

ヴォネガットにとってとくにすばらしい教師だったジェイムズ・スロートキンは、変化のために必要な文化的要件とリーダーシップについて、あざやかに説明した。そして、似ても似つかないふたつの運動――アメリカ先住民のあいだに広まったゴースト・ダンス教と、ヨーロッパの芸術家のあいだで流行したキュビズム――を比較して、自説を立証しようとした。

一九九四年、ヴォネガットは自分とスロートキンがかつて在籍したシカゴ大学の卒業予定の学生たちに向けてスピーチをした。すでに何年も前に『青ひげ』でスロートキンを脚色した人物を登場させ、ほかのいくつか小説でもスロートキンの思想について書いたあとだった。しかしヴォネガットはその機会をとらえ、かつての恩師の本拠地だった場所で改めて彼の名誉の回復をはかった。ヴォネガットはスロートキンの唱えた説を引用し、よい変化であれ、悪い変化であれ、社会を変化させるためには、次の三種類の人間が必要だと述べた。

1　達成されるべき文化的変化を表明する天才的なカリスマ指導者。

2　その指導者は狂人ではなく、意見をきくに値する人間だと証言する、ふたりもしくはそれ以上の立派な市民。

3　その指導者は何をもくろんでいるのか、なぜそんなにすばらしいのかを一般大衆に繰り返し語ってきかせる、口が達者で人好きのする解説者。[176]

✼

ヴォネガットが恩師と呼ぶこの教師は、ヴォネガットのことなどほとんど歯牙にもかけず、何年かのちに電話したときには、彼のことを覚えてもいなかった。[177]

✼

ヴォネガットの小説には、教師たちの指導のすばらしい例がいくつも登場する。『ガラパゴスの箱舟』でもっとも高潔な登場人物のメアリー・ヘップバーンは、「いまはもう消滅したニューヨーク州のイリアムで、公立のハイスクールの生物教師を二十五年間務めてきた[178]」。彼女の人物像はヒリス・L・ハウイーをモデルにしてつくられた。ヴォネガットはメアリー・ヘップバーンを通じて、よい教師は愛嬌があって、生徒に考えることをうながす教師であると示している。

イリアム・ハイスクールでのメアリー・ヘップバーンの［ガラパゴス諸島に関する］授業のハイライトは［……］アオアシカツオドリの記録映画の中の求愛ダンスの場面だ。(179)

映画の中でオスのアオアシカツオドリがメスに近づくと、メアリー・ヘップバーンはメスのアオアシカツオドリに成り代わって、おもしろおかしくアドリブを入れる。

メアリー・ヘップバーンは生徒がこの求愛ダンスについてちょっとした詩や作文を書いてきたら、成績に色を付けてやることにしていた。それらの生徒のうち半分くらいは［……］このダンスは動物が神を崇めている証拠だと考えていた。残りの生徒たちの反応はさまざまだ。ある生徒はメアリーが生涯忘れられない詩を書いて提出した。［……］

もちろん、僕はきみが大好きだ
だから子どもをつくろう
その子はきっと僕たちと
まったく同じことをいうだろう
「もちろん、僕はきみが大好きだ
だから子どもをつくろう
その子はきっと僕たちと
まったく同じことをいうだろう

『もちろん、僕はきみが大好きだ
だから子どもをつくろう
その子はきっと僕たちと
まったく同じことをいうだろう――』
以下省略。
　ノーブル・クラゲット（一九四七～一九六六年）

中にはガラパゴス諸島のほかの生物について書いてもいいかとたずねてくる生徒もいる。メアリーはとてもいい教師なので、もちろん「いいわよ」と答える。

メアリーはアオアシカツオドリについての授業の締めくくりに、みずからの創造主であるヴォネガットの根本的な疑問、ダーウィニズムの謎に立ち返る。

ここで私たちは、アオアシカツオドリの求愛ダンスに関わるきわめて深い謎にふたたびぶち当たります。このダンスはアオアシカツオドリの生存や巣作りや狩りなどとまったく関係がないように思われます。では、それはいったい何と関係があるのでしょうか？　それをあえて〝宗教〟と呼ぶのか？　それとも、そこまではいえないとしたら、少なくとも〝芸術〟と呼ぶことはできるのか？
みんなの意見を聞かせてください。(180)

＊

ヴォネガットの最後から二番目の長編小説『Hocus Pocus（ホーカス・ポーカス）』でも、立派な教師が重要な役割を演じている。主人公で語り手のジーン・ハートキは刑務所で教官を務めている。彼は自分の手法を次のように説明している。

私はなまけてはいなかった。教えるのが好きだから。

比較的利口な囚人たちには、あえて難しい問題を出した。地球は丸いということを証明してみせよとか、騒音と音楽の違いを説明せよとか、肉体的特徴はどのように遺伝するか説明せよとか、見張り塔に登ることなくその高さ知るにはどうしたらいいか説明せよとか……

シピオの中心街からきた原理主義の説教者が、ある日の午後パビリオンでターキントンの学生たちに配布した図表を囚人たちに見せて、こうたずねたこともある。この図表の中に、ある主張に沿うように事実をねじ曲げた箇所はないだろうか。［……］

愚かな囚人たちは［……］私を歩くギネスブックのように使った。たとえば、世界でいちばん長寿の人間は誰かとか、いちばん金持ちは誰かとか、いちばん多くの子どもを産んだ女は誰かとか、そういうことをきくのだ。(181)

音楽鑑賞会では、チャイコフスキーの序曲『一八一二年』のレコードをかけた。そして、この曲はナポレオンがロシアで敗れたという歴史上の事件を扱った曲だと説明した。それから学生たちに、自分の人生の大きな出来事を思い出して、それを表現するにはどんな曲がふさわしいか考えるようにいった。その出来事や音楽について誰かに話す前に、一週間考えるようにいった。なぜなら学生たちの頭にしっかり蓋をして、じっくり煮込むように、音楽について考えさせたかったからだ。(182)

ジーン・ハートキはいくつかの恋愛沙汰で勤め先の大学の理事たちに追及され、理事会で弁明しなくてはならなくなる。

大学生相手ともなれば、要覧に載っている科目に関することだけでなく、人類の抱えるあらゆる種類の問題について率直に語るのが教師の義務です、と私は弁明した。「それが学生の信頼を得る方法ですし、学生にも同じように率直に語らせる方法なんです。それによって学生は理解するのです。すべての科目が、きちんと区切られた小さなスペースに収まるものではなく、我々がこの世に生を受けたときに与えられたひとつの大きな課題、すなわち人生とひとつながりで、分離することができないものだということを(183)」

ヴォネガットはこの見解を、別の登場人物のヘレン・ドール博士を通じて繰り返している。ドール博士が就職のために理事会の面接を受ける場面でのことだ。

しかしそのかわりにドール博士は理事会でかんしゃくを爆発させることになった。理事たちは彼女に、こんな約束をさせようとした。教室でもその他の社交の場でも、政治や歴史や経済や社会に関する問題については、決して学生たちと議論しない。そういう問題については、大学にいるその分野の専門家に一任しなければならない。

「まったく頭にきたわ」とドール博士は私にいった。

「理事たちが私にたのんだことは、私に人間であるのをやめろというのも同然のことよ(184)」

※

小説には本質的に〝教える〟という要素が備わっている。小説は、人々がどんな風に感じ、考え、反応し、変化するかを教える。境遇が人々にどう影響するか、人々の脳や人格や周囲の状況や文化がどう彼らを動かすかを教える。ある経験が特定の人物にある種の影響を与え、他の人物には別の影響を与える様子を教える。ある人物が心の中で思っていることと実際の行動が一致しなかったり、他人の受け止め方とも一致しなかったりすることを教える。そのほかいろいろなことを教える。

すべての著作物は教えている——何かについてのなんらかの情報を伝えている。出来の悪いものでも〝教える〟ことはある。だから、もし誰かが何かを書いていたら、その人物は教えていることになる。必然的にそうならざるを得ない。

しかし、書くことを通した意図的な教えもある。

＊

ここで読者のみなさんに質問。カート・ヴォネガットの作品を読んで、なんらかの事実を学んだという人はどれくらいいるだろうか？　歴史について何か学んだという人は？　なんらかの概念について学んだ人は？　なんらかの意見について学んだ人は？　そのほかに何か学んだという人は？　もし何か学んだことがあったら、すぐリストにしてほしい。それから誰かに向かって、自分が学んだ内容を話してほしい。そのときは、会ってじかに話すほうがいい（いますぐ会えなくても、できるだけ早く会うようにする）。そしたらカートはきっと喜ぶだろう。フェイスブックに投稿してもいい（ごめんね、カート）。

＊

ヴォネガットは意図的に教えている。

例の子ども向けの本（『Welcome to Earth〔「地球へようこそ」の意〕』というタイトルにしたいといっていた）は結局書かなかったかもしれないが、思春期やそれ以上の年齢層の読者に向けて、文化相対主義の考え、つまり彼が「子どもたちにどうしても伝えたい」と思っていたことを、繰り返し理解させようとしている。それは彼が書いたすべての作品の隠れたテーマになっている。

プロットや登場人物を通じてひそかに教えるだけでなく、あからさまに書いていることも多い。ヴォネガットは自分が関心を持っていて、他の人にもぜひ知ってほしい、関心を持ってほしいと思う歴史的な事件、人物についての情報を、つねに読者に与えている。

サッコとヴァンゼッティの名はご存じだろうか？　聞いたことがないという人もいるだろう〔サッコ・ヴァンゼッティ事件：一九二〇年、イタリア系移民の無政府主義者のサッコとヴァンゼッティが殺人事件の犯人として逮捕され処刑された事件〕。ヴォネガットは長編小説『ジェイルバード』の中で、小説的技巧を大いに駆使し、サッコとヴァンゼッティのことを知りたいと読者に思わせるように工夫している。すでに知っている人には、思い出してもらうように仕向けている。

ヴォネガットは読者を露骨に教育しながら、同時に誘惑もしている。（誘惑はヴォネガットによると、作家のもっとも重要なスキルだという。「第二十五章プロット」参照。）馬の鼻先にニンジンをぶらさげるように、一定の間隔で情報を少しずつ与え、それをメインの筋の中にたくみに織りこんで、読者が好奇心に駆られてどんどん先を読み進めていくように図っているのだ。

『ジェイルバード』のプロローグで、ヴォネガットはサッコとヴァンゼッティについて四箇所で言及している。どの箇所でも、ふたりが労働運動で果たした英雄的行為と、彼らに対して成された悲劇的で不当な仕打ちについて、漠然と語っている。そして本編が始まる直前のページに、サッコが息子に送った手紙の一部を掲載している。処刑の三日前に書かれた手紙だ。

第一章では、語り手のウォルター・F・スターバックが、時代とふたりの事件について思いをめぐらしている。

それから私はサッコとヴァンゼッティのことを考えた。若かった頃の私は、このふたりの苦難の物語を契機に、正義を求める抑えきれない熱狂が一般大衆のあいだに巻き起こり、世界中に広まっていくだろうと信じていた。

そのあと第十八章で、スターバックはふたたびこう述懐している。

私は最近［……］もと夜間職員の男に［……］サッコとヴァンゼッティのことを知っているかとたずねた。すると彼は自信たっぷりに、そのふたりは金持ちで知能指数の高いシカゴの享楽的殺人鬼だろう、といった。どうやらリーアポルドとローブと勘違いしたようだ。

なぜこんなことで心が乱れるのだろう？　若かった頃、私はサッコとヴァンゼッティの受難の物語が、ひんぱんに、感動的に語り継がれ、いつかイエス・キリストの物語と同じくらい人々を魅了してやまない物語になると期待していた。(185)

このようにサッコとヴァンゼッティの悲劇の重要性についてさんざん思わせぶりな記述がばらまかれたあげく、十八章と十九章でようやく、恐るべき後日談——ふたりが告発され、処刑される原因となった殺人事件の真犯人が、犯人は自分だと告白していたこと——が初めて提供され、そのあとでサッコとヴァンゼッティのふたりに起こったことのすべてが、キリストの物語に匹敵する受難劇として語られるのだ。

この話は読むに値する。身につまされる。現代のことのように感じられる。

＊

サッコとヴァンゼッティに起こったことについては、じつは私もよく知らなかった。私の友人は、自分がとうぜん知っているはずだと思うことを知らなかったときに、「まるで学校でそのことを教わった日にちょうど休んでいたみたいだ」というが、まさにそういう感じだ。いっぽうで、それは単に私の世代の関心事ではなかったというだけかもしれない。

＊

こうしてヴォネガットは労働運動を再生し、彼が若かった頃、自分とアメリカにとってひじょうに重要だった英雄を復活させた。

聖人とは「不当な社会の中で正当に行動した人」と私は定義する。(186)

私は昨夜、『グローリー／明日への行進』という映画をみた。一九六五年にアラバマ州セルマで行なわれた公民権運動のデモ行進とそこで起こった血の日曜日事件を題材にした映画だ。私は一九六五年にセルマにいた。アーカンソー大学からそこへ行って、行進に参加した。気分を高揚させる、すばらしい経験だった。重要な教訓を学び、生涯忘れられない衝撃を受けた。

だから、映画をみるのが怖かった。しかし『グローリー／明日への行進』は、リンドン・ジョンソンの描き方を除けば、あの非暴力運動と、時代と、さまざまな問題を、映画として可能なかぎりうまく表現していたと思う。（リンドン・ジョンソンはこの映画の中で、公民権運動においてキング牧師に道を開いた人物ではなく、邪魔をした人物として描かれていた。この描き方は、間違いなくハリウッド特有の単純化によるものだ。）

私たちの国の悪行と苦闘の歴史が再生されたことに万歳。私たちはそれがどんなものであったか、現在どうなっているかを知らなければならない。

私たちの時代の聖人が復活したことに万歳。私たちは困難に打ち勝つために何が必要か知らなければならない。

※

教えることは双方向に効果をもたらす。

人に教えると、自分も学ぶことになる。私も、長編小説や短編小説や詩やエッセイなどを詳細に分析して、その内容や技巧のすばらしさを生徒に教えるようになってから、作家として格段に成長したように思う。

同じことは、書くことを通して〝教える〟ときにも起こる。それはちょうどいま、私に起こっている。ヴォネガットがサッコとヴァンゼッティをどのように使ったかを説明するために、私は『ジェイルバード』に書かれたふたりの物語を何度も読み返し、要約し、見直し、ほとんどをカットした。その結果、サッコとヴァンゼッティの物語は私の頭と心に刻みこまれ、ヴォネガットの技巧も刻みこまれた。

ヴァンス・ブージェリはアイオワ大学文芸創作講座で二十二年間教えたベテランの教師だ。ヴォネガットとも親しく、いっしょに旅行もした。そのブージェリはこんなことをいっている。「驚くべきことに、僕は長年、講座の学生たちからひじょうに多くのことを学んできた。それでいつも思い出すことがある。アパラチア地方の英語ではlearn（学ぶ）という動詞をteach（教える）という意味でもよく使うということだ（たとえば、「she learned me my ABC's」で「彼女は私にＡＢＣの歌を教えてくれた」という意味になる）[187]。

ヴォネガットが私にサイン入りの『スローターハウス５』の本をくれたときも、きっと同じようなことを思っていたのだと思う。そこにはこう書かれていた。「よき生徒、よき教師、スザンヌへ」。

第14章 教室のヴォネガット

VONNEGUT IN CLASS

ヴォネガットは教室ではどんな教師だったのだろうか？

すばらしい教師だった。まじめで、ユーモアがあって、みんなを楽しませた。鋭くて、やさしかった。髪はぼさぼさで、服はしわくちゃで、気取ったところがなかった。タバコを吸った。いたずら書きをした。作家としての彼とまったく同じだった。

彼は『ガラパゴスの箱舟』のメアリー・ヘップバーンや、『ホーカス・ポーカス』のジーン・ハートキのようだった。少なくとも、一九六五年から六七年にアイオワ大学文芸創作講座で教えていたときはそうだった。

それまでに彼は一年間、教師の経験があった。

その学校は精神障害のある子どもたちのための学校——学費がとても高かったので、精神障害のある裕福な子どもたちのための学校だった。ケープコッド半島のサンドイッチという町にあった。私ひとりで、その学校のハイスクールの年代の生徒たちの国語を担当していた。生徒たちの多くは、読むことも書くこともあまりできなかった。その子たちはいろいろな理由で、親にとってひじょうに都合の悪い存在になっていた。ときどき地元の警察がこんなことをいってきた。「この子はしっかりした学校か施設に入れないと、刑務所に入れられることになる」。脳に損傷のある子どもたちや、脳にどこか悪いところのあるいろいろな子どもたちがいた[188]。

いまでもはっきりと覚えているが、あるときヴォネガットは私たちに、精神に障害のある教え子のひとりが書いた物語を教えてくれた。ある少年が、クローゼットいっぱいに、大好きなガラス製のオブジェを持っている。少年はオブジェをひとつひとつ取り出して、うっとり眺めながら、慎重に床の上に並べていく。ぐうぜん、ひとつのオブジェが壊れ、そのあともうひとつが壊れる。少年が誤って壊したのかもしれない。いずれにせよ、すべてのオブジェがお互いにぶつかって、割れていった。少年はそれらのオブジェの真ん中で四つん這いになって、割れていくオブジェを必死で救おうとする。その結果、傷だらけになってしまう。

この話をしているときのヴォネガットの顔が目に浮かぶ。半分笑ったような、困ったような複雑な顔、つらそうで思いやりにあふれた顔だった。

＊

「きみは優秀な教師になるよ。きみの自尊心がそうなることを要求するだろう。もちろんきみの教え子たちもそれを要求する」作家仲間のリチャード・ゲーマンがアイオワ大学の講師陣に加わることに関して、ヴォネガットはゲーマンへの手紙でそう書いている。「きみはびっくりするくらいたくさんの本物の作家たちの世話を託されることになる」

ヴォネガットはのちにハーヴァード大学やシティ・カレッジでも教えることになるが、アイオワ大学でいちばんよく教えることができたといっている。それは彼自身の状況が変わったからだ。ハーヴァードで教えていたときは、結婚生活が破綻しかけていた。シティ・カレッジでは、ほかの仕事で猛烈に忙しかった。(189)

ヴォネガットの教え子たちが彼のことを書いている。ゲイル・ゴドウィン、ジョン・アーヴィング、バリー・ジェイ・カプラン、ジム・シーゲルマン、ディック・カミンズ、ジョン・ケイシー、そのほか、もっといるはずだ。私も書いている。(190)

「授業はたいして問題じゃない。ほんとうに大事なのは、午後のオフィスアワー〔大学で教員が学生の質問や相談に応じるために設けられた時間〕にやる個人指導だ」ヴォネガットはリチャード・ゲーマンにそう忠告している。(191)

「その個人指導のとき、ヴォネガットは禅師のように自由でおどけていた」ゲイル・ゴドウィンはそういっている。ヴォネガットはゴドウィンの書いた中編小説――それはのちに彼女の処女小説『The Perfectionists（未）』になる――を読んで、原稿の余白に「すばらしい」「一流だ」と書いた（ただし鉛筆で。彼は礼儀をわきまえていた）。あるいは「だめだ。フラッシュバックが重すぎる」とかも書いた。ゴドウィンはその中編を長編にしようと思っていて、彼に意見をきいた。「するとヴォネガットは、『そうか、僕はいまのままでいいと思うけどな』といった」。しかし次の個人指導のときに、ゴドウィンが「やっぱり長編にすることに決めた」とヴォネガットにいうと、「すばらしいアイデアだ、と力強くいった」。

「自信のある年配の作家に自分の作品を読んでもらって、いろいろ指摘してもらえるのは、もちろん役に立った」ジョン・アーヴィングはあるインタビュアーにそういっている。「だけど、アイオワ大に行く頃にはもう、あまり事細かく指導される必要をほとんど感じなくなっていて、そこで［……］カート・ヴォネガットに師事することにした。彼は『この部分は退屈だった』といったかと思うと、その百ページあとに『これはすごくおもしろい』といったりする。『きみはこの言葉がすごく好きなんだな』とかいうときもあった。けど、たいていはただ僕の好きなように書かせてくれた」(192)

バリー・ジェイ・カプランは初めてヴォネガットの個人指導を受けたときのことを次のように私に話してくれた。ふたりともタバコを吸い、自分の靴を見つめながら、大股を開いて、膝と膝が触れ合いそうな距離ですわっていた。気まずい沈黙が続いた。ようやくヴォネガットが口を開き、「きみの作品を読むととても不安になる」といった。バリーは熱心に次の言葉を待った。ヴォネガットはタバコを口元から離した。ふたたび沈黙が続く。ようやくヴォネガットはこういった。「きみの作品について、なんといったらいいのかわからない」。バリーは「そうですか」と答えて、すわったまま固まった。するとヴォネガットは彼をまっすぐ見ていった。「僕がいいたいのは［……］きみは短編を書き続けるべきだと思うということだ。いいね？」

そのあと、バリーは次から次へと短編を書いてヴォネガットに渡した。ヴォネガットはバリーを励ましたが、何ひとつ強要することはなかった。バリーはヴォネガットの調査助手になった。だが、一学期のあいだに頼まれたのは、ふたつのことだけだった。ひとつはドレスデンの第二次大戦前の地図を見つけること。もうひとつはリトルリーグのルール集を見つけることだった。

ヴォネガットはのちにゲイル・ゴドウィンにこんな手紙を書いている。

> あの頃個人指導で僕がやっていたのは「僕を信じろ」ということだけだった。いま僕がしようとしているのは、きみの口をこの二本の指でそっと開けて――喉を傷つけないように十分な注意を払いながら――指を突っこんで、きみの中にある小さなテープをつかみ、それをゆっくり、慎重に、そっと取り出すことだ。それはきみのテープで、この世にふたつとないテープだ。[193]

もし私が彼の個人指導を受けていたら、たぶん私も自分がいうべきことをそっと取り出してもらう経験をしただろう。だが私は恥ずかしがりで、一度も彼に個人指導を頼まなかった。

だから、私から教え子へのアドバイスは「恥ずかしがらないこと」だ。

だが、恥ずかしがり屋でも、全世界を学ぶことだってできる――ヴォネガットが彼の師から学んだように、私が彼から学んだように——教室という比較的匿名性の高い安全地帯でも学ぶことができる。

＊

カートは初めての長編小説を書いていたジョン・アーヴィングに「きみはこの若い女性の下着について、読者が持つ以上の興味を持ちすぎている」といった。アーヴィングはそのアドバイスにしたがって修正を施したが、本人によると、「たぶん十分といえるほどには修正しなかった［……］でもカートは、きみはとても情熱を持って書いている、ともいってくれた。そしてこういったんだ」

その情熱をぜったい失わないように。自分の作品に情熱を持っていない作家が多すぎる。(194)

＊

当時のアイオワ大学の文芸創作講座には、女学生がとても少なかった。講師には女性がひとりもいなかった。また、黒人の学生も少なく、ゲイやレズビアンを表明する者もいなかった。ロニー・サンドロフという私のクラスメイトの女性はこんな出来事を覚えている。

「女性がこんな力強い物語を書いたと信じられるかい？」その学期末、ヴォネガットは、授業中にみんなで読んだいくつかの短編小説の作者を明かし、その作者のひとりだった私を指差してクラスのみんなにそうたずねた。私は〝力強い〟という誉め言葉に目を輝かせた。でも、同時にみぞおちがギュッとなった。当時はまだフェミニズム運動が花開く数年前だった。その運動が始まったときにようやく、女性がうまく書けるのは驚くべきことだという考えに、なぜみぞおちがギュッとなったのか、少なくとも理解できるようになった。あの頃、世界は女性にとっても男性にとっても居心地の悪い場所だった。

あの頃、創作講座では、私もそのほかの女性たちも、同じように侮辱的な出来事を経験した。なかには露骨なものもあった。ある男子学生は、私が初めて出席したとき、女は小説なんか書くべきではないと思うといった。当時はそんな発言をしてもなんの問題もなく、その男子学生は私に面と向かってそういった。どうやら彼は、私たち女性が男性の地位を脅かすのではないかと思ったらしい。

こういうことに対して、社会にはまだ適切な言葉がなかった。「性差別主義者」という言葉はまだなかった。言葉がないからこそ、こういう経験をすると、女性たちはひどく困惑した。

あるときヴォネガットの家でパーティーがあった。その前に私はある短編を提出したが、それはあまり気に入ってもらえなかった。そこで私は彼に、次の作品はきっと気に入ってもらえると思います、といった。するとヴォネガットは飲み物を手に、私にウィンクして、こういった。「スザンヌ、きみはかわいい。いずれにせよ結婚はできるさ」。私はあっけにとられた。それがいったい、小説を書きたいという私の強い思いとどんな関係があるのか？　男性にはぜったいそんなことはいわないはずだ。私は女としてからかわれたのだと思った。彼としてはお世辞をいったつもりだったのかもしれない。そう思うとよけい気分が悪かった。

それから十四年後、フェミニズム運動が始まったあとに、別のパーティーがニューヨークであった。アメリカを訪問していたホセ・ドノソのために開かれたものだ。私はそこでヴォネガットに、十四年前の発言を蒸し返した。すると彼はびっくりして「僕がそんなことといったのかい？」といった。そして、弁解するようにこういった。「まあ、結婚はたしかに女性に開かれている道だからね」。それから席を立って、飲み物を取りにいった。そのあと彼はあやまった。時が経つにつれて、私はヴォネガットがほんとうにあの言葉を現実的な対処法としていったのかもしれないと思うようになった。彼にとって書くことは、生計を立てることと結びついていたからだ。

性差別のほとんどは、これらのヴォネガットの逸話のように、文化的な盲点、つまり理解不足から生じる。ヴォネガットは本人の反逆の意思にもかかわらず、多くの点で、みずからの世代と文化の申し子だった。意図的に性差別主義者になったわけでも、女性を傷つけようとしたわけでもなかった。

そういう盲点は、ひじょうに寛容な言い方をすれば、どの文化にも存在するし、誰でも多少は抱えているものだ。性差別、人種差別、年齢差別、狂信的愛国主義。同性愛嫌悪。政治的地域的偏見。教師も人間だから、そのような盲点を持っているかもしれない。また、ヴォネガットの恩師がそうだったように、教え子の能力に気づかず、覚えていなかったり、気にかけていなかったりするかもしれない。だからといって、その人から学ぶことができないわけではない。その人が邪悪だというわけでもない。

しかし、盲点そのものは邪悪だ。

それは陰険で有害で間違ったことであり、自信や個性をむしばむ。

ひとつだけプラスの面をあげるとすれば、明らかな侮辱を受けると、受けた側の意識は一気に高まる。

ここで四つのアドバイスを贈ろう。盲点を認識すること。それに異議を唱えること。自分の目標を見失わないこと。変化を信じて待つこと。

＊

実際に、人や時代は変わる。不規則に、少しずつ。ヴォネガットも変わった。

一九八一年、ヴォネガットはこう書いている。「今日のアメリカの女性解放運動は、もっとも広い意味でいえば、生殖能力以外の何かで好かれたいという女性たちの願いだ。［……］そして男女平等憲法修正案が、男性中心の州議会で拒絶されたことは、私の見解では、男たちによる明確な意見表明だ。つまり彼らはこういっている。『申し訳ないが、ご婦人方、我々があなた方をほんとうに好きになる理由の大半は、あなた方の生殖能力にあるのです[195]』」

晩年、ヴォネガットは女性問題に関連する絵葉書や切り抜きを私に送ってきた。

＊

ハーヴァードのヴォネガットの教え子たちは自分たちのことを〝金塊《ナゲット》〟と呼んでいた。金塊《ナゲット》のひとりジム・シーゲルマンによると、ヴォネガットは、文芸創作のクラスはためになるより害のほうが多いといっていたという。その理由は「みんながお互いの最高の努力の成果をもっともいじわるな形で攻撃する」からだ。それはアイオワ大の創作講座でもときどきあった。

ヴォネガットはバリー・ジェイ・カプランに、彼の一風変わった短編の数々を講座の批評会で発表しないようにと忠告した。だがカプランはその忠告をきかず、二回発表した。するとみんなは「虚無的だ」とか「反文学的だ」とかいう反応を示した。

そういういじわるな批評会を経験することは、ちょっとしたことでへこたれないよう、面の皮を厚くするためにはひじょうにいいことだ。だが、やる気や自尊心や仲間意識を花開かせるためにはひじょうによくない――もちろん、創作にも悪影響を与える。

ヴォネガットはハーヴァードの講座で、そういうことを避けるように工夫した。批評会を一切なくしてしまったのだ。そのかわり学生たちに、名作を名作たらしめたものは何か研究させた。創作についての講義はしたが、学生たちの作品の検討は個人指導だけでやることにした。

シーゲルマンはおもに『ハーヴァード・ランプーン』という学内誌に短いユーモア小説を書いていた。ヴォネガットは彼にこううながしたという。「きみが書いたものを読んで笑う以上のことをする機会を読者に提供するんだ［……］外見を描くだけでなく、感情を描いて、中身のある登場人物をつくる［……］愛や不思議や人間の経験の物語を語るんだ、ただおかしいだけの〝ヴォードヴィル〟じゃなくて」

書くことは複雑でとらえにくく、出版のチャンスは甚だしく不足している、とヴォネガットは警告した（まだ一九七〇年だったというのに！）。教え子たちに、自分の直観に従うようにうながし、文学の歴史やハーヴァードの重圧など気にするなと励ました。

「きみたちの頭脳は最高のマシンだ」と彼はいった。「だからそのスイッチを入れて動かすだけで、すばらしいものができるはずだ[196]」

＊

「私たちがあなたの生徒だったとき、あなたは私たちの好き放題にさせていた。でも、あなたがそこにいることが、私たちにとって重要だった」ゲイル・ゴドウィンはかつてヴォネガットにそういった。[197]

＊

信頼は双方向で築かれる。ヴォネガットが授業や個人指導などでやったことは、私たちを信じることだけだった。彼は私たちが自分のテープを、自分のペースで、自分のやり方で取り出すだろうと信じていた。そうやって、出てくるべきものが出てくる。出てこないこともある。

＊

私はこの章をどう終えようかとずっと悩んできた。カート・ヴォネガットは私に書くこと以外にもと

1966年、アイオワ大学文芸創作講座のプレハブ教室で教えるカート・ヴォネガット。ロバート・ラーマン提供。ジョン・ジェリンスキー撮影。

てもたくさんのことを教えてくれた。人は個人的、社会的なトラウマにもかかわらず前進し続け、成功することさえできるというお手本を、私が心から必要としていたとき、彼はそのお手本として存在し、教え、書いていた。

小説を書くより重要なことを、彼は教えてくれた。

ヴォネガットは私たちに戦争を忌み嫌うことを教え、自分の作品の登場人物に同情を寄せることを教え、人々を尊重することを教え、硬直した考えを疑うことを教え、深く関心を寄せることを教え、親切になることを教え、笑うことを教えた。そして役に立つ嘘を語ることを教えた。

彼はこれらのことを、さまざまな作品に対する反応や、自分の逸話や、小さな声でいうコメントや、学生の扱い方や、彼自身の人となりを通じて教えた。

私は一九八〇年代に、ソーホーにある友人のロフトで、二、三週間に一度、すばらしい歌い手たちが自由に集うセッションに参加して、ゴスペルを歌っていた。私たちはアカペラで歌った。リフを入れたり、ハーモニーをつけたりもした。ある夜、誰かがこんな提案をした。みんながハーモニーをつけて合唱しているあいだ、誰かひとりがひとつの音を歌い続けるというのだ。私は、ひとつの音を歌い続けるなんて退屈でつまらないと思ったので、そのパートに進んでなろうとはしなかった。しかし順番が回ってきて歌ってみると、ほかのみんなの声が上に行ったり下に行ったり動き回る中で、ひとつの音をキープするのは、大変な集中力を要することがわかった。肉体的な力まで要するような感じがした。まるで自分がテントの骨組みになって、左右に揺れ動いて飛んでいきそうなテント全体を支えているような感じだ。私にとってカート・ヴォネガットは、まさにそんな存在だった。たったひとつの、支えとなる音だ。

＊

写真にあげた二枚の紙は、アイオワ大学文芸創作講座の小説形式論という授業でヴォネガットが出した課題指示書だ。その授業は小説を作家の視点から検討することを目的とした文学の授業で、八十名ほどの学生がいた。私はこの課題指示書を、自分の答案とともに、いままで保管してきた。二枚目のコピーはダン・ウェイクフィールドに渡した。彼はそれをヴォネガットの書簡集『Letters』に収録した。それが手紙のように書かれていたからだ。一枚目の指示書は、出版物に関するかぎり初公開となる。(198)

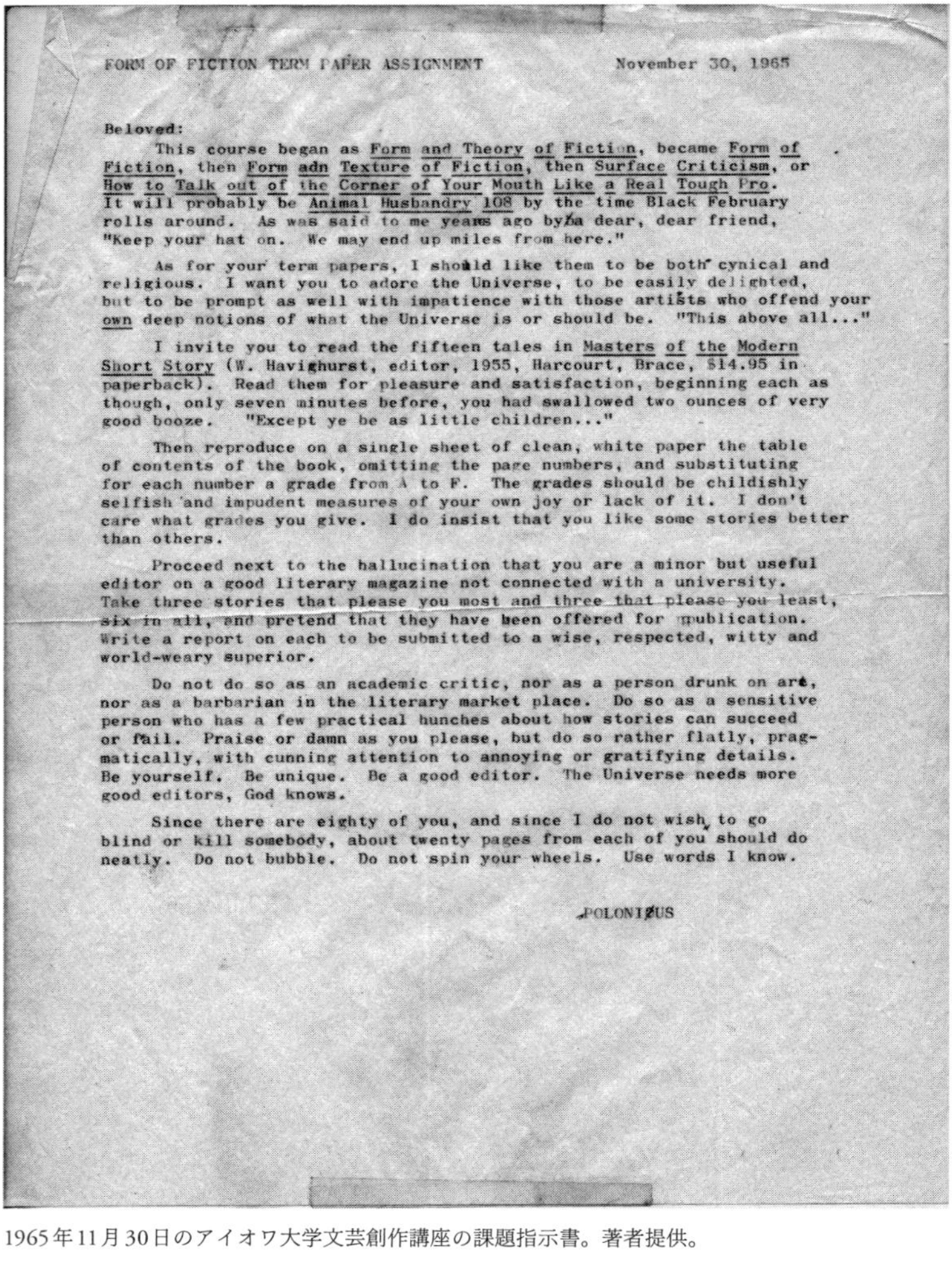

FORM OF FICTION TERM PAPER ASSIGNMENT November 30, 1965

Beloved:

This course began as Form and Theory of Fiction, became Form of Fiction, then Form adn Texture of Fiction, then Surface Criticism, or How to Talk out of the Corner of Your Mouth Like a Real Tough Pro. It will probably be Animal Husbandry 108 by the time Black February rolls around. As was said to me years ago by a dear, dear friend, "Keep your hat on. We may end up miles from here."

As for your term papers, I should like them to be both cynical and religious. I want you to adore the Universe, to be easily delighted, but to be prompt as well with impatience with those artists who offend your own deep notions of what the Universe is or should be. "This above all..."

I invite you to read the fifteen tales in Masters of the Modern Short Story (W. Havighurst, editor, 1955, Harcourt, Brace, $14.95 in paperback). Read them for pleasure and satisfaction, beginning each as though, only seven minutes before, you had swallowed two ounces of very good booze. "Except ye be as little children..."

Then reproduce on a single sheet of clean, white paper the table of contents of the book, omitting the page numbers, and substituting for each number a grade from A to F. The grades should be childishly selfish and impudent measures of your own joy or lack of it. I don't care what grades you give. I do insist that you like some stories better than others.

Proceed next to the hallucination that you are a minor but useful editor on a good literary magazine not connected with a university. Take three stories that please you most and three that please you least, six in all, and pretend that they have been offered for publication. Write a report on each to be submitted to a wise, respected, witty and world-weary superior.

Do not do so as an academic critic, nor as a person drunk on art, nor as a barbarian in the literary market place. Do so as a sensitive person who has a few practical hunches about how stories can succeed or fail. Praise or damn as you please, but do so rather flatly, pragmatically, with cunning attention to annoying or gratifying details. Be yourself. Be unique. Be a good editor. The Universe needs more good editors, God knows.

Since there are eighty of you, and since I do not wish to go blind or kill somebody, about twenty pages from each of you should do neatly. Do not bubble. Do not spin your wheels. Use words I know.

POLONIUS

1965年11月30日のアイオワ大学文芸創作講座の課題指示書。著者提供。

〈訳〉
小説形式論学期末レポート課題／1965年11月30日

最愛の生徒諸君

この授業は「小説の形式と理論」としてスタートしたが、「小説形式論」となり、それから「小説の形式と文体」となり、さらに「表層的文芸批評」すなわち「本当にしたたかな専門家のようにあいまいにしゃべる方法」となった。陰気な二人がやってくるころには「畜産学108」になっているかもしれない。何年も前に、僕が大事な大事な友人にいわれたように、「帽子はかぶったままにしておきたまえ。まだまだ先は長いかもしれないから」。

諸君の学期末レポートだが、冷笑的かつ宗教的なものにしてもらいたい。私は諸君に宇宙をあがめてほしい、おおらかに楽しんでほしい。しかし同時に、宇宙はこうである、またはこうあるべきだという諸君ら自身の深い信念に背くようなアーティストに対しては、速やかに苛立ってほしい。「これは何にもまして重要である……〔『ハムレット』の登場人物ポローニアスが旅立つ息子にいった言葉〕」

私は諸君に『Masters of the Modern Short Story〔「現代短編小説の巨匠たち」の意〕(未)』(W.Havighurst, editor, 1955, Harcourt, Brace,$14.95 in paperback)の中の十五の短編を読んでもらいたい。心ゆくまで楽しんで読んでほしい。各編を読み始めるほんの七分前に、ひじょうによい酒を二オンス飲み干したようにして読むのだ。「もし汝ら幼子のごとくならずんば……〔「マタイによる福音書第十八章」より〕」

そのあとまっさらの一枚の紙にその本の目次を書き写し、それぞれのページ数のかわりにAからFまでの評価を入れてほしい。その評価は、諸君がその作品を楽しめたかどうかという単純で自己本位で生意気な基準によるものでなければならない。どんな評価をしようとかまわない。しかし、他の作品にくらべてよい作品をいくつか、必ず見つけるように。

すべての評価が終わったら、自分は大学で勉強中の学生ではなく、優れた文芸誌の、下っ端だが有能な編集者だと妄想しよう。そして、自分がもっともおもしろかったと思う三つの作品と、もっともおもしろくなかったと思う三つの作品を選び、それらの六つの作品が諸君の編集する文芸誌にもちこまれたと仮定する。そこで諸君は、博識で機知に富んで尊敬されている厭世的な上司に向けて、それぞれの作品についてのレポートを書かねばならない。

そのレポートは学者による批評ではなく、芸術至上主義者による批評でもなく、文芸作品市場にまったく無知な人間の批評であってもならない。短編小説がどうやったら成功し、どうやったら失敗するかについて、いくらかの実際的な勘が働く感性豊かな人間による批評でなければならない。好きなだけほめたりけなしたりしていいが、気に障る部分やおもしろい部分に抜け目なく気を配って、どちらかといえば淡々と、事務的に書くこと。自分らしく、独自の視点で、優秀な編集者らしくあれ。宇宙はもっと多くの優秀な編集者を必要としているのだから。

諸君は八十名で、私は目が見えなくなったり誰かを殺したりしたくないので、このレポートはだいたい二十ページくらいの分量が好ましい。冗長にならないように。無駄骨を折らないように。私にもわかる単語を使うように。

ポローニアスより

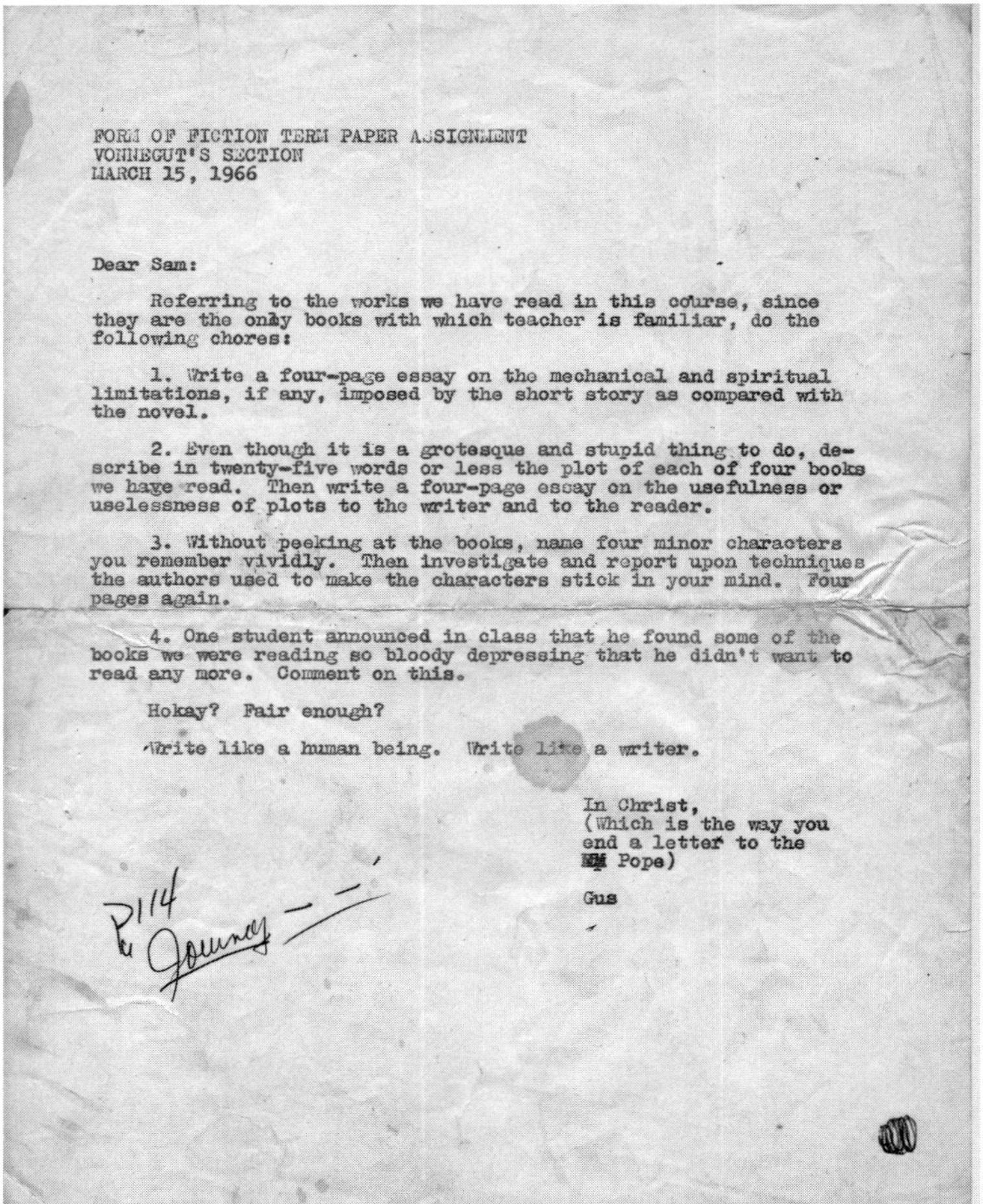
FORM OF FICTION TERM PAPER ASSIGNMENT
VONNEGUT'S SECTION
MARCH 15, 1966

Dear Sam:

Referring to the works we have read in this course, since they are the only books with which teacher is familiar, do the following chores:

1. Write a four-page essay on the mechanical and spiritual limitations, if any, imposed by the short story as compared with the novel.

2. Even though it is a grotesque and stupid thing to do, describe in twenty-five words or less the plot of each of four books we have read. Then write a four-page essay on the usefulness or uselessness of plots to the writer and to the reader.

3. Without peeking at the books, name four minor characters you remember vividly. Then investigate and report upon techniques the authors used to make the characters stick in your mind. Four pages again.

4. One student announced in class that he found some of the books we were reading so bloody depressing that he didn't want to read any more. Comment on this.

Hokay? Fair enough?

Write like a human being. Write like a writer.

In Christ,
(Which is the way you
end a letter to the
Pope)

Gus

P114
Journey

1966年3月15日のアイオワ大学文芸創作講座の課題指示書。著者提供。

〈訳〉
小説形式論ヴォネガット班／学期末レポート課題／1966年3月15日

親愛なるサムへ
　この授業で我々が読んだ作品を参照して——教師がよく知っているのはそれらの作品だけなので——以下の面倒な仕事を片付けてほしい。
1. 長編小説と比較して、短編小説に課されている物理的、精神的限界があれば、それについて四ページのレポートを書く。
2. 滑稽でばかげたことだが、我々が授業で読んだ四つの短編それぞれのプロットについて、二十五語以下で説明する。さらに、作家と読者にとって、プロットがどのように役立つのか、あるいは役立たないのかについて、四ページのレポートを書く。
3. 本を見返さずに、主人公以外の登場人物で、もっともよく覚えている四人の登場人物をあげる。さらに、それらの登場人物が印象に残るように著者が使ったテクニックについて検証してレポートにまとめる。このレポートも四ページで。
４．ある学生が授業中に、我々の読んでいた本のいくつかについて、ものすごく気が滅入るのでもう読みたくない、と表明した。それについてコメントする。
いいかな？　了解してくれた？
人間らしく書くように。作家らしく書くように。

キリストの名において
（これはローマ法王への手紙の結びに使われる文句だ）
ガスより

第15章　重みと感触
HEFT AND COMFORT

作家は読書という喜びと癒しを授ける。文字という格安で入手しやすい手段で、コミュニケーションという計り知れない価値を提供するのだ。

つけを踏み倒しているヴォネガット家にも、破産した隣家のゴールドスタイン家にも、本はたくさんあった。だから幸運にも、ゴールドスタイン家の子どもたちと私と三軒先のマーク家の子どもたち——彼らの父親はまもなく急死することになるのだが——は、チョコレートアイスクリームを食べるのと同じくらい簡単に本を読むことができた。こうして、まだ幼かった私たちは、黙りこくって、誰のじゃまをすることもなく、すごくお行儀のよい子どもとして、人類の知性によってなぐさめられ、育まれていた。その育ての親は、穏やかで、辛抱強くて、おもしろくて、恐れを知らなかった。実の親たちにはそんな余裕はなかった。[199]

もしきみが、自分はいったい何をしているのかわからないと思うことがあったら、教えてやろう。きみは自分と同じように道理をわきまえた思いやりのある人々に、彼らがどうしても聞く必要のあること、つまり、ほかのみんなもあなたと同じように感じていますよ、と教えてやっているのだ。[200]

『ザ・ニューヨーカー』誌に載っていた私の好きな四コマ漫画にこんなものがある。最初のコマには、部屋の椅子にすわってひとりで本を読んでいる女性が描かれている。二コマ目には、その女性が本を置いて立ち上がり、部屋を横切っていくところ。三コマ目でその女性は鉛筆を手に椅子にもどってくる。そして最後のコマで、読んでいる本の余白に「まったくそのとおり」と書く。

ヴォネガットは晩年、こんなことを書いている。

> 偉大な文学作品はすべて［……］人間であるということがいかに愚かなことであるかについて書いている（誰かにそういってもらうと、心からほっとするだろう？）。[201]

偏屈でお茶目で愛すべきカート、すべての偉大な文学をそんな風にまとめてしまうことに、私は賛成できない。私は人間であることがそんなに愚かなことであるとは思わない。でも、彼がいったことは、たしかに誰かにとって大きななぐさめになる。私がもっと若かったら、なぐさめになっていたと思う。もしかしたら、もっと歳を取ったときにまたなぐさめられるかもしれない。

作家であれ、ほかの種類の芸術家であれ、すべての芸術家の自己表現は、ほかの誰かの心に響く。それは間違いない。

※

（本を読むことさえ）できたら、ハーマン・メルヴィルといっしょに南太平洋へクジラを獲りにいくこともできるし、ボヴァリー夫人がパリで人生をめちゃくちゃにしてしまう様子を見物することもできる。(202)

将来、教育現場で文学がどうなるかはともかく、今後も無数のアメリカ人が、完全なプライバシーを保ちながら、本を読んで深く考えることを続けるだろう。そうやって自分自身の退屈な思考から、少なくともしばらくのあいだ逃避するのだ。(203)

「私は薬のセールスマンではありません。作家です」
「作家が薬のセールスマンではないという理由はないでしょう」
「ごもっとも。私が間違ってました(204)」

みんなが納得できそうな芸術家の使命は、人々が生きていてよかったと少しは思えるようにすることだ。[205]

＊

ヴォネガットは読書の自由に対して固い信念を持ち、その結果、検閲に対して恐怖と憎しみを感じていた。そしてそれを初めての長編小説『プレイヤー・ピアノ』に織り込んだ。その小説の中では、作家も読者も抑圧されている。

ある作家の妻は、夫が「作家見習い」と〝分類されて〟いたことや、原稿をブック・クラブのひとつに提出したことを説明する。すると国務省の職員ハリヤードが、外国からきた賓客のために、ブック・クラブについて詳しく説明する。

「十二のブック・クラブがあります」とハリヤードが口をはさんだ。「それぞれのブック・クラブが、特定のタイプの読者のために本を選定するのです」

「読者のタイプが十二種類もあるのですか?」カシュドラールがきいた。

「いま十三番目と十四番目をつくろうという話が出ています」ハリヤードはいった。[206]

＊

ヴォネガットは六〇年代後半に超越瞑想〔マントラ瞑想法〕を試した。当時はみんなそれを試していて、ヴォネガットの妻や娘も試していた。それについて『死よりも悪い運命』の中でこう書いている。

〔……〕

超越瞑想に対する私自身の印象は、ちょっとした心地よい昼寝みたいで、その間はいいことも悪いこともたいして何も起こらない、という感じだった。ぬるいブイヨンスープの海をスキューバ・ダイビングしている感じだ。ピンク色の絹のスカーフがゆっくりふわふわただよっていくような。

〔……〕私はこれと同じようなことをこれまで何千回もやってきたことに気づいた。

本を読んでいるときにやっていたのだ！

八歳かそこらの頃から、それまで僕が聞いたこともないようなことを見たり感じたりした人々の書いた言葉を、自分の中に取り入れてきた〔……〕それをしているとき、まわりの世界が希薄になってしまうのだ。おもしろい本を読んでいると、脈拍も呼吸数も明らかに下がる。超越瞑想をしているときとまったく同じだ。

私はすでに超越瞑想の達人だった。読書という私なりの西洋式瞑想法から目覚めたとき、私はしばしば、以前より賢明な人間になっていた。

＊

ヴォネガットによると、読書という霊薬を提供するためには、紙の本が好ましいという。

今日では、紙の本は二千年前に中国で開発された時代遅れのテクノロジーにすぎないとみなされることが多い。たしかに本は情報を伝えたり保存したりするための実用的なシステムとして生まれた。グーテンベルクの時代には、今日のコンピュータと同様、ロマンチックとは縁遠い存在だっただろう。しかしたまたま――まったく予想外のめぐり合わせにより――本の感触と外観が、簡素な椅子にすわった教養ある人物と結びつけられたとき、きわめて貴重な深みと意味をもつスピリチュアルな状況が生じることがある。

こういう形の瞑想、私にいわせれば偶然のめぐり合わせは、我々の文明の核となるもっとも偉大な宝かもしれない。

そのあとヴォネガットはこう結論づけている。「コンピュータのプリントアウトやディスプレイには、下品で俗っぽいことしかまかせてはならない(207)」。

紙の本を見放してはいけない。紙の本は触った感じがとてもいい――親しみの持てる重みがある。敏感な指先でページをめくろうとするとき、そのページが心なし抵抗する感じも心地よい。我々の脳の大部分は、手が触っているものが自分にとっていいものか悪いものかを判断することに使われている。少しでもまともな脳なら、本は我々にとっていいものだとわかるだろう(208)。

短編小説集『バガンボの嗅ぎタバコ入れ』の序文に、一九四〇年代から五〇年代の文芸誌の全盛時代に、人々が家族そろって短編を読んでいた様子がきわめて巧みに表現されている。私はちょうどその当時子どもだったので、その序文を読んで、短編小説が静かで穏やかでプライベートな娯楽であると同時に、人々が共有できる娯楽でもあった時代をなつかしく思い出した。

＊

短編小説は、それが人間に及ぼす生理的、心理的効果のゆえに、あらゆる物語形式の娯楽の中で、もっとも仏教徒の瞑想に近いものだ。したがって、この本で読者が得られるのは、世の中のすべての短編集を読んだ場合と同じ、たくさんの仏教的うたた寝である。

＊

瞑想家のほうは、読書と瞑想を同一視するヴォネガットの見解に賛成しないかもしれないが、似ていることは間違いない。しかし読書はほんとうに瞑想と同じような影響を脳に及ぼすのか？　それには科学的検証が必要だ。

対照実験によって、ヴォネガットの見解は以下のもっとも重要な点において正しいことが証明されている。つまり、脳は実際に読書が我々にとってよいことだとわかっていて、とくに純文学の場合はそうだという。このことは科学学術誌『NeuroImage』や『Brain and Language』や『Annual Review of Psychology』などに報告されている。

ある研究によると、「純文学を読んだ人々は、通俗小説やシリアスなノンフィクションを読んだ場合にくらべて、共感性や社会的認知力や感情知能などをはかる検査で好成績をあげた」という。純文学は社交性を改善するということだ。なぜか？ 純文学では他のジャンルの文芸作品より読者の想像力にゆだねる部分が大きく、登場人物に対する推論をうながしたり、「感情のニュアンスや複雑性に対する」感受性を刺激したりするからだ[209]。

研究者たちはほかにもいろいろと発見している。

脳はどうやら、何かの経験について読むことと、現実にそれを経験することの違いをあまり認識していないらしい。どちらの場合でも、神経系の同じ部位が刺激される。

小説は暗示的で詳細な記述、想像力に富んだメタファー、登場人物やその行動に関する丁寧な描写などにより、とくにあざやかで深みのある現実のレプリカを提供する。実際、ある意味では、小説は現実のレプリカ以上のものとなる……ほかの人間の思考や感情の中へ、どっぷりと入り込む機会となるのだ[210]。

※

かつて私は、ふたつの病院で医療従事者向けセミナーを五年間指導していた。そのセミナーは「文学と医学：医療の根幹となる人文科学」というプログラムの一環として開催されたもので、そのプログラムは文学の影響力について、そのタイトルどおりの前提に立っていた。一九九六年、メイン州で始まったそのセミナーの目的は、「医療従事者に向けて［……］戯曲や小説や詩や体験談などを読むことを通して、みずからの専門的な役割と人間関係について考察し、それを同僚と共有する」ように、うながすことだった。(211)

科学的な検証はされていないものの、文学作品を読んだことによって参加者が好ましい影響を受けたことを示す事例はたくさんあった。ある退役軍人病院のソーシャルワーカーは、イラクに派遣された女性兵士と、その兵士と似たところのあるイラク人女性が出てくる小説を課題本として与えられた。するとそのソーシャルワーカーは、「今後、自分が担当するレイプ被害者病棟の患者の回復が遅くても、ぜったいに焦らないようにする」と述べた。ある看護師は昏睡状態の患者やコミュニケーションがとれない患者の看護をしてきたが、同じような患者の書いた作品を読み、それに基づいてつくられた映画をみて、「衝撃を受けたし、患者の意識や人間性について深く考えさせられた」と述べた。飲酒癖のある外科医を補助する女性看護師を描いた超短編小説は、驚くほど多くの反響をもたらした。戦争文学を特集した文芸雑誌を読んだときは、参加者自身と彼らが担当する患者たちの経験談が、堰を切ったようにあふれ出した。そのほかにもいろいろな事例がある。[212]

物語医学は医学系学校のカリキュラムのひとつとして急速に取り入れられており、文学と創作も、未来の医師たちの感受性や対人能力を高める手段としてますます注目されている。また、同じような目的で、囚人や退役軍人からケアの必要のある子どもまで、幅広い人々に対して活用されている。文学や創作は、私たちみんなにとって、ためになるものなのだ。

✻

「読書の危機：アメリカにおける文学作品読書調査」は国立芸術基金（ＮＥＡ）が十年以上前に作成した報告書だが、これによって、アメリカでは文学作品を読む人の割合が、とくに若い世代で急速に減っていることがわかった。国勢調査局によって行なわれたこの調査は、ＮＥＡの依頼により、幅広い属性の一万七千人の人々を対象に行なわれた。そして「現代史上初めて、文学作品を読んでいる成人の割合は、全体の半分以下となっている」ことが明らかになった。[213]

この結果を受けて、ＮＥＡは読書推進運動「ビッグ・リード」を発足させ、「地域全体でひとつの本を読んで議論をする機会を市民に提供する」ことになった。[214]

✻

以下に紹介するのは、カート・ヴォネガットがコネティカット大学の図書館の開館式で行なったスピーチの一部だが、彼自身はそれを「読書という技術に対する回りくどい賛辞」と呼んでいる。

本を読む能力がこの図書館のような施設と結びついたとき、我々はこの世でもっとも自由な女性または男性または子どもとなることができます。〔……〕

〔……〕なぜなら、我々は読者であるがゆえに、次に何をどのように考えるべきかについて、どこかの情報通信企業の重役に決めてもらう必要はないからです。我々は自分の頭にaardvark（ツチブタ）からzucchinis（ズッキーニ）まで、どんなものでも、好きなときに詰め込むことができるのです。

それよりさらにすばらしいことは、我々読者はひじょうに安価に、時間と空間を越えたコミュニケーションを行なえるということでしょう。インクと紙は砂や水とほとんど同じくらい安いのです。我々があれやこれやを書きとめる金銭的余裕があるかどうかを、どこかの取締役会で議論してもらう必要はありません。私自身はかつて世界の終末をたった二ページの紙の上に書き上げました。それにかかった費用は、タイプライターのリボン代と私のズボンのお尻がくしゃくしゃになった分も含めて、一セント以下です。

考えてもごらんなさい。

その費用と、セシル・B・デミル〔米国の映画プロデューサー〕の予算にどれくらいの差があることか……

読書は想像力の訓練になります。想像力がどんどん強化されるようにうながします。〔……〕

言葉は私にとって神聖です［……］
文学は私にとって神聖です［……］
好きなことを何でもいったり書いたりできる自由がこの国にあることは、私にとって神聖です。
その自由は、地球という惑星の中だけでなく、おそらく全宇宙を見渡しても、まれな特権だと思います。そしてそれは誰かが与えてくれたものではありません。我々が自分自身に与えたものなのです。[215]

※

ヴォネガットはある卒業式でスピーチを終えるにあたって、卒業生たちにひとつの質問をし、ひとつの課題を与えた。そしてそれを詩の形にした。彼の読書に対する賛辞に敬意を表して、先生の名前とともに、本の名前もぜひあげてみてほしい。

卒業式訓示

手をあげて教えてくれるかな。
きみたちが小学校の一年生だった頃から五月の今日この日まで、
教えを受けたたくさんの先生の中に、

こんな先生がいたという人は何人いるだろう？
それ以前にはとても考えられなかったくらい、
生きていて幸せだと思わせてくれた先生、
生きていることがうれしいと思わせてくれた先生、
そんな先生がいたという人は？
よろしい！
ではその先生の名前を
誰かに教えてあげよう。
きみの近くにすわっている人や立っている人に。
みんなできたかな？
ありがとう、では安全運転で帰りたまえ。
きみたちみんなに神の恵みがありますように[216]。

第16章　才能
TALENT

ヴォネガットは雑誌『パリス・レヴュー』のインタビューで、小説家志望の人間にとってひじょうに重要なふたつの問題について問われている。

インタビュアー：もちろん、才能は必要ですよね？

ヴォネガット：[……]私はケープコッドでしばらくサーブのディーラーをしていて、会社の整備士養成学校に入学した。でも追い出されてしまった。才能がなかったから。(217)

ヴォネガットは才能のないさまざまな分野でいやというほど失敗を経験したため、何かで成功するためには、それに関して天性の才能があることが前提条件だと骨身にしみてわかっていた。

私はほかの大勢の人よりも、ものを書くのがうまいと、たまたまわかったんだ。どんな人にも、自分は簡単にできるのに、ほかの人はなぜそんなに苦労するのかわからないということがある。私の場合はそれがものを書くことだった。私の兄の場合は数学と物理学。姉の場合は絵と彫刻だった。(218)

「父は言葉に関して特別なギアを持っていた」息子のマークはそういっている。「八十を超えてもまだ『ニューヨーク・タイムズ』のクロスワードパズルをすらすら解いていた。〔……〕ラテン語は動詞が最後にくるんだと教えたら、僕のラテン語の宿題を一目見ただけで翻訳してしまった。ラテン語なんて習ったこともないのに(219)」

＊

同じ『パリス・レヴュー』のインタビューで、ヴォネガットは小説を書くことを〝商売〟と呼んでいる。

インタビュアー：商売？
ヴォネガット：商売だよ。大工は家を建てるのが商売。小説家は読者の余暇の時間を使わせてもらって、時間を無駄にしたと思われないようにするのが商売。自動車整備士は自動車を修理するのが商売。

インタビュアー：実際のところ、小説の書き方は教えられると思いますか？
ヴォネガット：ゴルフの仕方を教えられるのと同じように教えられる。プロゴルファーがきみのスイングを見たら、明らかな欠点を指摘できるだろう。[220]

もしもうまいスイングをする運動神経が備わっていなかったら、プロゴルファーにはなれない。ヴォネガットは「そもそも天性の才能がなければ、小説の書き方を教えることはできない」とも思っていた。[221]

＊

才能は必要だ。しかしそれは、よい小説を書くために必要な要素のひとつにすぎない。そして、すばらしい才能に恵まれていないからといって、書くことをあきらめるべきだというわけではない。

私は第二次大戦直後のシカゴ大学の人類学部で、凡庸な学生だった。どこでも行なわれているように、そこでも選別《トリアージ》が行なわれた。必ず人類学者になると思われる学生には、もっとも人気のある教授陣がついて、集中治療を施すように面倒をみた。二番目のグループは［……］ほどほどの人類学者にはなれるかもしれないが、それよりはホモ・サピエンスについて学んだことを何かほかの分野で有効に活用することになると思われる学生たちだ。［……］

そして三番目のグループは、私が属していたグループだが、死んだほうがまし――それか化学で

も勉強したほうがましという学生たちのグループだった。(222)

人類学部の学生だったヴォネガットは、三番目のグループに属していたわけではなかった。にもかかわらず、自分は第三グループに選別されたといったのは、話をおもしろくするためと、化学の分野で落第したことをほのめかした内輪向けのジョークだったのだろう。実際には、ヴォネガットはまさしく第二グループの学生、すなわち「学んだことを何かほかの分野で有効に活用することになる」学生だった。化学を学んだおかげで自然科学への興味がかきたてられた。人類学を学んだおかげで独自の世界観が形成され、創作につながった——ならば、失敗したとはいえないだろう。

そもそも「失敗」とは何だろう？　彼の場合は、予想とは異なる結果が出たということだろう。

＊

こういう質問は何度も繰り返された。「あなたはほんとうに誰にでも小説の書き方を教えることができるのですか？」『ニューヨーク・タイムズ』のある編集者はヴォネガットにそうたずねた。まさにそのテーマで『ニューヨーク・タイムズ』に記事を書こうとしているときのことだ。ヴォネガットは出来上がった記事の中で、この疑念はある伝説の名残りだと述べている。

かつてアメリカ人の男性作家は、ハンフリー・ボガードのようなタフガイを演じていた。それは、自分は感受性が強くて美を愛するけれども断じてホモセクシャルではないと証明するためだった。こういう伝説がある。名前は忘れたが、あるタフガイ作家が文芸創作講座で話をしてほしいと頼まれた。するとそのタフガイは教室でこんなことをいった。「きみらはいったいここで何をしているんだ？　さっさと家に帰って、一日中机の前にかじりついて、頭が割れて落ちてしまうくらい書いて書いて書きまくるんだ！」言い方はともかく、そんな趣旨のことだ。［……］

誰にでも小説の書き方を教えることはできるのかときいた『ニューヨーク・タイムズ』の編集者は、何人もの編集者から記事の書き方を教わったはずだ。文芸創作講座の学生や教師たちの気持ちをずたずたにしたタフガイは、話のあとで床に唾でも吐いたかもしれない。しかしそういうタフガイも、きっと私と同じで、彼が出版社に出す原稿には、私が創作講座の学生から受け取る原稿と同じくらいたくさんの修正が必要なはずだ。

そこで、あの『ニューヨーク・タイムズ』の編集者への私の答えはこうだ。「いいかい、文芸創作講座というものが存在するずっと以前から、小説の書き方を教える教師は存在した。その教師は、昔も、いまも、これからも〝編集者〟と呼ばれる人々だ[223]」

ここで言及されているタフガイ作家は、たぶんアイオワ大学でヴォネガットの同僚だった作家のネルソン・オルグレンだろう。小説形式論の授業でブージェリやヴォネガットとともに教壇に並んだオルグレンは、私たち学生が小説の書き方を学ぶために学校にきていることを、不遜な態度であざけった。この人は半端じゃない、と私は思った。いっぽうで、彼にこうききたかった。ちょっと待って、この授業がそんなに意味のないものなら、あなたはいったいなんでそこにいるの？　私たちの払う授業料から給料をもらうために、教師のまねをして、自分の時間を無駄にしてるってわけ？　あなたが小説を書くコツをつかんだというシカゴの貧民街をうろつくかわりに？

ヴォネガットも格好をつけていないわけではなかった。しかし、自分の作品はゼウスの頭から完全な形で生まれてきた、というようなふりをすることはなかった。

また、人生経験と作家としてのスキルを混同することもなかった。

一九七〇年、ヴォネガットは「とくに影響を受けた作家や文体はあるか」ときかれて、こう答えている。

とくにないけど、自分は〝指導を受けた〟作家だと思っている。プロの作家でそんなことを告白する人は少ないだろう。〝指導を受けた〟とはこういうことだ。私が通っていたハイスクールは日刊紙を発行していた。教師に向けてではなく、自分と同じ生徒たちに向けて記事を書いていたので、自分がいいたいことをみんなに理解してもらうのはとても大切なことだった。だから、私の文体が単純である原因は――「単純」といっても悪い意味じゃない――学校新聞の読者には一年生も二年生も三年生もいたことにある。そのうえ、当時はわかりやすい文体で書くのが全体的な風潮だった。明快で、短い文で、意味がはっきりした動詞を使い、副詞や形容詞で強調するのは控えるといったことだ。私はその種の文がよいと信じていて――素直な〝指導しやすい〟生徒だったんだ――そういう文体をできるかぎり純粋な形でものにしようとがんばった。コーネル大学に入ったときは、ハイスクールの日刊紙での経験があったもんだから［……］コーネル大の日刊紙『デイリー・サン』の中心人物になった。そんなふうに新聞の読者と長年つきあってきたことが、私の文体をつくったのだと思う。また、私は化学を専攻していたから、文学に造詣の深い人々からの指導はほとんど受けなかった。

［……］『サン』で先輩だった人たちも、しょっちゅういろいろな助言をしてくれたけど、それもやっぱり明快さとか簡潔さとか、そういう類のものだった。［……］当時は雑誌がよく売れていて、編集者たちも小説の書き方をよく心得ていた。［……］そして、忘れないでほしいんだけど、こっちは編集者がこうしろといったことをしないと作品を採用してもらえない。［……］だから私は最初から新聞雑誌的なテクニックの基本をたたき込まれた。とても現実的な意味で、私の指導者たちはそういうテクニックに関して名人だった。ただ、はっきりさせておきたいのは、それらの編集者たちは、横暴でも高圧的でもなかったということだ。彼らは熱心で仕事に精通したプロだった。**要するに、私はいろいろと教えてもらって、いまのような書き方をするようになったんだ。**[224]［太字は筆者による］

※

単に文章を書くこととは別に、物語を書くことについてはどうだろう。教えることはできるのだろうか。散文を書くことと物語を書くことは違う。ヴォネガットと彼の友人の作家シドニー・オフィットは、それについて議論している。オフィットはニューヨーク大学やハンター・カレッジやニュースクール大学などでヴォネガットよりずっと長く教師を務めていた。「これはいっておかないといけないが」とオフィットはいっている。「物語を語る才能、つくる才能は、詩的な文章を書いたり優雅な言葉を使ったりする才能よりまれなんだ——くらべものにならないほど少ない。これまでに僕が教えてきた学生で、物語を書ける学生は必ず本を出すことができた[225]」

オフィットのいうとおりだ。上手に文章を書ける学生はたくさんいる。それにくらべて、物語を書くコツを知っている学生はとても少ない。

学生たちはそれまでの人生でずっと文章を書いてきた。けれども、物語はずっと書いてはいない。

✼

ヴォネガットはこんなふうに述べている。

✼

文芸創作の教室は、才能のあるアマチュア作家に、経験豊かな編集者を提供するものだ[226]。

今日、文芸創作を教える課程が急増しているなか、私もネルソン・オルグレンに賛同するところはある。文芸創作で修士号を与えることには、否定的意見もある。[227] 才能と情熱と語るべき物語があるなら、技術を磨くために修士号課程に大金をつぎ込む必要はないかもしれない。

第17章 勤勉さ

DILIGENCE

作家としての私は、ほとんどの人間と同じ問題、おそらく悲劇ともいえる問題を共有している。それは自分自身の思考を見失う癖だ。我々の体の、思考をつかさどる部分が、まるで脂肪の層で覆われたように見えなくなるのだ。その層を切り開いて、中に埋もれているものを見つけるのが作家の仕事だ。この信念、あるいはそれに似た信念のおかげで、私は何時間も仕事をし、その成果に満足できないまま一日が終わったあとも、また同じことをやり続けるはめになる。だが、とにかく根気強くやり続けていれば、すてきな卵のような形をしたアイデアが浮かんできて、やっと自分の思考への経路が開通したことがわかる。しかしそれはのろのろしたじれったいプロセスだ。とても長い時間じっとすわっていなければならないのだから。[228]

「『書くことは痴呆的な忍耐を要する』とヴォネガットはいっていた。私はこれまで仕事をする中で、つねにこの言葉を念頭に置いてきた」アイオワ大学でヴォネガットの教えを受けたロニー・サンドロフはそういっている。「私は書くのがとても遅く、ジャック・ケルアックがやっていたという魔法のような自動書記《オートマティック・ライティング》、人の心をわしづかみにする文章がものすごい勢いで飛び出してくる書き方にあこがれた。でも私は苦労してこつこつやることを学んだ。おかげで作家だけでなく編集者にもなれた(229)」

※

才能と技術に恵まれたとはいえ、ヴォネガットも日々疑念にさいなまれた。

もうこの商売をやめて、ロック・スターになるか、温室を買うかしたほうがいいんじゃないかとずっと思っている。いまはとくに仕事がうまくいっている感じがしないんだけど、どうすればいいかはわかっている――それは、のらくらと時間を過ごしながら、自分の中に何があるか探すことだ。[……]ウィージャ盤で占いをするのにちょっと似てる。なんとかして、自分の頭が話したがっていることの手掛かりをつかんで、それから、そのことについてもっともっと話そうと努力するんだ(230)。

どんな分野でも、何か価値のあることを成し遂げようとしているアーティストにたずねてみるといい。根気と忍耐と努力。そういうありきたりな徳は、どんな時代も、必要不可欠な素質として、少なくとも才能と同じくらい高く評価されてきた。

※

一五〇九年
システィナ礼拝堂の天井画を制作中のミケランジェロが
ジョヴァンニ・ダ・ピストイアに宛てた手紙

私はすでにこの苦役によって喉にこぶができ、
それが腫れあがって、まるでロンバルディアの猫のようだ。
（ロンバルディアでなくとも、水がよどんで毒を含むところでは、どこでもそんな猫がいる）。
腹はあごの下でぺしゃんこに押し潰され、あごひげは
天を指し、脳みそは骨壺に押しこまれ、
胸はハルピュイアのようにねじ曲がっている。筆は
つねに私の上にあり、ぽたぽたと絵の具を垂らす。
だから顔は一面しずく模様で飾られた床のようだ！

腰は腹のなかにめり込んで、
哀れな尻は力んで釣り合いをとろうとしている

私の動きはすべて意味のないあてずっぽう、
皮膚はだらりと垂れ下がり、背骨は
折れ重なって節くれだっている。
まるでたわんで張りつめたシリアの弓だ。
このように往生しているので、考えることも
狂人のような当てにならないたわごとばかり。
どんな人間でも、曲がった吹き矢でうまく矢を射られるわけがない。

私の絵は死んでいる。
私のために弁護しておくれ、ジョバンニ、私の名誉を守っておくれ。
私はこんなことをするのに向いていない――私は画家ではないのだ

（ゲイル・メイザーによる英訳詩より）[231]

※

スイスのザンクト・ガレンに、小さいがすばらしいサンガル修道院付属図書館がある。世界遺産に認定され、観光客向けのパンフレットによると、過去千年以上にわたって書かれてきた二千百以上の手書

きの原稿が収められている。(232)

図書館そのものもロココ調の美しい建物で、書物の歴史を示す収蔵品――パピルスやパリンプセスト〔何度も再利用された羊皮紙〕、羊皮紙など――や、カリグラフィーの道具、丹精込めて装飾書体で書かれた作品などが見事に整理され、展示されている。

しかし私がもっともおもしろいと思ったのは、西暦八五〇年あたりに書写されたラテン語の巨大な文法書の余白に、書くことに疲れたアイルランド人修道士が書き込んだ文句だ。「かわいそうな私の手！(uit mo chrob)」「ファーガスの魂に神のお恵みを。アーメン。とても寒い (bendacht for anmmain ferguso. amen. mar uar dom)」「インクが薄い (is tana andub)」「羊皮紙がごわごわで字もごわごわ (is gann in memr' & ascribend)」

また別の原稿にも、この書写人の文句が書かれている。「私イードベルクトは、この本を書き終えた〔……〕神のお力添えはあったが、体も相当こたえた。文字の書き方を知らない者には、この苦労はわからない。三本の指しか使わないのに、全身が疲れるのだ」

＊

カート・ヴォネガットもこう嘆いている。

私自身が仕事としてやっていることは、本質的に書写人と同じだから、辛気臭くて気が滅入る。だから、誰かが途中で押しかけてきたら、それがどんなに意地悪でまぬけでいいかげんなやつだったとしても、曇り空にとつぜん差し込んだ陽光のように、よい気分転換となる。(233)

＊

ストレスは解消するに越したことはない。しかし、気が滅入るほどの辛気臭さと、腰の痛みと、自己不信に悩まされながら、根気強くなされた努力のおかげで、豪華絢爛な写本や、システィナ礼拝堂や、ヴォネガットの場合なら非凡な小説が生み出され、私たちに授けられたのだ。

第18章 落とし穴
PITFALLS

「優れた作品を見分けるセンスがあるといい作家にはなれません」とヴォネガットはあるスピーチで断言している。「……」「どういうわけか、優れた作家はたいてい落ちこぼれです。文学部からは、優れた作家がひとりも出ていません」ヴォネガットはその原因について次のように述べている。学生たちは「自分ではまだあまり優れた作品を書けない段階」で、どんなものが優れた作品とみなされるかを学んでしまい、その結果、自分が書くものを好きになれない。だから、そもそも本格的に書きはじめる前から書くのをやめてしまうのです[234]」

どんなアーティストも、あらゆる点で、つねに、目標に達しないことを我慢できるようになる必要がある。しかし、それがとくに必要なのは、活動を始めて間もない頃だろう。詩人のウィリアム・スタッフォードは学生たちによくこういっていた。きみたちは目標の水準を下げないといけない。たとえば、文学史上最高級の有名作家たちと自分をくらべてはいけない。
もうひとつ、いい作家になるのを邪魔するものは、〝第三のプレイヤー〟だ。ヴォネガットはフランクリン・ライブラリー社から出版された『青ひげ』の序文でその言葉をこしらえ、『死よりも悪い運命』で再登場させた。

子どもは〔……〕〝大いなる森羅万象〟のごく限られた一部に何時間も夢中になる〔……〕たとえば水とか雪とか泥とか色とか岩とか〔……〕あるいは太鼓をどんどん叩くことなどに。そこに関わっているのはふたりだけ。子どもと宇宙だ。〔……〕

〔……〕この作り話のおもな登場人物はプロの画家たちだが、彼らは子どもがべたべたしたものや泥んこでするような遊びを、大人になってもやり続けている人々で、チョークや、鉱物の粉と油を混ぜたものや、消し炭などを使って、色をつけたり、塗りたくったり、なぐり書きをしたり、引っかいたりして生涯を過ごしている。その画家たちが子どもの頃は、関係者は彼ら自身と宇宙だけだ。そして宇宙だけが、優位な遊び相手がするように、彼らに報酬や罰を与える。しかしその画家たちが大人になり、とくに扶養家族ができて、衣食住のすべてはもちろん冬場の暖房まで供給しなければならなくなると、その遊びに第三のプレイヤーを加えるようになる。その第三のプレイヤーは驚くような力を誇示して、画家たちをあざけったり、不可解なやり方で報酬を与えたり、おおむね狂人のように振る舞う。第三のプレイヤーは、たいていの場合、絵はあまりうまくないが、自分が何を熱狂的に好むかはわかっている社会の一部だ。それはヒトラーやスターリンやムッソリーニのような本物の独裁者である場合もあるが、単なる批評家や、学芸員や、コレクターや、画商や、債権者や、姻戚だったりする場合もある。

いずれにせよ、その遊びは画家と宇宙のふたりでするときしかうまくいかない。**三人は仲間割れのもとだ。**(235)

子ども〝第三のプレイヤー〟によって成長を阻害されることがある。たとえば、私は小学二年生のとき、紙のいちばん上の部分にだけ青い空を描いた。すると先生がそれを見て、空はそんな風に見えないよといった。空は上のほうだけじゃなくて全体に見えるというのだ。先生は私を外に連れ出して、そのことをわからせようとした。しかし、私にはまわり全体が青には見えなかった。ずっと上のほうだけが青いように見えた。そのとき先生が私を見下ろしていた様子をはっきりと覚えている。先生は私よりずっと大きくて威厳があった。先生のものの見方は私のものの見方を打ち負かした。

私はそれ以来、絵を描くことを避けていた。しかし、三十代の後半に、ある芸術家村にいたとき、菜園にあった立派な紫キャベツを見て、言葉でそれをうまく表現できないことに急にいらいらしてきた。そこでその紫キャベツをひったくって絵を描きはじめた。そのとき、ある画家が通りがかったので、私は「絵を描いているの！」と叫んだ。「どうやって描いたらいい？」

画家は息をのんで、こういった。「自分の目で見たとおり描けばいいのよ。ほかのことは何でもあとから学べるわ」(236)

その言葉を聞いてようやく、私はあの先生に見下ろされていた場面を思い出した。

もっとも陰険な〝第三のプレイヤー〟は、自分の頭の中にいる。それがどこからきたのか、自分でもわからないことがある。〝第三のプレイヤー〟のことをよく知り、用心しなければならない。

第19章　方法論主義

METHODOLOGISM

作家は書き方によってふたつのタイプに分かれるという説を提唱してから数十年後、ヴォネガットは最後の長編小説でふたたびその説について論じている。

すらすら書く作家は、物語を手早く乱雑に、行き当たりばったり、いいかげんに書いていく。そのあと、書いたものをじっくり見直して、明らかにひどいところや、うまく書けていないところを直していく。ぶち壊し型の作家は、一文ずつ、ぜったいこれでいいという形に仕上げてから、次の一文に取りかかる。最後まで書いたら、それで出来上がりだ。

私はぶち壊し型だ。

ただしこのときは、このふたつの異なる書き方についてさらに詳しく説明し、数十年前の中立的な態度を改めて、その善し悪しについてはっきりした意見を述べている。

すらすら書く作家は、人間のおかしいところや悲劇的なところ、そのほかどんなところでも驚くべきものとみなし、報告する価値があると考えているように私には思える。その際に、そもそもなぜ、どうやって人間が生きているかを疑問に思うことがない。

いっぽうぶち壊し型の作家は、傍から見ていると、一文一文、できるだけ効率的に書いているように見えるが、実際はドアやフェンスをぶち壊したり、もつれた有刺鉄線を切断したり、火の下をくぐったり、マスタードガスのなかに突っ込んだりしているようなもので、それは「我々はいったい何をすべきなんだ？　いったい現実には何が起こっているんだ？」という永遠の問いの答えを探しているからなのだ。(237)

＊

これについて私は、ヴォネガットも人間なので、「方法論主義」とでもいうべき穴に落ちてしまったのだと思っている。「方法論主義」になると、人は（a）手段と結果を混同したり、（b）自分にとってうまくいった方法をすべての人に推奨したりするようになる。

もしかしたら私も（b）の過ちを犯しているかもしれない。というのも、私はすらすら書くタイプの作家で、その方法がとてもよいと信じているし、私も人間だからだ。

このような穴に落ちてしまわないために、『W.O.W., Writers on Writing〔「執筆についての作家たちの名言」の意〕(未)』という本をのぞいてみよう。この本は、卓越した作家たちが発した相矛盾する名言の数々を集めた実用的なヒント集だ。作家の「不安」から「仕事の習慣」まで、作家業に関するありとあらゆるトピックが盛りこまれている。[238] これを読めば、むやみやたらに〝正しい方法〟を知りたいと思うことはなくなるだろう。誰でも正しい方法は知りたい。しかし、正しい方法はひとつではないのだ。自分自身にとって正しい方法を見つけるしかない。そのためにはとうぜん、ほかの人のやり方をまねたり、アドバイスを受けたりして、自分にとっていちばんうまくいく方法を探らねばならない。この本にのっている作家たちの言葉を見れば、彼らの執筆の方法は、ふたつのグループになんてぜんぜん分けられないとわかる。たとえば、おもな場面を最初に書く作家もいて、すらすら型とぶち壊し型という分類法はまったく無意味なものになってしまう。書きはじめる前に、どんな終わり方をするのかわかっていなければならないという作家もいるいっぽうで、結末がわかっているような話はそもそも書かないと断言する作家もいる。

✼　✼

さあ、お立ち合い。

たったひとりの人を喜ばせるために書くこと。たとえていうならば、もし窓を開けて世界と愛を交わそうとしたりすると、あなたの物語は肺炎になってしまう。

これはヴォネガットが短編小説の書き方について定めた「文芸創作基本ルール」の第七条だ。[239] 彼がどうしてこのルールにたどり着いたか説明しよう。

ヴォネガットはかつて姉のアリスのために物語を書いていた。アリスが肩越しに自分の書いたものをのぞき込んで楽しんでいると想像し、ひとりでくすくす笑いながら書いていた。[240]

悲しいことに、アリスは四十一歳の若さでガンのため死去する。ヴォネガットはアリスと彼女の死について『スラップスティック』の序文で書いている。彼はその小説を、アリスと自分の関係をベースに書いたのだ。

「アリスの死は統計的には平凡な死だったかもしれない」とヴォネガットはいっている。ただし、ウォール・ストリートで働く編集者だった夫も、その二日前に、出勤途中の列車の事故で死んでいた。あとに四人の男の子が残された。カートと妻のジェインはその子たちを引き取った。その結果、ふたりは合計七人の子の親になった。一家の窮状を見て、アリスの夫のいとこでアラバマ州で判事をしていた人物が、四人の男の子のうちまだ赤ん坊だった末っ子を引き取らせてくれといってきた。

ヴォネガットは『パリス・レヴュー』のインタビューでこう明かしている。

私は自分がアリスのために書いているということに、**彼女が死んで初めて気づいた。**［太字は筆者による］

この発見が彼の短編小説の創作に関する先ほどのルールにつながった。

成功する芸術家はみな、たったひとりのファンを念頭に置いて創作をする。それが芸術作品に統一性を与える秘訣だ。それは、たったひとりの人間を念頭に置きさえすれば、誰にでもできる。(241)

ヴォネガットはアリスが一九五八年に死んだあとも彼女のために書き続けたが、やがてアリスの存在が「薄れはじめる」。そのあとアリスのかわりに彼が作品を捧げたたったひとりのファンは誰だったのか、それは一度も明かされていない。しかしルールは残った。それは彼の小説の登場人物の口からも不意に語られる。

「作家はひとりの読者のためなら殺人も犯すわ」ミセス・バーマンはいった。

「たったひとりの読者のために?」私はいった。

「彼女にはひとりで十分だったのよ。誰だってひとりで十分だわ。彼女の字がどんなにうまくなったか、語彙がどんなに豊富になったか、見てごらんなさい。あなたが彼女の書いたものを一言一句、注意を払って読んでいると知るやいなや、どれだけ多くの語るべきことを見つけたか、見てごらんなさい。[……]」

「それこそ、書くことを楽しむ秘訣で、高い水準に達する秘訣なのよ」ミセス・バーマンはいった。「作家は全世界のために書くことなどしない。十人のためにも、ふたりのためにも書かない。たったひとりのために書くものなのよ(242)」

＊

芸術作品に統一性をもたらす方法としてこんなアドバイスをしているのは、私の知るかぎりヴォネガットだけだ。彼がそういう結論にいたったことは心情的には理解できる。なぜなら彼は姉のことをとても大切に思っていたからだ。しかしこれもまた「方法論主義」のひとつのように思える。カートは意識的にアリスを念頭に置いて書いていたわけではない。本人がいっているように、彼女が死んだあとで、そうだったと気づいただけだ。このアドバイスを読むと、私はいつも、自分は間違ったことをしているのではないかと心配になる。私にはこのアドバイスは合わないからだ。

ヴォネガットの有利に解釈すれば、私は気がついていないだけかもしれない。ヴォネガットも気づいていなかったように、たいていの人は気がついていないだけで、実際にはすべての物語を誰かひとりの人に向けて語っているのかもしれない。でも、そうではないと私は思う。多くの作家と同じく、私自身は宇宙に向かって、聞く耳を持つすべての人に向かって語っている。

カート・ヴォネガットはアリスを念頭に置いて書いていた。もしかしたら彼のいうように、ひとりの人を念頭に置くことが役に立つかもしれない。あるいは役に立たないかもしれない。自分にとってうまくいく方法で書こう。

第20章　実体化
MATERIALIZATIONS

物語はどこから生まれるのか？　どうやって作り出せばいいのか？　まずはまわりによく注意を払うことだ。

「カートと散歩するのは楽しいことだった」ヴォネガットの友人シドニー・オフィットはいっている。なぜなら彼は普通の人が気づかないようなことに気づき、自分が見たことに対して普通の人より大げさに反応したからだ。また、情報を得ることも同じように楽しんだ。得た情報を広めるのも好きだった。カート・ヴォネガットは「大きな耳《ビッグ・イヤーズ》」を持っていた。「大きな耳《ビッグ・イヤーズ》」とは、ジャズ・ミュージシャンがとくに音感のいいミュージシャンのことをいうときに使う言葉だ。

そこで私はぶらぶらバルコニーへ出ていって、そこにある固い椅子にすわった。それから私がしたのは、あの馬車置き場を改装した家で、ほんとうに無垢な十二歳だった頃にいつもしていたことに違いない――そのバルコニーでじっとすわって、**自分のほうに漂ってくるすべての音にしみじみと耳を傾けるのだ。それは盗み聞きとは違う。音楽を味わうようなものだった。**[243]〔太字は筆者による〕

ちなみに、英語で「盗み聞き」を意味するeavesdroppingという単語は、ヘンリー八世が宮殿のひさし（eaves）に水落とし（dropping）用のガーゴイル〔醜い顔の怪物像〕を設置したことに由来する。ガーゴイルは下にいるみんなを見下ろす形になっているが、それは「スパイが聞き耳をたてているから言動に気をつけろ」という警告だった。私はこのことを、たったいま、PBSの特番で知った。ヴォネガットはこんな情報が大好きだった。そして、そういう情報を感度よく拾う「大きな耳《ビッグ・イヤーズ》」を持っていた。『ジェイルバード』は釈放されたばかりの元囚人の視点から書かれた小説だ。その中に、まるでカート自身がマンハッタンのニューヨーク公共図書館の裏の公園をぶらぶらして、そこで盗み聞きした言葉やそれに対する反応をそのまま記録したかのような一節がある。

> 私はブライアント公園であたりを見回した。冬枯れの蔦や遊歩道のへりを覆う薄氷の上に、スズランが頭をもたげて小さなベルのような花を咲かせている。〔……〕
> 私はようやく我に返った。ポータブルラジオの大きな音が聞こえてきたからだ。そのラジオを持っている若者は、向かいのベンチにすわった。見たところ、ヒスパニックのようだ。〔……〕ラジオはニュースを流していた。アナウンサーが、今日の大気の状態は許容できないレベルだといった。
> 想像してほしい。許容できない大気だ。

若者はラジオを聞いていないようだった。英語がわからないのかもしれない。アナウンサーは頭がおかしくなったような浮かれた調子でしゃべっている。人生は変わった馬や障害物や乗り物が出てくる滑稽な障害物競走だ、といっているみたいだ。その声を聞いているうちに、私もその競争の参加者のような気がしてきた。たぶん三匹のツチブタが引くバスタブにでも乗っているんだろう。私にもほかの参加者と同じくらいの勝ち目はありそうだ。

アナウンサーはその障害物競走に参加している別の男のことをしゃべった。その男はテキサスで電気椅子による死刑の判決を受けたらしい。[……]

ジョギングをするふたりの人物が私とラジオのあいだの道を走ってきた。オレンジとゴールドのおそろいのスウェットスーツを着て、おそろいの靴をはいた男女だ。[……]

例の若者と彼のラジオについて。この若者はこのラジオを、肉体の欠損部を補う人工装具のように、この惑星に足りない熱狂を補う人工的熱狂として買ったのだろう。彼はそのラジオにほとんど注意を払っていない。それは私が自分の前歯の義歯にほとんど注意を払わないのと同じだ。

まもなくそのラジオはぞっとするようなニュースを流したので、元囚人の語り手は「ベンチから立ち上がり、公園を出て群衆にまぎれ［……］五番街のほうに向かった(244)」。カート・ヴォネガットを見習って、童話でおなじみの悪いオオカミのまねをするといい。大きな耳と大きな目で、小説の素材をたくさんかっさらうのだ。

✼

カートはアイデアマンだった。人類の可能性と欠陥に魅せられた作家だった。彼の作品は小説がアイデアから生まれることを示すよい例だ。

たとえば、ある文化における社会的通念を取り上げ、それを文字どおりに解釈するというアイデア。「すべての人は平等につくられている」という通念があるが、ヴォネガットはそれに基づいて、「ハリスン・バージロン」という傑作短編小説をつくった。それには「すべての人は平等につくられている」という通念を文字どおりに実現しようとする政府が登場する。

あるいは、人間の望みを取り上げ、想像力を駆使してその望みをびっくりするような形でかなえるというアイデア。たとえば、体が疲れることにうんざりしたり、自分の体型や性が気に入らなかったりすることは誰にでもあるだろう。そんなとき、自分の体をどこかに預けたり、誰かの体と交換できたらどうだろう？　ヴォネガットの短編「Unready to Wear（衣替えには）」はそんなアイデアから生まれた。[245]

さらに、自分が切実に感じる問題を取り上げ、それに自分の経験を織り混ぜ、「もしこうだったら」という想像力とまじないを加えたら、本を書くための飛び道具を手に入れたようなものだ。ヴォネガットはそうやって『猫のゆりかご』を生み出した。

あの小説〔『猫のゆりかご』〕はGE〔ゼネラルエレクトリック社〕とGEのもつ科学技術にヒントを得て書い

たんだ。当時は研究開発にたずさわる科学者が、自分の発見の結果に無関心なのが普通だった［……］そして、政府は科学者たちに、自分は兵器開発とは無関係だと思わせようと腐心していたと思う。(246)

『デッドアイ・ディック』も、ヴォネガットが切実に感じる問題と彼の経験が織り混ざって生まれた。この本（『デッドアイ・ディック』）は［……］ある子どもについての本だ。その子はもう大人になって、四十代になっている。父親は銃マニアだった。家にはたくさんの銃があった。

ヴォネガットの父親はまさに〝銃マニア〟だった。もし自分が子どもの頃、父親の銃で誤って人を殺してしまっていたら、どうなっていただろう？　ヴォネガットは切実にそう思ったに違いない。

その子は十一歳のとき、父親の銃で遊んでいた。それはいけないことだった。彼は30‐06弾仕様のライフルに実弾を装塡し、あろうことか屋根裏部屋の窓から発射して、十八ブロック先の主婦の眉間を撃ち抜いて殺してしまった。その出来事がその子の生涯に影響を与え、彼の名を世間に知らしめることになる。もちろん、その銃は存在するべきではなかった。このひどく不安定な道具が存在する惑星に、その子は生まれてしまった。彼がやったことといえば、その道具のそばでくしゃみをしたようなものだった。つまり、その道具は実弾が発射されることを望んでいた。そのためにつくられたんだから。それ以外にはなんの目的もない。こんな不安定な道具が、どんな人間であろうと、その手の届く場所に存在するのは容認できない。(247)

＊

運命の守護妖精の手で、ひとつのものから別のものへと導かれることによって、ある物語に到達することもある。

私はついに、画家についての本を書くことになった。『青ひげ』というその小説のアイデアは『エスクァイア』から、抽象表現主義の画家ジャクソン・ポロックについてのエッセイを書いてくれと依頼されたときに生まれた。『エスクァイア』は創刊五十周年記念号に、一九三二年以降のアメリカの運命にもっとも大きな影響を与えた五十人のアメリカ人についてのエッセイを載せようとしていた。私はエレナー・ローズベルトについて書きたかったが、それはもうビル・モイヤーズが書くことになっていた。(248)

守護妖精自身がせっついてくれることもある。

ヴォネガットのコーネル大学の同級生で大学の日刊紙『サン』の同僚だったノックス・バーガーが、あるパーティーでヴォネガットに、次の長編はいつ書くんだい、とそそのかした。そのときヴォネガットは、最初の長編小説を書いてからもう十年もたっていた。彼はそれに応えて、『タイタンの妖女』を書いた。

また、守護妖精は魔法の杖を振ってくれるかもしれない。『母なる夜』はヴォネガットがケープコッドのチャタムという町で開かれたあるパーティーで〝海軍情報部の大物〟に会ったことに触発されて書かれた。その人物は「スパイ活動についてすばらしい見解を持っていて」、ヴォネガットはちょうどそのとき心の中で「ちくしょう、なんとか次の本に取りかからなきゃ」と思っていたところだった。

どうやら彼は第二次世界大戦の悪夢に立ち向かう準備が整いはじめていたらしい。

＊

ある人物の性格やものの見方、対処の仕方などが、物語に通じる道を用意してくれることもある。ヴォネガットが『ローズウォーターさん、あなたに神のお恵みを』を書く際にモデルにしたのは、初めてケープコッドで住みはじめたとき、彼と事務所を共有していた会計士だった。とてもやさしい人物で、いつも顧客を励ましたりなぐさめたりしていた。ヴォネガットは彼のささやくような声をよく聞いていたという。(249)

ときには、自分自身の人生から物語が丸ごと生まれることもある。カートが最初の妻ジェインをどのように口説いたかは、ごく平凡な甘い恋の思い出だが、「A Long Walk to Forever（永遠への長い道）」という短編のもとになった。かつて私がヴォネガット家で開かれたパーティーに招かれたとき、カートが片膝をついてプロポーズした様子をジェインがまねして見せてくれた。もちろん小説の中では、人名とともにそういう細かい点は変更されている。

✻

どこから始めてもいいし、とにかく書き続けて、どこへたどり着くか見てみるのもいい。ヴォネガットのメタファーを借りていえば、頭を覆っている脂肪の層をかき分けて自分の意識を明らかにしたり、この世にふたつとない自分のテープを口から引っぱり出したりするのだ。彼はそうやって『タイタンの妖女』をつむぎ出した。

✻

プロットは盗んでもいい。

「『プレイヤー・ピアノ』に関しては」、ハクスリーの『すばらしい新世界』から、威勢よくプロットをかっぱらった。そもそも『すばらしい新世界』もエヴゲーニー・ザミャーチンの『われら』から威勢よくプロットをかっぱらったものなんだ。(250)

※

物語の手掛かりを探すことは習慣になる。その習慣のおかげで、ヴォネガットの頭はアイデアでいっぱいだった。彼はその豊かな想像力からあふれ出たものを、自分の作品の登場人物であるSF作家のキルゴア・トラウトに授けて、滑稽なSF小説のプロットをたくさんこしらえさせた。

第21章 増殖

PROPAGATION

［作家のつく］最初の嘘、物語の前提となる嘘は、それ自体が多くの新しい嘘のもととなる。作家はその中から、もっとも信じられそうな嘘、算術的にもほんとうらしく聞こえる嘘を選ばなければならない。**こうして物語はみずから増殖していくのだ。**(251)［太字は筆者による］

記憶、事実、観察、奔放な想像力。これらが作家の資源だ。物語を書くためには、自分の道具箱から飛び出してくるそれらの資源をつかまなければならない。

『スローターハウス5』の中に、主人公のビリー・ピルグリムが戦争映画の時間をさかのぼって想像する、驚くべき一節がある。

ビリーは時間の中に少しだけ解き放たれた。そして深夜映画が逆向きに進行し、そのあと普通にもどるのを見た。それは第二次世界大戦のアメリカの爆撃機とそれに搭乗した勇敢な男たちの映画だった。ビリーが逆向きで見たその映画は、こんな感じに進行した。

負傷者や死体を乗せた穴だらけの米軍機がイギリスの軍用飛行場から、次々と後ろ向きに飛びたっていく。それらの米軍機がフランス上空に来たところで、数機のドイツの戦闘機が後ろ向きに近づいてきて、米軍機の機体や乗員から銃弾や砲弾のかけらを吸い取っていく。ドイツの戦闘機は、破壊されて地上に落ちている米軍機からも同じように弾丸を吸い取り、無傷になった米軍機は後ろ向きに飛びたって仲間の編隊に加わった。(252)

以下同様に続く。

この驚くべき場面を生み出した想像力の飛躍がどこからもたらされたかは、なんの説明もない。しかし映画にセルロイドフィルムが使われていた古き良き時代には、巻きもどしという操作があった。家庭用8ミリ映写機では、ライトを切ればそれを見ずにすむが、ライトをつけたままにして巻きもどされる映像を見ることもできる。それはおもしろい見ものだった。ヴォネガットがゼネラルエレクトリック社に勤めていた頃、二十代後半の同僚や友人たちはポルノ映画を鑑賞する男だけのパーティーをよく開いていて、それをわざと巻きもどして見て楽しんでいた。「裸のベルボーイが服を着てトレイを持って部屋から出ていくのを見るのはすごくおもしろかった(253)」。セックスの場面の巻き戻しもさぞ楽しかったことだろう。その経験によって、よくある映画の巻きもどしが深くヴォネガットの記憶に植えつけられ、それを変形させた形で使うことにつながったのかもしれない。

『猫のゆりかご』に出てくる〈カラース〉という言葉はどうだろう。アイオワ大学のクラスメイトのひとりが、その言葉はどこからきたのかとカートに質問した。彼が答えるまでのほんの一瞬のあいだ、みんな息をひそめて期待した。もしかしたらそれは何か不思議な、大きな意味のあるものに由来するのかもしれないと思ったのだ。カートは正直に、ケープコッドのバーンスタブルの町でよく前を通った郵便受けに書かれていた名前だ、と答えた。

では、今日、〈アルコール依存症更生会の平穏の祈り〉として知られている祈りについてはどうだろう？　この祈りの文句は、『スローターハウス5』でビリー・ピルグリムのオフィスの壁に貼られ、モンタナ・ワイルドハックが胸の谷間にぶらさげているロケットに刻まれている。(254)

神よ我に与えたまえ
変えられぬことを受け入れる穏やかな心を
変えられることを変える勇気を
その違いをつねに見分ける知恵を

『スローターハウス5』の出版後まもなく、カートが私に打ち明けたところによると、この祈りの文句はメアリー・キャスリーン・オドンネルという彼の教え子で私の友人の書いた短編小説から拝借したらしい。教え子の作品から何かを盗んだのはこれが初めてだといって、彼は少し恥じていた。けっこう重大な盗みだ。しかし彼がそのことを私に打ち明けてからまもなく、私はその祈りの文句が刺繍された額を、私の母の農場の家のキッチンで見つけた。また、アルコール依存症更生会も、その何年も前にこの祈りを借用していた[255]。おそらくメアリーもそこから知ったのだろう。この祈りは著作権のある類のものではなかったのだ。

では、ヴォネガットが『タイタンの妖女』の中でこしらえた社会変革の理論についてはどうだろう？それは明らかにヴォネガットの恩師スロートキンが実際に唱えていた理論に由来する。

『火星小史』の中で彼はこういっている。「世界を著しく変えようとする者には、興行師的手腕と、他人の血を流すことを厭わない天才的意志と、流血のあとのつかの間の後悔と恐怖の時期に導入するもっともらしい新宗教が必要である[256]」

『タイタンの妖女』のふたつあとの小説『猫のゆりかご』では、これらの理論を応用して、登場人物や「もっともらしい新宗教」であるボコノン教がつくられたようだ。『猫のゆりかご』第五十八章「一風変わった専制政治」には、サンロレンゾという架空の島の〝新しい征服者たち〟について次のように書かれている。

「(彼らは) サンロレンゾをユートピアにしようと夢見た。

そのため、マッケイブはサンロレンゾの経済と法律を徹底的に見直した。

ジョンスンは新しい宗教をつくった」

おれは何もかも
ちっとは筋が通った感じにしたかった
おれたちみんながハッピーで、そう、
ぴりぴりせずにすむように。
だから嘘をこしらえた
ぜんぶつじつまが合うように
そうやってこの悲しい世界を
パラダイスにしたんだ

ボコノン（マッケイブの友人）の信念はこうだった。よい社会は、善と悪を闘わせ、両者のあいだにつねに高い緊張を維持することによってのみ、築くことができる。(257)

そのためにボコノン教は禁止された。さまざまな法律が制定された。そのひとつがこれだ。

サンロレンゾでボコノン教の教えを実践する者は［……］鉤吊りにより死刑に処される！(258)

さあ、お楽しみはこれからだ。

私はみんながどうして想像の産物を説明しようとするのかわからない。私の本は説明することに対する抗議だ。何がどうなっているのか誰かに説明されると頭にくる。(259)

＊

「カートの人間の見方やキャラクターの作り方は独特だった。『スローターハウス5』のビリー・ピルグリムなんかは、おとぎ話の登場人物のようだ」シドニー・オフィットはそういっている。「もしきみや僕がドレスデンについての小説を書くなら、場面から感情を掘り起こそうとするだろう。カートはそうはしないんだ。

彼の小説では、必ず本筋とは別の何か——精神的な意味のあること——が進行する。宗教もまたそういう性質があって、精神的な飛躍をする。［……］ＳＦ的飛躍と呼んでもいい(260)」

第22章　再生　REGENERATION

小説を書き続けていれば、自分が気にかけている事柄がさまざまな形で繰り返し忍び寄ってくるだろう。

ヴォネガットは『チャンピオンたちの朝食』を書くことで母親の自殺に関するトラウマにけりをつけたといったが、そのトラウマはその後も長く出現し続けた。[261] 実際、『チャンピオンたちの朝食』から三作目の『デッドアイ・ディック』の中で、それについてもっと直接的に取り上げている。

シリア・フーヴァーがドレイノをのんで自殺したことが彼女の性格と大いに関係していると思ったなら、私は喜んで彼女の性格について詳細な分析を試みただろう。しかし私は薬剤師として、彼女の自殺の原因は全面的にアンフェタミンにあると考えざるを得ない。

次にあげる警告文は、今日、アンフェタミンを工場から出荷する際に、法律によって必ず添えなければならないとされているものである。

「アンフェタミンは広く濫用されてきた。その結果、薬物耐性、極度の精神的依存、重度の社会的障害などが生じている。推奨される量の何倍もの量を服用するようになる患者がいるという報告もある。長期間大量の服用を続けたあと、急に服用を停止すると、ひどい疲労感を覚えたりうつ状態になったりする。睡眠時脳波にも変化が起きると指摘されている。

アンフェタミンの慢性中毒の症状には、重度の皮膚疾患、顕著な不眠、神経過敏、活動過多、性格の変化などがある。慢性中毒のもっとも深刻な症状は精神障害で、統合失調症と判別しにくい場合も多い」

のんでみますか？[262]

さらに、その薬剤師の語り手ルディは、最悪の思い出をすべて芝居だと思い込むようにしていて、シリアが「昔の面影の消えた乱杭歯の面相で」、彼の店の裏口をたたき、アンフェタミンをくれとせがんだことを思い出すときも、芝居風に記している。

ルディ：きみがここへきたのは、どこで頼んでも断られたからだ。僕だってあんな毒をきみに与えるつもりはない。もしきみが神様のサインが入った処方箋を持っていたとしてもね。さあどうだい、僕のことなんか、やっぱりちっとも愛していなかったというんだろうが。

シリア：あなたがそんないじわるだなんて信じられない。

ルディ：じゃあ、長年きみにそんなに親切にしてくれたのはいったい誰だったんだ？　ミッチェル先生だろう——フェアチャイルド・ハイツ薬局とぐるになってね。もう手遅れだ。彼らは自分たちがきみに何をしたかわかって、死ぬほど恐れている。(263)

ここに書かれていることはすべて創作だ。ヴォネガットの母親はドレイノをのんでいないし、アンフェタミン中毒でもなかった。実際に起こったことは、ヴォネガットがアメリカ精神医学会のスピーチで述べたところによるとこうだ。

そこで、私の母が精神病になって、最後は自殺してしまったとき——それは私の息子が精神病になるずっと前のことで、息子が生まれるよりずっと前のことでしたが——、私はその原因を化学物質のせいだと思いました。いまでもそう思っています。母が子どもの頃ひどい目に遭ったことは関係ないと思います。私はその原因物質のうちふたつを特定することもできます。ひとつはフェノバルビタールで、もうひとつはアルコールです。それらはもちろん外部からもたらされましたが、フェノバルビタールのほうは母の不眠症を改善しようとした我が家の主治医から処方されたのです。(264)

ヴォネガットは優れた小説家がみなやるように、事実を大げさに脚色している。

＊

事実と創作について。あるとき、『スレイト』という雑誌が『スローターハウス5』とその二次創作物《ファン・フィクション》に関するパネルディスカッションを開催し、私も参加したが、そのとき『スレイト』の編集者たちは、ヴォネガットの母親はアンフェタミン中毒で、ドレイノをのんだと明言した。

彼らは事実と創作を混同していた。やるべき下調べをちゃんとしていなかったのだ。

＊

自分が気にかけていることは、知らないうちに「忍び寄ってくる」だけでなく、意図的に再生したり、より詳しく述べたりすることもできる。意図的なのかそうでないのかわからないが、ヴォネガットもひとつのアイデアを繰り返し使っている。「すべての人は平等につくられている」という金言を文字どおりに解釈するというアイデアだ。

それは彼の最初の長編『プレイヤー・ピアノ』の中で、ふたりの登場人物が議論するテーマとして登場する。

「そうだな――俺は全員のＩＱを公表するのは大きな間違いだと思う。そんなことをしたら、たとえば革命家たちが真っ先にやるのは、IQ110以上の人間を始末することじゃないか［……］」

「［……］たしかに、便宜的に定められた区分に基づく階級闘争が起こりかねない。［……］脳の良し悪しという基準は金を持っているかどうかという基準よりはましだが［……］」

「それ以上に固定化された階級はないぞ」とフィナーティーがいった。「人間は努力したって自分のIQを上げられないんだからな」(265)［太字は筆者による］

二作目の長編『タイタンの妖女』では、このアイデアが作品中の社会で実現されている。


彼は［……］散弾の詰まった青いズックの袋を手首に巻いていて、それがガチャガチャと音をたてた。

同じようなズックの袋を両足首と、もういっぽうの手首にも巻いている。また、ひもで結びつけた二枚の重い鉄板を肩に掛け、一枚は体の前に、もう一枚は背中側にぶら下げている。

これらの重りは人生というレースで彼が負っているハンデだった。

彼は四十八ポンドのハンデを負っていた。喜んで負っていた。頑強な人間は重いハンデを負い、虚弱な者は軽いハンデを負う。［……］

もっとも弱くおとなしい人間は、ようやく人生のレースが公平になったと認めざるを得なかった。(266)


ヴォネガットはもっと現実的なハンデについても書いている。

熱心な信者の中には〔……〕もっと巧妙でもっと効き目のある種類のハンデを負うことを選んだものもいる。〔……〕

浅黒い肌の若い男は、しなやかで肉食獣のような肉体の放つ性的魅力が、みすぼらしい服や行儀の悪さなどでは隠しきれないため、セックスを嫌悪している女を妻にするというハンデをみずからに課した。

その男の妻は、ファイベータカッパ・クラブ〔大学の優等生で組織する終身制の学生友愛会〕の会員であることをどうしても鼻にかけてしまうところがあるため、漫画しか読まないような男を夫にするというハンデをみずからに課した。(267)

『タイタンの妖女』が一九五九年に出版された二年後、あらゆる人間はついに平等になった、という出だしで始まる短編「ハリスン・バージロン」が『ファンタジー・アンド・サイエンス・フィクション』誌に掲載された。その中でヴォネガットは、『タイタンの妖女』で使用した「もっと巧妙で効き目のある種類のハンデ」をリアルに描くことをあきらめ、一目でわかるような物理的なハンデにかぎっている。そうすることによって、物語の要点をしぼり、簡潔に仕上げているのだ。この短編はすごくおもしろい。そして心に残る。

第23章 真珠の中の真珠

THE MOTHER OF ALL PEARLS

美しい光を発する巨大な真珠を想像してほしい。その輝きは際立っていて、まわりにある小さな真珠のすべてに勝っている。

さて、ヴォネガットがアイオワ大学で小説を書く基本として私たちに授けた多くの教えの中でも、そんな真珠の中の真珠のような教えがこれだ。

きみたちはエンターテインメント業界にいるんだ。

彼は教壇に立ち、学生の書いた小説を見て首を振りながらそういった。何度も。

これを聞いたときは驚いた。〝エンターテインメント業界〟といえば、ハリウッドのような、きらびやかで俗っぽいイメージがある。

私自身は誰かを楽しませようなどと考えていなかった。ただ自分の胸の内の悲しみや怒りを取り除きたかっただけだ。講座の学生たちはみな、そういうものを抱えていた。講師たちだってそうだ。ヴォネガットはとくにそのように見えた。彼は『スローターハウス5』を執筆中だった。私たちは彼がドレスデンで捕虜になり空襲を経験したことを知っていた。

それらは魂をこすりつけられるような経験だ。なのに私たちは娯楽を提供しているというのか？

結局、私はヴォネガットのいっているのはこういうことだと理解した。自分の心の中のくず物屋にあるがらくたを人に理解してもらうためには、小説というゲームのルールに十分のっとってプレイしなくてはいけない。手品師かスリのように、読者を楽しませながら注意を引きつけておいて、自分がいちばんいいたいことをいうのだ。

私はつい最近、あるパーティーで、芸術修士号を取ろうとしているふたりの学生に、これがヴォネガットのもっとも重要な教えだと話した。するとふたりとも、あきれたように私を見つめた。

新米作家にとっていちばん理解しづらい教訓のひとつは、自分がどんな経験をして、どんな物語を語らなければならないとしても、それだけでは作品をうまく仕上げるという点で不十分だということだ。大切なのは自分の持っているネタではなく、それをどう語るかだ。

ヴォネガットは物語をつむぐことと、物語をつむぐためのエネルギーの違いを理解していたし、自分自身と、作品の中の自分の代弁者との違いも理解していた。私は文芸創作に関する彼のさまざまな教えの中でも、「エンターテインメント」について彼がいったことが、もっとも複雑で重要なことだとわかるようになった。

『プレイヤー・ピアノ』の中で、ある登場人物が興奮してこういう。

いやあ、すごいなあ、たいした見世物だった。つまりさ、たしかにエンターテインメントなんだけど、それでも学ぶところがある。まいったよ！　娯楽と学び、その両方を与えるのが芸術なんだ。[268]

『ガラパゴスの箱舟』にはこんな一節がある。

ガラパゴス諸島へ行って帰ってくるありふれた二週間の旅を、キングは世紀の大自然クルーズに変貌させた。そんな奇跡をどうやってやりおおせたのか？　その旅を「世紀の大自然クルーズ」以外の名では決して呼ばないようにしたのだ。[269]

ヴォネガットもエンターテインメントについて教訓を学ばなければならなかった。彼は最初の妻のジェインと結婚した当時、フォート・ライリー陸軍基地で兵役を務めていた。そのときジェインが、現在なら〝ブック・ドクター〟と呼ばれるような人物の広告を見つけた。スキャモン・ロックウッドというその人物は、マンハッタンの出版社がたくさんある界隈に事務所を構え、作家志望者のために無料で作品の批評をしていた。ジェインは彼に夫の短編小説を何本か送った。

ロックウッドはこんな返事を寄こした。「ご主人が『何かいいたい』と熱望していることには、心から声援を送ります。どんなにささいなことであれ、人に影響を与え、人類の向上に役立つことをいいたいという気持ちはすばらしい。才能のある作家は必ず野心を持っています。ですが［……］私がいいたいのは最新の技法を習得しなくてはいけないということです。現在の市場で受け入れられたいのであれば、それが大事で、作品が崇高なものかつまらないものかは問題ではない。〝人類へのメッセージ〟は副産物。これまでも、小説とはそういうものだったのです［……］**作家業で食べていきたいのであれば、何をおいても読者を楽しませること、惹きつけること、笑わせることが重要です。そしてそれ自体、立派な目的なのです**[270]」

一九五〇年代になると、ヴォネガットは五十編以上の短編小説を世に出していた。当時、雑誌は小説家を必要としていた。編集者にとって、小説家を育てることは当然の義務だった。

私は大衆雑誌向けに書く社交的なスキルを伸ばしていった。なぜなら、社交的でない作品は採用してもらえなかったからだ[271]。

リチャード・イェーツはあるとき、アイオワ大学の学生から、ヴォネガットが学生に与えた注意を教えてもらった。それは、「知らない人間に向けて書いていることを忘れないように」という注意だった。イェーツはその言葉を拝借して、それ以降、自分の教えるクラスで必ず使うようになったという。「それは僕の知るかぎり、新米作家のために、もっとも簡潔に述べられた、最高のアドバイスだった[272]」

ヴォネガットは次のようにいっている。

我々作家が認識しておかなければいけないのは、読者はひじょうに難しい仕事をしているということだ。小説の視点をあまりひんぱんに変えてはいけない理由は、読者を混乱させないためだ。しょっちゅう段落を変える理由は、読者の目を疲れさせないためであり、読者に気づかれることなく彼らの仕事を少しでも楽にしてやって、その心をつかむためだ。読者は作家が提供するショーを自分の頭の中で再上演しなくてはならない――衣装から照明から何もかもそろえて。読者の仕事は簡単なものではないのだ。(273)

ヴォネガットは読者を「私のかけがえのない共同制作者」と呼んでいる。(274)『バゴンボの嗅ぎタバコ入れ』に書かれた「文芸創作基本ルール」では、彼が教室で述べた注意が取り入れられていて、まず読者に対する礼儀が説かれている。

文芸創作基本ルール第一条

赤の他人の時間を、時間の無駄だったと思われないように使わせてもらうこと。(275)

言い換えれば、「きみたちはエンターテインメント業界にいるんだ」。

第24章　冒頭部
BEGINNINGS

「エンターテインメント業界にいる者として、きみたちの第一の務めは、読者の心をつかみ、そのあと読み続けさせることだ」ヴォネガットは文芸創作講座で学生たちに熱心にそう説いていた。

この章ではまず、「読者の心をつかむ」ことについて考えていこう。

読者の心をつかむには、冒頭から何か変わったことや驚くようなことを書けばいいと新米作家は思いがちだ。

いっぽう、最初はあまりたくさん情報を出さないほうが、読者の好奇心や興奮を高めるのではないかと考えるのも、初心者にありがちなことだ。物語の状況をあいまいにすることで、読者は何が起こっているのか知りたがるだろうと考えてしまうのだ。しかし実際は、物語の状況をはっきりさせないと、読者は自分がばかになったように感じたり、自分だけ取り残されたように感じたりするだけだ。

一九八〇年に、あるインタビュアーがヴォネガットにこんなことをいった。「作家は早い段階で舞台設定をはっきりさせるべきだと強く主張されているのを耳にして、興味深く思いました。なぜかというと、最初の数ページであなたほど多くの情報と雰囲気を伝える作家はあまりいないと思いますので」

ヴォネガットはこのように最初から多くの情報を提供するやり方を、雑誌の編集者から教わった。

こっちは編集者がこうしろといったことをしないと作品を採用してもらえない。だいたいにおいて、彼らは一流の新聞が要求するようなことを要求してくる。印象的な書き出し、明快な文章、臨場感だ。いま文芸創作の教室で教えているんだが、出だしから四段落読んでもまだ登場人物たちが何という町にいるのか、何世紀にいるのかすらわからなくていらいらすることがよくあるんだ。私にはいらいらする権利もあるしね。読者にはいらいらする権利がある。自分が遭遇しているのがどんな種類の人間で、どんな場所にいて、どんな仕事をしていて、金持ちなのか貧乏なのか、早く知る必要がある――こういうことすべてが、あとに続くもっと驚くべき情報の基礎となるんだ。[276]

つまり「読者の心をつかむ」というのは、「印象的な書き出し」をつくることだ。そのために、劇的で大げさな表現をしたり、不明瞭な書き方をしたりするのではなく、はっきりした情報を与えることによって好奇心をかきたてるのだ。

私が教えたある初級講座の生徒は、最初のいくつかの短編で、殺人／離婚／逮捕、または誘拐／薬物強奪／中絶、という風に三つか四つの劇的な事件を取り上げ、それらをすべて最初の二段落に書いてしまっていた。登場人物よりそれらの出来事に重きが置かれていた。じつはその生徒は刑事ドラマの熱心なファンだったのだ。しかしその彼も最後には、登場人物がどういう人々なのか、どこにいるのかといった情報を読者に与えることや、焦点をしぼって、ひとつの葛藤をじょじょに盛り上げていくことを学んだ。

長編小説の冒頭で、語り手の母親の無残な死を書いた生徒もいた。その死が自殺なのか他殺なのかはずっと不明で、最後にやっと明かされる。おかげで読者は、複雑な人間関係も、登場人物の感情や動機なども把握することができず、終始暗闇の中にいるような状態だった。

私自身、長編小説で同じような過ちを犯したことがある。トラウマを抑圧したいという登場人物に同調しすぎて、その人物がどんなトラウマを抱えているのか、読者にまで秘密にしてしまったのだ。

私は成人してからずっと文芸創作の教師として働くかたわら、『ベルヴュー・リテラリー・レヴュー』という雑誌で小説部門の編集者を十二年間務めてきた。『ベルヴュー・リテラリー・レヴュー』は年二回発行され、毎回十から十二の短編小説が掲載されている。平均して年間二千作もの作品が送られてきて、それらはまず何人かの下読み担当者が選別し、その後編集者たちがさらに選別する。私はこれまでにおよそ二千百の作品を検討し、百以上の作品を編集した。こうして編集の仕事をすることによって、創作について多くのことを学んできた。中でもひじょうに重要な教訓は、ほとんどの短編小説は舞台や登場人物のキャラクター設定に問題があるというものだ。

その問題はたいていの場合、誰が、何を、どこで、いつしたか、という情報を、読者が把握しやすい形で十分に提供していなかったり、気取った文章で読者をとまどわせたり、中心となる葛藤になかなかたどり着かなかったりといった問題を伴っている。

ヴォネガットの「文芸創作基本ルール」第八条にはこう書かれている。

> できるだけ早く、できるだけ多くの情報を読者に与えること。サスペンスなんかくそくらえ。読者はいったい何が、どこで、なぜ起こっているのか、完全に理解する必要がある。もしゴキブリが最後の数ページを食べてしまっても、自分で結末を考えられるくらいに[277]。

冒頭からこういう風にすれば、作者は読者に対して、「ブラインド・デートのすてきなお相手」のように振る舞うことができる。「ブラインド・デートのすてきなお相手」とは、ヴォネガットが作家のあるべき姿としてよくいっていたことだ[278]。つまり、見知らぬ相手を誘って物語の中に引きこみ、何が起こっているのか、それにはどういう意味があるのかをわかってもらい、体験してもらうのだ。相手を寒空の下に置き去りにしたりしてはいけない。

※

先ほどの「文芸創作基本ルール」第八条の最後の文は、ヴォネガットの別の大事な教えと矛盾している。彼はアイオワ大学の授業中に学生たちに向けてこういった。

> 先が読めてしまってはいけない。最後は何か予想外の形で締めくくってほしい。僕が居眠りしてし

まわないように。(279)

＊

ヴォネガットはゴキブリ云々という過激な表現を、要点を強調するために使った。別の場所では「文芸創作基本ルール」第八条について、もっとシンプルに書いている。

「文芸創作基本ルール」第八条を覚えているだろうか？「できるだけ早くできるだけ多くの情報を読者に与えること」。それは読者についてきてもらうためだ。(280)

創作教室の先生やクラスメイトと違って、編集者や一般読者は、見ず知らずの新米作家が書いたものを読む義務はない。実際そういう人々は、ヴォネガットの基本的な教えに従っていないような作品は、読もうとしないだろう。

じつは編集者の仕事のひとつは駄作を取り除くことだ。もしもある作品に心惹かれるものや驚くようなものがなければ、編集者は――山のような応募作品の中から、たくさんの理由で、たくさんの選択をする必要に迫られているので――その作品を検討対象外として除外する確たる理由があると思ってほっとするだろう。

その逆もまたあり得る。もしもある作品が中身のある魅力的なものであれば、編集者はたしかな金鉱を掘り当てたと思ってほっとする、というか大喜びするだろう。

＊

「最初の二ページはカット！」ヴォネガットは教室で学生の短編小説を読んではしょっちゅうそういっていた。のちにその文句は形を変えて、文芸創作基本ルール第五条「できるだけ結末に近いところから始めること」となった。(281)

しかし「最初の二ページはカット」のままのほうがいいと私は思う。まだ書き終えてもいないのに、結末にどれだけ近づいているかなんてわかるはずがない。どちらの言い方にせよ、これは、物語をじょじょに盛り上げようと、いわばエンジンをかけようとしているとき、つまり佳境に入るずっと前の段階で作家がおちいりがちな過ちに対処するためのアドバイスだ。たとえば第一稿を書くとき、長編作家の場合はとくに、自分はもう書きはじめていると思っていても、実際はその作品の登場人物やプロットについて物語風に書いているだけの場合がある。また、登場人物やテーマを描くのにかなりの精神力を要するために、デリケートな核心へなかなか近づくことができず、脱線したりごまかしたりしている場合もある。あるいは自分の書いているものがいったいどういう物語なのかよくわからないまま、うろうろと探しまわっているだけの場合もある。

こういった「最初の二ページ」は、作家が物語を組み立てる際には必要かもしれないが、実際には削除してもかまわないものになるだろう。しかし、小説を書きはじめるときに求められる超人的な課題を、最初からすべてクリアする必要はない。とにかく書きたいように書く。冒頭部の仕上がり具合いを心配するのは、もっとあとの、見直しの段階でもいい。もちろん、一文一文、丹念に壁を壊していくヴォネガットのような〝ぶち壊し型〟の作家や、書くことに関してタフで手慣れた作家なら話は別だ。そうでもないかぎり、最初から完璧に、なるべく結末に近いところから書こうとするよりは、あとでいらない部分をカットするほうがいい。

　語りのコツをつかんで、経験を積むにつれて、短編小説の冒頭部を書くのはたやすくなっていく。しかし、とくに長編小説の場合は、自分がほんとうは何を書いているのか、何ページも書かないとわからないことがある。いろいろなことが明らかになっていけば、新しい風が吹き、物語は別の方向へ、あるいはもっと深い場所へ向かう。つまり、最初から残りの部分に合うように書きはじめることはできないということだ。先がどうなるかがわからないのだから。

　もちろん、自分が何を書いているのかわかったら、「できるだけ結末に近いところから始める」べきだ。ヴォネガットの友人のシドニー・オフィットが、格好の例を紹介している。「僕は『ファンタジー・アンド・サイエンスフィクション』という雑誌で働いていた。火星を舞台にしたある短編が送られてきたんだが、最初の三、四ページは宇宙船の建造のことが書かれていた。いい話だったが展開が遅かった。編集者のアンソニー・バウチャーに見せたら、『そこをカットしろ』といわれた。[……]それで、その短編の出だしは『その宇宙船が火星に到着したとき』となった[282]」

　宇宙船を建造する必要はない。宇宙船を出発させればいいだけだ。

火星に着いたら、きっと何かが起こる。これでもう読者の心はつかめた。

✲

私はまだ子どもだった頃、母が持っていた『風と共に去りぬ』の初版本を読み、それから高校を卒業するまでにさらに二回読んだ。その冒頭の文が私の頭に刻みこまれている。「スカーレット・オハラは美人ではなかった。しかし男たちは、たとえばタールトン家のふたごのように、彼女の魅力にはまってしまうと、ほとんどそのことに気づかなかった」

男たち！　タールトン家のふたごだけじゃないんだ！　じゃあ、美人ではない女の子でも、もてる女性になれるんだ！　男性の注目の的になれるんだ！　この文で心をつかまれない女性読者がいるだろうか。男性読者だってつかまるだろう。

これに続くいくつかの文はスカーレットの容貌をあざやかに描いている。そして第二段落の最初の文は、読者が話についていくのに必要な、誰が、何を、どこで、いつという情報をすべて提供している。「一八六一年四月の明るい昼下がり、スカーレットは父親が所有するタラの大農園のポーチの涼しい日陰で、スチュアートとブレントというタールトン家のふたごとともにすわっていた。それは絵になる光景だった」

この作品がまたたく間にベストセラーになったのも当然だ。読者はあっという間にその場面の状況やあざやかなコントラストに引きこまれ、場所や、時間や、階級や、興味をそそる登場人物に心を奪われる。千ページを超える大作なのに、冒頭のたった二段落で、屋外の暑さも、スカーレットの恵まれた環境も、魅力も、若さも、結婚相手としてふさわしい資質も、すべてがわかるのだ。彼女が父親のプランテーションで暮らしていることや、そのプランテーションの名前、父親が奴隷を所有していること、いまが奴隷制度を擁護するアメリカ南部の春で、南北戦争が始まる直前であることもわかる。[283]

※

ヴォネガットは初期の短編や長編でも、舞台を早々に設定し、サスペンスを盛り上げるような情報を提供している。彼の長編小説の冒頭部を、出版された年代順に、いくつか紹介しよう。


ニューヨーク州イリアムは三つの地区に分かれている。

北西地区は経営者や技術者や公務員、それに数少ない専門職の人間が住んでいる地区、北東地区は機械のための地区、そしてイロコイ川の向こうの南地区は地元ではホームステッドと呼ばれ、イリアムの大半の人々が住む地区となっている。[284]

今日では誰でも人生の意味を自分自身の中に見つける方法を知っている。

しかし人類はいつもそんなに幸運だったわけではない。昔は、といってもまだ百年と経っていないが、男も女も、自分の中にあるからくり箱に容易に近づくことができなかった。魂へいたる五十三の門のうちのひとつの門の名前すらわからなかったのだ。[285]

人間に関するこの物語では、ある大金が主役を演じている。それは、ミツバチに関する物語では、大量の蜜が立派に主役を演じられるのと同じだ。(286)

※

次はヴォネガットの短編小説の舞台設定の例だ。これも最初に出版されたものから年代順になっている。

最初に断っておくが、私はアーサー・バーンハウス教授がどこに隠れているのか、他の人々と同様にまったく知らない。クリスマス・イブにうちの郵便受けに入っていた短い謎めいたメモをのぞいて、彼が一年半前に失踪して以来、なんの音沙汰もない。(287)

私のような年寄りは、生まれたときから両生類であったわけではないので、両生類であることに十分になじむことはできないと思う。もちろん、両生類というのは新しい意味での両生類だ。私はいまでも、ふとした瞬間に、いまではもうどうでもいいような問題に思い悩んで落ちこんでしまう。(288)

さて、ピート・クロッカーはケープコッド全体を含めたバーンスタブル郡の保安官だ。五月のある昼下がり、彼はハイアニスにある連邦倫理自殺パーラーを訪れた——そしてそのパーラーの身長百八十センチのふたりのホステスにこう告げた。いたずらに心配する必要はないが、悪名高い無法者の〝ビリー・ザ・ポエト〟がケープコッドに向かっているらしい(289)。

＊

「文芸創作基本ルール」の最後に、ヴォネガットはこんなことを述べている。

我々の世代のアメリカの最高の短編小説家はフラナリー・オコナー（一九二五〜六四年）だ。彼女は私がいまあげたルールを、第一条以外はほとんどすべて破っている。偉大な作家とはそういうものだ(290)。

ヴォネガットはゲイル・ゴドウィンにかつてこんなことをいった。「〔ジェイムズ・ジョイスの短編集〕『ダブリン市民』の最後の短編「死者たち」はあまり読者に親切でない作品だ。最初の二ページで、九人も登場人物が出てくる。そういうのはやってはいけない！(291)」

アイオワ大学創作講座の学生だったロニー・サンドロフはこんな回想をしている。「カートの数少ないモットーのひとつは、『物語を疑問文で始めてはいけない』だった。でも、そういわれれば、試してみないわけにはいかないでしょ。私はそのとき書いていた短編でやってみた。その短編は、夏のアルバイトでブロンクスのパン工場での流れ作業の仕事についた男子大学生が、ピアノを弾くために大切にしてきた手や自尊心を、その工場で傷つけられるという話だった。カートはまったくいさぎよかったわ。教室でみんなに、『こんな出だしの文があったぞ』といって私の短編の冒頭の文を読み上げたんだけど、それは『ホットクロスバン〔表面に十字のついた菓子パン〕に血をつけたのはどいつだ？』という疑問文だったの。『これは、物語を疑問文で始めてはいけないというルールをどうやったら破れるかというういい例だ』と彼はいったわ(292)」

それから数年後に、ヴォネガットはゲイル・ゴドウィンにこういっている。

もちろん、学生の中には、僕のアドバイスを聞かない者もいた。ロニーを覚えているかい？ 彼女は「いいか、このまぬけなクソ野郎」という文で始まる短編を提出してきた。僕は「いいか、ロニー、これはダメだよ」といったけど、彼女はそのまま押し通したんだ(293)。

ロニーが実際に書いたのは、「いいか、このまぬけなクソ野郎」ではなく、「ホットクロスバンに血をつけたのはどいつだ？」だった。ヴォネガットがそれを取り違えた理由は、冒頭で疑問文を読まされた読者は、誰が、どこで、何について、誰に、その疑問を発したかわからないため、「まぬけなクソ野郎」といわれたような気分になるからかもしれない。

第25章　プロット
PLOT

読者に本を読み続けてもらうにはどうしたらいいだろう？

『母なる夜』の語り手ハワード・キャンベルがそのヒントを与えてくれている。

私はまったく動けなくなった。

私を動けなくしたのは、罪悪感ではない……

私を動けなくしたのは、恐ろしい喪失感ではない……

私を動けなくしたのは、死に対する嫌悪ではない……

私を動けなくしたのは、不正に対する悲痛な憤りではない……

私を動けなくしたのは、自分はまるで愛されていないという思いではない……

私を動けなくしたのは、神は残酷だという思いではない……

私を動けなくしたのは、どの方向へも動く理由がまったくないという事実だった。**それまでの死んだように無意味な長い年月のあいだ、私を動かしてきたのは、好奇心だった。**[294]［太字は筆者による］

読者が本を読み続ける理由も同じだ。

プロットとは、物語全体の構想、あるいは構造を指す。どんなプロットも、読者の好奇心をかきたてられるかどうかが重要なのだ。

✲

ヴォネガットの「文芸創作基本ルール」第三条

すべての登場人物には、一杯の水でもかまわないので、何かを欲しがらせること。[295]

登場人物の誰かが何かを欲しがれば、それがどんなものでも、読者の好奇心をかきたてる。サスペンスも生じる。その人物は欲しがっているものを手に入れられるのかどうか、知りたくなるからだ。

ヴォネガットは私たち学生に、たとえ小さな問題でも、読者が読み続ける理由になると説いた。私たちのクラスに、ひとりの修道女がいて、自分と同じ修道女の登場する小説を書いた。そこには、その修道女の歯にデンタルフロスがはさまって一日じゅう取れないという状況が書かれていた。はたして彼女はそれを取り除くことができるのか？　ヴォネガットはそれが気に入った。それ以降ずっと、その小説のその小さなエピソードを使って、サスペンスやプロットについて論じた。たぶん、歯にはさまったフロスへの好奇心のせいでその小説に引きこまれたことに、自分でも驚いたのだろう。

> その小説を読んだ者は誰でも、口の中を指でほじくらずにはいられなくなる。［……］プロットを排除したり、登場人物の欲望を排除したりすると、読者を排除することになる。それは作家としてあるまじき行為だ。[296]

もっと複雑なことや重大なこと——たとえば、その修道女がガンと闘っているとか、依存症を治したがっているとか——が起こってもかまわないが、この「はたして彼女は自分の望んでいるものを手に入れられるかどうか」という土台があってこそ、その上にもっと複雑なものが築けるのだ。

ヴォネガットはこういっている。

> 請けあってもいいが、どんなに現代風の小説でも、たとえプロットがないといわれる小説でも、よくある昔ながらのプロットをどこかにまぎれ込ませないと、読者はほんとうに満足しない。私がそういうプロットをすばらしいと思うのは、人生をうまく表現しているからじゃない。読者に本を読み続けさせる力があるからすばらしいんだ。

そして、「よくある昔ながらのプロット」の例をいくつかあげている。

誰かがトラブルにおちいって、やがてそこから抜け出す。誰かが何かを失って、それを取りもどす。誰かが不当な扱いを受けて、復讐する。シンデレラのように、不幸な境遇にある者が一躍脚光を浴びる。誰かの運が傾いて、そのままどんどん落ちぶれていく。誰かと誰かが恋に落ちて、ほかの大勢の人々に邪魔される。高潔な人物が誤って罪に問われる。あくどい人物がまわりから高潔な人物だと思われる。誰かが勇敢に困難に立ち向かい、成功するか失敗する。誰かが嘘をつく。盗みをする。殺しをする。密通をする。(297)

＊

ひとつの核となる葛藤が物語の構造の中心となる。

物語に葛藤がなければプロットはないも同然だ。

動機と葛藤は物語をスタートさせ、動かし続け、特定の形に作り上げる原動力だ。

私が初めて文芸創作の授業を受けたのはアーカンソー大学で、講師は作家のウィリアム・ハリスンだった。彼はある古典的な短編小説のプロットを図式化して黒板に書いた。それは、平地から山を描くようなグラフで、最初はグラフの線が頂点に向かってジグザグに上がっていき、頂点まで達すると、一気に半分くらいの高さまで下がる。こういう図は今日でも文芸創作の教科書で見かけることがある。

その図を学術的に説明するとこうだ。プロットは、提示部、複雑化または上昇展開部、転換点またはクライマックス、大団円から成る。

提示部では葛藤の種がまかれる。葛藤は複雑な状況や抵抗によって激化していく。転換点あるいはクライマックスとは葛藤が頂点に達したときで、なんらかの洞察や悟りが得られる。そして決断がなされたり、行動が起こされたりして、根本的な葛藤が解決されたり受け入れられたりする。大団円は物語の大詰め、幕切れだ。

古典的な短編小説は幾何学の証明のようだ。それか、くしゃみのような感じ。**ハー**、アー、**ハー**、**アー**、**アー**、**アー**、**アーックション**！　最後にちょっとしたしぶきとともに回復が、あるいは快感がもたらされる。

※

小説の大半は状況があっちへ行ったりこっちへ行ったりの紆余曲折から成る。

読者を居眠りさせたかったら、登場人物同士が決して対立しないようにすればいい。［……］対立のお膳立てをするのが作家の仕事だ。対立があれば登場人物たちは驚くようなことをいったり、暴露したりして、読者に情報を与え、楽しませてくれる。そういうことができなかったり、やりたくなかったりするなら、この商売から足を洗ったほうがいい(298)。

ヴォネガットの「文芸創作基本ルール」第六条にはこう書かれている。

サディストになること。きみの小説の主人公がいかにやさしくて罪のない人物でも、その人物に恐ろしいことが起こるようにするのだ――その状況に対して主人公がどう振る舞うのか、読者が見物できるように(299)。

そして読者がページをめくるように。

「好奇心は九つの命をもつ猫も殺すというから、気をつけなさい」私の母はよくそういった。だが、すぐそのあとに、こう付け加えた。「まあ、好奇心を満足させた猫は死んでも生き返るらしいけど」

研究者によると、ギャンブルをする場合も、野球の試合をみる場合も、ミステリーを読む場合も、「人々は結果を知るために投資している［……］しかし、結果をあまり早くは知りたくないのだ(300)」。

＊

読者はまた、思い出すための手掛かりを必要とする。

だから作家は途中で読者になじみのある小道具を与えなければならない。『不思議の国のアリス』では、アリスが穴を落ちていくあいだに、いろいろとなじみのあるもの、心をなごませてくれるものがあった。食器棚や本棚や地図やオレンジマーマレードなどだ。[301]

重要な登場人物が幸運な状態にあるか不運な状態にあるかについては、物語の**最初だけでなく最後においても、**特別な注意が払われなくてはならない。**ふつうは語り手が大事な場面で手を貸して、**登場人物が幸運な状態なのか、普通の状態なのか、不運な状態なのかを強調する。[302]［太字は筆者による］

つまり、小説の中では、たとえば登場人物の回想その他の手段で、すでに起こったことをときどき要約し、繰り返す必要がある。それによって読者は物語に関心を持ち続け、関与の度合いを高めていくのだ。

＊

シドニー・オフィットはこういっている。「［カートは］学生に教えられるのは展開だけだ、といっていた。物語は展開と変化がなければならない」[303]

それこそプロットの線がジグザグになる理由だ。

この件に関して、もっともおもしろくてためになる解説をYouTubeでみることができる。ヴォネガットが物語の形をグラフで表している動画だ。

この動画がどうやって生まれたかは、それ自体ひとつの物語だ。それにはプロットがある。これからその物語を語りながら、同時にヴォネガットのプロットの作り方についてもう少し情報を提供したい。

その物語はこうして始まった。一九四七年、ヴォネガットはシカゴ大学で修士論文を書き（第三章参照）、「ある文化の神話は、人類学のほかの遺物と同じであり、人類学者はそのように考えるべきだ」という理論を打ち出した。そして、社会が急速に変化する時期に新しい神話が形成されることに注目し、とくに北アメリカインディアンの物語を取り上げた。

その修士論文は却下された。ヴォネガットは退学し、学位をもらえなかった。

それから二十年近くのちの一九六五年、最初はアイオワ大学で、ヴォネガットは再び修士号の取得に挑戦する。この物語のためにあえてその動機を述べるとしたら、彼はかつて以上に学位を欲しがっていた。初めて大学で教えることになって、学者や学位を持った作家たちに囲まれて、自分に学位がないことを以前より痛切に感じていたからだ。

必要なのは論文だけだった。そこで彼はまた論文を書いた。タイトルは「単純な物語における幸と不幸の推移」。テーマは二十年前と同じだが、今回はすべての物語の形は文化的遺物とみなすことができると論じた。その論文は次のような主張で始まっている。

人間が語る物語はあらゆる人工遺物の中で、もっとも複雑で、魅力的で、示唆に富んでいる。

それからヴォネガットはD・H・ロレンスの「乗車券を拝見します」という短編を分析して自分の主

張を証明しようとする。そのために、その短編の全文を書き写している。それが分量にして論文全体の二分の一を占めていた。彼は「全文を書き出す必要があった」と説明している。なぜなら「断片的に引用すると」、割れた花瓶のかけらと同じで、「その形」を明らかにすることができないからだという。

それを文化的宝にしているのは、まさに人類学者たちによって無視されてきたもの、すなわち「物語がどのように語られているか」ということだ。

あたかも科学的手法を用いているといわんばかりに、ヴォネガットはこういっている。

どんな物語の形も［……］有益な分析を行なうことが［……］可能だ。ほかの研究者が同じ物語について独自に分析を行なった場合も、ほとんど同じような結論に到達するだろう。

そしてヴォネガットは二本の軸から成るグラフを提示している（グラフ1参照）。左側に垂直方向に延びる縦軸があって、その中間点から右へ向かって水平方向に横軸が延びている。縦軸の目盛りは「幸運と不運の度合いを示し［……］横軸より上が幸運、下が不運、縦軸の中央の位置は目盛りがゼロの普通の状態、または休眠状態かもしれない」。つまり横軸は幸運でも不幸でもない通常の人生の位置を示している。そのグラフ上にヴォネガットは登場人物たちの運が上がったり下がったりする様子を線で描いていった。

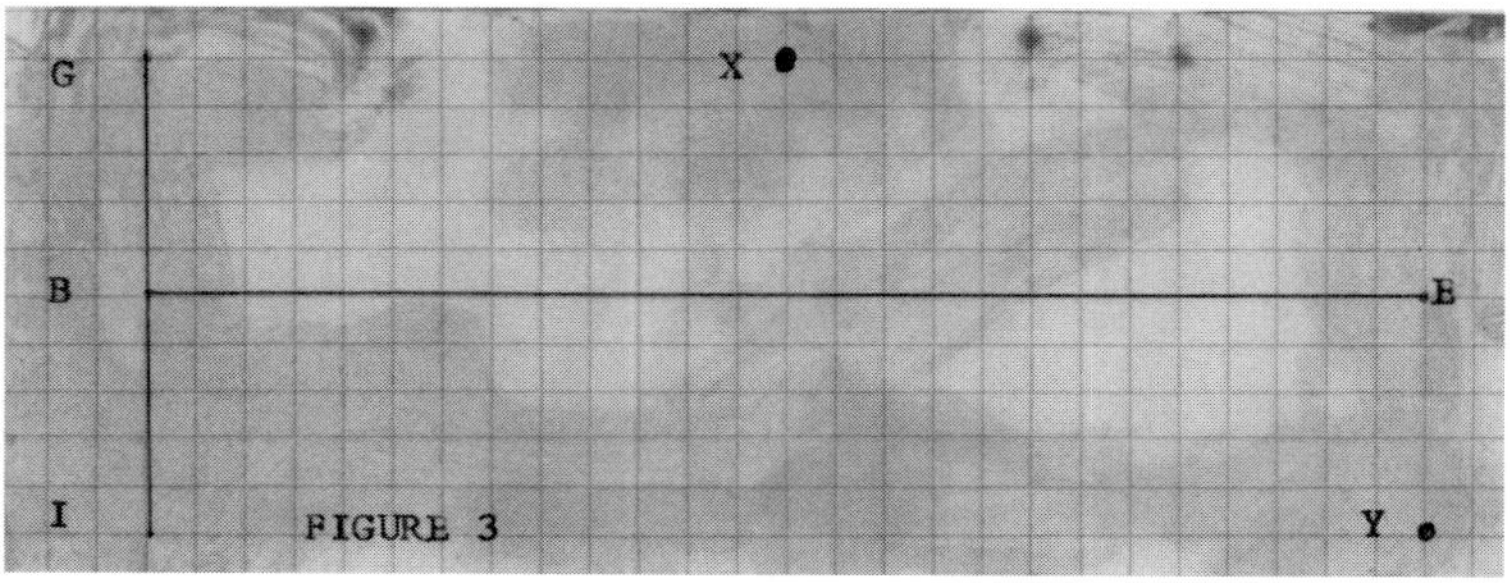

グラフ1　縦軸は運の変動を示す。G=GOOD(幸運)、I=ILL(不運)。

幸運と不運のおおまかな変動が、物語の形の大枠を決定することが〔……〕わかる。

グラフ上では、物語は重要な登場人物が運の変動を経験するところから始まり、変動が収まるところで終わる。それ以外のすべては背景である。

〔……〕現代の短編小説の名手は、物語の形にひじょうに関心を払っている。なぜなら、作家は読者を楽しませなければならない、退屈させてはならない、満足させなければならないという考えに取り付かれているからだ。

読者から愛されたいと願う現代の作家の信条を表す有名な言葉がある。誰の言葉か私にはわからないが、おおよそこんなものだ。「作家は読者が時間を無駄にしたと思わないように物語を語らなければならない」

論文の中でヴォネガットは古典的作品のプロットと、現代の非凡な作品のプロットをいくつか図解している。「みにくいアヒルの子」は「あらゆる物語の中でももっとも単純な形」をしており、一

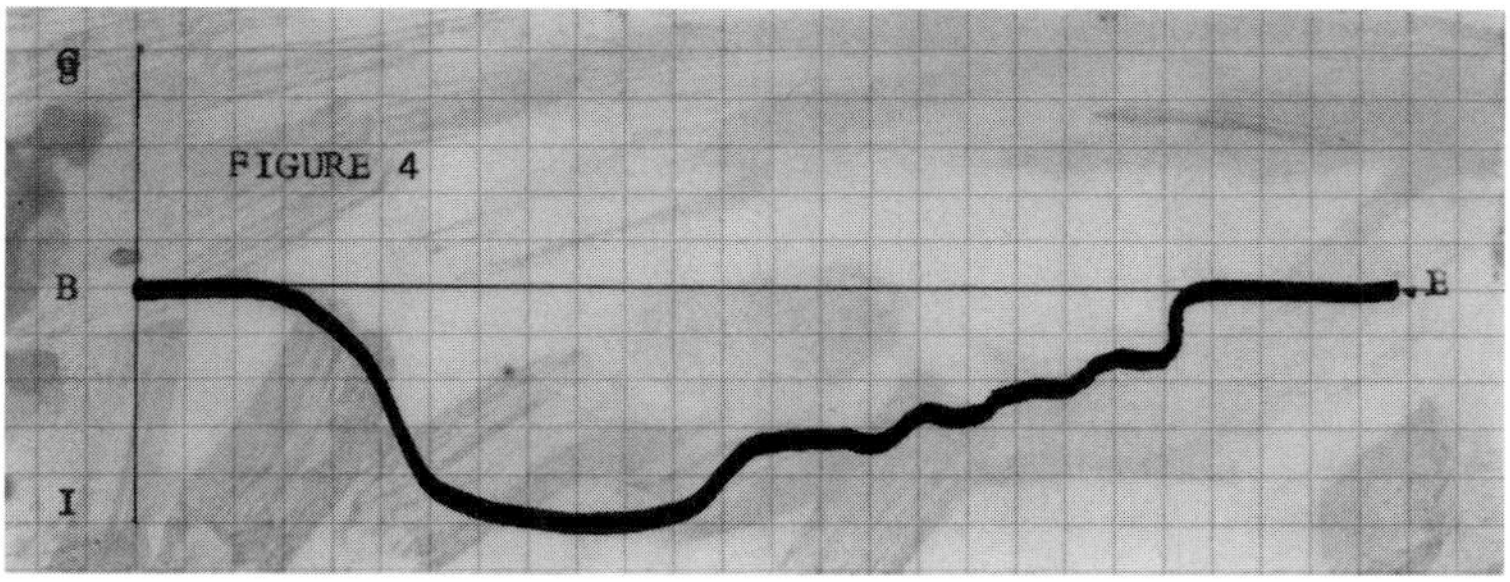

グラフ2　カフカ『変身』

続きの階段のように見える。カフカの『変身』は幸運・不運を表す縦軸の中間点から始まって、一気に落ちこみ、それ以後、横軸より上に浮上することはない(グラフ2参照)。

聖書の創世記については、「見事な形を有する遺物」と呼んでいる。

> 創世記はほとんどの天地創造神話と同じように始まり[……]「みにくいアヒルの子」と似たグラフを描く。[……]しかし、その階段の最上段に達したとき、創世記をつくった天才作家がしたことに注目してほしい。[……]自分がたったいま読者のためにつくった理想的な世界から、アダムとイブを追放したのだ(グラフ3参照)。

ヴォネガットはこの論文を次のような気取った所感で締めくくっている。

> 上記のようなグラフによる図解で、すべての物語の骨格が明らかになる。それによって物語は、骨格構造として、多少の客観性をもって検討され、考察され得るようになる。[……]

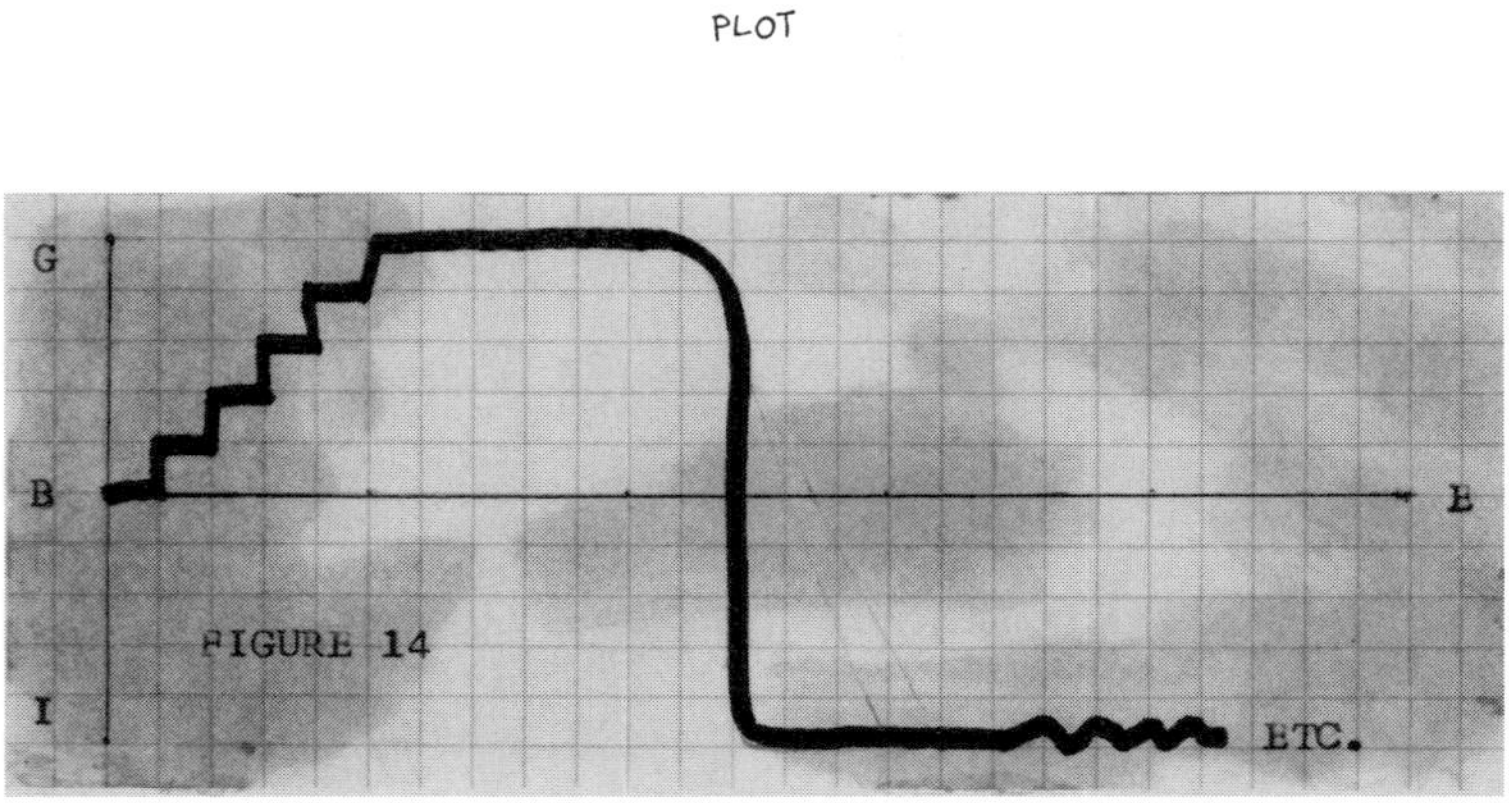

グラフ3　創世記

願わくば、このような文学的遺骨が、人間の遺骨を研究してきた人類学者の関心の的にならんことを。

この論文には「きわめて多様な情報源から選択された十七の物語の単純な骨格構造」というタイトルの補遺もついている[304]。それは安っぽい薄緑のグラフ用紙に鉛筆で書かれた図表で、人をからかってはしゃいでいるような雰囲気がある。

こうして、いま一度、物語の形が他の文化的遺物と同じように魅力的で調査する価値のあるものだということを人類学者たちに説得しようと努力したものの、シカゴ大学の人類学部はヴォネガットの論文を却下した。またしても。

それは当然だった。その論文の半分は短編小説を書き写したものだし、使われている言葉もひじょうにくだけた非学術的な言葉だった。締めくくりの一文は、ヴォネガット独特の奇抜なユーモアに富んでいる。たしかに彼は、短編小説と文化との関わりについて、刺激的な疑問を呈している（たとえば一九五〇年代の編集者たちが、「短編小説は、最初に〝心地よい状況にいる〟人々が、最後に〝さらに心地よい状況にいる〟ようにして終わらなければならない」と主張していたことに対して疑義を唱えている）。しかしこの論文は、プロットの形を強調しているだけで、それがどうして文化的遺物なのかが書かれていない。

二度目の却下を食らった当時のヴォネガットの反応は、「〔シカゴ大学の連中なんか〕くたばりやがれ！」だった。[305]

いっぽう、アイオワ大学で、ヴォネガットはこの論文に書いたことの要点を教えていた。ロバート・ラーマンは、こう回想している。「学生の一部はカートがすべての小説をひとつのグラフに単純化してしまうことに困惑していた。『誰かをトラブルに巻きこんで、そこから救い出せ！』『穴に落ちた男にしろ！』と彼はいっていた[306]」

その後、ヴォネガット自身の運は急上昇する。賞賛されるようになる。シカゴ大学はヴォネガットの論文を却下してから六年後の一九七一年、『猫のゆりかご』が論文としての条件を満たしていると認め、彼に名誉学位を与えた。

それ以来、ヴォネガットは物語の形についての講義で、論文に書いたのと同じ図解を、その場で黒板に書くようになった。

このサクセスストーリーの最終章は、かつて却下された論文に基づく彼の講義が、現在、すばらしくおもしろくてためになる講義としてYouTubeで視聴できるようになったことだ。

ヴォネガットはもういない。しかし、彼の論文という遺骨は残った。

これで物語はおしまい。

まさに、欲望と、失望と、葛藤と、驚きと、勝利の物語だ！

それはともかく、登場人物の運が決定的に変化する場面にもどろう。その転換点、またはクライマックスは、内面的なものであってもかまわない——たとえば心変わりしたり、なんらかの悟りを得たりする場合だ。もちろん外部の変化でもいい——その場合は、何かが起こって、そのせいで葛藤が頂点に達する。あるいはその両方でもいい——登場人物が何かを悟るか決心するかして、それに基づいて行動するのだ。

＊

『ローズウォーターさん、あなたに神のお恵みを』のある場面で、エリオット・ローズウォーターは、友人のチャーリーに質問をされる。チャーリーはエリオットの頭がいかれてしまったと思っていた。近くで掃除をしていた清掃員のノイズ・フィナーティーがふたりの会話を立ち聞きしていた。

ノイズ・フィナーティーが口をはさんだ。「こいつに聞こえるのは、あの大きなパチンという音だけだ」ノイズはエリオットをもっとよく見ようと近づいてきた。「……」「こいつはあのパチンという音を聞いたんだ。なんてこった、あの音を聞いたんだよ」

「きみはいったい何をいってるんだ？」チャーリーがノイズにたずねた。

「ムショにいると聞こえるようになる音のことさ」

「ここは刑務所じゃない」

「ムショだけで聞こえるもんじゃないんだ。けど、ムショでは、いろんなものがどんどん聞こえるようになるんだよ。［……］たとえば、誰かと知り合いになるだろ。そしたら、そいつが心の奥底でひどく悩んでることがあるってわかる。それがいったい何の悩みかはわからないかもしれんがな。けど、そいつがやることを命令しているのはそれなんだ。その何かのおかげで、そいつの目は秘密を持っているように見える。で、あんたは『落ち着け、落ち着け、くよくよすんな』とか、『いったいなんだってそんなばかなまねを何度も何度も繰り返すんだ？　そんなことしたらまた面倒なことになるだけだってわかってるだろうが』とかいったりする。でもあんただってわかってるんだ。そいつにそんなことといっても無駄だって。なんたって、そいつに命令してるのは、やつの中にある何かなんだから。それが『跳べ』といったらそいつは跳ぶし、『盗め』といったら盗むし、『泣け』といったら泣く。けど、そいつが若死にするか、好き放題やってもたいして問題がないという身でもないかぎり、その何かはぜんまい仕掛けのおもちゃみたいに自然に事切れるんだ。あんたがムショの洗濯場でそいつの隣で働いているとするわな。あんたはそいつをもう二十年も知ってる。で、いっしょに仕事してると、とつぜん、そいつからパチンという音が聞こえるんだ。あんたはそいつのほうを見る。そいつは仕事の手を止めちまってる。まったく落ち着き払ってる。完全に呆けたみたいに見える。すごくやさしい顔をしてる。で、そいつの目をのぞき込むだろ。そしたら、あの秘密めいたものがなくなってるんだ。その瞬間、そいつは自分の名前もいえないさ。で、また仕事を始めるけど、元どおりになることはぜったいにない。そいつをひどく悩ませていた何かは、もう二度とスイッチが入らない。その何かは止まった。死んじまったんだ。そいつの人生のその部分、そ

いつがある種狂ったように生きなければならなかった部分はもう終わったんだ！」(307)

「大きなパチンという音」！　内面的な転換点を示すのにうってつけの表現ではないか。『プレイヤー・ピアノ』では、たとえば、主人公のポールがライバルの隣の独房に入れられる場面で内面的な転換点が訪れる。そのときポールは〝それまで感じたことがないような感情〟を抱いて、それが何かを理解するのにしばらく時間がかかる。

これまでの規律正しい人生の中で初めて、ポールは他の人間と大きな不幸を共有していた。(308)

外部の転換点はその数ページあとにふいに出現する。その部分は、外部の転換点とはどういうものかを見事に分析する役目も果たしている。

ここでまた、もっとも古くからある分かれ道が出現した。［……］その分かれ道のうち、いずれを取るか［……］それは純粋に内面の問題だった。六歳以上なら、子どもでもその分かれ道を知っているし、善い人間がそこでどうするか、悪い人間がそこでどうするかを知っている。それは世界中のおとぎ話でおなじみのものだ。革ズボンをはいていようが、腰布を巻いていようが、大きなショールを肩に掛けていようが、ヒョウの毛皮をまとっていようが、銀行家のようなグレーのピンストライプスーツを着ていようが、すべての人間はここで悪人と善人に分かれるのだ。

悪人は密告者となる。善人はならない。(309)

そこでポールは、ゴーストシャツ同盟の指導者は誰かという上司クローナーの質問に答える。

＊

しかし私は説明を始めている。それは私が文芸創作を教えるときにいつもルールとして定めていたことに違反する。そのルールとはこうだ。「きみたちにできるのは、何が起こったかを語ることだけだ。なぜそれが起こったかを説明できると思うような傲慢な者は、この教室から追放されるだろう。なぜそれが起こったかなんてわからない。わかりようがないんだ(310)」

「説明するのではなく見せろ」というのは、文芸創作を教える際によく繰り返される忠告だ。それは重要な問題を示唆している。小説は読者に物語の中でいま起こっていることを経験させようと図るものだ。そのために現実を模倣するが、現実においては、いま起こっていることの意味を案内役が解説してくれたりしない。だから、小説の中で説明をすることは、せっかく現実を模倣した世界をぶち壊すことになる。実際に文芸創作を教える際に「説明するのではなく見せろ」というときは、語り手に物語の背景を語らせたり、登場人物に観察したことを述べさせたりするのではなく、会話によって場面を作り上げろという意味で使われることが多い。このように場面の活用にあてはめられるようになって、このフレーズは多用されすぎているきらいがある。小説は、語り手によるナレーションや要約や場面など、いろいろな創作手法によってつくられる。しかしプロットでいちばん重要なのは、やはり「見せること」だ。読者はそこで起こることを経験し、それによって影響を受けるのだ。

✼

「カートが小説にもっとも求めていたことは、驚きだったように思う」カート・ヴォネガットの教え子だったロニー・サンドロフはそう回想している。「一度、彼は私たちにこんなことをさせた。ある本の次のページをめくるのを止めて、途中で切れている文がどのように続くのか想像するのだ。『ほとんどの場合、正しく想像できるだろう』とカートはいった」

ヴォネガットは退屈な作品にならないようにと戒めた。奇抜であること、新鮮であることを奨励した。(311)『猫のゆりかご』は、すべての章がジョークのようにつくられている。ジョークは意表を突くひねりが肝心だ。そういう驚きに満ちた各章の結びと、サスペンスに満ちたプロットのおかげで、読者は先を読み続ける。

✼

これこそ、よい物語を書く秘訣だ。[……]嘘をつくこと[……]ただし、算術的にもほんとうらしく

聞こえる嘘を選ばなくてはいけない。(312)

「そんなことがほんとうに起こったとは思えません」ホープはそう反論した。

「ほんとうに起こったかどうかはどうでもいいんだ」将軍はいった。「つじつまさえ合っていればいい」(313)

「算術的」に見事な嘘の例として、ヴォネガットが『猫のゆりかご』で、実際には存在しない物質〈アイス・ナイン〉を登場させるためについた嘘がある。ヴォネガットがいつ〈アイス・ナイン〉を初めて登場させているか確認し、その後〈アイス・ナイン〉についての驚くべき情報を小出しにして読者をじらしながら、やがて登場人物全員の運命にじょじょに影響を与えていく様子をじっくり見てほしい。同じことを、禁じられた儀式〈ボコマル〉についても確認してみるといい。あるいは、そのほかヴォネガットの作り出したさまざまなSF的虚構について、やってみるといいだろう。

『ジェイルバード』では、ヴォネガットはサッコとヴァンゼッティの実話を、創作されたエピソードを利用するのとまったく同じように利用している。サッコとヴァンゼッティの話をあちこちに散りばめることによって、自分の小説に読者の心を惹きつけ、楽しませるのはもちろん、もっと重要な企てとして、サッコとヴァンゼッティの歴史的事実に読者の心を惹きつけようと誘惑しているのだ。サッコとヴァンゼッティの事件は、ヴォネガットが読者にぜひとも知らせたいと願っていた事件だった。

この事件のような実話は、読者を楽しませ続けるためにヴォネガットが提唱していたことのすべてを満たしている場合がある。

それでも、実話を小説の中で語る場合には、小説の「算術的な」つじつま合わせの部分を「ほんとうらしく」形づくる必要がある。

✼

「D・H・ロレンスの『乗車券を拝見します』については、グラフ化するのにひじょうに抵抗がある」ヴォネガットは例の論文の中でそう書いている。「なぜなら、この小説は単純な物語ではまったくないからだ。たいへんな心理的効果をもたらす仕掛けが満載されているいっぽうで、プロットは取るに足らない。それでもやはり、十字架に載せるとどうなるか見てみよう(314)」

おもしろいではないか。まあ、プロットは取るに足りないよ、といいながら、それが例のグラフではどうなるか見てみよう、といっているのだ。そのグラフを〝十字架〟と呼んでいるのもおもしろい。アイオワ大学で出した課題でも同じようなレトリックを使っている（第十四章に掲載した一九六六年三月十五日付け「小説形式論」の課題指示書を参照）。

カートは現実的で、おもしろくて、熱心で、皮肉の好きな人間なのだ。

✼

『猫のゆりかご』の中の以下の一節について考えてほしい。

目の前のページに『ボコノンの書』からの引用があった。その言葉がページから飛び出して頭の中に入ってくると、私はそれを受け入れた。

それはイエスの「皇帝のものは皇帝に返すべし」という言葉をわかりやすく言い換えたものだった。

ボコノンはそれを、このように言い換えていた。

「皇帝は無視しろ。皇帝は実際に何が起こっているかなど、まったく知らないのだ(315)」

プロットは〝皇帝〟だといってもいいかもしれない。プロットは小説の中で実際に起こっている出来事そのものではないが、統制のためのツールであり、必要不可欠なものだ。読者が先を読み続けるかどうかはプロットにかかっているし、それ以上の意味があるものかもしれない。いっぽう、小説の中で起こる具体的な出来事は、それ以上でもそれ以下でもないが、それ自体が重要なものだ。

※

西部劇や刑事ものは銃の撃ち合いで終わる［……］なぜなら銃撃戦はそういう物語を終わらせるためのもっとも信頼のおける手法だからだ。「ジ・エンド」という、現実ではすごく不自然なことをいうのに、死ほどうってつけのものはない(316)。

新米作家も同じことをする。ハンター・カレッジで私が受けもった学部生向けの文芸創作講座では、死で締めくくられた物語がなんと多かったことか！　私は編集者としての経験から、冒頭に次いでもっとも修正と見直しが必要なのは結末だということを発見した。その理由はおそらく、物語を終わらせることが不自然なことであり、扱いにくいことだからだろう。また、物語の終わり方は読者に強い印象を残すからでもある。結末の調子や言葉そのものには、小説のどの部分よりも読者の注目が集まる。

五十回目の誕生日が近づくにつれ、私は自分の国の人々が下すばかげた決断に、ますます腹が立ち、なぜそんなことをするのか訳がわからなくなっていた。しかし、とつぜん、そういう人々を哀れに思うようになった。というのも、彼らがそんなひどい振る舞いをしてひどい結果をもたらすのは、まったく悪気もない、当然のことだとわかったからだ。彼らは必死にがんばって、小説の中に出てくる人々のように生きようとしているのだ。だからこそ、アメリカ人はあんなにしょっちゅう銃を撃ち合っているのだ。なんといっても銃激戦は、短編でも長編でも、小説を終わらせるための便利な文学の手法だから。(317)

それが短編作家のつらいところだが［……］結末に関しては名人でなくてはいけないんだ。現実の人生では結末なんてない。「ミリセントは最後にようやく理解するのです」なんていったって、誰も理解しやしないんだから。(318)

私が思うに、現在、生命は地球を隙間なく覆っているポリマーであるからして、人々に関するすべての物語の正しい結末は、(ウォルター・H・ストックマイヤー教授が書いたのと) 同じ略語であるべきだ。それを私は大書したいと思い、いまこのように大書する。

そして、私がひじょうにたくさんの文を「そして」や「それで」で始め、ひじょうに多くの段落を「以下省略」で締めくくっているのは、このポリマーの連続性を認識するためだ。

以下省略[319]。

第26章 登場人物 CHARACTER

ヴォネガットの論文について前章でざっと紹介した物語の〝主人公〟はカート・ヴォネガットではない。主人公は「ヴォネガットと、プロットの形についての彼の論文」だ。

そう呼ぶのがふさわしいと思う理由は、よくいわれてきたように、ヴォネガットは登場人物が伝える考えを、登場人物そのものと同じくらい大切にしていたからだ。『タイムクエイク』の中で、ヴォネガットの分身ともいえる登場人物がこう説明している。

「もし私が登場人物を作り上げることに時間を浪費していたなら、ほんとうに大切なことに人々の注意を喚起させる余力などなかっただろう」とトラウトはいった。「ほんとうに大切なこととは、抵抗し難い自然の力、冷酷な発明、英雄たちをひどくみすぼらしい存在に感じさせるばかげた理想や政府や経済などだ」

トラウトはキャラクターではなく**カリカチュア**をつくっているのだといいたかったのかもしれない。それは私にもいえることだ。そのうえ、いわゆる**主流文学**に対するトラウトの敵意も、彼だけのものではなかった。それはSF作家のあいだではよくあることだった。[320]

『チャンピオンたちの朝食』では、語り手がこういっている。

私は写実主義小説とそれが積み重ねていく細かいディテールについて、キルゴア・トラウトの意見に賛同する。トラウトの小説『汎銀河記憶銀行』では、主人公が長さ二〇〇マイル〔三二〇キロ〕、幅六十二マイル〔約一〇〇キロ〕の宇宙船に乗っている。その主人公が近くにある図書館の支所で写実主義小説を借りる。彼はそれを六十ページほど読んで返却する。

図書館司書に、なぜこの小説が気に入らなかったのかとたずねられて、彼はこう答える。「私は人間についてはもう知っているからだ[321]」

あるインタビューでヴォネガットはこう述べている。「『見えない人間』の著者ラルフ・エリスンは、登場人物にまったく恋愛感情をもたせなかったし、『夜の果てへの旅』の著者ルイ＝フェルディナン・セリーヌもそうだった。そして、私も彼らと似たような理由で、登場人物には恋愛をさせない」

私が自分の作品から深い愛の物語を排除するのは、いったんそれが出てくると、ほかのことについて話すのがほとんど不可能になってしまうからだ。読者はそれ以外のことは聞きたくなくなってしまう。恋愛話に夢中になってしまうんだ。もし恋する主人公が意中の相手と結ばれたら、それで物語は終わってしまう。たとえ第三次世界大戦が勃発しようとしていても、空が無数の空飛ぶ円盤で埋め尽くされていても。(322)

✼

『プレイヤー・ピアノ』には、とてもおもしろい〝写実主義的な〟夫婦の会話が出てくる。結婚生活でついやってしまいがちな口げんかの類だ。その一部だけを紹介するのは割れた花瓶の破片を見せるようなものなので、できれば全文をここに掲載したいところだが、それは長すぎる。ぜひ『プレイヤー・ピアノ』の第十八章を読んでほしい。

ヴォネガットは写実主義的な人物描写についていろいろと否定的な意見を述べているものの、キャラクター造形に関してはすばらしい才能を持っており、それぞれの人物像をうまく描き出して、物語の役に立つように配置している。彼のやり方を注意深く見ることによって、登場人物を利用する方法について多くを学ぶことができる。

✼

写実主義小説の名手にくらべれば、ヴォネガットはたしかに登場人物のキャラクターを十分に描き切る技には欠けていたかもしれない。そして、プロットや冒頭の書き方にくらべると、キャラクターの作り方についてはあまりあれこれいっていない。しかし、講演などで、いくつかのヒントは述べている。

読者は一度に何十人もの登場人物を平等に注目できません。そんなことをしたら、誰が誰かわからなくなって混乱し、うんざりしてしまうのが落ちです。だから私たち作家は、大事な言動はすべて数人の登場人物にさせるようにします。スターを何人かつくるのです。つまり、読者に対して「スターたちにしっかり注目して、彼らについてそこそこ詳しくなってくださいよ、そうすれば何も見逃すことはありませんから」というのです。(323)

ヴォネガットの「文芸創作基本ルール」第二条

男女いずれの読者にも、少なくともひとりは応援したくなる登場人物を与えること。(324)

『タイタンの妖女』ではこんな例がある。

「インディアナ州インディアナポリス」とコンスタントはいった。「そこはアメリカ合衆国で初めて、先住民殺しの罪で白人が絞首刑にされた場所だ。先住民を殺した罪で白人を絞首刑にする人々

――それこそ私好み の人々だ(325)」

人によるだろうが、私はそういう場所をそういう理由で好きになる登場人物を、すぐさま応援したくなる。それこそ私好みの登場人物だ。

＊

登場人物はそれぞれの特徴をみずから形成する。彼らは驚くほど本質を示すような言動をする。ヴォネガットはそれについて『チャンピオンたちの朝食』でこう述べている。

なんといっても、この私が彼を作り出したのだ。私が彼に名前を与えた。ハロルド・ニューカム・ウィルバーだ。私が彼に銀星章や、青銅星章や、軍人勲章や、善行記章や、樫葉章がふたつついた名誉負傷章などを与えた。おかげで彼はミッドランド・シティで二番目に多くの勲章を与えられた復員軍人になった。私は彼の勲章をぜんぶ鏡台の引き出しのハンカチの下にしまわせた。〔……〕

ところが彼は私を見つめ続けた。私はもう見つめてほしくないと思っているというのに。**自分がつくった登場人物に対する私のコントロールはこんなものだ。彼らはひじょうに大きな動物だから、私は彼らの動きをおおよそ導くことができるだけだ。**そこには私のコントロールを越える慣性力がある。私は彼らとスチールワイヤーで結ばれているわけではない。むしろ、使い古したゴムひもで

結ばれている感じだ。[326]［太字は筆者による］

これこそ登場人物をつくる上でもっとも驚くべきことであり、うれしいことでもある。彼らは作者がびっくりするくらい、不足を自分で補いはじめるのだ。

＊

それでも、作者は登場人物に対する自分の態度はコントロールしなければならないし、コントロールすることができる。

ヴォネガットは「ユーモア作家であり、純文学作家でもある」ので、よくマーク・トウェインと比較され、彼自身マーク・トウェインをひじょうに尊敬していた。一九七九年にはコネティカット州ハートフォードにあるマーク・トウェインの家の完成百周年記念祭に招待され、こんなスピーチをした。

私はいま、この家のもとの主の言葉を引用します。「私は小説や伝記の中にうまく描かれた登場人物を見つけると、たいてい、その人物に暖かい個人的な関心を抱きます。なぜなら私はその人物を前から知っているから――川の上で会っていたからです」

これはイエスが山上の説教で説いた至福の教えを彷彿させる、ひじょうにキリスト教的な声明ではないでしょうか。[327]

イエスは山上の説教で群衆に八つの幸福を教えている。ヴォネガットがこのあと解説したところによると、トウェインがいっているのは、「すべての人間は生命という川の流れの一部だから、どんな人間も自分の知り合いとして見ることができる」ということだそうだ。

ヴォネガットは自分がつくった登場人物に対して、作者として決して冷淡ではなかった。彼は、登場人物の欠点はきちんと指摘するし、うわべの取り繕いも暴く。ときには卑劣な行為をさせたり、卑劣なことを考えさせたりもする。しかし、ヴォネガットが人間全体に向ける視野の広い人類学的な視線のおかげで、どの登場人物も、宇宙の中で、完全な悪とか完全な善とか単純に決めつけられない場所に、それぞれの居場所を与えられている。

ヴォネガットはそういう良識を、子どもの頃、とくに両親が料理人兼家政婦兼雑役婦として雇っていたアフリカ系アメリカ人の女性から学んだ。

> 私は実質的にアイダ・ヤングという女性に育てられた。[……]彼女は思いやりがあって、賢くて、私にきちんとした道徳教育を施してくれた。そしてとにかく私にやさしかった。つまり私は彼女から誰よりも大きな影響を受けた。[……]私の信条の情け深い寛大な側面は、ひじょうに知的だったアイダ・ヤングから受け継いだものであり、両親から受け継いだものでもあった。[328]

『スローターハウス5』に出てくるローランド・ウィアリーは、「馬鹿で、でぶで、卑劣な」人間だ。

ヴォネガットはウィアリーの冷酷な考えや行動をあらわにする。彼は人から「いつも見限られてきた」。そしてそのことに我慢がならなかった。そこで彼は復讐をする。しかしヴォネガットは、ウィアリーが「まだ十八歳」で、「不幸な子ども時代の終わりにさしかかった」ばかりであり、居場所を求めていることを読者に教える。ウィアリーは、戦場から家に帰って、社会の落伍者である両親に、戦友について自慢することを夢想する（実際は戦友などひとりもいないのに）。また、ウィアリーは主人公のビリー・ピルグリムを救った人物でもある。というのも、戦場でゾンビのようになってしまったビリーは、何度も死んだように動かなくなったが、そのたびにウィアリーが彼を「ののしったり、蹴ったり、叩いたりして動かした」からだ。(329)

こういうことがヴォネガットの作品ではしょっちゅう起こる――嫌悪感をもよおすような登場人物が、運命のいたずらによって、喜ばしい展開をもたらす触媒となるのだ。

※

私は生まれ故郷のサンディエゴで「カーネーション・アイスクリーム・パーラー」という店でウェイトレスをしていた。その頃、よく店にやってきた三人連れの客がいた。ヴォネガットの創作講座で、私はその客をモデルに短編を書いた。三人は、太った気弱な中年男性と、彼の年老いた両親だった。彼らは毎週日曜日、教会へ行ったあと、同じ時間にやってきた。同じブースの同じ席にすわり、同じものを注文した。チップとして、いつも十セント硬貨を置いていった。

その親子連れに私はいらいらした。とくに息子は、見ているだけで息が詰まりそうだった。私の小説では、ウェイトレスがその息子にあるいたずらを仕掛ける。彼女はそれによって、その息子が自分自身を抑圧して両親となれ合っている状態から抜け出させるつもりだった。

ヴォネガットはその作品が気に入らなかった。意地が悪いと思ったのだ。

私はめったに意地悪にはならない。子どもの頃も、ほかの子に意地悪したりしなかった。だから、物語の中で私が意地悪になるのは背伸びのようなもので、たぶん心理的には健全なことではないかとさえ思う。それでも、あの中年男性を解放するための解決法は、ほかにいくらでもあっただろう。私はヴォネガットにやんわりと非難されたことによって、自分の作品の登場人物に活を入れるには、もっと親切な方法があることを痛感した。それは、実生活でまわりの人や自分自身に対して活を入れる場合と同じだ。

私の知っているたったひとつのルールはこうだよ、赤ちゃんたち――

「なんてったって、親切でなきゃいけないからね[330]」

＊

コントラスト

フランスの哲学者メルロ＝ポンティは、著書『意味と無意味』の中でこう述べている。

我々が自然の中で知覚するすべての色は、その補色の存在を浮かび上がらせる。しかもこれらの補色は互いを引き立て合う。絵の中に陽光に照らされた色を描くためには［……］もしそれが草の絵であれば、緑だけではなく、その緑を反響させる補色の赤が必要である。[331]

小説も絵画と同じだ。

『ウェブスター英語辞典』によると、〝foil（引き立て役）〟という単語の項にはこう書かれている。「何かと対照をなすことによって、それを強調したり際立たせたりする人やもの。例文：あぶった野菜の素朴な味はクリーミーなゴートチーズの酸味の最高の引き立て役（foil）だ。」

ビリー・ピルグリムは覇気がなく不器用で無気力だ。ローランド・ウィアリーは攻撃的で粗野で無遠慮だ。

ふたりのコントラストが互いのキャラクターを引き立て合っている。

『母なる夜』の最初の四章には、イスラエルの刑務所の看守たちが次々に登場する。みんなホロコーストの生き残りだ。そのとてつもない災難に対する彼らの反応はさまざまで、それがそれぞれの個性を明らかにし、強調している。いっぽうで、個々人がどんなスタンスを取ろうと、彼らのものの見方は全体として、ナチスによって負わされた恐ろしい傷を描き出し、その結果生じるモラルの損傷から逃れるすべはないことを示している。このように、複数のホロコーストの生存者を並べて見せることによって、ヴォネガットは個々の人物の性格づけと、生存者全体の性格づけの両方を首尾よく達成している。

「The Manned Missiles（人間ミサイル）」という短編は、冷戦中の宇宙開発競争の最中に書かれた。その中で、ふたりの男性が手紙のやり取りをする。ふたりとも、宇宙で不慮の死を遂げた宇宙飛行士の父親だ。ただしひとりはソ連人で、もうひとりはアメリカ人。

「アダム」という短編は、ヴォネガットの作品の中でももっとも思いやりにあふれた作品だと私は思うが、それには、シカゴの産院の待合室にいるふたりの男性が登場する。そのうちのひとりで「ゴリラのような男」スーザがこうぼやく。

「これでもう娘が七人だ［……］おれは自分と同じくらいでかい男が十人でかかってきたって、やっつけられる。それがどうだ？　女ばっかり生まれやがって」［……］

スーザはクネヒトマンを見ていった。「ネットマンさんよ、あんたみたいなちっこい大将にかぎって、息子がほしいと思ったら、一発でできちまうんだろうな」

もうひとりの男の名はネットマンではなくクネヒトマンで、やせこけた、少し猫背の、強制収容所帰りのドイツ系ユダヤ人だ。どうやら親類は全員、収容所で死んだらしい。彼はこう答える。

息子でも娘でも［……］どっちでもいいんです、生きてさえいれば。(332)

※

嘘と複雑さ

ヴォネガットの作品には、秘密と嘘があふれている。

登場人物が隠していることと、明かしていること、そして真実。そのコントラストが、性格描写をあちこちで盛り上げている。それはまた緊張感や好奇心を高めるための優れた仕掛けでもある。

ウェイトはひとりで旅をしていた。若禿げで、ずんぐりしていて、安っぽいカフェのパイの皮みたいに顔色が悪く、メガネをかけている。おかげで五十を超えているといっても通用するくらいだ。もしも年配に見られたほうが都合がよかったら、そういっただろう。彼は害のない、内気な人間に見られたかった。(333)

ウェイトの年齢詐称にはどんな狙いがあるのだろう？　この嘘つきは、いつ正体を見破られるのだろう？

✻

人は意識して誰かをだますためでなくとも、秘密や嘘を抱えることがある。そういう秘密や嘘は本人も気づかないこともある。少しは気づいている場合もあるが、まったく気づいていない場合もある。

作家のウィリアム・ハリスンは、私が初めて受講した文芸創作講座の講師だったが、私がこれまでの作家人生でずっと念頭に置いている、優れた洞察を教えてくれた。それは、「ある登場人物が望んでいることと恐れていることは同じである場合が多い」というものだ。

登場人物の内部に葛藤があると、その人物は、より複雑でより魅力的になる。そして現実味も増す。

ハーバート・フォスターはヴォネガットの短編「フォスター・ポートフォリオ」に登場する人物で、投資資産から多額の金が入ってくるのに、猛烈に働いている。投資会社に勤める物語の語り手は、このなで肩の男がなぜ単調な骨折り仕事をして、貧乏なふりをしているのか理解できない。「彼は保有する有価証券から、おそらく一日に七十五ドルは入っているのに、生活費を稼ぐために週に三日も夜勤しているのだ！」それは結局、フォスターが自分の内にある、おそろしく低俗で華麗な側面を解放するためだったと判明する。[334]

『母なる夜』の語り手、ハワード・キャンベルは、第二次世界大戦中、ドイツとアメリカの二重スパイを務めていた。まさに複雑の極みだ。激しい葛藤。山ほどの嘘と秘密。ほんとうの自分はどこにあるのか？　何が真実なのか？　謎が幾重にも重なっている。

物語は戦後、キャンベルがイスラエルで投獄されたときに語られる。もしその物語がリアルタイムで進行していたら、プロットが重要になっていただろう。しかし、過去を回想する形で、しかも刑務所の中で語られることで、物語の焦点は登場人物――自分自身と、自分の二重生活と、自分の行動の結果について説明することを迫られている人物――に当たることになる。

※

『母なる夜』とは真逆に、〝無垢な〟主人公――まわりの状況や解決しなければならない問題について無知な人物――をつくることが、読者を物語に誘うための極めて自然な方法となる場合もある。刑事や探偵が主役となるミステリーはよくこの手法を取る。ヴォネガットもよくこの手法を使った。たとえば前述の「フォスター・ポートフォリオ」では、何も知らない語り手が、フォスターの金と仕事の謎を調査する。『猫のゆりかご』では、見知らぬ土地へやってきた人間の物語によくあるように、主人公が冒険をしながら、その世界の文化や地理や人々について理解し、誰が、どこで、いつ、何をしたかを発見していく。それによって、読者も主人公といっしょに発見の旅に自然に誘われていくのだ。

※

反応《リアクション》

幸運と不運の程度は、語り手の解説か、登場人物の反応によって表現される。物語の中で一見悪そうなことやよさそうなことが起こったとしても、もし語り手や登場人物がたいした反応を示さなければ、実際はたいしたことは起こらなかったということだ[335]。

『デッドアイ・ディック』の中で、十二歳の語り手が妊娠中の女性を殺した罪で逮捕され、彼の父親が警察によって袋叩きにされたすぐあとに、こんな一節がある。

「おまえの情けないおやじを見てくれ。おれはなんと役立たずなんだろう」と父はいった。父が私の状態を見て奇妙に思ったかどうか、その言動からはわからなかった。自分の無力さとつまらなさを大げさに嘆くあまり、息子がインクまみれであることに気づきもしなかったのではないかと思う。父は私がたったいまどんな目に遭ったのか、たずねようともしなかった[336]。

もし語り手である息子が父親のいったことに「強い印象」を受けず、読者にその言葉を読み解く手がかりを与えなかったとしたらどうだろう? もしも「おまえの情けないおやじを見てくれ。おれはなんと役立たずなんだろう」という父親の言葉だけだったら、どうだろう?

読者は父と息子の両方のキャラクターの複雑さを理解できなかっただろう。さらに、もっと重要なこと、つまり、息子が父親の状態を理解し、父親は自分に関心を持っていないのだと気づいたこともわからなかっただろう。しかし実際は、息子は父親の言動に反応している。したがって、何か重要なことが起こったということがわかる。

二〇〇一年九月十一日の同時多発テロ事件への反応として、マンハッタンのソーホーで、地域の写真を集める草の根プロジェクト《これがニューヨークだ：写真による民主主義》が始まった。誰でもそのプロジェクトに二枚の写真を寄贈することができ、それは複写されて、ふたつの小さな部屋の壁や、部屋の中に張られた何本ものワイヤーを使って展示された。私はそこで何ヵ月もボランティアを務めた。その展示は誰も予想していなかったほど長く続いたからだ。寄せられた写真のひじょうに多くが、何かをじっと見ている人々の写真だった。逃げたり、泣いたり、呆然としたりしている人々の写真や、なぐさめ合っている人々の写真も多かった。人々は反応していた。

展示会場はしんとしていた。人々は写真を見ていた。私は写真を見る人々の顔を見ていた。

『スローターハウス5』の中で、ビリー・ピルグリムはドレスデンが爆撃されたあとの様子を思い出さない。その地獄絵図は語られない。

ピルグリムがようやく思い出したのは、ドレスデンの刑務所の看守たちが焼夷弾で焼き尽くされた街の様子をのぞきにいったあとの、「驚きと深い悲しみに満ちた」顔だった。

> 看守たちは本能的に身を寄せ合い、目をきょろきょろさせた。彼らはいろいろな表情を次々に試し、口をぱくぱくさせていたが、何もしゃべらなかった[337]。

ヴォネガットが読者に伝えたのは看守たちの反応だ。それは、恐怖や、言語を絶する状況、描写し得ない光景を伝えている。

＊

反論を抑える

登場人物や語り手の反応のもうひとつの役割、二次的な役割は、読者が唱えるかもしれない反論を抑えることだ。

たとえば、「アダム」という短編のケースでは、読者はこんな異議を申し立てるかもしれない。「おいおい、七人目の子が生まれた男の反応と、ひとり目が生まれた男の反応は、同じなわけないだろ」

そのふたりの父親が産院の近くの酒場で一杯やったとき、最初の子の誕生に大喜びしているクネヒトマンに対して、スーザは先ほどの読者と同じことを口にする。

七人生まれるまで待てってこった、ネットマンさんよ［……］それからだな、おれのとこへきて、奇跡だのなんだのいうのは。(338)

これでもう読者は、クネヒトマンの意見をふたたび心置きなく応援することができるようになる。一九九六年、ロバート・ジェームズ・ウォラーが書いた長編小説『マディソン郡の橋』がたいへんなベストセラーになったが、これはひじょうに出来の悪い小説だった。その中で、主人公の男性が、相手役の女性のブーツの脱ぎ方について、ものすごくセクシーで魅力的で、「それを表現する言葉が見つからない」という場面がある。もちろん彼の反応も書かれていない。

まあそんなもんか、と読者は思って、作家のそんな怠慢を許してしまう。

私はこの小説がこんなに出来が悪いのに、こんなに人気があることにうんざりしたので、自分が教えている創作講座の生徒たちに、先ほどの場面を可能なかぎり官能的に書くようにという課題を出した。五分もすると、全員がそれを上手にやってのけた。その証拠に、生徒たちが自分の書いたものを読み上げていくうちに、みんなの呼吸が荒くなったほどだ。

しかし、ロバート・ジェームズ・ウォラーがひじょうにうまくやったことがあった。それは、「読者が異議として申し立てそうなことを登場人物の誰かにいわせれば、作家は小説の中で好き勝手なことができる」ということを証明してみせたのだ。

＊

行動

実生活でも小説でも、人の性格と行動は互いに影響し合う。生まれもった性格は、その人の選択や行動を決定する。しかしその逆もある。選択や行動から、性格が形成されるのだ。

生まれもった性格と、葛藤が生じるような状況が互いに作用し合って、選択と行動をうながすこと――その結果、登場人物のキャラクターが明らかになったり、変化したり、深まったりすること――それが物語のすべてだ。

『母なる夜』では、主人公のハワード・キャンベルに、ある女がいう。

「あなたはずいぶん変わったわ」

「世界大戦を経験すれば誰だって変わって当然だ」私はいった。「でなきゃ、世界大戦なんかする意味なんてないだろう?[339]」

ヘミングウェイは友人だった女優のマレーネ・ディートリヒにこんなアドバイスしたことがある。「動作と行動を混同してはいけない[340]」

小説家も同じだ。

かんしゃくを起こしている子どもを思い描いてほしい。床に寝転んで、手足をばたばたさせている。

これは動作だ。

警官が強盗を追いかけている。これも動作だ。

ほんとうの行動とは、何かを了解すること——登場人物が「強く認識する」こと——と、それに基づいて、自分の人生その他を変えるような何かをすること、その両方を兼ね備えたものだ。

＊

登場人物を思い浮かべる

アイオワ大の文芸創作講座で、ヴォネガットは私たち学生にこういった。もし登場人物が思いつかなければ、映画スターをモデルにしてつくればいい。

いかにも職人的なアドバイスに、私たちはあぜんとした。

実際のところ、登場人物は誰をモデルにしてもいい。いったん想像力がかき立てられて、見直しを繰り返していけば、登場人物は個性を発揮しはじめる。ただそれなりの手間がかかる。

ときにはなんのモデルもなくても、登場人物が不意に思い浮かぶこともある。少なくともそう思える場合がある。ヴォネガットは風変わりな登場人物や生き物をたくさんつくっている。コルフーリ教の指導者であるブラトプールの国王《シャー》や、水星の生物ハーモニウム、トラルファマドール星人、カンカ・ボノ族。機械でさえ登場人物になっている——人間的な感情をもつスーパーコンピュータのエピカックや、ポケット翻訳機のゴクビやマンダラックスなどだ。

ヴォネガットはいったいどうやって、こんな突飛なキャラクターを作り出していたのだろう？

私にはわからない。しかし想像力は、それを認めて訓練することによって養うことができる。それは明らかだ。ヴォネガットはつねに自分の想像力を自由に遊ばせていた。

※

とはいえ、ヴォネガットの小説の主な登場人物には、たいていモデルがいる。

彼の初の長編で、当初は出版されなかった『Basic Training』には〝将軍〟と呼ばれる人物が登場する。ヴォネガットの友人のマジー・フェイリーによると、その人物は「カートの父親のいとこで、第一次大戦中レインボー師団で大尉を務め、自分の家庭と農園を軍隊式に運営していた男性がモデルになっている」という。[341]

『プレイヤー・ピアノ』が出版されたとき、ゼネラルエレクトリック社のヴォネガットの同僚たちは、その小説の登場人物がそれぞれ社内の誰をモデルにしているのか推測して騒然となった。多くの登場人物がヴォネガットの知っている人間をそっくりまねており、とくに主要な〝登場人物〟としてゼネラルエレクトリック社自体がモデルになっていた。

ヴォネガットの元教え子で作家のジョン・ケイシーは、昔のインタビューで、ヴォネガットにこんな質問をした。「『タイタンの妖女』に出てくるウィンストン・ナイルズ・ラムフォードは、フランクリン・

デラノ・ローズベルトがモデルですか？」

たしかに、ローズベルトはこの本の中で重要な役割を果たしている。最初は、大恐慌や第二次世界大戦の時代、若かった私にとってローズベルトがどんな存在だったか、ぜひ書きたいと思ったんだ。だが、結局、この本の中で主導権を取ったのは彼で、私じゃない。

ローズベルトはヴォネガットが十歳から二十六歳まで大統領を務めていて、彼の子ども時代の「最高の大物」だった。ラムフォードとローズベルトの類似点は、ヴォネガットがケイシーに語ったところによると、「ふたりとも、世の中を変えることに桁外れの希望［……］子どもっぽい希望を持っているところだ」という。(342)

『タイタンの妖女』にこんな一節がある。

［ラムフォードは］火星に、厳かで忘れがたい自殺をさせることによって、世界をよりよく変えることを望んでいた。(343)

ローズベルトのほかに実在のモデルがいるかどうか問われて、ヴォネガットはこう答えている。

そうだなぁ。たとえば『ローズウォーターさん、あなたに神のお恵みを』のエリオット・ローズウォーターの場合は、実際に彼のように親切な人物が実在した。ただしその人物は貧乏で、酒屋の上に事務所を構えていた会計士だったけど。私は彼と事務所を共有していたので、彼がほとんど収入のない人々をなぐさめているのが聞こえてきた。みんなにやさしい言葉をかけ、金のかわりに愛情と思いやりを与えていたんだ。それに、彼は夫婦間の問題の相談まで受けていた。私がそのことについて聞くと、彼はこういった。人は、いかに少ししか稼げなかったかを誰かに相談したが最後、すべてを話さないといけないように感じるらしい。私はこのとてもやさしい男性を本に登場させて、自由に使える莫大な金を持たせてやったんだ。[344]

『猫のゆりかご』に登場する」フィーリクス・ハニカー博士は、いつも何かに気を取られてぼんやりしている科学者だが、彼はゼネラルエレクトリック社の研究所の第一人者アーヴィング・ラングミュア博士のカリカチュアだ。私はラングミュア博士を少し知っていた。兄が彼といっしょに働いていたからだ。彼はおもしろいほどぼんやりした人物だった。「カメが首を甲羅の中に引っこめたとき、背骨は曲がっているのか、それとも縮んでいるのか」ということを考えていて、それをそのまま声に出したこともあった。私はそれを『猫のゆりかご』に書いた。またあるときは、家で奥さんに朝食を出してもらったあと、皿の下にチップを置いていった。これも書いた。だけど、彼のもっとも重要な貢献は、私が〈アイス・ナイン〉と名づけた物質、室温でも安定した構造をもつ氷のアイデアを提供してくれたことだ。私は彼から直接そのアイデアを聞いたわけじゃない。それは研究所の誰もが知っている伝説のようなものだった［……］私がいた頃よりずっと前からあったんだ[345]」

『スローターハウス5』のビリー・ピルグリムやほかの登場人物たちのモデルは、ヴォネットの戦友や捕虜仲間だ。そのうちの幾人かについては『スローターハウス5』の第一章で語られている。ヴォネガットと同じドイツの捕虜収容所ⅣBに収容された経験をもつギフォード・ボイズ・ドクシーはこう証言している。「『スローターハウス5』の中で当時の歴史的な出来事を書いている部分は、私の個人的な記憶に照らしてみても、ひじょうに正確だ。もちろん名前やなんかの特性は変えられている」『スローターハウス5』の初期の草稿では、「私たちは夜、捕虜収容所ⅣBに到着した」というように収容所の実際の名前が使われている。(346)

ヴォネガットの作品によく登場するキルゴア・トラウトは、明らかにSF作家のシオドア・スタージョンがモデルとなっている。

実際、『ニューヨーク・タイムズ』に掲載された［スタージョンの］死亡記事にもそう書かれていた。［……］その記事の中ほどに、スタージョンはカート・ヴォネガットの小説の登場人物であるキルゴア・トラウトのモデルとなったと書かれていて、私はとてもうれしかった。(347)

「永遠への長い道」という短編小説では、ヴォネガット自身がモデルになっている。彼をよく知る者なら誰でも、それがかなり正確なヴォネガットの自画像だと分かる。

「散歩に行きませんか?」ニュートは恥ずかしがり屋で、キャサリンに対してさえそうだった。それを隠すために、うわの空でしゃべっているようなふりをした。まるで、自分がほんとうに気にかけていることは、ずっと遠くにあるとでもいうように——まるで、自分は秘密諜報部員で、どこか遠くの美しい危険な場所へ行く任務のあいだに、ちょっと立ち止まっているだけだとでもいうように。これがいつものニュートのしゃべり方で、たとえ自分にとってものすごく大切なことであっても、彼はそんな風にしゃべった。[348]

『Between Time and Timbuktu(未)』(ヴォネガットの作品のいくつかを合体してつくられた一九七二年のテレビドラマの脚本)のまえがきで、ヴォネガットは、劇場や映画などの仕事にさんざん手を出したあと、また散文の世界にもどってきた理由についてこう明かしている。

私はふたたび活字の熱狂的なファンになった。そうでなければならないと、やっとわかった。なぜなら私は自分の作品のすべてに登場したいからだ。それは活字の世界でなら可能だ。映画では、なぜかいつも作者は消えてしまう。これまで私がつくった映画はどれも、ある登場人物が欠けていた。それは私だ。

私は自分がすばらしい登場人物だといいたいのではない。ただ、善かれ悪しかれ、私はいつも自分自身を装備の一部として含めるように小説を書いてきたので、いまさらそれを止められないということだ。私はそれを、たいていの小説家と同じように、まったく目立たないようにやっているの

で、映画では出してもらえないのだ。(349)

装備品であるかどうかは別として、作者や作者の種々の側面は、作品の登場人物の中に顔を出すものだ。そういう側面が多ければ多いほど、あるいはそういう側面に表現の機会を与えれば与えるほど、作者は成長し、より優れた小説の書き手になる。いわば、（マーク・トウェインの言葉を借りれば）川の上で自分自身に会うことになるのだ。

第27章 耳で聞く散文
PROSE, THE AUDIAL

たしかに、すべての物語を形づくるのは作家が最初につく嘘、つまり前提ですが、作家は言葉と雰囲気もあてがわなければなりません。[350]

物憂げだったり、シャープだったり、なまめかしかったり、あっさりしていたり。私たちは文学作品について、時代や、場所や、特徴や、雰囲気など多くのことを、その音から認識し、感じ取る。小説家はまた登場人物の会話も用意しなければならない。会話を書くにはたいへんな技が必要だ。誰かがしゃべるのを録音して、それを筋の通った文章にしようとした経験があればわかると思うが、実際の会話は回りくどくて繰り返しが多く、しょっちゅう口ごもっては「あー」「うーん」「えー」などがはさまれ、抑揚やジェスチャーに大きく頼っている。

カート・ヴォネガットは、故郷のインディアナ州の言葉を「帯鋸でトタン板を切るような響き」だといっている。しかしそんな言葉を聞いて育ったにもかかわらず、ひじょうに優れた耳の持ち主で、音に対する感性が鋭かった。

そういう感性の持ち主も、それをせいぜい育まなければならない。たとえば、ヴォネガットは自分の書いた文を音読するようにしていた。彼の子どもたちは、バーンスタブルの書斎でヴォネガットが音読していたのを、大人になってからも覚えている。「父は何度も何度も書き直した。書いたばかりの文をぶつぶつと読みながら、頭を前に後ろに傾け、両手で身ぶりをつけて、言葉の調子やリズムを変えていた」ヴォネガットの息子のマークはそういっている。(351)

ケープ〔バーンスタブル郡ケープコッド〕では、ほんとうに独り言ばかりいっていたが、いまはもういわなくなった。なぜかはわからない。誰かに聞かれて、精神病院に連れていかれるのが怖いのかもしれない。でも、若い頃は、ありとあらゆるセリフを試したし、文章がどんな風に聞こえるのか、しゃべりやすいものになっているかどうかを耳で聞いて、いろいろ試した。(352)

独特の文体で知られるほかの作家たち——たとえばグレース・ペイリーなど——も同じようにしていた。声に出して読めば、黙読しているときとはちがった感じに聞こえる。

✻

小説家は音の実験をするチャンスがある。いろいろな人のしゃべり方をまねることもできるし、自分が語る物語に応じて、語り口を変えたり、調子を変えたりできる。それでも、それぞれに固有の音のスタイル――ボイスがある。

昔、私と私の友人でクラスメイトだった南アフリカ人のスティーヴン・グレイに宛てて、カートが手紙を書いてくれたことがある。その中で彼は自分のボイスを大事にするようにとアドバイスしている。この手紙はカートがアイオワ大学の講師を辞めたあとの夏に書かれたもので、スティーヴンと私はケープコッドにいるカートと妻のジェインを訪ねようと計画していた。しかし、スティーヴンがどうしても歯の治療をしなければならなくなって、行けなくなった。きついヨハネスブルグなまりのあったスティーヴンは、カートに手紙を書き、そのことを伝えた。それに対するカートの愉快な返事がこの手紙で、その中ほどの三段落目に、すばらしい創作のアドバイスが書かれていたのだ(写真参照)。

それはスティーヴン・グレイだけでなく、この本の読者へのアドバイスにもなるだろう。どこの出身の誰であっても、自分らしくあるように努めればいい。そうしたら、きっといいことがある。

＊

ヴォネガットは言葉についてはあまり語らなかった。しかし、作品を通じて多くを教えている。このあと紹介するのは、ヴォネガットが言葉とどのように向き合い、用いてきたかに関するちょっとした調査であり、参考までに、そしてできれば創作に取り入れるために、役立ててもらいたい。

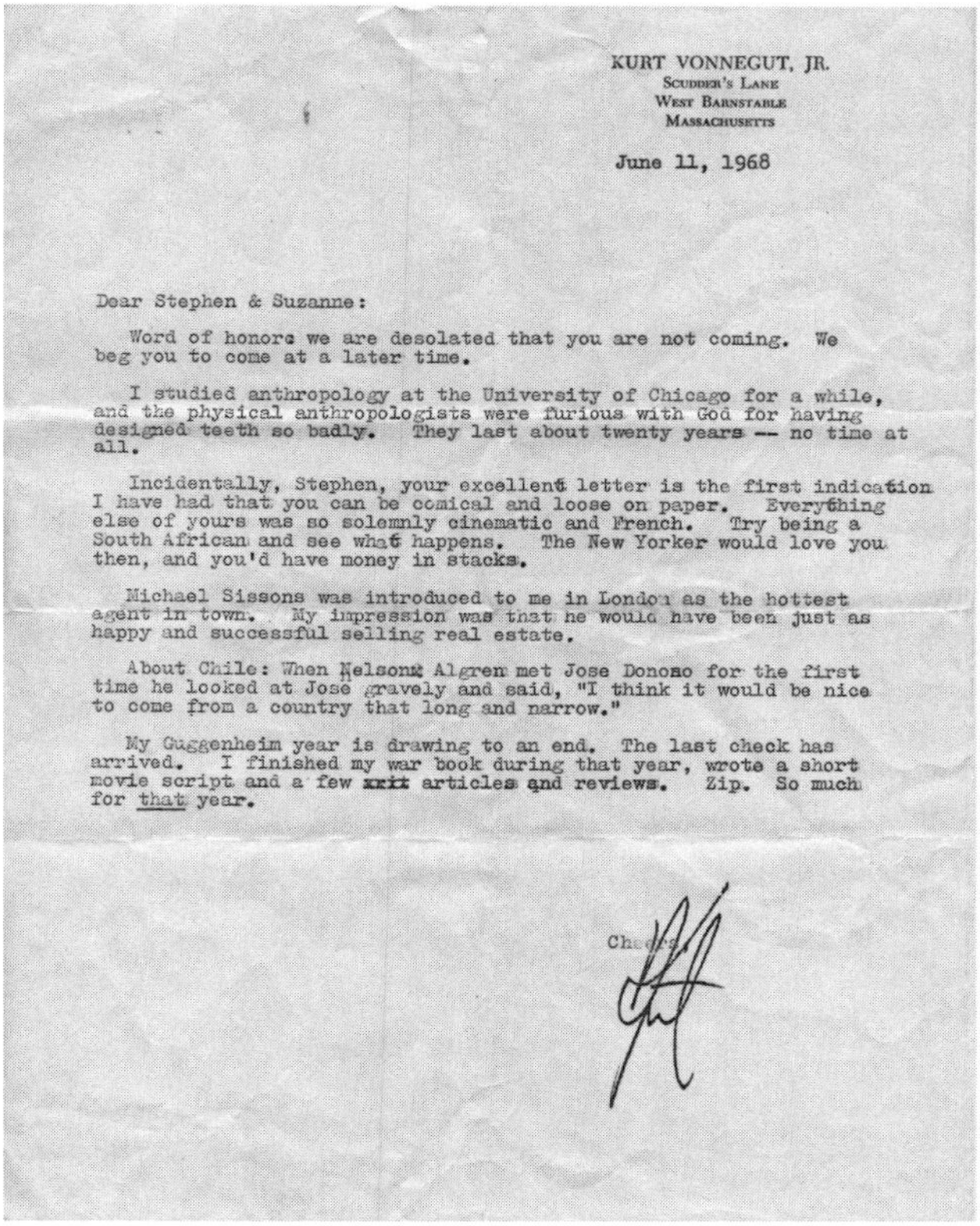

KURT VONNEGUT, JR.
SCUDDER'S LANE
WEST BARNSTABLE
MASSACHUSETTS

June 11, 1968

Dear Stephen & Suzanne:

Word of honor: we are desolated that you are not coming. We beg you to come at a later time.

I studied anthropology at the University of Chicago for a while, and the physical anthropologists were furious with God for having designed teeth so badly. They last about twenty years -- no time at all.

Incidentally, Stephen, your excellent letter is the first indication I have had that you can be comical and loose on paper. Everything else of yours was so solemnly cinematic and French. Try being a South African and see what happens. The New Yorker would love you then, and you'd have money in stacks.

Michael Sissons was introduced to me in London as the hottest agent in town. My impression was that he would have been just as happy and successful selling real estate.

About Chile: When Nelson Algren met Jose Donoso for the first time he looked at José gravely and said, "I think it would be nice to come from a country that long and narrow."

My Guggenheim year is drawing to an end. The last check has arrived. I finished my war book during that year, wrote a short movie script and a few ~~xxit~~ articles and reviews. Zip. So much for that year.

Cheers,

カート・ヴォネガットからスザンヌ・マッコーネルとスティーヴン・グレイへの1968年6月11日の手紙。著者提供。


〈訳〉

差出人　カート・ヴォネガット・ジュニア
マサチューセッツ州ウェスト・バーンスタブル、スカダーズ通り／1968年6月11日
スティーヴンとスザンヌへ
きみたちが来られないと知って、僕らは悲しくてたまらない。また今度でいいから、どうかぜひきてくれたまえ。これは誓って心からの本心だ。

僕はシカゴ大学で少しのあいだ人類学を学んだ。形質人類学者たちは、神が人間の歯をこんなにお粗末につくったことに怒り狂っていた。人間の歯はせいぜい20年しかもたない――あまりにも短いではないか。

ところでスティーヴン、すばらしい手紙をもらって初めてわかったんだが、きみは堅苦しくない、おもしろい文章も書けるんだね。これまでにきみが書いたものはぜんぶ、ものすごくまじめくさった映画のように気取った感じがした。南アフリカ人らしくあるように努めてくれ。そうしたら、きっといいことがある。きみはニューヨーカーに愛されるようになって、たんまり金を稼げるかもしれない。

ロンドンでマイケル・シソンズに紹介された。あっちではピカイチのエージェントらしい。僕の印象では、不動産を売っていても同じくらい幸せで成功していただろうという感じの人物だった。

チリの話だが、ネルソン・オルグレンがホセ・ドノソに初めて会ったとき、オルグレンはドノソを見て、まじめくさってこういったらしい。「あんなに細長い国のご出身とはすばらしいですね」

グッゲンハイム奨励金が受給できた一年が終わろうとしている。最後の小切手が届いたところだ。僕はその一年のあいだに例の戦争の本を完成させ、ショートムービーの脚本を一本書き、記事や書評を二、三本書いた。それでおしまい。もうこれで十分だ。

ではまた、カート

カート・ヴォネガットは音楽に造詣が深かった。しょっちゅう音楽に言及し、すばらしいもの、生命の神秘の証拠だと述べていた。

もし私が死んだら、墓碑銘はこう刻んでほしい。

彼にとって
神が存在することの証明は
音楽ひとつで十分であった[353]

ヴォネガットのつくったもっとも愛らしい生物は、あえていうと、『タイタンの妖女』に出てくるハーモニウムだ。彼らの住む「水星は、水晶でできたゴブレットのように歌っている」。ハーモニウムたちは「洞窟の歌う壁にくっついて［……］その振動から養分を得ている[354]」。

ヴォネガット自身はクラリネットを吹き、ピアノを弾いた。未刊行の初期の長編『Basic Training』の主人公のティーンエイジャーは、ピアニストを目指している。また、初めて出版された長編『プレイヤー・ピアノ』では自動演奏ピアノが登場した。工業化され人間性を奪われた社会というテーマのシンボルとして、当時これ以上ふさわしいものはなかっただろう。

また『母なる夜』では、ナチスによる魂の破壊を痛切に表現するものとして、囚人たちをつらく悲しい仕事に誘う子守唄のような音が登場する。

ひとつだけ、いつも子守唄のようにやさしく、ささやくような声でアナウンスされる命令があった。一日に何度も流れるんだ。それはゾンダーコマンド〔おもに死体処理をする特務班〕の呼び出しのアナウンスだった。(355)

さらに『ガラパゴスの箱舟』では、死者を葬る際に、このようなブラックユーモアの効いた文句がなぐさめとして用いられる。

まあ、残念だが――いずれにせよ、彼にはベートーヴェンの第九のような名曲がつくれる望みはないのだから。(356)

＊

音楽のない人生よりも音楽のある人生のほうが楽しい、という人がほとんどだろう。軍楽隊の演奏であっても、平和主義者の私でさえ、聞くと楽しくなってくる。〔……〕アフリカ系アメリカ人がまだ奴隷の頃に全世界に与えてくれた貴重な贈り物は〔……〕ブルーズだ。今日のポップミュージックはすべて〔……〕ブルーズがルーツといっていい。

全世界への贈り物なんて大げさなんじゃないか、という人もいるかもしれない。しかし、私にとって最高のリズム・アンド・ブルーズのバンドはフィンランドのグループで、男三人に女の子ひと

りのバンド。ポーランド南部のクラクフのクラブで聞いたものだ。(357)

ヴォネガットは小説の中で、ティーンエイジャーの頃に好きだったジャズについてたくさん言及している。『ホーカス・ポーカス』では、主人公がこういっている。

僕が理想の世界にいたとしたら、ほんとうになりたかったものはジャズピアニストだ。

しかし彼が演奏しているのはピアノではなかった。

ルッツ・カリヨンという、ひとそろいの大きな鐘がカレッジの図書館の塔のてっぺんにあって［……］僕の人生の最高に幸せな瞬間は、間違いなく、毎日の始まりと終わりにこの鐘を演奏するときだった。(358)

「フォスター・ポートフォリオ」では、あるピアニストについて、こんな記述がある。

とつぜん彼は鍵盤をたたいた。すると、みだらで低俗で華麗なジャズが空気を揺さぶった。一九二〇年代の熱く激しく耳を聾する音楽がよみがえった。(359)

要するにこういうことだ。

言葉は一種の音楽だ。静かに音と戯れる音楽。カデンツ、ビート、アクセント、トーン。声帯、のど、舌、鼻、唇。私たちがしゃべるためのすばらしい器官は、歌うための器官と同じなのだ。

＊

ヴォネガットは「トタン板」から、独特のラグタイムやリズム・アンド・ブルーズやジャズを生み出した。音をオノマトペという〝言葉〟に翻訳して、魅力的な音楽を作り上げた。いろいろな言語やしゃれた単語をこしらえ、風変わりで鋭い定義づけをした。

＊

ポールはしばし立ち止まって、第五十八工場棟の音楽に耳を傾けた。「……」旋盤たちがテノールを務める。「フラッツ－オウ－オウ－オウ－オウ－オウ－オウ－オウ－アッ！　ティン！　フラ－ッツ－オウ－オウ……」溶接機はバリトンだ。「ヴァァァァァァァ－ッチッ！　ヴァァァァァァァ－ッチッ！」そして地下室を共鳴箱にして、押し抜き機がバスの音声を響かせる。「オウ－グランフ！　トンカ－トンカ。オウ－グランフ！　トンカ－トンカ－トンカ」(360)

「プカ　パラ　ココ、プカ　エボ　ココ、ニボ　アキ　ココ」とブラトプールの国王《シャー》がいった。

「この外国人のだんなはどうしてほしいんだい？」床屋の主人のホーマー・ビグリーがたずねた。

「サイドを少し刈って、後ろも少し刈って、てっぺんはそのまま残してほしいとおっしゃっている」ハシュドラール・ミアズマは国王《シャー》の横の席で蒸しタオルの下からもごもごといった。(361)

ヴォネガットはおかしな韻文もつくった。『猫のゆりかご』と『ジェイルバード』からひとつずつ紹介しよう。

グランファルーンを調べたけりゃ、
おもちゃの風船《トーイバルーン》の皮をむいてみな(362)

かまわんさ死んだって《ドゥー・ダイ》、
死んだって《ドゥー・ダイ》、死んだって《ドゥー・ダイ》！
汁飛ばしたい《ジュース・フライ》、
飛ばしたい《ジュース・フライ》、飛ばしたい《ジュース・フライ》！(363)

『猫のゆりかご』のジョークや金言の大半は、教祖にして独裁者であるボコノンのおかしな宗教用語を通して伝えられる。〈カラース〉〈グランファルーン〉〈ラン‐ラン〉〈ストゥッパ〉〈ダッフル〉〈プール・パー〉などだ。

ボコノン教徒は軽快に音楽を奏でている！

「〈プール・パー〉はときに人間の注釈能力を超える」とボコノンは述べている。ボコノンは『ボコノンの書』のある部分では〈プール・パー〉を「クソやばい状況」と訳し、別の部分では「神の怒り」と訳している[364]。

※

こうしてヴォネガットの作品で音楽と言葉は兄弟のように協力し合っているが、彼の言葉に対する愛は、音楽に対する愛にさえ勝っていた。

一九八〇年代、ヴォネガットと彼の二番目の妻で写真家のジル・クレメンツは、ある演奏会に出席した。一五七〇年ごろに書かれたレクイエムをアンドルー・ロイド・ウェバーが「新しくアレンジした」曲の初演会だ。ウェバーは『ジーザス・クライスト・スーパースター』や『キャッツ』などのミュージカル作品で有名な作曲家だった。

「〔そのレクイエムの〕ラテン語の意味や由来などには、誰も興味がないようだった。みんな音楽を聴きにきたのだ」とヴォネガットは述べている。しかし、プログラムに書かれていた英語の訳詞が彼の目にとまった。「それはひどいものだった！」。その英訳は、死者が「スペイン異端審問とたいして変わらない天国」に迎え入れられることを約束していたのだ。(365)

そこでヴォネガットはそのレクイエムの歌詞を訳し直した。もとの訳と、彼の訳を比較すると、たとえば次のようになる。

我が祈りは価値なきものなれど、
主よ、その慈悲深き御心により、我に寛大なるお裁きを与えたまえ、
我を永遠の業火に追いやることのなきように

私の祈りは届かない
けれど主は畏れ多くも、まるで気になさらないので、
わたしは永遠の業火に焼かれることはない(366)

ヴォネガットは自分の英訳をラテン語に訳し直してくれる訳者と、それに曲をつけてくれる作曲家と、それを演奏してくれる音楽家と上演場所を探した。そして、たまたま陪審員を務めたさいに作曲家のエドガー・グラナと出会い、彼が一年かけてヴォネガットの詞に曲をつけた。

私にいわせれば、グラナの曲は一種のポストモダンで、多彩なクロスオーバーで、セミクラシック

風ビーバップのレモン・マーマレードだった。

もとの曲を聴いてから三年後の一九八八年三月十三日、ニューヨーク州バッファローで、ヴォネガットによると「国内最高のユニテリアン・ユニヴァーサリスト聖歌隊」によって、彼の改訂版レクイエムが演奏された。

しかし、すべてが終わったとき、私はひとつの言葉もはっきりと聞き取れなかった。それほど音楽がすごかったのだ。［……］作曲家と演奏者たちはすばらしい成功をおさめた。［……］がっかりしたのは私だけ。言葉にこだわった偏屈野郎だ。

［……］私が新しい曲ではなく、新しい言葉を書くことによって死者のためのレクイエムをつくろうとした理由は、「はじめに言葉ありき」だからだ。(367)

＊

ヴォネガットは『ローズウォーターさん、あなたに神のお恵みを』の中で、こう書いている。

じつは、地球はすでに知られている全宇宙の中で、ただひとつ、言葉が使われている場所だった。言葉は地球に固有の発明だったのだ。

ほかの星では、テレパシーを使っていた。だから地球人はどこへ行っても、言葉を教える教師として、とてもいいポストにつけた。

宇宙人たちがテレパシーのかわりに言葉を使いたがる理由は、言葉を使った方がもっといろいろなことができると気づいたからだ。言葉のおかげで、彼らはずっと行動的になった。テレパシーを使っていると、みんながみんなにあらゆることをひっきりなしに伝えるために、すべての情報に対して、おしなべて無関心になってしまう。しかし言葉を使えば、ゆっくりと、かぎられた意味しか伝えられない。そのおかげで、一度にひとつずつ考えることが可能となり——計画という観点から物事を考えることが可能になった。(368)

※

ヴォネガットは生涯、作品を通じてさまざまな言葉をつくったり、提示したりしてきた。

［エド・ブラウン博士は］シルヴィアの病気を新しく「サマリトロフィア」と名づけた。それは博士によると、「自分より不幸な人々の問題に対するヒステリー性の無関心」を意味するという。(369)

ドイツ兵と犬が従事していた軍事作戦は、おもしろいほど明白で説明不要な名がついていた。めったに詳しく語られることはないが、ニュースや史実としてその名が報じられるだけで、多くの戦争愛好家にセックスのあとの満足感に似たものを感じさせる人間の営みだ。彼らの想像の中では、それは勝利というオルガスムのあとに行なわれる、すばらしく物憂げな後戯なのだ。その名は「掃討作戦」だ。(370)

✲

ヴォネガットは適切な言葉《ル・モ・ジュスト》を選ぶことにこだわった。

それは、単にもっとも正確な意味を表す言葉を選ぶというだけではない。デューク・エリントンの曲に『スウィングしなけりゃ意味がない』というのがあるが、まさにそのとおり。ヴォネガットが技巧を凝らしたリズミカルな文章をいくつか紹介しよう。

The gun made a ripping sound like the opening of the zipper on the fly of God Almighty.（大砲は空気を引き裂くような轟音を発した。全能の神のズボンのジッパーが一気に開いたような音だった。(371)）

こちらもすばらしい言葉が選択されている。

[Rudy Hertz] popped a nickel into the player piano.（[ルディ・ハーツは] 自動演奏鍵盤《プレイヤー・ピアノ》に5セント硬貨を放り込んだ。(372)）

「p」、「p p」と続く頭韻法にご注目。「popped」という単語がいかに元気よくpop（はずんで）していることか！

There are all these people bragging about how they're survivors as though that's something very special. But the only kind of person who can't say this is a corpse.（世の中には、自分がいかにうまく生き残ったかを自慢する輩が大勢いる。それがえらく特別なことのようにね。そんな自慢ができないのは、死んじまった者たちだけなんだがね。[373]）

この文では、「is a」という軽快なリズムのあとに「corpse」という単語がきて、「コーー」という引き延ばす音のあと、「プス」という破裂音で終わるところがおもしろい。適切な言葉《ル・モ・ジュスト》とは、意味と音とリズムの三拍子がそろって的を射る言葉なのだ。

※

ところで、「的を射る」といえば、プロットの章で述べたヴォネガットの教えを覚えているだろうか。いかにはめをはずした小説でも、読者を満足させるためには、なじみのある小道具を盛りこまなくてはならない、という教えだ。ヴォネガットは、月並みな決まり文句やよく知られている名言をそういう小道具として使っている。

『母なる夜』では、二重スパイを識別する暗号として、「『ブラウニーズ』と呼ばれるアメリカのガールスカウトたちがよく歌う愛唱歌」が使われている。

新しい友だちをつくろう。
でも古い友だちも忘れずに。
新しい友だちは銀、
古い友だちは金。[374]

『ガラパゴスの箱舟』で描かれる驚くべき未来への航海では、マンダラックスという翻訳機が、誰もが知っている名言を次々と吐く。

口にされる言葉やペンで書かれる言葉のうち、
もっとも悲しい言葉は「あのときこうしていればよかった!」だ。
――ジョン・グリーンリーフ・ホイッティアー（一八〇七～一八九二年）[375]〔米国の詩人〕

終わりよければすべてよし。
――ジョン・ヘイウッド（一四九七頃～一五八〇年頃）[376]〔英国の劇作家〕

カート・ヴォネガットは無神論者であるにもかかわらず、聖書からひじょうにたくさん引用している。そう指摘するのは彼の友人でクリスチャンのダン・ウェイクフィールドだ。聖書はかつて一般大衆によく知られていたし、アメリカは昔もいまも、キリスト教徒が大半を占める国だ。ヴォネガットは読者にキリスト教徒の心にもっとも響く言葉を差し向けているのだ(377)。『ガラパゴスの箱舟』でマンダラックスはこんな引用をしている。

友のために己の命を捨てるほど大いなる愛はなし
——聖ヨハネ（紀元前四頃〜三〇年頃）(378)

『チャンピオンたちの朝食』は次のような題辞で始まっている。

神が私を試されても、
私は金のように出でくるであろう
——ヨブ記

『タイタンの妖女』でも、聖書でなじみのある文言を利用している。

始めに神は天と地になられた［……］そして神はいわれた。「我を光とせよ」こうして神は光となられた。

――ウィンストン・ナイルズ・ラムフォード公認改訂聖書(379)

＊

登場人物の名前はどうやって決めればよいだろう？

ヴォネガットは自分の作品の登場人物に同じような名をよく使った。なぜか？　彼の説明はこうだ。

作家が前に書いた本を見直さないとしたら、それは偏屈だからにすぎない。私は見直さないんだ。たぶんその偏屈さは、あまりに長いあいだ本を書いてきたことからくるんだと思う。もうその話はいいじゃないか。登場人物の名前なんてほんとにどうだっていいんだ。『ライターズ・ダイジェスト』のバックナンバーを見てごらん。「登場人物の名前を決める方法」って記事が山ほどあるよ。(380)

しかしヴォネガットが『スローターハウス5』の主人公ビリー・ピルグリムの名を慎重に選んだのは間違いない。初期の草稿では、ほかのいろいろな名前を使っている。「ビリー」という名はいかにもアメリカ人的だ。それはウィリアムの愛称で、男の子の名前だ。さらに、歴史上、最初の入植者たちが特定されている国はアメリカ以外にはあまりないだろう。我々アメリカ人は小学校の頃から七面鳥とともにその最初の入植者すなわち巡礼始祖《ピルグリム》の絵を描いて育ち、感謝祭のたびに彼らのことを思い出す。ビリー・ピルグリムのピルグリムは、この巡礼始祖《ピルグリム》を意味しているのだろう。

ヴォネガットの作品の登場人物は、音から意味が思い浮かぶ名前を持っている場合も多い。たとえば『ローズウォーターさん、あなたに神のお恵みを』のローズウォーターという名は、人生を楽観的に見る〔英語では「バラ色の眼鏡で見る」という〕ことを連想させる。また、古きよき時代にバラ香水《ローズウォーター》をつけていたご婦人方のようなイメージもある。『タイタンの妖女』に登場するラムフォードという名には、裕福なオランダ系の名門の響きがあり、その点でローズベルトと似ている。『ジェイルバード』のメアリー・オルーニーは頭のおかしい人間《ルーニー》を連想させる。例をあげればきりがない。

名前を選ぶにあたっては、ヴォネガットのやり方に倣うといい。意識的に、あるいは無意識に読者に連想してほしい事柄を伝える名前や、経歴や地位、時代などにふさわしい名前を選ぶ。言い換えれば、目で見ても、耳で聞いても適切な言葉《モ・ジュスト》を見つけるのだ。

※

ヴォネガットは自分の知り合いの名を使うこともあった。それは多くの作家がやることだ。たとえば『ジェイルバード』の主人公のスターバックという名は、ヴォネガットがアイオワ大で講師をしていたときの文芸創作講座のトップだった詩人ジョージ・スターバックの姓だ。

『ガラパゴスの箱舟』では、友人や知人、有名人の名前まで、ほとんどそのまま使っている。オナシス夫人はあのオナシス夫人だし、テオドロ・ドノソ博士は、ヴォネガットの友人で文芸創作講座の講師も務めていたチリの作家ホセ・ドノソと姓も特徴も同じだ。「ヘラルド・デルガード二等兵」はヴォネガットの元義理の息子ヘラルド・リベラと似ているし、「メアリー・ヘップバーン」は女優のキャサリン・ヘップバーンや、彼が以前から作品に登場させていたメアリーという名の知人女性たち——戦友の妻のメアリー・オウヘアや教え子のメアリー・キャスリーン・オドンネル——を思い起こさせる。

有名になるにつれて、ヴォネガットはファンを意識した内輪受けするネタを使えるようになった。独自の世界をつくり、以前に使った名前を再利用して、登場人物に親しみが持てるようにしたのだ。小説をたくさん書いて有名になったら、そういうことができる。

※

私は中学生のときのパジャマ・パーティーで、友だちといっしょに彼女の両親が持っていたセックス教本をこっそり彼女の部屋に持ちこみ、書いてあることを声に出して読みあげていった。その本では、性行為の説明のあとに、「これにより、あなたはこの上なくすばらしい快感を得るでしょう」と書かれていた。私たちは落ち着かない気持ちで、くすくすとしのび笑いをもらした。そしてページをめくった。そこにはまた別の体位の説明があって、「これにより、あなたはこの上なくすばらしい快感を得るでしょう」と書かれていた。もう一枚ページをめくると、また別の行為の説明があって「これにより、あなたはこの上なくすばらしい快感を得るでしょう」と書かかれていた。

私たちの笑いは、この文言に向けられるようになった。これ以後、その友だちと私のあいだでは、「これにより、あなたはこの上なくすばらしい快感を得るでしょう」というだけで、あるいは「この上なくすばらしい」というだけでも、大爆笑が起こった。

繰り返しを避けることはよい文章を書くための基本的なルールだ。それは文筆業に携わる人間にとっては常識だ。

※

そのいっぽうで、リチャード・イェーツは文芸創作講座で、私たちにこんな話をした。彼はかつてある新聞でバナナについての記事を読んだ。「バナナ」という言葉を言い換える言葉はあまりない。そこでその記事を書いた記者は「バナナがどうした」「バナナがこうした」という風に、「バナナ」という語を何度も何度も繰り返した。そしていちばん最後に、「この長くて黄色い果物は」と書いた。

※

たいていの場合、同じ単語やフレーズを何度も繰り返し読むのは、いくら「この上なくすばらしい」単語やフレーズでもうんざりするものだ。それは怠慢の証拠であり、滑稽にもなる。

しかし繰り返しは、よく考えた上で使えば、ひじょうに効果的にもなり得る。

『スローターハウス5』の中で、主人公のビリーが、捕まったばかりの他の捕虜たちといっしょに、ドイツ軍の護送列車に乗る場面がある。

ビリーと同じ貨車に乗った兵士たちは、ほとんどがとても若かった――子ども時代を終わろうとしている年頃の若者たちばかりだ。しかしビリーといっしょに貨車のすみに押しこまれた兵士は、もと浮浪者の四十歳の男だった。

「おれはもっと腹が減ってたことがある」とその男はビリーにいった。「もっとひどい場所にいたことがある。こんなのたいしたこたぁない」［……］

「こんなのたいしたこたぁない」浮浪者は二日目にもビリーにそういった。「こんなのぜんぜんたいしたこたぁない(381)」

その浮浪者はクリスマスの日も、八日目も、九日目も「こんなのたいしたこたぁない」と繰り返した。読者は彼が出てくると、また同じことをいうのか、とうんざりしはじめる。その言葉は、繰り返されるたびに、どんどん痛ましくなっていく。

何かを繰り返すことによって、テーマを補強することもできる。『ガラパゴスの箱舟』では、語り手が「彼らは知る由もなかったが」と何度も何度も繰り返す。また「死後の世界へ続く青いトンネル」にもしょっちゅう言及する。この小説をまったく読んだことがなかったとしても、これらのフレーズから、なんとなく想像できることがあるだろう。

このような繰り返しを読むことによって、読者はその文に親しみを感じ、また出てくるのを期待し、自分もいっしょに書いているような気がしてくる。

「そんなものだ（so it goes）」

このフレーズが『スローターハウス5』の中で何度繰り返されたことか。あまりにもたくさん繰り返されたので、「キャッチ＝22」と同じようにたいへんな流行語になってしまった。ヴォネガットの作品に関する本や論評の多くがタイトルにこの言葉を含んでいる。ネットでこの言葉を検索したら、タトゥーや歌や雑誌などに使われているのがわかる。

そもそもこれは以前から英語でよく使われてきたフレーズだ。それが単に繰り返すことによって、重みを増したのだ。

じつは、その言葉は繰り返しによってもともとのニュアンスと反対のニュアンスをもつようになった。もともとビリー・ピルグリムは、そのフレーズを使うことによって、トラルファマドール星人の死生観を受け入れるようになったことを説明していた。

誰かが死んだときは、単に死んだように見えるだけだ。その人物は過去においてはまだしっかり生きている。［……］すべての瞬間は、過去も、現在も、未来も、つねに存在していて、つねに存在し続ける。［……］

トラルファマドール星人が死体を見たときに思うのは、その人物はその特定の瞬間、ひどい状態にあるということだけだ。他の多くの瞬間には、彼はぴんぴんしている。だから、私も誰かが死んだと聞いたときは、肩をすくめて、トラルファマドール星人が死人に関してよくいう言葉を口にするだけだ。それは「そんなものだ」という言葉だ(382)

この死生観は、ビリー・ピルグリムがトラルファマドール星で学んだもっとも重要なことだという。しかし、その後、誰かが死ぬたびに「そんなものだ」と繰り返され、そのいっぽうでトラルファマドール星人の死生観は一度しか説明されない。そのせいで、このフレーズは、この世の終わりに死神が登場したかのような重みを帯びていったと思われる。そこにはトラルファマドール星人が教えた、存在の信じられない軽さは感じられない。

※

音とリズムはそれ自体で意味を伝えることができる。繰り返すことによって、その効果はさらに大きくなる。

「そんなものだ (so it goes)」というフレーズを英語でいうとき、舌は三つのステップを踏む。三つ目のステップは下降して、少し引き延ばされる。そのせいで、いかにもあきらめの境地におちいったように聞こえるのだ。

『タイタンの妖女』では、兵士たちの行進に使われるスネアドラムが繰り返し唱える文句が耳に残り、言葉による説明をしのぐ力を持っている。

借りたテント、テント、テント、(Rented a tent, a tent, a tent,)
借りたテント、テント、テント。(Rented a tent, a tent, a tent.)
借りたテント！ (Rented a tent!)
借りたテント！ (Rented a tent!)
借りた、借りたテント。(Rented a, rented a tent.)[383]

このスネアドラムの音は、「テントのレンタル」という章の冒頭にくる。そして、ごく短いその章の中で四回繰り返される。おかげで、批評家のジェローム・クリンコウィッツが書いているように、「その章が終わる頃には、このナンセンスな繰り返しの文句が、ほかのどんな演説にも増して、自由と束縛に関するきわめて理にかなった声明のように聞こえてくる[384]」

同じ『タイタンの妖女』に登場するハーモニウムという生物も、その限られたボキャブラリーで単調な歌を繰り返すことで、まったく別の効果を耳にもたらす。

ハーモニウムはふたつのメッセージしか発することができない。第一のメッセージは第二のメッセージに対する自動的な反応で、第二のメッセージは第一のメッセージに対する自動的な反応だ。

第一のメッセージは「私はここにいる、私はここにいる、私はここにいる」。

第二のメッセージは「あなたがいてうれしい、あなたがいてうれしい、あなたがいてうれしい[385]」。

もしハーモニウムがこのふたつのメッセージを、それぞれ繰り返しのない形で発していたら、つまり「私はここにいる」と「あなたがいてうれしい」というだけのやりとりだったら、こんなに魅力的で、意味深で、わらべ歌のようなインパクトのあるものにはならなかっただろう。

※

トラウトは［……］ある物語を［……］［『チャンピオンたちの朝食』の中で］つくった［……］それは言葉がすぐ純粋な音楽に変わってしまう惑星の話だ。そこに住む生物は、音に魅せられていた。単語はひとつひとつの音になる。文はメロディーになる。それは情報を伝える道具としては役に立たなくなった。もはや誰も言葉の意味を知らず、気にかけることもなくなったからだ。

そこで政府やビジネスの指導者たちは、言葉がちゃんと機能するように、簡単に音楽に変わってしまわないような、ひどく醜い単語や構文をしょっちゅう新しくつくらなければならなくなった。(386)

第28章 目で見る散文

PROSE, THE VISUAL

書かれた言葉は一種の視覚芸術である。

句読点と呼ばれる視覚装置は、読者にどこで立ち止まって、どこで終わるかを指示する。また、より重要な部分（あるいはあまり重要でない部分）について注意をうながす。引用符は誰かがしゃべっていることを示し、段落は新しい考えがここから展開することを示し、段落のあとが一行空いていたら、話題や時間や視点が変わることを示している。

以下省略。

句読点や段落がない文章を読んだら、そういう視覚装置がいかに文章を判読するのを助けているか、すぐにわかるだろう。

このように、散文には視覚的側面があるが、私はそれに関して、強く印象に残ったことがある。作文の補習授業をしていたときに、生徒に自分の作文を読ませると、必ずしも実際に書いたとおり読むとはかぎらなかった。生徒たちは、自分がこう書こうと「思っていた」ことを読み、綴りが間違っている場所に出くわしても、コンピュータのスペルチェックのように、読みながら間違いを正していく。実際に紙に書かれているものを見ていないのだ。

文章のもつ視覚的側面を示すさらなる証拠として、「タイポグリセミア」という現象を見てみよう。

タイポグリセミアの例

私は、このうよな文章を、ほとんうに、理解きでるとは、思いまんせでした。にんげのん脳は、おろどくべき能力をもってまいす。ケブンリッジ大学のけんゅきうによると、ひとつの単語のなかで、文字がどんなじんゅじょで並んでいようと、たしいた問題ではなく、大事のなは、さしいょとさいごの文字がただしい場所にあること、なのだそでうす。ほかの文字は、めちゃちくゃなじゅじんょでも、人はそれを、問題なく読めしてまうのです。これは、にんげのん脳が、すてべの文字を、ひつとひとつ、読んいでるのでなはく、単語全体として、読でんいるからなでのす。おどきろですね。

※

カート・ヴォネガットは文芸創作講座の教室で、よく落書きをした。カートの父と祖父は建築家で、姉は才能のある芸術家だったし、娘たちは画家で、息子は医師で作家で絵も描いた。カートが幼い頃住んでいた家は父が設計したもので、ひじょうに美しい家だった。だから、彼が音感だけでなく視覚的感覚も磨かれたのは当然のことだった。

ヴォネガットは『スローターハウス5』で架空の宇宙人トラルファマドール星人を通して、自分の文体について明らかにしている。

ビリーはもちろん、トラルファマドール星の言葉は読めなかった。しかし少なくとも、彼らの本のページを見ることはできた——いくつもの記号がひと塊に並んでいて、それが星印によって短く区切られている。まるで電報みたいだ。ビリーはそう感想を述べた。

「いかにも」と声がいった。

「ほんとうに電報なんですか?」

「トラルファマドール星には電報はない。しかしきみのいうとおり、それぞれの記号の塊は、短い、差し迫ったメッセージなのだ——それは状況や場面を説明している(387)」

あるインタビューで、ヴォネガットはどうしてそのような文体に行き着いたのか説明している。

僕は[コーネル大学の学生新聞の]『サン』の先輩たちから、たくさんアドバイスを受けた。[……]大きくて長ったらしい段落は読者に読む気を失わせるし、紙面の見てくれが悪くなる。彼らの方針は、基本的にビジュアル重視だった——つまり、段落は短く、一文だけということもしょっちゅうだった。その方針はうまくいっているように思えた。私にとっても、読者にとっても都合がいい。

それで私は小説家として食っていくと決めたときに、そのスタイルを守ることにしたんだ。[388]

✼

ほかの作家や芸術家と同じように、ヴォネガットのスタイルも進化していった。誰でも進化する。

当初は未刊だった処女小説『Basic Training』では、ときたまちょっと変わった文が顔を出して、将来の文体をほのめかす程度だった。続く二本の長編小説で、ヴォネガットは世界や言葉を創造し、詩や歌を挿入し、地の文でも遊ぶようになった。

しかし、すべての章で「短い差し迫ったメッセージ」が電報のように伝えられはじめるのは、三番目の長編『母なる夜』からだ。

ヴォネガットは文芸創作講座で私たち学生に、『猫のゆりかご』はジョークの形式で書かれている、といった。ジョークも、電報も、そして詩も、多くの共通点がある。

✼

文の形は服に似ている。それは文の内容がまとうものだ。広告をつくる人間はこのことをよく知っている。

ヴォネガットはティーンエイジャーの頃、広告の仕事をしていた。

私はティーンエイジャーの服の広告のコピーを書かされた。自分がほめた服を着なければならなかった。それも仕事の一部だった。[389]

ヴォネガットはよれよれの服を着ていたが、外見の大切さはわかっていた。『母なる夜』の主人公ハワード・W・キャンベルがそれについて語っている。

ハワード・W・キャンベル・ジュニアはいまや第二次世界大戦に駆り出されたアメリカ軍兵士の制服について論じていた。**歴史上いかなる軍隊も、金回りがよかろうと悪かろうと、最下級の兵卒にいたるまで、本人はもちろん、誰が見ても立派だと思うような制服をあてがうよう努めてきた。兵士たちが酒を飲むときも、女と寝るときも、略奪をするときも、突然死ぬときも、スマートな軍人であるように見せるためだ。**[390]

私は一九八〇年代にプラハの共産主義歴史博物館に行き、ナチスの将校たちの制服の展示を見た。そのとき、それまで一度も気づかなかったことにはたと気づいた。ナチスは兵士たちに、「自分は誰が見ても立派だ」と強烈に思わせる方法を心得ていた。

それに対して、『スローターハウス5』のビリー・ピルグリムは、捕虜になったとき、こんな服装をしていた。

ビリーはヘルメットも、外套も、武器も、ブーツも持っていなかった。足に履いているのは、民間人が履く安物の短靴で［……］しかも片方の靴のかかとが取れていたので、ひょこひょこと上下に揺れながら歩かなければならなかった。［……］

彼はどう見ても兵士のようには見えなかった。まるで汚らしいフラミンゴのようだった。(391)

登場人物のひとりに、ビリーが到着する何ヵ月も前からドレスデンで捕虜になっていたイギリス兵がいて、ビリーやほかの新入りの捕虜たちに、生き残るコツを伝授する。

「自分の外見に誇りをもつことをやめたら、死ぬのは近い」そのイギリス兵は、何人もの男たちが次のような経過をたどって死んでいくのを見たという。「まず、まっすぐ立つのをやめ、そのあと髭を剃ったり洗顔したりするのをやめ、そのあとベッドから出るのをやめ、そのあとしゃべるのをやめ、そのあと死ぬんだ(392)」

ヴォネガットが書いた「名文の書き方」という記事は、インターナショナル・ペーパー・カンパニーがスポンサーを務めた連載記事のひとつで、『ニューヨーク・タイムズ』に掲載された。その内容についてはこの本の第一章で紹介したが、ヴォネガットのエッセイ集『パームサンデー』にも、その記事の全文が掲載されている。しかし、そこでは、新聞記事に載っていた写真やイラストなどのグラフィックはカットされている。今回初めて、この本の見返しの部分に、かつての新聞記事をそのままの形で再現した。

写真やイラストがなければ、その記事のおもしろさは半減してしまう。新聞記事どおりの段組みで、ナンバーやインデントや太字やイラストや写真などを使って説明されなければ、ヴォネガットの教えもひどく印象が薄くなってしまう。文章だけでは、視覚に訴えるものがないからだ。

皮肉にも『パームサンデー』では、「名文の書き方」が、視覚的には名文といえない書き方で掲載されてしまったのだ。

＊

要するにこういうことだ。

見た目は大事。本でも、人間でも。

＊

ヴォネガットはよく小説の地の文のあいだに、他の形式の文――戯曲や詩や引用句など――をはさみ込んだ。形式とともに音感も変わることで、読者はほっと一息つくことができる。形式の変更は、物語のテンポを調整する役割を果たすのだ。

『デッドアイ・ディック』はひじょうに陰うつな作品だが、私はそれに料理のレシピを挿入することを試してみた。これはとてもおもしろいアイデアじゃないかとふと思いついたんだ。腕のいい料理人というおあつらえ向きの登場人物もいた。そこでその料理人に、彼がとくに得意としている料理のレシピを語らせることにした。その部分はページの見た感じがすごくおかしくて、しかもすごく食欲をそそる。これは演劇なんかでよく音楽が果たすのと同じくらいの効果があると実感した。メロディーを聞くのは楽しいし息抜きになる。レシピを使ってそれと同じような効果をもたらすことができるんだ。なぜかというと、ほとんどの人間は食べ物には目がないからね。(393)

ヴォネガットはまた、いくつかの作品の中に、いたずら書きのような絵を描きまくった。それがとくに目立ったのは『チャンピオンたちの朝食』だ。ほかの作品でも、もう少し落ち着いたグラフィックを挿入している。

どういうわけか、短いエピソードや短いエッセイを書いて、それをいろんな記号を使って分けるのがすごく楽しいことを、私は発見した。(394)

記号とは、たとえば――――とか、＊＊＊などだ。

また、『ホーカス・ポーカス』では、いくつかの小文字を大文字にしたり、「数字が目立つように」、twoという単語のかわりに2という数字を使ったりした。『ジェイルバード』では、年代を表す数字を通常とは違う書き方、たとえば「千九百と七十五年」などと書いたりした。『ガラパゴスの箱舟』では、もうすぐ死ぬ登場人物の名前に＊をつけたりした。

これらはすべて「メロディーと息抜き」のためであり、「ページの見た感じ」をよくするためだった。

それと、私はジョークが好きなので、私の本はジョークの寄せ集めみたいなものになりがちだ。悲劇小説というより喜劇小説だね。(395)

＊

読者の中には、「そんなものだ」という文句の繰り返しにいらつく人もいる。

同じように、こういう悪ふざけのようなグラフィックが入った紙面にいらつく人もいる。

私もときどきいらつく。

批評家たちはヴォネガットの作品を、こういう小細工をしていることや、読みやすいことから、低く評価することがある。批評家だけでなく、一般の読者もそうだ。たとえば、ヴォネガットの作品はカレッジやハイスクールの授業で読んだ、という人がよくいる。そうでもなければ、彼の作品をまじめな作品だとは思わなった、とでもいうように。作家のジョン・アーヴィングは雑誌『ニュー・リパブリック』の中で、ある批評家への返答として、こう主張している。「ヴォネガットの作品のわかりやすさは、熱心で勇敢な努力の成果だ。それは、『とても複雑で読むのにとてつもない努力が必要でなければ、すばらしい作品ではない』というばかばかしい考えをこきおろしている」。

ヴォネガットの遊び心は、彼が文法や句読点の打ち方などに無頓着だという間違った印象を与える原因にもなっている。先週も、コロンビア大学のある大学院生が、私にそうほのめかした。それはまったくの間違いで、ヴォネガットの作品は文法も句読点の打ち方も完璧だ。

彼がこんなにふざけることができるのは、言葉と、それを書く技術や様式をしっかり自分のものにしているからだ。熟練の技がなければ、自由にふざけまわることはできない。

＊

ヴォネガットのアイオワ大の教え子のバリー・カプランは、たったひとつの文から成る三ページの短編小説を課題として提出したことがある。「それは、統計的確率に関する数学の公式を表した文だった。ヴォネガットに、数学を専攻していたのかと聞かれたよ。それで、文法的に正しい形でひとつの文をどれくらい長く書けるかためしたかったので、その公式をでっちあげたんです、と答えた。彼はそれを気に入ってくれた」

＊

ヴォネガットの段落分けの効果については、それだけで研究課題になるくらいだ。実際、そんな研究をした人がいるかもしれない。

段落を分けることによって生まれるスペースは、目や脳が一時停止するのにちょうどよいだけでなく、それによって前の段落の最後の文と次の段落の最初の文をそれとなく強調することができる。このことを、『ホーカス・ポーカス』の次の一節で確認してほしい。

そのファイルの中には、僕の性生活を調べるためにワイルダーが雇った私立探偵の報告書が入っていた。［……］彼はズズと僕が二学期のあいだにやったことについて、細大もらさず書いていた。しかし、その中に、ひとつだけ誤解している点があった。それは、僕が馬小屋の屋根裏に行ったときのことだ。そこは塔ができる前、ルッツ・カリヨンが保管されていた場所で、テックス・ジョンスンが二年前にはりつけにされた場所でもある。僕はある生徒のおばだという女性といっしょにそこへ上がった。その女性は建築家で、馬小屋の木釘を使った柱や梁の構造を見学しにやってきたのだ。探偵は僕とその女性がそこで性交に及んだと書いていたが、それは誤解だ。

僕らが性交に及んだのは、その日のもっと遅い時間帯、馬小屋の横の道具小屋でのことだ。もう日が暮れて、小屋はマスケット山の落とす影に包まれていた。(396)

＊

『タイタンの妖女』のハーモニウムについて書かれた章はひじょうに魅力的だが、ヴォネガットはそれについて物語のテンポという観点から説明する。それは「物語をしばらくのあいだ明るくする方法なんだ」と、あるインタビューでジョン・ケイシーに語っている。さらに、以前は〝その手のこと〟をよく考えていた、ともいっている。

いまはもう、そんなことは考えない。かつて、私がひじょうに熱心な駆け出しの作家で、ケネス・リタウアという師匠がいた頃の話だ。リタウアは古き良き時代の雑誌の編集者で、エージェントで、すばらしい紳士でもあった。私たちはその手のことをよく話し合ったものだ。つまり、暗い場面のあとには明るい場面を持ってくるとか［……］登場人物が急いでいるときには短い言葉を使って書くとか、寝ているときは長い言葉で長い文を書くとか。それらはどれも正しいことで、物語のテンポとか視点とかに関してリタウアから学んだことだ。『ライターズ・ダイジェスト』なんかで論じられているような、きちんとしたことで、尊重すべきこと、知っておくべきことだ。(397)

ヴォネガットが〝その手のこと〟をずっと考え続けていたことは明らかだ。ただ、意識はしていなかったかもしれない。とても熟練した手さばきで、本能的に、明と暗を行き来し、音と見た目のリズムを整えていた。

＊

普通の散文において、会話の部分はもっとも視覚的な構成要素だ［ちなみに、会話における記号の使い方や書き方がわからない人は、私のホームページで説明しているのでのぞいてみてほしい］。ベテランの作家でも、会話の使い方には注意が必要だ。

ページの上でよい会話が展開されると、テニスの試合を見ているような感じがする。いっぽうがボールを打つ。もういっぽうが打ち返す。

誰がしゃべったかをいちいち特定することなく、ただ会話のラリーが続く。

大事なのは、そのラリーをできるだけ邪魔することなく、誰がしゃべったかをはっきりさせることだ。

ヴォネガットは『Man Without a Country（国のない男）』の中でこう述べている。

✻

小説を書くときの注意。

1　セミコロン（；）を使ってはいけない。あれはあいまいでまぎらわしく、矛盾に満ちた、まったく無意味な記号だ。作者が大学に行ったということをひけらかす以外、なんの役にも立たない。[398]

✻

『プレイヤー・ピアノ』の最初のページでうまく使われたふたつのセミコロンに注目してほしい。書いたのはもちろん、ほかならぬカート・ヴォネガットだ。

In the northwest are the managers and engineers and civil servants and a few professional people; in the northeast are the machines; and in the south, across the Iroquois River, is the area known locally as Homestead, where almost all of the people live.（北西地区は経営者や技術者や公務員、それに数少ない専門職の人間が住んでいる地区、北東地区は機械たちの地区、そしてイロコイ川の向こうの

南部地区は地元ではホームステッドと呼ばれ、イリアムの大半の人々が住む地区となっている。[399])

＊

「あいまいでまぎらわしく、矛盾に満ちた」云々のアドバイスと矛盾してるじゃないかって？　まあ、これは例外だ。

セミコロンも悪くはない。

使う場所をちゃんと心得てさえいれば。

第29章 ジョーク好き

THE JOKE BIZ

作家にジョークの才能があるとなぜいいかというと、何かすごくおもしろいことがあったときに、すごくおもしろく書けるからだ[400]。

末っ子だったヴォネガットは、何かおもしろいことをすると家族の注目を集められることに気づいた。もともと喜劇が好きで、その才能を伸ばしたいと思う気持ちもあった。そういうジョーク好きの人にとっては、この章と次の章は、とくに役に立つ章になるだろう。いずれにせよ、小説の書き方についてヴォネガットのアドバイスをまとめた本なら、彼がどうやってユーモアをつくっていたか、そしてユーモアについてなんといっていたかを書かずには終われない。

ヴォネガットは「たいていの同業者よりジョークを書くのがうまい」と自認していた。実際、たいていの人間よりジョークがうまかった[401]。シドニー・オフィットは一度カートといっしょにポルノ映画をみにいったことがある、と私に話してくれた。ずいぶん人気のある映画だったので、どこがいいのかたしかめにいこうとなったらしい。それは、のっけから乱交パーティーで始まった。三十分もすると、カートは席を立って外へ出ていった。シドニー・オフィットもついていった。「いいものもほどほどにしないとな」とカートはつぶやいた。

※

私はジョークをつくることをなりわいとしている。それは卑小な芸術だ。私にはもともとジョークの才能があった。それはネズミ捕りの罠みたいなものだ。仕掛けをつくって、バネを引いて、留め金をはずす、そしたらガチャン！　私の本はつまるところ、小さなかけらをたくさん寄せ集めたモザイク画みたいなもので、ひとつひとつのかけらがジョークなのだ。それは五行のジョークかもしれないし、十一行のジョークかもしれない。［……］私がこんなに書くのが遅い理由のひとつは、すべてのジョークをうまく効かせようとしているからだ。それはどうしてもやらなければならないことで、そうしないと本が成立しなくなってしまう。(402)

〝ネズミ捕りの罠〟はどうやってこしらえるのか？
エサで釣るのがヴォネガットのよく使った方法だ。前章の最後のほうで、段落の効果を実証するために引用した『ホーカス・ポーカス』の一節をもう一度見てほしい。語り手の性生活が調査されたという一行目の文によって、読者は何かひじょうに猥褻なことが暴かれるのではないかと期待する。これでもう、引っかかったも同然だ。読者は調査した探偵と同様に、女たらしの語り手と彼が馬小屋の屋根裏へ案内する女性建築家が性交に及んだのではないかと想像する。しかし「それは誤解だ」でその段落は終わる。

意外な展開に読者は驚く。同時にちょっとがっかりする。

そこへ、「留め金をはずしてガチャン」の決めの一文がやってくる。「私たちが性交に及んだのは、その日のもっと遅い時間帯だ」。新しい段落をこの一文で始めるのは、強調のためにも、笑いを誘うためにも、すばらしい。

もっと念入りにこしらえられた罠もある。ちょっとした小話のようなジョークだ。『ローズウォーターさん、あなたに神のお恵みを』の中で、主人公のエリオット・ローズウォーターが、上院議員の父親と話している場面だ。

「じつは」とエリオットはいった。「キルゴア・トラウトはかつてある小説で、悪臭と戦うことに躍起になっている国のことを書きました。その国は、悪臭との戦いを国策として推進しているのです。その国には病気も犯罪も戦争もないので、悪臭を敵と定めたのです」〔……〕

「その国は悪臭と戦うための大規模な研究計画を立てていました。〔……〕しかし、その国の独裁者でもある主人公が、科学者ではないにも関わらず、科学の壁を突破する画期的な成果をあげ、もう大々的な研究の必要はなくなりました。主人公はまさに悪臭問題の根源に対処したのです」

「なるほど」と父親の上院議員はいった。彼はキルゴア・トラウトの小説が大嫌いで、そんな話を始める息子に閉口していた。「その主人公はすべての悪臭を取り除く化学物資を見つけたんだな？」上院議員は息子の話が早く終わるように、そういった。

「いいえ、さっきいったとおり、彼は独裁者だったので、すべての国民の鼻を切り取ったのです[403]」

※

ヴォネガットの作品には、まとまった形のジョークだけでなく、ひとつの文や文の一部として、あちこちにユーモアが散りばめられている。おかげで、さまざまな現実の断片を彼の喜劇のレンズを通して見ているような感じになる。

たとえば、ヴォネガットは視覚的なメタファーや言語的なメタファーを解体したり、もてあそんだりしている。

彼はひとつの体に合体した夫婦を思い浮かべた——肉体的な異形、痛ましく奇妙で無力なシャム双生児だ。[404]

「そこにいる女だ」

「そんなの女じゃない。ただの紙切れだ」

「私には女に見える」フレッド・ローズウォーターは横目で見ながらいった。

「だからあんたは簡単にだまされるんだよ」ハリーはいった。「あれは紙にインクで印刷されたもんだ。その女はそこのカウンターの上に寝転がってるんじゃない。何千マイルも離れたところにいる。おれたちが生きていることも知らないんだ(405)」

ヴォネガットが訳し直したレクイエムのもとの英訳はこんな言葉で始まる。「主よ、彼らに永遠の眠りを与えたまえ、そして絶え間なく輝く光で彼らを照らしたまえ」。これについて彼は括弧つきで次のようにコメントしている。

書かれた言葉を文字どおり受け取るばか正直な人間なら、この詞から、ハクスリーやケネディやセリーヌやヘミングウェイや私の姉や最初の妻のジェインやそのほかすべての死者たちが、灯りがつきっぱなしの部屋でなんとか眠ろうと苦労している様子を想像するかもしれない(406)。

言葉そのものに注目することによって、読者は一般的に容認されているメタファーに疑問を抱き、文字どおりの言葉の意味の滑稽さに気づくのだ。

＊

もうひとつ、ヴォネガットが気の利いたジョークとしてよく使う方法がある。それは、彼が化学や人類学の教育を受けたことと深く関係していて、物を科学的人類学的見地から擬人化することだ。

洗面台の上の靴に押しこまれた靴下の、靴下留めの端が水につかっていた。世にも不思議な毛細管現象のおかげで、その靴下留めは、みずからはもちろん、靴下までびしょぬれにしていた。(407)

ドウェインの体の中の有害物質は、弾丸を込めた38口径の拳銃を枕の下から取り出させ、それを口の中に突っこませた。拳銃とは人間の体に穴を開けることだけを目的とした道具だ。(408)

ちなみに、我々は全員、ひとつの球体の表面に貼りついていた。この惑星はボールの形をしていたのだ。なぜ我々が落っこちないのか、誰にもわからなかった。しかし、みんなわかっているようなふりをしていた。

ほんとうに頭の切れる人々は、金持ちになるためのいちばんよい方法は、人々が貼りついていなければならない惑星の表面の一部を所有することだと気づいた。(409)

＊

ヴォネガットと姉のアリスはふたりともドタバタ喜劇が好きだった。彼は『パリス・レヴュー』のインタビューでジョージ・プリンプトンにこう語っている。

私たちはローレル&ハーディー〔米国の喜劇映画俳優コンビ〕が大好きだった。私と姉がいちばん好きだったのは、ある映画の一場面だ。ひとりの男がみんなに別れのあいさつをして、さっそうと扉から出ていくんだけど、扉の向こうはクローゼットだった。男はもちろん、また出てこなくちゃいけなくて、ハンガーやスカーフが体じゅうに引っかかった姿で現れるんだ。[410]

『ジェイルバード』では、ふたりの人物が親密な関係にあることを、そのふたりがばかばかしい質問と答えを言い合うことで表している。セアラというナースは若い頃、七年間、語り手のウォルターの恋人——初めての恋人——だった。それから何年ものちにウォルターはこう回想している。

セアラについて、どんな甘い思い出があるかって？　私たちは、人間の苦しみと、それに対して何ができるかについて、ずいぶん話し合った——そのあと息抜きのために、子どもじみたふざけ合いをした。お互いにいろいろなジョークを仕入れておいて、その息抜きの時間に話すんだ。私もセアラも、電話で何時間も話すのをやめられなかった。それは私がいままでに知っているかぎりでは、もっとも心地よい麻薬だ。私たちは肉体を離脱した——惑星ビクーナの人々のように、魂だけで自由に飛ぶことができるみたいだった。もし長い沈黙があったら、どちらかがジョークでその沈黙を終わらせるんだ。

「酵素《エンザイム》とホルモンの違いは何でしょう」とセアラが私に聞く。

「わからないな」と私。

「酵素は声をあげないのよ〔ホルモンの英語の発音が「ホアー・モウン」で、「売春婦があえぐ」という文と同じだから〕」セアラはそういい、そのあとばかばかしいジョークがえんえんと続く――たとえ彼女がその日、病院で何か恐ろしいものを見ていたとしても。[411]

それから何十年もたって、ふたりはお互いを見つける――どちらも六十を超えている。ウォルターは刑務所から出てきたばかりだ。最初の会話は電話越しだった。近況を交換し、思い出話をして笑い合う。こんなにいろいろあったのに、まだ笑えるなんてすてきね、とセアラはいった。「少なくとも、私たちにはまだユーモアのセンスがあるのね」〔……〕

「そうとも、少なくともそれだけは」私はいった。

「ねえ給仕さん」と彼女はいった。「このハエは私のスープの中でいったい何をしているのかしら?」

「え?」と私。

「このハエは、私のスープの中で何をしているのかしら?」彼女が繰り返す。

そのとき、記憶がよみがえった。これは私たちが電話でえんえんと続けたジョーク合戦の出だしでよく使ったジョークだった。私は目を閉じた。答えをいうと、電話は私にとってタイムマシンとなった。おかげで私は千九百と七十七年から逃れて、四次元の世界に突入することができた。

「背泳ぎをしていると思われます、マダム」と私は答えた。

「給仕さん、私のスープには針も入っていたわよ」

「申し訳ございません、マダム。それは印刷ミスのせいなのです。ほんとうは針《ニードル》ではなく、麺《ヌードル》が入っているべきでした(412)」


このようなジョークの応酬が三ページ以上、えんえんと続く。こういうありきたりのジョークを小説の中でうまく使うには、本物の舞台監督のような腕が必要だ。ヴォネガットはそれをうまくやってのけた。それは、彼がそれらのジョークを、セアラとウォルターの絆を示す素材として使ったからだ。

それに加えて、このような絆を描くことで、姉と自分の絆に思いをはせ、同じようななぐさめと喜びと連帯感を読者に提供しているのだ。

＊

以下にあげた例では、ヴォネガットは、言い古されたジョークを飛ばすと同時に、そういうジョークがいつまでも新鮮であることに言及している。

そのいっぽう、自傷行為防止の緩衝材が張られた独房で、私は大学一年のときに学内誌『ハーヴァード・ランプーン』で読んだジョークをひとりでつぶやいていた。当時の私は、そのジョークがひどく猥褻に思えてショックを受けた。その後、青少年問題に関する大統領特別顧問となったとき、ふたたび大学の学内誌を読まなければならなくなって、同じジョークがそっくりそのまま年に何度も掲載されていることを発見した。

そのジョークとはこんなものだ。

女：よくもそんなひどいキスの仕方をするわね。
男：マカロンをぜんぶ食べたのは誰か見つけようとしただけさ。(413)

郡内のあちこちで、「冗談好きの連中が待ってましたとばかりに、根も葉もない言い古されたジョークを飛ばした。それは消防署の隣で保険代理店を開いている消防署長のチャーリー・ウォーマーグランについてのこんなジョークだった。「チャーリー・ウォーマーグランもびっくりして、秘書に入れたものを半分引っこ抜いたにちがいない(414)」

※

ヴォネガットは子どもの頃に、キン・ハバードの影響を受けた。

キン・ハバードはインディアナポリスのユーモア作家で、私が子どもの頃には新聞に毎日ひとつジョークを書いていた(415)。

私が思うに、キン・ハバードはオスカー・ワイルドと同じくらい機知に富んでいた(416)。

ヴォネガットはまず『ローズウォーターさん、あなたに神のお恵みを』の中で、その後『スローターハウス5』の中でふたたび、キン・ハバードのもっとも有名なジョークを使い、敬意を表している。

「そうだなあ」ひとりがようやくいった。「貧乏なことはちっとも恥じゃない」これはインディアナポリスのユーモア作家キン・ハバードのよくできた古いジョークの前半だ。「そうさ」ともうひとりが後半をいう。「けど、恥と似たようなもんだ(417)」

アメリカは地球上でもっとも豊かな国だが、国民は大半が貧乏だ。そして貧乏なアメリカ人は自己嫌悪におちいらざるを得ない。アメリカ人のユーモア作家キン・ハバードはこういった。「貧乏なことはちっとも恥ではないが、恥と似たようなもんだ(418)」

『タイムクエイク』では、こう書いている。

インディアナポリスのユーモア作家キン・ハバードは禁酒法について、「酒がまったくないよりはましだ」といっていた。[419]

ハバードのジョークはアメリカ国民が共有する金言になっている。私が初めてこのふたつのジョークを聞いたのは父からだった。父は禁酒法時代にティーンエイジャーで、大恐慌の時代には、鉄道に乗って農場での仕事を探しにいったという。私はそのジョークの由来を、ヴォネガットの作品を読むまで知らなかった。

マーク・トウェインも同時代のアメリカの状況に同じようなまなざしを向け、アメリカの人々に同じようなぐさめと機知を与えた。ヴォネガットは息子にマークと名づけるほどトウェインを尊敬していた。

おそらく現代のアメリカには、ヴォネガットにちなんでカートと名づけられた子どもたちがいるに違いない。

第30章 ブラックユーモア

BLACK HUMOR

私がさんざん不幸にしたおかげで、彼女はユーモアのセンスを伸ばしていった。結婚した当初の彼女には、間違いなくそんなセンスはなかった。[420]

『青ひげ』の中のこの文は、別の種類のユーモア、つまりヴォネガットがもっとも得意とするブラックユーモアとはどういうものか表している。その源泉は、無力感と絶望だ。彼はこう説明している。

笑うことと泣くことは、人間がほかにどうしようもないときにすることだ。[421]

『猫のゆりかご』の一場面は、ヴォネガットのどの作品のどの場面よりも、その状況をうまく表している。登場人物のフィリップ・キャッスルが、サンロレンゾという架空の島の沖合で起こった悲劇的な船の難破事故について語っている。事故で乗客は溺れ死んだがネズミは生き残って、大量のネズミが島に上がってきた。その結果ペストが大流行する。

「父の病院では、十日間に千四百人が死んだ。ペストで死んだ患者を見たことがあるかい?」(彼は死体が黒くなることやリンパ腺が腫れあがることや〝死体の山〟について説明する)〔……〕

「〔……〕父は何日も寝ずに治療を行なった。寝られなかっただけでなく、多くの命を救うこともできなかった」〔……〕

「〔……〕それはともかく、ある夜、僕も眠れなくて、父が働いているあいだ、いっしょに起きていた。僕たちにできるのは、治療のできる生きた患者を探すことだけだった。ずらりと並んだベッドの上には、死人ばかりが横たわっていた。

そのうち、父がくすくす笑いはじめた」キャッスルは話し続けた。

「父は笑いを止められなかった。懐中電灯を持って夜の戸外へ出ていったが、そこでもまだ笑っている。父の持つ懐中電灯の放つ光線が、外に積み上げられた死体の上で揺れ動いている。父は片手を僕の頭にのせた。それからこのすばらしい父親がなんといったかわかるかい?」キャッスルはたずねた。

「わからない」

「『息子よ』と父はいった。『いつかこれがぜんぶおまえのものになるんだ(422)』」

これはいかにもヴォネガットらしい〝ネズミ捕りの罠〟だ。ファンにはおなじみの、えげつないほどまっ黒でおもしろいジョーク。ヴォネガットのファンのひとりがそれをうまく利用した例を紹介しよう。ジョン・スチュワート〔米国のコメディアン〕はかつて、司会を務める「ザ・デイリー・ショウ」でヴォネガットを紹介したとき、「彼の作品のおかげで、僕は思春期をなんとか乗り切った」と述べたが、私はニューヨークで発足したばかりのヴォネガットの本の読書会に出席したとき、ジョン・スチュワートと同じようなことを打ち明ける男性と出会った。ジョシュアというその男性は、ティーンエイジャーのときに、ヴォネガットの本に救われたといい、ヴォネガットが人類学を専攻していたと知って、人類学を専攻することにした。

人類学の学位を取ったあと、彼はどうしたか?

世界中のNGOで働いた。最初は内戦中のスリランカで、まずいっぽうの陣営の被害者を支援する組織で働き、そのあともういっぽうの陣営の被害者を支援する組織で働いた。いかにもヴォネガット的な活動だ。カートが知ったら喜ぶだろう。誇りに思うだろう。声を出して笑うだろう。

ニューヨークの読書会で会った当時、ジョシュアはハリケーン・サンディによって被災した人々の家を再建するために働いていていた。

それから一年ほどたった頃、彼はこんなメールを私に送ってきた。

＊

いま、紛争の起きているウクライナとロシアの国境付近でこれを書いています。僕はデンマーク難民評議会に勤めていて、この紛争で故郷を追われたウクライナ難民の避難所の設営の計画と施行を指導しています。[……]

今日、僕があなたのことを思い出したのは、ヴォネガットの本の言葉を引用したからです。新しくきた救助隊員にオリエンテーションをしていたとき、僕は彼にこういったのです。「いつかこれがぜんぶきみのものになるかもしれない」

＊

「ブラックユーモア」という言葉は、作家のブルース・ジェイ・フリードマンによってつくられた。フリードマンは一九六五年に現代作家の作品を集めたアンソロジーを編纂して、それに『ブラックユーモア』というタイトルをつけた。ヴォネガットは最初その分類に異議を申し立てた。なぜならそこにはあまりにも毛色の違う作家の作品がたくさん収められていたからだ。結局、彼はブラックユーモアについていいたいことがたくさんあったのだ。

モダンライブラリー版のフロイト全集の中に、ユーモアについて書かれた部分がある。そこでフロイトは中世ヨーロッパの「絞首台のユーモア」について述べている。フリードマンが「ブラックユーモア」と呼んでいるのは、じつはそのドイツ‐オーストリア‐ポーランドの「絞首台のユーモア」にひじょうに似ているんだ。［……］フロイトが例に挙げているユーモアのひとつは、ある男が絞首刑に処せられる直前に、刑の執行人が「何かいうことはあるか？」と聞く。すると男はこう答える。「いまのところない」

カートはその話をネルソン・オルグレンから聞いたと述べている。「ある男が電気椅子に縛り付けられた。男は立会人たちに向かってこういった。『この経験はおれにとってきっといい教訓になる』」(423)

「アメリカでもとびきりの〝絞首台のユーモア〟が生まれている。それはクック郡刑務所で生まれた」

笑いは涙と同じく、欲求不満に対するひとつの反応だ。そして涙が何も解決しないのと同様に、笑いは何も解決しない。［……］フロイトが挙げている例は、門を通り抜けることができない犬の例だ。そのせいでその犬は人を噛んだりほかの犬とけんかしたりできない。そこでその犬は穴を掘る。それで何か解決するわけではないが、何かせずにはいられないからだ。泣いたり笑ったりというのは、人間が穴を掘るかわりにすることだ。［……］私の冗談がいちばん受けたのは、ある文学祭でノートルダム大学を訪れてスピーチをしたときだ。会場は巨大な講堂だった。聴衆とはすごく波長が合って、私がいうことすべてがおかしいという感じだった。咳をしたり喉がつかえたりするだけでも講堂中が沸いた。［……］じつはその二日前にマーティン・ルーサー・キングが殺されていたんだ。［……］その悲しみや怒りに対処するためのただひとつの方法として、人々はどうしても笑うか泣くかしなければならなかったんだと思う。キングを生き返らせるためにできることは何もない。だからあの大爆笑は、最大の失望と最大の恐怖に根差したものだった〔……〕

私のお気に入りの一コマ漫画は、シェル・シルヴァスタインの作だったと思うが、ふたりの男が高さ十八フィート〔約五・五メートル〕の監房の壁につながれたところを描いたものだ。ふたりとも壁からぶら下がっている鎖に両手をつながれていて、両足首も鎖で床につながれている。頭上には小さな窓があるが鉄格子がはまっていてネズミも通り抜けられそうにない。その状態で、いっぽうの男がもういっぽうの男に「聞いてくれ、いい考えがある〔……〕」といっているんだ。こんなふうに登場人物をどうしようもない状況に落とし入れるのは、アメリカの物語の伝統には反するが、実生活ではしょっちゅうあることだ。〔……〕それで私は思うんだ。我々の文化では、自分の問題は必ず自分で解決できるはずだと思いがちだが、それは恐ろしいと同時に滑稽なことではないか。それはつまり、もう少し元気を出して、もう少し闘えば、問題は必ず解決できる、というようなものだ。これはあまりにも真実からかけ離れたことで、そんなことを思うと私は泣きたくなる——あるは笑いたくなる。(424)

＊

ヴォネガットのハーヴァード大の教え子たちは、自分たちのことを〝金塊《ナゲット》〟と呼んだ。ジム・シーゲルマンはそんな金塊《ナゲット》のひとりだが、彼はヴォネガットのユーモアについてこんな逸話を語っている。

カートは僕らに、死は世界最大のジョークだと教えた。いわば究極の落ち、最後の笑いどころだというんだ。僕は当時すごく人気のあった『ラブ・ストーリー　ある愛の詩』のパロディー小説を書いて、授業の課題として提出した。主人公のシドニーはハーヴァード大の一年生で、ほっそりして美しいラドクリフ・カレッジの最上級生レスリーと恋に落ちる。そしてレスリーは水銀中毒で余命わずかになってしまう。だが僕の小説のほんとうの落ちは、ふたりが愛を交わしたあとの次の会話だった。

「僕と両親は音信不通なんだ」シドニーがいった。

「誰のせい？」レスリーがたずねた。

「誰のせいでもない」シドニーは答えた。「ふたりとも死んでしまったんだ」

シーゲルマンによると「カートは大笑いした。あんなに笑う人は見たことがないと思うくらい笑っていた」という。[425]

アイオワ大学の講座では、カートはときどき私たち相手にジョークを披露してその反応をうかがった。ある日、彼は私たちに、キリストのはりつけの物語は憐れみを教えるものではない、といった。その物語のほんとうの教訓は「人を殺してもかまわない。ただし、その人物が有力なコネを持っていない場合にかぎる」ということだ。彼はそういって、むせるぐらい笑いこけた。私たちも大笑いした。

それから彼は、はりつけの物語に修正を加えてもっと道徳的な物語にするとこうなる、といった。有力なコネのない無名の人物がはりつけにされる。だが、その人物が死ぬ直前に神が現れて、彼を養子にするという。その物語は、どんな無名の人物でも神の息子になるかもしれない、ということを教えるだろう。私たちの反応を見て、カートはこのジョークやアイデアに自信を持った。

そこでそれは『スローターハウス5』の第五章に登場することになった。

カートは、私たち学生を出しにしたジョークを作ってためすことは決してしなかった。もし何か気に入らないことや腹が立つことがあったら、それを遠慮なくはっきりと口にした。

＊

私たち人間は生きていることを意識しながら、いずれは死ななければならないことを知っている。そのことが、絞首台のユーモアがはびこる豊かな土壌となっている。人はみな死ぬ。どうしようもないとはこのことだ。なんたる悲劇！　死は世界最大のジョークだとカートがいったのも当然だ。

彼は死についてのジョークを、死とはもっとも縁遠いような場面でも使っている。『猫のゆりかご』の中で、ある画家が美しい女性の巨大なモザイク画をつくっている。語り手はその画家の写真を撮りたいと思う。しかし彼はカメラを持っていなかった。それを聞いた画家はこういう。

「なんだ、くそぅ。だったらカメラを取ってこいよ！　あんたは自分の記憶を信頼できる類の人間じゃないんだろ?」

「あなたが描いている顔は簡単には忘れないと思いますよ」
「死んだら忘れるよ。おれだって死んだら忘れる。おれは死んだら何もかも忘れるつもりなんだ――あんたもそうしたほうがいい[426]」

二〇〇四年、ある卒業式で、ヴォネガットはこんな話をした。

ちなみに私はアメリカ人道主義者協会の名誉総裁を務めています。〔……〕我々人道主義者は、死後にどんな報酬や罰を受けるかに関わりなく、できるだけ恥ずかしくない行いをします。自分がほんとうに親しみを感じる唯一の抽象的概念、すなわちコミュニティにできるだけ奉仕するのです。
〔……〕
もし私が死んだら〔……〕縁起でもないことですが、「カートならいまは天国にいるよ」といっていただきたい。それが私のお気に入りのジョークです。[427]

『タイムクエイク』は、ヴォネガットが天国にいちばん近づいた時期に書かれた小説だ。彼は天国を信じていなかったが、「いまは天国にいる」というフレーズをその小説の中で何度も使っている。

オウヘア［ヴォネガットの戦友のバーナード・オウヘアのこと］はのちに法律家になって、検事と弁護士の両方を務めたが、いまは天国にいる。[428]

私の子どもの頃の友だちのウィリアム・H・C・〝スキップ〟・フェイリーは四ヵ月前に死んだ
［……］いまは天国にいる。(429)

＊

ヴォネガットは生涯ニコチン中毒だった。
『ジェイルバード』の中で、語り手のウォルターは、かつて「両切りのポール・モールを一日に四箱」吸っていたと告白している。しかし彼はタバコをやめた。刑務所から解放された日、何年も禁煙していた彼は、ある悪夢を見る。

その夢の中で、私の湿った清らかなピンク色の肺は、ふたつの黒いレーズンのようにしなびてしまっていた。耳と鼻からはにがい茶色のタールがしみ出ていた。
だが、何よりひどかったのは、羞恥心だ。(430)

ヴォネガット自身も何度か禁煙をしていた。だが長続きしなかった。彼は喫煙を一種の自殺と考えていて、短編集『Welcome to the Monkey House（モンキー・ハウスへようこそ）』のまえがきにもそのように書いている。のちに彼は、生涯にわたってタバコという自殺行為と格闘し、自責の念を感じてきたことを、ジョークに変えた。

> 私はポール・モールの製造元であるブラウン&ウィリアムソン・タバコ・カンパニーを相手に十億ドルの訴訟を起こすことにした。私は十二歳のときからタバコを吸いはじめたのだが、吸い続けたのは両切りのポール・モールのみだ。そしてもう何年もの長きにわたって、ブラウン&ウィリアムソン・タバコ・カンパニーは、私を殺してくれるとパッケージに書いて約束してきた。
>
> 　ところが私はもう八十二歳だ。嘘つき！[431]

　しかし彼もまったく難を逃れてきたわけではない。肺気腫を患っていたし、罪悪感に苦しんでいた。また自分のタバコが原因の火事で気道熱傷を負い、入院したこともある。

✻

　ブラックユーモアのコツはどのようにしてつかめるのだろうか。これもまた、ある程度は生まれつきの才能だ。カートの娘のエディーによると、彼は子どもの頃からその方面の感性が鋭かったらしい。だがその才能は伸ばすこともできる。そのためにやるべきことは、ブラックユーモアのレンズを通してまわりを見渡すことだ。私がこの原稿を書いているとき、世の中はとある選挙戦の真っ最中で、それはもうそれだけで泣きたくなるような——あるいは笑いたくなるような状況だった。

それから何ヵ月もたって、この原稿を校正しているとき、世の中は国民の大半をブラックユーモア作家に変えてしまいかねない大統領の政権下にある。おかげで、ジョン・オリバーやスティーヴン・コルベアを始めとするコメディアンたちのジョークはもちろん、バラエティ番組「サタデー・ナイト・ライブ」では極上のコントがたくさん生み出された。

ブラックユーモアの才能を磨くために、大惨事や戦争を経験しなければならないわけではない。しかし、そういう経験が役に立つ可能性はある。次の逸話はその例証のひとつといえるだろう。

ビアフラは生まれて間もないイボ族の国だった。作家のチヌア・アチェベもイボ族の出身だ。その国は一九六七年にさまざまな理由によってナイジェリアから独立した。独立後、戦争が起こり、敵に包囲されたビアフラは大規模な飢餓に襲われた。餓えた人々の写真をきっかけに、アメリカで世間の注目を集める出来事が起こった。一九七〇年、有名な精神分析医シオドア・ライクの娘のミリアム・ライクが、第二次大戦で従軍経験のあるカート・ヴォネガットとヴァンス・ブージェリを、崩壊しつつあるビアフラに招待し、現地を見てエッセイを書くように要請したのだ。

「それはまるで、まだ死体焼却炉がフル稼働しているアウシュビッツへの無料招待旅行のようだった」

ヴォネガットはそう書いている。[432]

そこでもっとも重症の患者は難民の子どもたちだった。［……］ついに、ごく一般的な食事は水と空気だけになった。

そこで子どもたちはクワシオルコル症［タンパク質の欠乏によって起こる珍しい疾患］を発症した。

〔……〕

子どもの髪の毛は赤く変色する。皮膚は熟れきったトマトの皮のように割れる。直腸がはみ出す。手足はぺろぺろキャンディーの棒みたいになる。

ヴァンスとミリアムと私はアウォ・オママで、そんな子どもたちの群れをかき分けて歩いた。その際、両手を下に垂らして歩くと、その指を子どもたちが握ることに気づいた。指一本につき子どもがひとり、片手に五人ずつ子どもがくっつく。見ず知らずの人間の一本の指が、奇跡的に、ひとりの子どもをしばらくのあいだ泣き止ませる。〔……〕

〔……〕小さな子どもたちがヴァンスの指を握って泣き止んだとき、ヴァンスの目からどっと涙があふれ出た。[433]

我々三人はビアフラの大統領オドゥメグ・オジュク将軍と一時間会見した。最後に彼は我々と握手をし、きてくれてありがとうと礼を述べた。「私たちは前進すれば死ぬ」と彼はいった。「後退しても死ぬ。だから前進するんだ」〔……〕

オジュク大統領のユーモアは絞首台のユーモアだ。なぜなら、あらゆるものが崩壊しつつある中で、彼はカリスマ性を維持し、落ち着いた自信たっぷりの態度を崩していなかったからだ。そのユーモアはすばらしかった。

その後、大統領の副官のフィリップ・エフィオン将軍に会ったところ、彼もまた絞首台でユーモアを述べる人間であることがわかった。ヴァンスはこういっている。「エフィオンがナンバー・ツ

ーなのは当然だ。彼はビアフラで二番目におもしろい人間だから」(434)

彼らはみんな、いまは天国にいる。カートもヴァンスもミリアムも。オジュクもエフィオンも。

※

ビアフラで、ヴォネガットはこう書いている。

※

ミリアムはあるとき私のおしゃべりに腹を立て、軽蔑したようにいった。「あなたは口を開ければ冗談ばかり」。そのとおりだ。ジョークをいうことは私にとって、自分ではどうしようもない悲惨な状況に対する反応なのだ。(435)

カートはミリアムのコメントについて、私に会ったときに、残念そうに話した。ビアフラではジョークをいわずにはおれなかったんだ、と彼はいった。

作家にジョークの才能があっていちばん困るのは、もちろん、オハイオ州コロンバスのジェイムズ・サーバーが何年も前にあるエッセイで指摘した点だ。「どんな問題が議論されていようと、ジョーク好きの人間はつねに落ちをつけることばかり考えてしまう」

近いうちにどこかの頭の切れる若い批評家が、この文句を引用して私を批判するだろう。そういう批評家は［……］私は頭が悪すぎて、自分のひどい欠点を自分で指摘してしまったことに気づいていないと思うだろう。(436)

「落ちをつけることばかり考えてしまう」ことのどこが「ひどい欠点」なのだろう？　それについて創作の観点から、ヴォネガットはこう説明している。

だけど、ジョークをいうことは、私が人生に適応するためにひじょうに大きな役割を果たしているので、どんなテーマの小説を書いていても、その中におもしろいことを見つけてしまう。でなければ書くのをやめてしまう。(437)

ジョークの厄介なところは、どんな考えもすごく上手に片づけてしまうので、落ちをつけたあとは、もうほとんどいうことがなくなることだ。そうしたらまた、新しいアイデアを考えなくてはいけない。——次のいいジョークのために。(438)

心理療法士ならこんな風にいうかもしれない。ジョークを絶え間なくいうことは、自分のほんとうの感情を避けることです。自分のほんとうの感情を受け入れ、それを表現することができなければ、自己実現はかないませんよ。

＊

どういうわけか、アメリカのユーモア作家というか、諷刺家というか、まあなんと呼んでもかまわないが、気が滅入るような情報に対して嘆き悲しむよりは笑い飛ばすような人間は、一定の年齢を超えると、耐えられないほどおもしろくない悲観論者になる。(439)

これはほんとうだ。ヴォネガットは歳を取るにつれて、悲観的になり、どんなことについてもあまりジョークをいわなくなった。

なぜか？

たぶん、その理由のひとつは、歳を取るということはそういうことだからだ。

ヴォネガットの息子で医師のマークによると、それは脳の化学的機能が損傷を受けるからだという。

いっぽうヴォネガット自身は、一九七九年、初老の男性として次のように述べている。

宗教的懐疑論者は死が近づくとひじょうに辛辣になることが多い。マーク・トウェインもそうだった。なぜ彼があんなに辛辣になったのか、その原因を憶測するつもりはない。だが、自分が辛辣になる原因ならわかる。それは、結局自分は正しかったということがようやくわかるからだ。つまり、私は神に会うことはないし、天国も、最後の審判もないということが明らかになるからだ。(440)

ジョーク好きや宗教的懐疑論者が晩年に悲観的になったり辛辣になったりする理由はどうあれ、ヴォネガットの晩年の長編小説『ホーカス・ポーカス』には、こういう冷めたジョーク好きが登場する。

すべてのこと、文字どおりすべてのことが、パットン中佐にとってはジョークだった。少なくとも本人はそういっていた。彼が死ぬまでお気に入りだった言葉は、「大笑いせずにおれなかった」だった。もしパットンがいま天国にいるなら——といっても、少なくとも最近では、ほんとうのプロの軍人の多くは天国へ行けるなどと期待することはないだろうが——いまこの瞬間も、「俺の人生はフエで唐突に終わった」といったあと、にこりともせずに、「大笑いせずにおれなかった」と付け加えるかもしれない。そういうことだ。パットンは、普通なら深刻な出来事や、美しい出来事や、危険な出来事や、神聖な出来事の最中に、大笑いせずにおれなかった、としょっちゅういっていた。しかし彼は実際には笑っていなかった。それらの出来事をあとで語るときも、真顔のままだった。パットンの生涯を通じて、**彼がせずにおれなかったとしょっちゅういっていたこと、つまり大笑いしているのを目にした者はひとりもいないだろう。**(441)［太字は筆者による］

第31章 もっといい話になるように――見直しと校閲

MUCH BETTER STORIES: RE-VISION AND REVISION

修正に関する記述はヴォネガットの作品のあちこちに顔を出す。この本でもすでに何度か登場した。しかし修正は小説を書くことやそれに関するヴォネガットのアドバイスとひじょうに密接に関係するので、一章を設けて説明する価値があるだろう。

『スラップスティック』の語り手はこういっている。

『みにくいアヒルの子』は、アヒルに育てられたひな鳥の話だ。アヒルたちはそのひな鳥を、見たこともないほど醜いひなだと思っていた。しかしそのひなは成長すると白鳥だったことがわかる。いまでも覚えているが、イライザはこういった。そのひなが［……］サイになっていたら、もっといい話になったと思うわ。(442)

「私はもともと教養のない技術屋なので、小説もT型フォードみたいに修繕することができると信じている」ヴォネガットはそう述べている[443]。

『ヴォネガット、大いに語る』のまえがきには、こう書いている。

> この本に収められている『プレイボーイ』のインタビューは、私が**実際にしゃべったこと**ではなく、**しゃべるべきだったこと**だ。『プレイボーイ』はテープレコーダーで録音した私の言葉をタイプで書き起こしたものを見せてくれた。その結果、私にはジョーゼフ・コンラッドと少なくともひとつの共通点があることが判明した。それは、英語が第二言語だということだ。しかし私の場合、コンラッドと違って第一言語はない。そこで私はそのタイプ原稿を、万年筆と鉛筆とハサミとのりを使って修正し、英語でしゃべったり大事なことを考えたりするのは、私にとってたやすいことだと思ってもらえるようにした[444]。

同じように、『パリス・レヴュー』のインタビューのまえがきにも、インタビュアーのこんな打ち明け話が書かれている。

> このインタビュー記事は、もともと筆者が過去十年ほどのあいだにカート・ヴォネガットに対して行なった四回のインタビューを合成して書いたものだった。しかし、その原稿は、インタビューされたヴォネガット自身の手によって大幅に手を加えられた。彼は自分が話した言葉がそのまま活字

になることに対して、ひどい懸念を抱いている［……］実際、ここに書かれていることは、ヴォネガットが自分自身に対して行なったインタビューとみなすことができる。(445)

のちにこのインタビュー記事がエッセイ集『パームサンデー』の中に再録されたとき、ヴォネガットはその章のタイトルを「自己インタビュー」としている。

これが、物書きという商売に関して、私がもっとも勇気づけられる点だ。つまり、物書きをしていれば、凡庸な人間でも、ばかげた考えを粘り強くこつこつと修正して、少しは自分を知的な人間に変えることができる。また、狂人でも、普通よりまともな人間に見せかけることができる。(446)

これらの引用から、ヴォネガットが大切にしている信念がうかがえる。そのひとつが、小説の語る内容は人々や文化にとってきわめて重要なものであるということであり、もうひとつは、洗練された効果的な文章は、修正という労働の成果であるということだ。

「父は小説やスピーチはもちろん、本のカバーに書くコメントさえ、ひじょうに注意深く考えてつくっていた」息子のマークはそう証言している。「父のジョークやエッセイはたいした苦労もなく即興で書き散らしたものだ、という人がいるが、そういう人はものを書こうとしたことがないのではないか」(447)

私はかつて、つらい経験をユーモラスに書くというテーマの討論会に参加した。パネリストのハリソン・スコット・キー博士は、自分を虐待した父親についての回想録『The World's Largest Man（未）』

を読み上げた。それを聞いていた私たち聴衆は、信じられないかもしれないが、大爆笑した。その後の質疑応答で、誰かがこうたずねた。「あなたの回想録は、最初の草稿のときからあんなにおもしろかったのですか？」

それに対してキー博士はジョークで答えた。みんな笑った。そのあと博士はもう一度マイクを取ると、「じつは第三稿からおもしろくなりました」といった。第一稿はとてもおもしろいとはいえない苦悩に満ちたものだったという。しかし、書き直しをするたびに、そこから距離を置き、技巧を凝らすようになった。キー博士にとって技巧とは――ヴォネガットと同じく――ユーモアを増やすことだった。

※

ふたつの役割

作家は自分自身の編集者になる必要がある。

このとき、例の〝第三のプレイヤー〟すなわち外部から聞こえてくるさまざまな声と自分自身の批判的視点が役に立つ。実際、その両方がなくてはならない。

助産師を務める私の姪はこういっている。「大脳新皮質のうち前頭葉は、私たちがしゃべったり判断をしたりするときに使われる。それが使われているときは、陣痛をうながすホルモンが減少してしまうの。だからたいていの哺乳類は暗くて静かな場所でお産をするのよ」

しかし出産のあとには子育てがある。そのためにはさまざまな判断をしたり助けてもらったりしなければならず、仲間が必要だ。

仲間のひとりはまず自分自身だ。

生まれたばかりの草稿は、それを新たな目で見られるようになるまで、ひとまず脇で寝かせておく。それは数時間か数日か数週間か数ヵ月か、場合によっては何年もということもあるだろう。分娩後の休息はぜったいに必要だ。

そのあと。

新鮮な目でそれを読む。まるで自分が生んだ子ではないかのように。

そして評価する。

修正する。

この三つのステップを何度も繰り返し、その作品を自分で可能なかぎり整えていく。そのあと、誰か手助けしてくれる人に頼んでフィードバックしてもらう。文学サークルの仲間でもいいし、正直な感想を述べてくれる信頼のおける友人でもいいし、現在指導してくれている先生や以前の先生でもいいし、編集者でもいい。

フィードバックをもらったら、それを考慮して、これで完成だと思えるまで修正する。

いわゆる「すらすら型」でも、「ぶち壊し型」でも、これらのステップは必要だ。ちなみに「すらすら型」と「ぶち壊し型」とはヴォネガットが分類した作家のタイプで、「すらすら型」は作品を最後まですらすら書いてから修正をするタイプ、「ぶち壊し型」は書きながら修正を施していくタイプだ。ヴォネガットは自分を「ぶち壊し型」だと思っていた。

シドニー・オフィットはこう述べている。「［カートは］昼間はほとんどずっと書いていて、ときには夜も書いた。波に乗って一気に書き進めるタイプでもあった。筆の赴くまま書き続ける。いっぽうで、完璧主義者でもあったと思う。なぜなら彼のくずかごはいつもあふれそうだったからだ(448)」

＊

見直し

ここで「修正」という言葉をふたつの段階に分けて考えよう。

第一段階はほんとうの見直しで、新たな目で見て〝アハ体験〟をすることだ。それは、さんざん試行錯誤するか、とつぜんひらめくかして得られるものだが、自分の考えていたことや思いこんでいたこととまったく違う形で書くことができると気づくことだ。それは全体を俯瞰することでもある。そのような変化のプロセスを経て、ふたつの作品ができあがった例を見てみよう。

一九七一年一月、リチャード・トッドは『ニューヨーク・タイムズ・マガジン』に寄せた記事にこう書いている。

〔『スローターハウス5』のあと、〕ヴォネガットは『チャンピオンたちの朝食』という小説を書きはじめた。それは、語り手以外全員がロボットという世界を描いた小説だった。しかし彼は途中でそれを書くのをやめ、未完のまま放っていた。なぜ書くのをやめたのかとたずねると、彼は「くそみたいな作品だったから」と答えた。しかしその後、私がその小説のことを「あのうまくいかなかった本」というと、彼は「うまくはいっていたんだ。ただ、くそみたいな作品だっただけで。完成していれば、たくさん売れただろうし、月間最優秀図書にも選ばれただろうし、みんな気に入ってくれただろう」

「くそみたいな作品ではない」という意見を聞きたいとでもいうように、ヴォネガットは去年の秋、その本の一部をハーヴァード大の聴衆に読み聞かせた。その際、私にいったのと同じように、「この本は決して完成しないと思います。とてもうんざりさせられる本だからです」という断わりを述べている。その本は「私は宇宙の創造主の試作品だ」という文で始まっていた。その後、この本の語り手は、自分の周囲のすべての人間が、自分の意志をもたずに行動していることに気づく（イエス・キリストとは誰か――「彼は私の罪のために死んだロボットだ[449]」）。

『チャンピオンたちの朝食』を読んだことがあれば、それはヴォネガットがハーヴァードで披露した本とは違うことがわかるだろう。トッドの記事が出た一ヵ月後、つまりハーヴァードで朗読をした数ヵ月後に、ヴォネガットは懇意の出版業社にこんな手紙を送っている。

一九七一年二月二十六日

ニューヨーク市
サム・ロレンス様

〔……〕僕が『チャンピオンたちの朝食』をまた書きはじめたのはほんとうだ。ゆっくりと、苦労しながら、最初から書き直している。僕の場合、自分の本がいったい何についての本なのか、それがわかって書けるようになるまで、とても長くかかってしまうんだ。もし以前に書いていたものを無理して書き続けて適当に仕上げてしまっていたら、それはたいへんないんちきになっていただろう。もしかしたらそれでお互い大儲けしたかもしれないが。〔……〕

ぜひ近々、会いにきてほしい。〔……〕ふらふら遊びまわるのはもうやめた。ジョージ・プリンプトンにはもう会った。パーティー好き人間としてはもう峠を越えたと思う。仕事にもどったんだ。

じゃあまた。

カート・ヴォネガット・ジュニア[450]

一九七三年、『チャンピオンたちの朝食』が出版されてまもなく、ヴォネガットは『プレイボーイ』のインタビューでこういっている。

『スローターハウス5』と『チャンピオンたちの朝食』はもともとひとつの本だったんだ。でも、なぜか完全にふたつに分かれてしまった。それはプースカフェ〔比重の違うリキュールを注いで層ができるようにしたカクテル」か、水と油みたいなもんだった。どうしても混ぜあわすことができなかったんだ。だから私は上澄みを静かに別の容器に移すようにして『スローターハウス5』を書き、残ったものが『チャンピオンたちの朝食』となった。(451)

おわかりだと思うが、この最後の言葉はもちろん、状況を単純化しすぎている。

＊

以下に紹介するのは、ドレスデンについてのヴォネガットの小説の初期の草稿の一部で、捕虜となった兵士たちが貨車で移送されるシーンが描かれている。

＊

睡眠について：僕らは交替で横になる必要があった。あまりにもたくさん人がいるのに、あまりにも床が狭すぎた。寝ている者は体を寄せ合って××××××××いっぽう起きている者の足は、無数の人間から成る大地に打ちこまれた大量の杭のようだ。大地を成す者たちは、もぞもぞ動いたりため息をついたり放屁したりしながらスプーンのように身を寄せ合っている。その中には、身を寄せるのがうまい者とそうでない者がいる。そこでまもなく、理想的なサンドイッチ状態を手に入れることにみなが死に物狂いとなった××××いったんそれを見つけたら、横になる番がくるたびに、その状態を再現しようとする。××××××以前のサンドイッチで××××××××××××××自分の位置に不満があった者は、自分がどこにいるべきかはっきりわかっている者たちの集合体に立ち向かわなければならず、しかもその集合体は大きくなるいっぽうだった。やがて、上手に身を寄せ合った者たちから成る、壊すことのできない、充足した塊ができ、その塊は××××××××××××××その外にいる者や試験的な動きをする者に対して容赦がなくなる。すると、その塊に入れなかったマイノリティ、つまり身を寄せ合うのがへたな者、手足をばたつかせたり、泣きわめいたり、寝返りばかり打ったり、人を叩いたり、蹴ったり、歯ぎしりをしたりする者は、ずっと立っているか、自分と同じような者たちと集まって寝るしかなくなって、××××××静かに寝ることはできなくなってしまう。僕はたいていのことを忘れてしまったが、自分が寝るときにどの貨車のどの場所でサンドイッチになっていたかはいまでも覚えている。僕の頭はどうやら××××××その情報をまだ大切なものとみなしているらしい××××××××××××またあの貨車で寝るはめになるのではないかと心配しているかのようだ。僕の前には××××××××××××××××ニューボールド・セイルズという名のコックがいて、うしろにはロバート・シャミルという対戦車砲手がいた。こういうと「ラッキー・ピエール〔三人で行なう性行為で真ん中にくる者のこと〕だな」といわれるかもしれない。その言葉は貨車の中でも何度も聞いたが、そのうちみんなしゃべることに関心を失ってしまった。セイルズはいまだにクリスマスカードを送ってくる。(452)

この一節はこのあと、主人公の前後にいたセイルズとシャミルの現在と、彼らが過去をどのように見ているかについて、さらにまる一ページ、段落なしで続く。

いっぽう、完成した『スローターハウス5』では、同じ貨車の場面が、ふたつの章のあちこちに、ばらばらに挿入されている。ヴォネガットはそれらの場面を人物描写の中にはめ込み、比較対照や細部の具体的な描写で強調し、スプーン状に寄り添って寝る捕虜たちの関係を、とくに痛ましい例を取り上げることによって、より効果的に描いている。それは次のように始まる。

ビリー・ピルグリムは他の大勢の二等兵といっしょに貨車に詰めこまれた。ビリーとローランド・ウィアリーは離ればなれになった。ウィアリーは同じ列車の別の貨車に詰めこまれたのだ。

貨車の四隅のひさしの下に狭い換気口があった。ビリーはそのひとつのそばに立っていたが、まわりから押されて、貨車の壁に対角線状に張られた筋交いにのぼるはめになった。おかげで換気口がちょうど目の前にきて、十ヤード〔約九メートル〕ほど先の別の列車が見えた。

ビリーが見たのは看守の貨車で、捕虜たちの貨車とは大違いの、居心地のよさそうな、ロウソクの灯りに照らされた場所だった。その章の最後で、捕虜たちの貨車は、ヴォネガット独特の人類学的な視点で描写され、その後ふたたびビリーの経験に軟着陸する。

ビリーの列車は動いてはいなかったが、貨車の扉は固く閉ざされていた。最終目的地へ着くまで、誰も降りることはできないのだ。外を行き来して警備する兵士たちにとって、それぞれの貨車は、換気口を通じて食べたり飲んだり排泄したりするひとつの生物となった。その生物は換気口を通じてしゃべったり、ときには叫んだりもした。水や黒パンやソーセージやチーズを取り込み、糞尿と言葉を吐き出した。

その中にいる人間は鉄製のヘルメットの中に排泄し、そのヘルメットは人から人へ手渡されて換気口のそばにいる人間まで届けられ、その人間が中身を外へ捨てる。ビリーは糞尿を捨てる係だった。人々は飯盒も手渡しで届け、そこに警備兵が水を入れた。食べ物が届くと、人々は静かになり、互いを信用し合い、美しくなった。みんなで食べ物を分かち合った。

［……］

貨車の中の人間は、交替で立ったり横になったりした。立っている人間の足は、もぞもぞ動いたり放屁したりため息をついたりする温かい大地に打ちこまれた杭のようだった。奇妙な大地は、スプーン状になって身を寄せあい眠る者たちから成るモザイクだ。

いまや列車は東へ向かってのろのろと動きはじめた。

そのうちのどこかでクリスマスがやってきた。ビリー・ピルグリムはクリスマスの夜、スプーン状になって、あの浮浪者と身を寄せ合っていた。そして眠りに落ちて、ふたたび一九六七年にタイムトラベルした——それはトラルファマドール星からきた円盤に拉致された夜だった。(453)

＊

校閲

「修正」という言葉が示す第二段階は、文章に細かく手を加えていくことだ。つまり、個々の文の音と意味に関する難問にふたたび取り組むのだ。

すべての文章は、キャラクターを明らかにするかアクションを進めるか、どちらかの役を果たさねばならない。[454]

これはヴォネガットの「文芸創作基本ルール」の第四条で、短編小説という簡潔な形式を念頭に置いたルールだ。

文章を書くたびにこのことを考えていたら、途中で前へ進めなくなってしまうかもしれない。すべての文は存亡を賭けて闘わなくてはいけないが、作者はその文がなんのために闘っているか理解しなくてはいけない。自分の作品がいったい何についての物語なのかわかっていれば、どの文を残して、どの文を改善し、どの文を捨てるべきかもわかりやすいだろう。

そのうえで、より細かな点に手を加える校閲を行なう。

まずは文意をはっきりさせることだ。

そのために、より正確で、より具体的で、より生き生きした言葉を使う。

また、おのおのの文に、自分の意図する効果を最大限にするための音や構造を持たせる。

句読点の使い方や、誤字脱字がないかなどを確認する。

これらの細かい修正を施すことは、文芸創作に関する本のほとんどで熱心に説かれている。この本でもいろいろな場所で書いたように、ヴォネガットも熱心に説いている。それはその重要性が実地に証明されているからだ。だから繰り返す意味がある。


ヴォネガットは一九五四年に、当時編集者をしていた友人のノックス・バーガーにこんな手紙を書いている。

きみはアリストテレスの『詩学』を読んだことがあるかい？　僕はいま読んだばかりだが、これまでに僕がさまざまな編集者や作家から物語の組み立てに関して教えてもらったことがすべて書かれている。『詩学』には、紀元前三二二年以降の発見に基づいて修正すべき点はひとつもないと思う。それに、わかりやすいし、あまり長くもない――だからきみも有望な若者にこの本を勧めたほうがいいよ。僕を見習ってね。[455]

真実を吐き出す勇気を持つ

ストーリーや登場人物のキャラクターが読者にとってわかりにくかったり、バランスを欠いていたり、不十分な点があったりするのは、作者が自分にとってつらい感情的な部分を避けたり隠したりしているせいかもしれない。自分の経験をフィクションという形にすることで違うものにすり替えたとしても、これまでの自分の人生で起こったことや、ほんとうの自分の核となる情報源を活用しなくてはならない。ヴォネガットは明らかにそれをした。あるテーマを情熱を持って語れという彼のいちばん大事なアドバイスを実行するには、自分の心を動かした経験に頼るしかないだろう。

たとえフィクションにすり替えたとしても、真実は恐ろしいかもしれない。

親指をくわえたり、助けを求めて誰かの手を握ったりすることになるかもしれないが、それを吐き出すしかないのだ。

削除する勇気を持つ

「枯れ枝」とは

•不必要な言葉、くだり、登場人物、場面、出来事。

•もっとも大事な言葉や行為について、テンポを妨げたり、目立たなくしてしまうもの。

「先生にとっては枯れ枝でも、僕にとっては青々と葉っぱの繋った枝です」かつて私が個別指導をしていたジェイ・グリーンフィールドはそういった。

たしかに、その違いを見分けるのは難しい。とくに自分の作品の場合はそうだ。青々とした枝は美しいし、花を引き立たせる。枯れ枝は余分で不必要で汚い。

端的にいえば、生きた枝はまわりを引き立てる。枯れ枝はかすませる。

この違いを見分けることは、すべての作家に求められる編集能力だ。それはヴォネガットも「名文の書き方」という『ニューヨーク・タイムズ』の記事で指摘している。その能力はどうやったら身につくのか？　それは古いジョークでいうように、カーネギー・ホールへの道と同じ、練習するしかない。すばらしく書けたと思う部分を削除するのも、これからまたすばらしい部分を書くんだと自分に言い聞かせれば、やりやすくなる。才能を出し惜しみするのはやめよう！　すばらしいものを生み出した場所には、もっとたくさんすばらしいものがあるはずだ。

こうやって枝を刈り込むのは、全体のためだということを忘れないように。

アイオワ大学のヴォネガットの教え子のひとりのダン・グリーソンはこう書いている。「私がヴォネガットから学んだもっとも重要な教え」は「(1)人が読みたがらない部分はすべてカットすること、(2)読者に早くページをめくらせること」だ。[456] 枯れ枝は、人が読みたがらない部分だ。それがなければ、読者は早くページをめくる。

写真の『猫のゆりかご』の草稿の一部をご覧いただきたい。このすばらしい一節は出版された本のどこにも見当たらない。(こんなことをいうとおかしいかもしれないが、)もしこの草稿が私のものなら、この部分を削除する勇気はなかっただろう。しかし——この部分は物語を前に進めることや性格描写に役立っているだろうか? 明らかにヴォネガットはそう思わなかったのだろう。

ちなみに『猫のゆりかご』は当初『猫の呼び声』というタイトルだった。完成までに十年を要した。一九六二年、ヴォネガットはそれについて手紙の中でこう述べている。

> デル出版のために書いたやつは十年もかかってしまった。でも、十年もかける値打ちのあるもんじゃなかった。[457]

たいした〝やつ〟だ。十年かけた値打ちはある!

✻

277

Chapter 120

daintily untying

I fell asleep, was awakened by someone ~~gextlyxtakingxoff~~ my shoes.

It was my heavenly Mona. "Boko-maru?"she whispered.

"Why not?" I said.

And we did the thing. And she was as filled with rapture as before. I must say, for me, Boko-maru was still very nice, but it had definitely lost some of its blam.

I was thinking while we did it, which was a mistake. The charm of boko-maru is its brainlessness. "When done properly," Bokonon tells us, "boko-maru should leave a ~~prext~~ participant absolutely mystified as to whether ten seconds, ten minutes, ten hours, or ten days have passed."

~~Hxxxyxxxxxxx~~

I found myself counting every second. "Think of nothing but your feet," Bokonon tells us, "and then forget your feet." I could not forget my feet. And, as time clanked by, I couldn't even concentrate of my feet. "Mona -- ?" I said.

She paid ~~txxxxxxxt~~ no attention.

"Mona -- listen to me," I said.

She was deaf, dumb, blind and drunk on boko-maru.

I pulled my feet away. "Mona!" I said sharply.

"Yes?" she said dazedly.

"I don't want to murder time right now," I said.

"Murder?" she said.

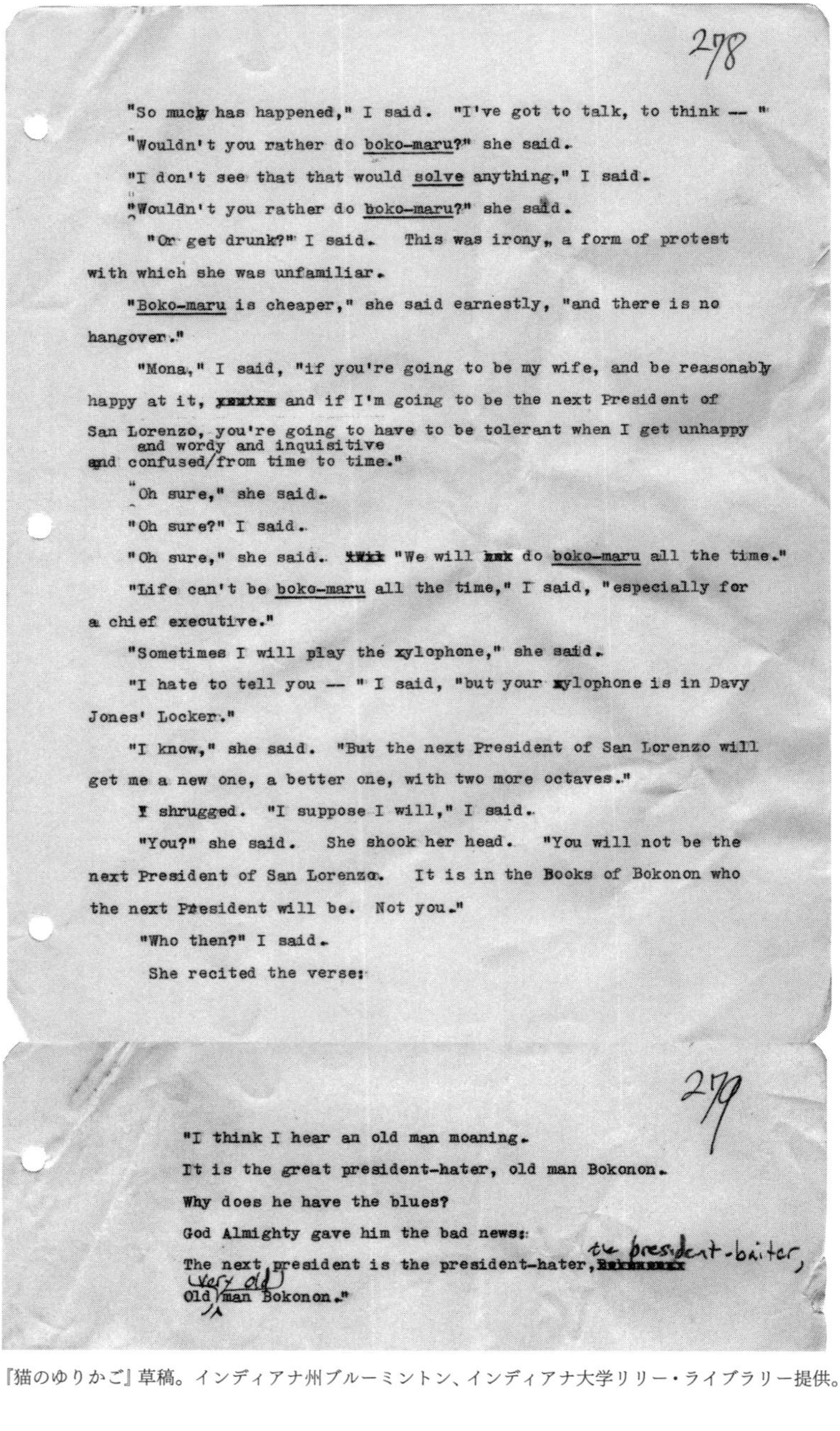

278

"So much has happened," I said. "I've got to talk, to think -- "

"Wouldn't you rather do boko-maru?" she said.

"I don't see that that would solve anything," I said.

"Wouldn't you rather do boko-maru?" she said.

"Or get drunk?" I said. This was irony, a form of protest with which she was unfamiliar.

"Boko-maru is cheaper," she said earnestly, "and there is no hangover."

"Mona," I said, "if you're going to be my wife, and be reasonably happy at it, and if I'm going to be the next President of San Lorenzo, you're going to have to be tolerant when I get unhappy and confused and wordy and inquisitive from time to time."

"Oh sure," she said.

"Oh sure?" I said.

"Oh sure," she said. "We will do boko-maru all the time."

"Life can't be boko-maru all the time," I said, "especially for a chief executive."

"Sometimes I will play the xylophone," she said.

"I hate to tell you -- " I said, "but your xylophone is in Davy Jones' Locker."

"I know," she said. "But the next President of San Lorenzo will get me a new one, a better one, with two more octaves."

I shrugged. "I suppose I will," I said.

"You?" she said. She shook her head. "You will not be the next President of San Lorenzo. It is in the Books of Bokonon who the next President will be. Not you."

"Who then?" I said.

She recited the verse:

279

"I think I hear an old man moaning.
It is the great president-hater, old man Bokonon.
Why does he have the blues?
God Almighty gave him the bad news:
The next president is the president-hater, the president-baiter,
Old very old man Bokonon."

『猫のゆりかご』草稿。インディアナ州ブルーミントン、インディアナ大学リリー・ライブラリー提供。

〈訳〉

第120章
私は眠りに落ちた。そして目覚めたとき、誰かが私の靴の靴ひもを~~×××××××××~~《きちょうめんにほどいていた》。

それは私の夢の美女、モナであった。「ボコマルする？」モナはささやいた。

「もちろん」と私。

そして私たちはボコマルをした。モナは以前と同じように歓喜に満たされた。私はというと、いまもまだボコマルはすばらしいと思う。しかし白状すると、その衝撃のいくらかは確実に失われてしまっていた。

私はボコマルをしながら考えていた。それは間違いだった。ボコマルの魅力は、頭が空っぽになることにあるのだ。「それが正しく行なわれたとき」とボコノンはいう。「その~~××××~~当事者は、ボコマルをしていたのは十秒だったのか十分だったのか十時間だったのか十日間だったのか、まったくわからなくなってしまう」

~~×××××××~~

私は知らないうちに、秒数を正確に数えていた。「自分の足以外のことは考えないこと」とボコノンはいう。「それから、自分の足も忘れること」私は自分の足を忘れることはできなかった。そして時間がカチカチと過ぎていくにつれ、自分の足に集中することさえできなくなった。「モナ——？」

彼女は~~×××××××~~まったく反応しなかった。

「モナ——聞いてくれ」私はいった。

彼女は耳も聞こえず、口もきけず、目も見えないくらいボコマルに酔いしれていた。

私は足を離した。「モナ」とはっきりした声でいう。

「なあに？」モナはぼんやりといった。

「いまは時間を無駄にしたくないんだ」

「無駄？」

「とてもいろいろなことが起こったんだ」私はいった。「話をしなくてはいけないし、考えなくてはいけない——」

「そんなことよりボコマルをしましょうよ」モナはいった。

「それでは何も解決しないと思うんだ」

「そんなことよりボコマルをしましょうよ」

「それか酔っ払うかだな」これは皮肉で、ある種の異議申し立てだが、モナにはそんなことはわからない。

「ボコマルのほうが安くつくわ」モナはせがむようにいった。「それに二日酔いもしない」

「モナ、もしきみが僕の妻になるなら、もしそのことをちゃんと喜んでいるのなら、そしてもし僕がサンロレンゾの次期大統領になるなら、僕がときどき怒ったり、混乱したり、{口数が多くなったり、詮索したり}することに目をつぶらないといけないよ」

「ええ、もちろん」モナはいった。

「ええ、もちろん？」僕はたずねた。

「ええ、もちろん」モナはいった。~~××××~~「ふたりで~~××××××~~しょっちゅうボコマルをしましょう」

「しょっちゅうボコマルをしているわけにはいかないよ」僕はいった。「とくに最高指導者は」

「木琴もときどき弾いてあげるわ」

「いいたくはないが——きみの木琴は海の底だろう」

「わかってるわ」モナはいった。「でも、サンロレンゾの次期大統領は私に新しい木琴を買ってくれるでしょう。前のよりいいやつを。二オクターブ余分についているものを」

僕は肩をすくめた。「まあ、買ってあげるよ」

「あなたが？」モナは首を振った。「あなたはサンロレンゾの次期大統領ではないわ。誰が大統領になるかはボコノンの書に書いてある。あなたとは書いていない」

「じゃあ誰だ？」

モナは詩を暗唱した。

「老人が嘆いているのが聞こえるようだ」
老人とは偉大なる、大統領嫌いの、年老いたボコノンだ。
なぜボコノンは嘆いているのか？
全能の神から悪い知らせがもたらされたからだ。
次期大統領は、大統領嫌いで~~×××××××~~《大統領にかみつく》、
年老いた{とても年老いた}男ボコノンだ。

第三のプレイヤーによるフィードバック

ヴォネガットは人々の反応を気にかけていた。それについては、読者や、批評家や、俳優や、編集者など、各方面の証言がある。

一九七四年、ヴォネガットはこんな質問を受けた。「『チャンピオンたちの朝食』には、別の結末があったというのはどういうことですか？　いつそれを変えたのですか？」それに対して、彼はこう答えている。

そうだねぇ、『チャンピオンたちの朝食』は何度も何度も何度も書き直して、ようやく、よし、これでいいぞ、となった。そういうことだよ。［……］それと、原稿のやり取りが頻繁にあった。最近は出版社から六ブロックほどの場所に住んでいるもんでね。私が原稿の一部を出版社に送ると、向こうから校正刷りが返ってくる。それが何度もあるんだけど、その都度、人に運んでもらうんだ。で、出版社の制作部の若い人がふたり――申し訳ないが名前は知らない――、どの部分だったか忘れたけど原稿の一部を持ってきてくれて、そのうちのひとりが「この本の結末が気に入りませんでした」といったんだ。それで私は「何がいけないのかな？」とたずねた。するとふたりしてこういった。「僕らふたりとも気に入らないんです。あの結末は僕らが思っていた結末と違う。そのことをお伝えしておくべきだと思っただけです」そこで私はこういった。「わかった。考えてみるよ」そしてふたりに礼をいった。彼らの名前を聞いておくべきだったよ――なぜなら、彼らは正しかっ

たんだ！(458)

ヴォネガットの戯曲『Happy Birthday, Wanda June（さよならハッピー・バースデイ）』が上演されたときは、最初は「説教くさいセリフが六十もあった」と、のちに本人が書いている。批評家たちにもその点を指摘された。「そこで、いろいろ削除して三十分短くした」

私たちは聴衆を信頼することを学んだ。削除することでひじょうにうまくいったので、どんどん消えていく戯曲を書くことを思いついた。毎晩、新たに言葉を取り除いていって、そのうち俳優たちがするのはカーテンコールで舞台に上がるだけになってしまうんだ。(459)

ヴォネガットの本の版元の、あるベテランの編集者は、『デッドアイ・ディック』の原稿について、十ページのコメントを書いて送っていた。その内容は「全般」と「個別」に分かれていて、十ページ中二ページには、登場人物のキャラクター設定とプロットについての六つの提案が、行間を詰めてびっしりと書かれ、残りの八ページには、百十五箇所の校正案が書かれていた。校正案については、五つを除いて、すべてにチェックマークがついている。ヴォネガットがそれらの指摘に従って修正を施したものに「済み」の印をつけたのだろう。

しかし、キャラクターやプロットの各局面について、強調したり弱めたりしてはどうかという編集者の意見については、ヴォネガットがチェックを入れているのは二箇所だけだ。そのうちのひとつが次のような意見だ。「舞台劇を使って、劇中劇としてシーンを描く趣向は、作品のスタイルとしてひじょうにドラマチックというか過激です。正直いうと、初めてこれらの場面を読んだときは、びっくりして読む気が失せてしまいました。それからよく考えてみましたが、まだ迷っています。［……］もしよかったら、これらのシーンのいくつかを書き直して、語り手が直接語る、あるいは演じる普通のシーンにして、劇の形のシーンは二箇所だけ残すという風にできませんか。そうすれば残された劇のシーンがより印象的になるのではないでしょうか(460)」

『デッドアイ・ディック』の完成版を見ると、ヴォネガットがこの意見を検討したことがわかる。劇作家の語り手が散文で述べてもよかったところを台本の形にしているシーンは三箇所だけになっている。さらに、そのうちの最初のシーンでは、なぜそうしたかが説明されている。それでもヴォネガットは、編集者が書いてきた内容に関わる六つの提案のうち、四つは無視したようだ。

この例からいえることは、人の提案をなんでも聞く必要はないということだ。最終的に決めるのは自分だ。

もし提供される意見のすべてに従って、あちこちの人の趣味に迎合していたら、自分が当初目指していた道筋から大きくそれてしまう可能性がある。とくに気をつけなければいけないのは、そういう意見に付随して名声や成功がほのめかされている場合だ（「ここをこう変えれば、ベストセラーのこれこれみたいになる云々」）。そんなことをしていると、そのうち、もはや自分が書きたかった本を書いていないという状況になっているかもしれない。そうなると、書くプロセスを楽しむことさえできなくなる。だから気をつけよう。第三のプレイヤーの意見には耳を傾けなければならない。それと同時に、いちばんしつかりと耳を傾けなければならないのは、自分自身の声だ。

ここでヴォネガットが私に送ってきてくれた手紙を紹介しよう。その中で彼は、自分自身——この場合は私自身——の芸術的理想を実現させることの重要性を強調している。「喉を掻き切って自殺する」云々の部分は刺激的で、私がひどく自信を失っていたときに、たいへんな後押しとなった。

※

書くのをやめる勇気を持つ

ヴォネガットはその勇気を持っていた。

「何冊もの本をまるごと捨てた」あるドキュメンタリー映画で彼はそう語っている。(461)

『ジェイルバード』のプロローグではこう書いている。

あるとき、天国で父と再会する話を書こうとした。じつのところ、[『デッドアイ・ディック』は]最初の頃は、そういう感じで始まった。その中で私は父とほんとうの親友になることを望んでいた。だが、思いどおりにはならなかった。それは実在の人物を扱った小説ではよくあることだ。どうやら天国では、自分の好きな年齢になることができるようだった。ただし、生きているときにその年齢を経験していなければならない。[……]作者である私は、父がたったの九歳という年齢を選んだ

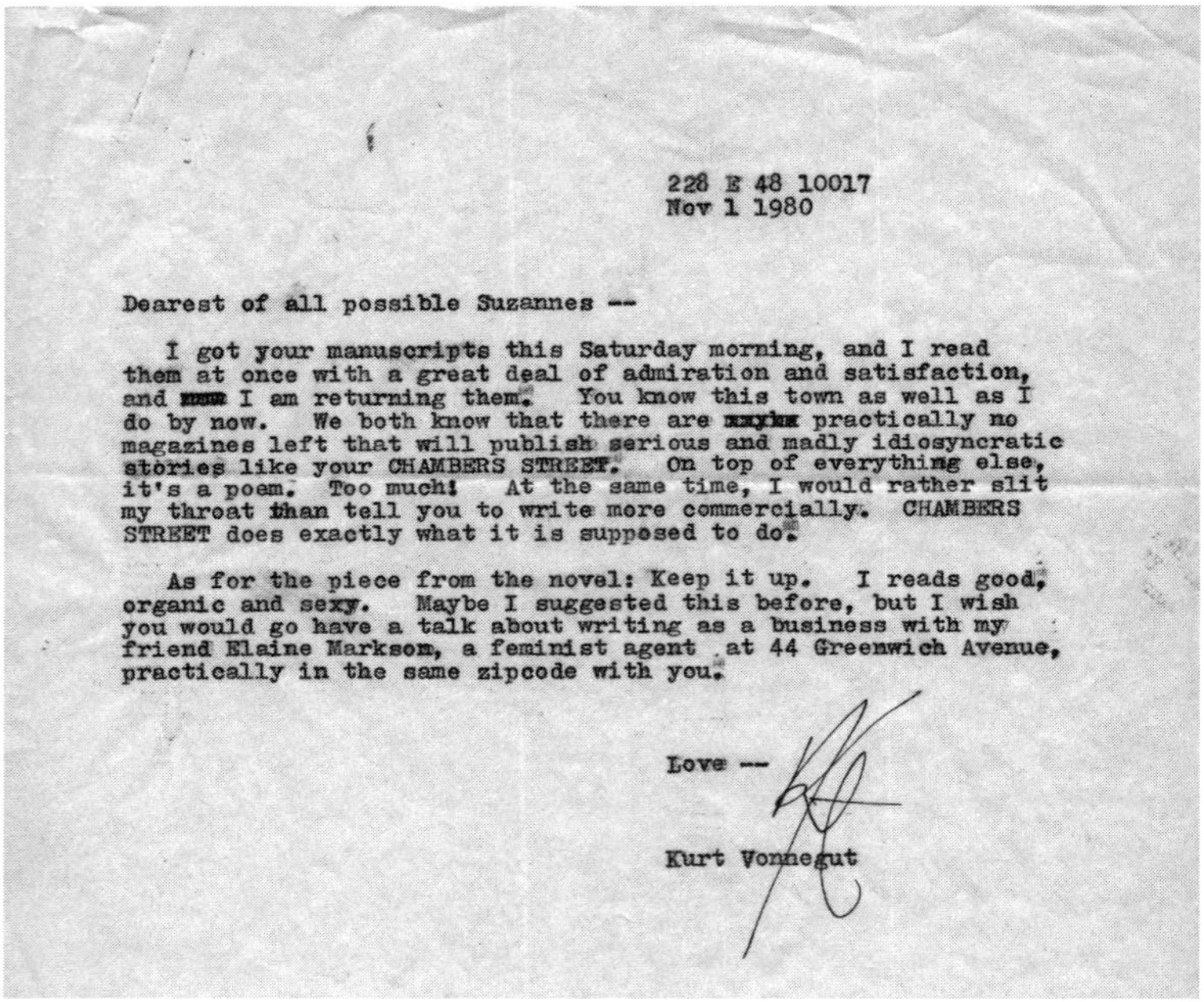

228 E 48 10017
Nov 1 1980

Dearest of all possible Suzannes --

I got your manuscripts this Saturday morning, and I read them at once with a great deal of admiration and satisfaction, and xxxx I am returning them. You know this town as well as I do by now. We both know that there are xxxxx practically no magazines left that will publish serious and madly idiosyncratic stories like your CHAMBERS STREET. On top of everything else, it's a poem. Too much! At the same time, I would rather slit my throat than tell you to write more commercially. CHAMBERS STREET does exactly what it is supposed to do.

As for the piece from the novel: Keep it up. I reads good, organic and sexy. Maybe I suggested this before, but I wish you would go have a talk about writing as a business with my friend Elaine Marksom, a feminist agent at 44 Greenwich Avenue, practically in the same zipcode with you.

Love --

Kurt Vonnegut

〈訳〉
226E 48 10017
1980年11月1日

世の中のあまたのスザンヌの中で最高にすてきなスザンヌへ
　きみの原稿は土曜日の朝に受け取った。すぐに読んで、とても感心したし、おもしろかった。だから~~×××~~原稿はお返しする。きみはもうこの町のことを、僕と同じくらいよく知っているね。僕らがふたりともわかっていることだが、きみのCHAMBERS STREETのようにシリアスでものすごくユニークな小説を掲載するような雑誌は~~××××××~~ほとんど残っていない。何よりも問題なのは、この作品が詩趣に富んでいることだ。あまりにも詩的すぎる！　それでも、もっと商業ベースに乗るものを書きたまえときみにアドバイスするくらいなら、喉を掻き切って自殺するほうがましだ。CHAMBERS STREETはまさにあるべき形に仕上がっている。

　もうひとつの作品についてだが、ぜひ書き続けるように。おもしろいし、自然だし、魅力的だ。たぶん前にもいったかもしれないが、僕の友人でフェミニストのイレイン・マークソンというエージェントに、プロの作家としてやっていくことについて相談したらいいと思う。住所はグリニッチ・アベニュー44、きみの家とすごく近いんじゃないかな。

じゃあまた。

カート・ヴォネガット

ことに戸惑った。

父は「幼い、変わった男の子」で、ひじょうにわがままであることが判明した。〔……〕どうやっても友好的な話になりそうにないので、書くのをやめることにした。[462]

書くのをやめるということは、その作品を放っておくことを意味する場合もある。ときには何年間も。そう考えれば、何かがうまくいかなかったときに放棄することも容易になるだろう。それに、もしかしたらそれはほんとうにしばらく放っておくだけかもしれない。ときには、自分の頭の中にある何かが別の表現手段を見つけるかもしれない。もちろん、永遠のさよならという場合もあるだろうが。

※

草稿は必ず保存しておくこと。自分の作品を曇りのない目で見るのは難しいことだ。ある日、天才的な思いつきに思えたことが、別の日にはばかげた考えに思える。ある晩、まったくくだらないと思った部分が、翌朝には説得力のある表現だとわかったりする。

書くのをあきらめるか、書き続けるかを決めるのは難しい。もし迷っているなら、自分の精神状態をチェックするといい。それが下降しているなら、いま書いているものをひとまず休ませる。そしてまったく違うものを書くようにする。

✲

書き続ける勇気を持つ

ちょっと一休みしたあと、行き詰まった原稿に目を通してみよう。どんな風に感じるだろうか。どんな風に書いてあるだろうか。もしかしたら、行き詰まった原因は、感情移入しすぎていたせいかもしれないし、一時的にエネルギーを消耗してしまっただけかもしれない。第八章で紹介した、ヴォネガットからホセ・ドノソへの手紙を読み返してみよう。尊敬する作家でもいいし、自分のことや仕事のことをよく知ってくれている人々でもいいから、自分自身や自分の原稿についてアドバイスを求めるのもいいだろう。

そのあと決断する。自分の決断に従う。

書くのをあきらめるのも、書き続けるのも、勇気がいる。

いずれを選択しても、小説を書くための道をさらに進んだことになるだろう。

✲

『猫のゆりかご』にこんな一節がある。

「父は死にそうな人間やひどい痛みに苦しんでいる人間に読んでやるような本をほしがっている。あんたはそういうのは書いたことないだろうな」

「いまはまだ」

「そういうのを書いたら儲かると思うよ。またひとつ、あんたにとって貴重な情報だ」

「『詩篇』の第二十三篇を徹底的に見直して改作することくらいならできそうかな。ちょっとだけ言葉を入れ替えたりして、盗作だとわからないようにするんだ」

「ボコノンも同じことをしようとしたよ。でも、一言一句変えられないとわかったんだ[463]」

第32章 どれにしようかな、すなわち選択

EENY-MEENY-MINY-MOE OR CHOICE

ヴォネガットは『パリス・レヴュー』のインタビューで、かつて姉のアリスと話をしている最中に、ある画期的な発見をしたと明かしている。

［アリスは］その気になればすばらしい彫刻家になれたはずだった。［……］あるとき私は彼女に、自分の才能を無駄にしているといって怒ったことがある。するとアリスは、才能があるからといって、それを使って何かをしなければならない義務はないのよ、と答えた。それは私にとってまったく新鮮で驚くべき考えだった。人はみなそれぞれの才能をつかんで、できるだけ速く、できるだけ遠くまで走るべきだというのが私の考えだった。

インタビュアー「いまはどう考えていますか？」

どうだろう――いまは、アリスがいったことは女性特有の知恵のように思う。私にはふたり娘がいて、ふたりともアリスと同じくらい才能がある。だが、心の安定やユーモアのセンスをかなぐり捨ててまで自分の才能をつかみとり、できるだけ速く、できるだけ遠くまで必死で走る、なんてことはぜったいにしないだろうね。娘たちは、私ができるだけ速く、できるだけ遠くまで行こうと突っ走っているのを見てきた――そしてそれはたぶん、彼女らにとってはひじょうにばかげたことに見えたに違いない。しかし「できるだけ速く、できるだけ遠くまで走る」ってのは、ありえないほどひどい比喩だね。彼女たちが実際に見ていたのは、何十年もじっと座り続けてきた人間なんだから。

インタビュアー「タイプライターの前でですね」

「そう。しかも、これでもかというくらいタバコを吸いながら[464]」

ヴォネガットはここで、自分はそうせざるを得ないと感じていた、と結論づけているが、実際にはアリスが指摘したとおり、ほかにも選択肢はあった。才能があっても、それで何かをしなければならないわけではない。それを持って走る必要はないのだ。それは、水泳の才能があっても、水泳でオリンピックに出る必要はないし、動物が好きでも動物学者になる必要はないのと同じだ。

ヴォネガットはこの啓示的な姉との会話に何度か言及している。また、しっかりした目的を持つという考えを、自分の作品のあちこちでからかっている。『スラップスティック』の登場人物のひとりがこういっている。

> 我々はニワトリを育てられたかもしれない。小さな菜園を持てたかもしれない。そして、どんどん増えていく知恵を、それらがなんの役に立つかなんてぜんぜん気にせずに、ただ自分たちで楽しむことができたかもしれない。[465]

※

いっぽうで、自由意志も——作家になるかどうかという選択でさえ——ヴォネガットの作品の中で、つねに疑いの目を向けられてきた。

ヴォネガットの家族の中で、作家としての彼にもっとも大きな影響を及ぼしたのは、母親のイーディス・リーバー・ヴォネガットだった。イーディスはしっかりした教育を受けた知的で教養のある女性だった。夫とともに大恐慌の時代にネズミ講に手を出して財産を失ったとき、彼女は小説を書いて雑誌に売ることで金を稼ごうとした。

> 母は優れた書き手だったが、大衆誌が求める俗悪趣味に合わせる才能はなかった。幸いにも、私には俗悪性がたっぷり備わっていたから、大人になったとき、母の夢を代わりに実現することができ

た。『コリアーズ』や『サタデー・イヴニング・ポスト』や『コスモポリタン』や『レイディーズ・ホーム・ジャーナル』などの雑誌のために小説を書くのは、私にとってはたやすいことだった。母には長生きして、それを見てほしかったよ。長生きして、こんなにたくさん孫がいることを見てほしかった。十人も孫がいるんだ。なのに最初の孫の顔も見られなかった。私は母のもうひとつの夢も実現した。もう何年間もケープコッドに住んでいるんだけど、母はいつもケープコッドに住みたがっていた。**たぶん、母親の果たせなかった夢を息子が実現するというのはよくあることなんだろう。**姉が死んだあと、姉の息子たちを引き取ったんだが、その子たちが姉の果たせなかった夢を実現しようとするのを見ると、ちょっとぞくっとするよ。[466]［太字は筆者による］

自分の才能を使わないというアリスの選択も、傍から見て思うほどのんきな選択ではなかったのかもしれない。『死よりも悪い運命』の中でヴォネガットはこういっている。

アリスがまだ子どもだった頃から［……］いちばん苦痛だったのは、彫刻や絵を仕上げるたびに、まるでミケランジェロのピエタ像やシスティナ礼拝堂の天井画を仕上げたかのように父からほめたたえられることだった。そのおかげで、大人になってからの彼女は（それも四十一歳までのことだが）、芸術家としてはなまけものになった。（よそでもたびたび紹介してきたが、アリスはこんなことをいっていた。「才能があるからといって、それで何かをしなければならないわけではないのよ[467]」）

＊

「人間のおもな仕事は、人間らしい人生をまっとうすることだ［……］機械や制度やシステムの添え物として働くことじゃない」『プレイヤー・ピアノ』の主人公ポールはそういっている。(468)

小説を書くことに集中した、視野の狭い、競争の激しい人生、芸術修士号の取得を目指したり、各種の会議やオンラインフォーラムや同業者グループに参加したり、出版のために奮闘したりする人生にはまってしまうと、書くことは自分の感性を表現するための多くの手段のひとつに過ぎないということを忘れてしまいがちだ。役に立つかどうかわからないが、私自身がそういうことに気づいたいきさつをここで紹介しよう。

一九六八年、アイオワ大学の文芸創作講座を二年半かけて卒業したあと、私は正規の教員になった。人生で初めて、きちんとした給料がもらえる仕事に就いて、しかもその仕事が好きだということに気づき、私はそれに全力で取り組んだ。そして、みずから書くのとはまったく異なる視点から、創作や文学に深く関わるようになった。文芸創作講座の熱気に満ちた現場を去って一年以上たったある週末、私はアイオワ・シティを訪ね、大学の書店「アイオワ・ブック・アンド・サプライ」に立ち寄った。すると、そこの書棚に知人のトムの書いた小説があった。白いカバーにトムと彼の妻のジャニスのやけに明るいサイケ調の写真が載っている。私はアイオワ・シティにきて一年目にこのふたりを引きあわせた。ふたりは恋に落ち、結婚した。カバーに書かれている文を読むと、その小説はふたりのロマンスを下敷きにしたものだった。値段をチェックした。私は声をあげて笑いはじめた。なるほど、作家であるということは、自分の経験を、意匠を凝らしたカバーの中にまとめ、それを七ドル九十五セントで売るということなのね！

それがひどく滑稽に思えた。私はそれまでの一年間、労働者や復員軍人を相手に教師を務めてきた。勤務地はミシガン州サギノーという人種差別の激しい町で、近隣のミッドランドという町にはダウ・ケミカル社の工場があって、ヴェトナム戦争の最盛期にはナパームを製造していた。そんな経験をしたあとでは、私たちの多くが小説を書くことにあまりにも真剣に取り組み、自分自身の価値をその点だけで測っていたことが、ばかばかしく、不条理で、滑稽に思えたのだ。

トムの小説は人々の関心を引くような社会問題を中心に据えたものではなかったし、その意図もなかった。それでも、それが扱っている人生がなんであれ、表紙カバーのあいだの印刷された紙に凝縮され、収まっている。

私がまだこの啓示的なひらめきの最中にいるとき、創作講座でともに学んだ別の友人ハワード・マクミランが「アイオワ・ブック・アンド・サプライ」の店内に入ってきた。そこの書棚に並んだ自分の小説を見にやってきたのだ。彼は私になぜ笑っているのかたずね、私は説明した。彼はいぶかしげな顔をした。そしてトムの本の売れ行きを店員にたずねた。それから自分の本を探し出し、その売れ行きをたずねた。私たちは別れた。

私はこのときのことを決して忘れないだろう。

いや、何度も何度も忘れるかもしれない。

とにかく、自分にはいろいろ選択肢があるということを覚えておくことが必要だ。

トラウトは四十二丁目のその場所で立ちつくした。私［この小説の作者］は［トラウトに］生きる価値のない人生を与えたが、同時に、生きようという鉄の意志も与えた。これは地球という惑星ではよくある組み合わせだ。[469]

書こうという鉄の意志によって、人生が生きる価値のないものになっているなら、その意志を弱めることを考えたほうがいい。

小説を書くこと――〝作家〟になること――に取り付かれた生活をしていると、そもそも自分が書きはじめた理由を見失ってしまいかねない。

もしそんなことが起こったら、書くことに没頭するのをやめて、何か無性に魅力を感じるような、ほかのことをしてみよう。

小休止をしたあと、もどってくればいい。書くことに関して、基本に立ち返るのだ。それは、自分がいわなければならないことを吐き出し、形にすることに、情熱と喜びを感じることだ。

※

「カートの言葉は、彼の本とともに、僕が自分の想像の世界に夢中になるきっかけとなった」ハーヴァアードでヴォネガットの教え子だったジム・シーゲルマンはそう回想している。「でも、学期末に僕はカートにこういった。いままでいろいろ聞いたことを総合すると、僕は作家の人生を歩みたいとは思いません、と。それに対する彼の答えは、押し付けがましいものではなかった。彼はこういったんだ」

「少しでもなれないと思うなら作家にはなるな(470)」

※

『チャンピオンの朝食』や『デッドアイ・ディック』には、人生を大局的に見るすばらしい視点が提供されている。その例をふたつ紹介しよう。

「あんたはまじめなのかふざけているのかわからないな」運転手がいった。

「それは私もわからないね。人生がまじめなのかふざけているのかわかるまでは」トラウトはいった。「人生が危険なのはたしかだ。そして、とても痛い目に遭うかもしれん。だからといって、まじめとはかぎらんのだ(471)」

私はシリアの葬式で白昼夢におちいった。ほんとうにおもしろいことやなぐさめられるようなことがいわれるとは思えなかった。牧師のチャールズ・ハレル師でさえ、天国も地獄も信じていなかった。ハレル師でさえ、すべての人生に意味があり、すべての死は我々に驚きを与え、大切なことを教えてくれる、などと信じていなかった。死体はある期間ののち滅びたどこにでもいる凡人だ。会葬者たちもある期間ののち滅びる凡人たちだ。

この町も滅びつつある……

この惑星も滅びつつある……

私は教会のうしろのほうで、人生とはいかなるものかという白昼夢にふけっていた。私は自分にこう言い聞かせた。母も、フェリックスも、ハレル師も、ドウェイン・フーヴァーも、みんなひとつの巨大な動物を構成する細胞だ。私たちひとりひとりを真剣に個人とみなすべき理由はない。シリアはいま、ドレイノとアンフェタミンにまみれて棺に横たわっているが、それはもしかしたら天の川ほどの大きさの膵臓から脱落した、死んだ細胞なのかもしれない。

ひとつの細胞にすぎない私が、自分の人生をこんなに深刻に受け止めているとしたら、なんと滑稽なことだろう!(472)

第33章　生計を立てること

MAKING A LIVING

A　作家業からの収入

私はある文芸創作講座で教えていた［……］授業の初日には必ずこういった。「この講座のお手本となる人物はフィンセント・ファン・ゴッホだ――彼は自分の絵を弟に二枚売った(473)」

大金持ちの家に生まれた場合は別として、文学でもその他の芸術でも、本格的に活動するアーティストにとって、もっとも難しいもっとも根本的な問題は、どうやって創作活動を経済的に支えていくかだ。支えなければならないのは創作活動だけではない。ほかのあらゆる人々と同様に、アーティストも自分自身や家族の衣食住をまず賄っていかねばならない。つまりアーティストにはおもな務めがふたつある。そのひとつが生活に必要な金を稼ぐことだ（それはほかのいくつかの務めを伴うこともある）。

ヴォネガットは、作家の道を歩もうとしている若い新進小説家に向けてのアドバイスを求められて、こう答えている。

若い作家たちがいまから始めるのは、以前よりずっと難しい［……］若者がいま始めるのは以前より難しいことがたくさんある。［……］ひじょうに残念だが、貧しい人がいま作家としてスタートする方法はない。(474)

ヴォネガットがこれをいったのは、なんと一九七三年！ それから四十五年のあいだにどんな変化があっただろう。作家として金を稼ぐことは、さらに難しくなっている。それで生計を立てるなどとんでもない。統計からは、一般的な所得格差と同じ傾向が見られる。つまり経済的に成功した一握りのグループ、いわゆる〝上位一パーセント〟と、その他大勢だ。これはどのジャンルにも共通している。

ちなみに、インターネットで作家の稼ぎについてざっと検索してみれば、次のような見出しが現れるだろう。「生計の手段は手放さないように——SF小説家の経済的現実(475)」「作家の収入、すなわち文化的な神話(476)」「アマゾンでベストセラーになっても、なんにもならなかった(477)」この最後の見出しを書いた作家のパトリック・ウェンシックはその顛末を次のように赤裸々に書いている。

作家としての収入がある場合でも、たいした額ではない。［……］

インディーズ出版社から出た本として、その年もっとも注目され、ベストセラーの上位にも食い込んだ場合、その金銭的な実態はこうだ。

ジャジャーン。

一万二千ドル。〔……〕

販売部数は四千部前後だった。

✲

なぜこういうことになるのか？　ヴォネガットはそれについて簡潔に述べている。

優れた作家が不足しているわけではない。不足しているのは、頼りになる分厚い読者層だ。(478)

ピュー研究所〔米国の調査機関〕の調査によると、アメリカ人の成人は平均して年に十二冊の本を読む。読書量が多いのは年齢がいちばん若い層といちばん年配の層に大きく偏っている。(479)小説はどれほど読まれているか？　それはわからない。

参考までに次のヴォネガットの発言を見てほしい。

以前にウィリアム・スタイロンのスピーチを拝聴したことがあるが、その中で彼はこういっていた。偉大なロシアの小説は、ホーソーンやトウェインやそのほかどんなアメリカ人作家の作品より大きな影響を我々アメリカ人作家に与えてきたが、それらはひじょうに限られた読者に向けて書かれたものだった。なぜなら、ロシアという文盲の人々が多数を占める巨大な帝国の中で、文学に通じた人間の数はひじょうに少なかったからだ。[480]

＊

カート・ヴォネガットは金儲けのために短編小説を書いた。いまでは考えられないことだ。

私には家族がいたが、それを養うのに十分な金はとても稼げなかった。それで週末に短編を書きはじめたんだ。当時は巨大な雑誌業界があって、短編小説はひじょうにいい値で売れた。雑誌は短編をたくさん必要としていた。[481]

一九四九年十月二十八日

親愛なる父さんへ

短編小説が初めて『コリアーズ』に売れました。昨日の正午に小切手（七百五十ドルから十パーセントのエージェントの手数料を引いた額）を受け取りました。近々、あと二作売れそうです。

作家業も軌道に乗ってきたと思います。初めての稼ぎは貯金しました。また作品が売れても、GEの給料の一年分が貯まるまで貯金するつもりです。あと四作売れたら、それくらいは十分稼げて、少しはゆとりができると思います（いままではそういうことがまったくなかった）。そうしたらこの悪夢のような仕事をやめて、もう金輪際、会社勤めなんかしません。

いまはほんとうに久しぶりに幸せです。

じゃあまた。

K(482)

当時の七百五十ドルは、いまの七千四百八十一ドルに相当する。

それから二年後の一九五一年、ヴォネガットはゼネラルエレクトリック社をやめる。それから彼は金を稼ぐためにあたふたとせざるを得ず、実際あたふたした。家族は増え、収支環境が一変した。いまや家計の帳尻を合わせるために、作家業だけでなくほかの仕事もしなければならなくなった。教師をしたり、車の販売に手を出したりもした。ばかげた企てもいろいろ考えた。

ヴォネガットはそのひとつを友人のミラー・ハリスに持ちかけている――ハリスはヴォネガットの戦友でコーネル大学の新聞『サン』の記者だった。当時『ハーパーズ』に短編小説が載ったばかりの新進作家でもあり、家業のシャツ製造会社で働いていた。

一九五〇年二月二十八日

ニューヨーク州アルプラウス

親愛なるミラーへ

たしかに作家を本職とする者は失敗する運命にあるかもしれない。でも僕はほかにもたくらんでいることがあって、これからそれを説明しよう。

この手紙はシャツ製造業者のハリスに宛てたものだ。僕は蝶ネクタイの製造・販売ができる人物に提案がある。きみはそれができるだろう？　僕は衣料品業界のことは何も知らない。だからこの提案はまったく非常識なものかもしれない。

とにかく、僕は蝶ネクタイに関してアイデアがあるんだ。きみもこのアイデアを聞いたら、それがティーンエイジャーに大流行して、数週間は大儲けできるとわかると思う。

そういうことに興味はあるかい？　そのネクタイはたいしたコストもかけずにつくれる――機械も電線も真空管もいらないんだ。普通のシンプルな蝶ネクタイで（もちろん暗闇で光ったりしない）、普通の蝶ネクタイと同じようにつくれる。でもひとつだけ、売れること間違いなしの特徴があるんだ。

興味があるかい？　もしあるなら、もしそのアイデアが少しでもいいと思うなら、僕にいくらくれる？

＊

長編小説は短編にくらべて、あまり金にならなかった。

「〔出版社の〕ダブルデイから『バーンハウス効果に関する報告書』を長編に書き直してほしいといわれ

た。それで稼げるのがまた七百五十ドル」ヴォネガットはハリスへの手紙に、皮肉を込めてそう書いている。

しかし、大衆雑誌市場の制限から自由になって自分のいいたいことをいうためには、長編小説の形式をとるしかなかった。

ヴォネガットはハリスへの同じ手紙の中でこういっている。「僕にはいい案がある。それでうまくいくと思う。ＳＦ作家として評判になることに望みをかけているんだ」[483]

※

自分がやりたいことをやるリスクを冒すいっぽうで、一家の大黒柱としての責任と、単調な会社勤めへの嫌悪にさいなまれていたヴォネガットの葛藤は、この時期の彼の作品、とくに「Deer in the Works（構内の鹿）」という短編と『プレイヤー・ピアノ』に顕著に表れている。

こういう葛藤を抱えていたのは彼だけではなかった。第二次世界大戦の復員兵の多くは、郊外に住み、会社勤めをすることになってうんざりしていた。一九五〇年代半ばに書かれたウィリアム・Ｈ・ホワイトの『組織のなかの人間　オーガニゼーション・マン』やスローン・ウィルスンの『灰色の服を着た男』は、どちらも企業社会の体制順応主義的な傾向を批判した書で、ベストセラーになった。

重要なのは、当時といまでは、変わった点もあれば、本質的に変わっていない点もあるということだ。たしかにヴォネガットは短編小説を書いて金を稼ぎ、小説家としての腕も磨いた。それはいまでは不可能なことだ。しかし、彼はゼネラルエレクトリック社をやめて作家業に専念しようとしたものの、結局は、いくつもの非正規の仕事を掛け持ちすることになった。そしてほとんどの期間、よく売れる短編小説を書く方法は学んだものの、自分がほんとうに書きたいものを書いてはいなかった。

今日では、自分がほんとうに書きたいものを書きながら、うまく書く方法を学ぶことができる。ただ、それで金を稼ぐことができないだけだ。それどころか、金を払って学ばなければならない場合が多い。しかし、フリーランスの不安定な生活と、会社勤めの安定した生活のあいだの葛藤は昔と変わらない。

✻

心理的にいえば、キルゴア・トラウトは、SF作家がいかに貧乏かに気づいた私が、将来こうなるかもしれないと思ってつくった自画像だ。実際、当時の私はSF作家のひとりで、彼らと同様に貧乏だった。(484)

息子のマークはこんなことを語っている。「僕が十歳の頃、父は僕が新聞配達で貯めた三百ドルを貸してくれないかといってきた(485)」

「キルゴア・トラウトにいまここにいてほしかった」とエリオットはいった。「そうすれば、彼と握手をして、あなたこそ、今日存命中の作家の中でもっとも偉大な作家です、といえたのに。たったいま聞いたところによると、彼が来られなかったのは、仕事を休めなかったからだそうだ！　いったいこの社会は、我々のもっとも偉大な預言者に、どんな仕事を与えているのか？」エリオットは胸が詰まって、しばらくのあいだ、トラウトの職業を口にすることができなかった。「それは、ハイアニスのスタンプ景品交換所の在庫管理係だ！」(486)

＊

ここで、いい側面に目を向けよう。

ヴォネガットは苦労した。作家ならたいていが経済的に苦労するだろう。しかしそれも悪くない。苦労するということは、忙しく仕事をしているということで、学びながら、がんばっているということだ。ほんとうにひどいのは、無気力、無関心で目標がないことだ。

そこで耳寄りな情報だ。カートの人生で経済的にもっとも苦しかった時期は、もっとも創造性に富んだ時期でもあった。

私の作品の大部分は、ケープコッドに住んでいた一九五〇年から一九七〇年のあいだに書いたものだ［……］たぶんその頃が私の創作人生の最盛期だったのだろう。［……］一九七〇年にとうとうケープコッドを去るときには、それまでに自分が書いたものにかなり満足していたと思う。ケープコッドでは、よく広大な干潟を散歩した。前方でガンの群れが飛び立つと、私も健やかで幸せな気分で四時間の散歩から家に帰った。(487)

＊

B 生計の手段となる仕事について

大恐慌の時代に育った者にとっては、仕事を失っても、札入れや玄関の鍵を失くしたようなものだ。また別の仕事に就けばいい。(488)

ときには、「別の仕事に就く」ことが驚くべき結果をもたらすこともある。スピーチ・ライターのロバート・ラーマンは、『ニューヨーク・タイムズ』にこんなことを書いている。「カート・ヴォネガットはかつて『頭のおかしいやつしか大統領になんかなりたがらない』と書いたが、彼は私がホワイトハウスのスピーチライターになるのを手伝ってくれた。一九六五年、ヴォネガットはアイオワ大学文芸創作講座で私が小説の書き方を学んでいたときの指導教官だった。ある日彼は『きみを助手の職に就けてやってもいいが、そのかわりスピーチを教えなければいけない』といった。私は『スピーチのことなんて何も知りませんよ』といった。すると彼は『勉強するんだ。千八百ドルもらえるんだぞ』というようなことをいった(489)」

そこでラーマンは勉強した。そして自分はスピーチというものが好きだということに気づいた。私の記憶では、ラーマンは反戦運動に熱心に関わっていて、しょっちゅう街頭演説をしていた。政治に対する興味と演説原稿を書く専門的技術の向上が相まって、彼はついに、一九九三年から一九九五年までアル・ゴア副大統領の首席スピーチライターを務めるまでになった。そして、本職のスピーチライターとして働くいっぽうで、四冊の長編小説を出版し、百本のノンフィクション記事を書いた。ワシントンでの政治活動は、短編小説のネタも供給した。また、生涯の〝生計の手段〟となったスピーチライティングの分野では、定評のある専門書『The Political Speechwriter's Companion: A Guide for Writers and Speakers（未）』（二〇〇九年）を世に出した。ラーマンは現在もスピーチを教え、コメンテーターやスピーチライターとしても引っ張りだこだ。

理想的な生計の手段は、楽しんでやれて、小説の肥やしとなり、一定水準の収入が見込めるものだ。小説の執筆以外で興味や関心をもてる何か――たとえば、体を使ったり、共同作業をしたり、他人と関わり合いながらするような仕事はどうだろう。それが特殊な専門技術を必要としたり、特殊な状況、環境で行なわれる仕事ならなおよい。そういう仕事は読者の興味をそそり、それ自体が物語の題材になる。医療や法律関係の仕事の現場からは、専門性を活用した著名な作家が輩出している。

まだ若くて創作活動を始めたばかりなら、小説を書くというゴールへ向かうための最初の目標として、やりがいがあって実入りのよいほかの職業を選ぶことを考えたほうがいいかもしれない。もしもじゅうぶんな意欲があって、きちんと努力することができて、家族も協力してくれて、エネルギーにあふれているなら、仕事をしながらでも書くことはできる。小説の執筆は限られた時間だけにするか、十分な金を稼いでほかの仕事をやめるまで中断してもいい。

そうすれば、もし小説がものにならなくても、少なくとも生活費を稼ぐことはできるし、自分がいいと思う何かをして、わくわくするような経験をすることもできる。

＊

いっぽうで、さまざまな理由から、フルタイムの職業をふたつ掛け持ちすることはしたくないという場合もあるかもしれない。あるいは、さきほど述べた、意欲や努力や家族の協力やエネルギーなどの必要条件が自分には備わっていないと思うかもしれない。ほとんどの人はそうだろう。心配はいらない。どんな状況にあって、どんなやり方を好むかは、人それぞれだから。

＊

とくに好きでもない仕事をうまくこなす方法は、その仕事に関して、自分が心から関心を持てる何かを見つけることだ。

たとえば、ヴォネガットはゼネラルエレクトリック社でいっしょに働いていた人々にひじょうに関心を持っていた。何人かは生涯にわたっての友人であり続けた。

『ローズウォーターさん、あなたに神のお恵みを』の中に、〝義務として成すべき思いやり〟を実践する保険のセールスマンが描かれている。

哀れで陰気なフレッドは、保険に入ってくれそうな顧客を探して、金持ちがコーヒーを飲みにくるドラッグストアや、貧乏人がコーヒーを飲みにくる新聞販売所で午前中いっぱい過ごした。彼はこの町でただひとり、その両方でコーヒーを飲む人間だった。［……］

気の毒なフレッドは、ときどき手に入るわずかな金を家に持ち帰るために、必死に働いた。いまも仕事の最中で、新聞販売所にいるひとりの大工とふたりの配管工ににっこり笑いかけた。

フレッドはその三人を、妻に関する会話に引き込む。

「私は［妻に］できるだけのことをしてきましたよ」フレッドはきっぱりといった。「ただ、十分ではないかもしれない。どんなことだって十分になんかできやしない」。フレッドの胸に、ほんとうに熱いものが込み上げてきた。**彼は、こうでくちゃいけない、ほんとうに胸に熱いものが込み上げてこなくちゃいけない、でなければ保険なんか売れっこない、と思っていた。**「でも［保険は］けっこう値打ちのあるものなんですよ。貧乏人でも妻のためにしてやれることとしてはね」[490]［太字は筆者による］

私が〝義務として成すべき思いやり〟を見出したいきさつはこうだ。かつて私は、フランクリン・ライブラリー出版から刊行される作品の、作者紹介を兼ねた序文を書く仕事をしていた。あるとき、これは出来が悪いなと思う長編小説の序文を書くことになって、途中で行き詰ってしまった。そのとき、あるベテランの同業者から、こんなアドバイスを受けた。本心でないことを書くのではなく、自分が関心のあることを見つけて、そのことに集中して書くといい、と。私はその小説の著者のジョン・ハーシーを尊敬していた。ただ、その小説が気に入らなかっただけだ。著者への尊敬の念を糧に、私はその仕事をやり遂げることができた。

※

ヴォネガットはゼネラルエレクトリック社での仕事を嫌っていたが、その仕事を経験したおかげで、最初の長編小説『プレイヤー・ピアノ』の題材と、それを書く情熱と、さらに広報活動に関する貴重な教えも手に入れた。

すべての仕事は小説の種が見つかる宝庫だ。

ヴォネガットは創作講座で私たち学生に、仕事について書くことを熱心に勧めた。仕事の話は十分に書かれていないと彼はいっていた。ほとんどの人間は仕事に多くの時間を費やしている。さらに職場には、葛藤や登場人物の造形や社会的な論評など、使えそうな素材があふれている。

また、単純労働に就いた場合は、階級や権力について、あるいは労働現場の構造や底辺について、より心情的な理解が深まるだろう。(491)

「どんな種類のアーティストでも、社会の周縁にいることはひじょうにためになる。なぜなら、それによって、社会の中心にいる人間よりもいい論評ができるようになるからだ」とヴォネガットはいっている。(492)

彼は第二次世界大戦では将校ではなく兵卒だった。

※

あるときヴォネガットは私たちに、家のペンキ塗りの仕事をすることにした友人の作家の話をした。その友人は、一日中、機械的にペンキを塗りながら、頭では小説のことを考えていられると思ったらしい。しかし実際にはどうなったか。ヴォネガットは発作のように吹き出しながら「彼は一日中、ただペンキを塗っていただけだった」といった。

同じように、私も一九七〇年代に、お金を稼ぎながら音楽が聞けると思って、あるジャズクラブでウェイトレスの職に就いた。すると、客の大半はジャズ・ミュージシャンで、みな貧乏なのでチップもはずんでくれず、おまけにウェイトレスの仕事をしながら音楽を聞くのは不可能だということが判明した。また、夜中に地下鉄に乗るのも危険だった。けれども、その経験は短編小説を書くにはひじょうに役立った。

教訓：仕事は仕事。集中して取り組まねばならない。

一九八三年のドキュメンタリー映画で、ヴォネガットはこう述べている。

私は朝七時半に起きて、一日四時間仕事をする。午前九時から十二時までと夕方五時から六時までだ。ビジネスマンも人間の代謝機能について研究したら、もっといい結果が出せるのに。人間、一日に八時間は働けない。一日に四時間以上働くべきではないんだ。(493)

＊

仕事に時間を奪われることを恨むのはたやすい。時間さえあれば、ずっと書いていられるのにと思うかもしれない。私の知り合いの作家は、ある週刊誌の正社員として読者からの手紙を扱う部署で働いていた。しかし、初めて出版された長編小説がよく売れたので、その仕事をやめた。数年後、彼女が打ち明けたところによると、「『ニューズウィーク』で働いていたときは、その仕事に時間を奪われることをめちゃくちゃ恨んでいた」が、この世のすべての時間を自由に使えるようになっても、小説の執筆に関わる時間には思ったほどの変化がなかった、というのだ。

十分な時間があることによって、自分のリズムで仕事ができ、さまざまな用事の合間に執筆の時間を割りこませている感じから解放される。それはすばらしいことだ。時間があることは取るに足らないことではない。重要なことだ。しかし、もっと重要なのは、時間の使い方とその質だ。実際、ほかにやることがあるというプレッシャーのおかげで、執筆の時間がより尊い有意義なものになることもある。(494)

※

ヴォネガットは小説以外の書き物の仕事が作家の才能をつぶすという説についてこういっている。

それは根も葉もないことだ――その手の仕事が作家の魂をつぶすなんてことはない。アイオワ大学の講座で、ディック・イェーツと私は、「作家と自由企業制」についての講義を毎年一回するようにした。学生たちには評判が悪かったけどね。その講義では、作家が飢え死にしそうになった場合や、本を書くために十分な資金を貯めたい場合にできる仕事をいろいろ紹介するんだ。出版社はもう新進作家が初めて書く長編なんかには金を出さないし、雑誌もなくなってしまった。テレビも若いフリーランスの作家から作品を買おうとしないし、財団も私みたいな年寄りの役立たずにしか助成金を出さない。だから若い作家はプライドを捨てて半端仕事で生活していくしかないんだ。でないと、そのうち現代文学なんてなくなってしまう。ただ、そういう仕事にはひとつだけ作家にとってほんとうに身の毛もよだつ恐ろしいことがある。それは貴重な時間が奪われるということだ。(495)

学生だった私は、その講義を嫌だとは思わなかった。ありがたく思った。私たち学生の将来について、必要不可欠なことを、本気で心配してくれる人がようやくいたという風に感じた。私自身、ちょうど将来について心配しはじめたところだった。

私の記憶では、その講義はカートが企画したものだった。カリキュラムにはなかった。予想外のプレゼントだった。

その実用本位の講義で、ヴォネガットとイェーツは、賃金労働に対して心の扉を開けるように私たちにうながした。技術分野や医療分野の文書作成、助成金の申請書の作成、産業映画の脚本の作成――あらゆる種類の書き物の仕事が紹介された。ヴォネガットたちは、広告産業を有望な仕事が見つかる場所としてほのめかした。私は耳を疑った。広告業界はいわゆる体制派の中核を成す業界として六十年代の反体制派からは忌避されていたのだ。身売りとはまさにこのことではないか！

ヴォネガットたちのいったことが、いかに当時の学生たちの常識からはずれたものだったか、その年の五月に学内で出回ったちらしを見ればわかるだろう。次の写真はアレン・ギンズバーグ〔ビート世代を代表する詩人〕を招いた抜き打ち集会のちらしだ。

ヴォネガットは困窮していたとき、まわりから軽蔑されていることを知っていた。

フリーランスの作家として『サタデー・イヴニング・ポスト』や『コリアーズ』なんかの雑誌に短編を書いて生活費を稼いでいた頃、私は軽蔑されていた。つまり、大衆誌に小説を売るなんてことは、売春みたいな見下げ果てた行為だとみなす時代があった。大衆誌に書いていない人々は、明ら

1967年5月11日にアイオワ大学で開催された「ジェントル・サーズデイ*」のちらし。著者提供。

*ジェントル・サーズデイは1966～67年に米国西海岸から始まった学生らの座り込み集会の一種。1967年5月11日にアイオワ大学で行なわれた集会では「優しさ、愛、平和、幸福」をモットーに歩道や車や人体に花が描かれ、菓子や幻覚剤などが配られ、アレン・ギンズバーグが自作の詩を朗読した。

かに金を稼ぐ必要のない人々だった。私もそういう人間でありたいのはやまやまだったが、そうではなかった。一家の長だったし、なんとしても家族を、恥ずかしくない方法――少なくとも自分にとって恥ずかしくない方法で養っていかねばならなかった。[496]

もしカート・ヴォネガットが仕事に対して神経質に選り好みしていたら、成功していなかったかもしれない。なぜなら、もしそうだったら、『ニューヨーク・タイムズ』に『ランダムハウス大辞典』の書評を書く仕事も受けなかったかもしれないし、そうすればのちに彼の本を出版することになるサム・ロレンスの目にとまることもなかっただろう。ヴォネガットの伝記を書いたチャールズ・シールズは、こう書いている。「どう見ても、辞書の書評なんて大変な仕事」で、その年彼が請け負った他の割のいい書評の仕事にくらべて、「残りかす」みたいなものだった。そのうえ、ヴォネガットは自分のもとに送られてきた辞典を見て、腹を立ててもおかしくなかった。(497) 彼はそれをアイオワ大学の院生で助手を務めていたバリー・ジェイ・カプランに見せている。バリーの証言によると、それは営業用のサンプルで、AとBの項しかなかった。それでも分厚かった。ヴォネガットは腹を立てはしなかった。その仕事をおもしろいと思っていた。

短編集『モンキー・ハウスへようこそ』に収められているその書評を読んでみてほしい。すばらしい書評だ。くだけた言葉遣いで、想像力豊かに、豊富な情報を提供しながら、自分の興味のある政治問題にも触れ、好きな作家をほめ、ある種の社会的、政治的態度に対する支持を表明している。それらすべてのことを、ごく普通の辞典を吟味する中でやってのけているのだ。

どんな種類の文を書いても、それは言葉と格闘するスキルを高めることになる。

※

書き物の下請けには、もうひとつ〝身の毛もよだつ恐ろしいこと〟がある。それは、書くことに縛りつけられる状態が繰り返されることだ。すでに何時間もパソコンとにらめっこしたあとで、またパソコンに向き合いたいとは誰も思わないだろう。金を稼ぐために何時間も文章を整えてきたあとで、自分の作品のためにまた言葉と格闘したくもないだろう。

その重複を回避するために、たとえば手書きで原稿を書いたり、ちょっとした合間に書いたり、酒場とかどこでもいいが、下請け仕事では考えられないような、まったくちがった場所、おもしろい場所で書くという手もある。

※

カートは「作家と自由企業制」についての講義をこんな風に締めくくった。

「我々を利用してほしい」ぶっきらぼうに彼はいった。

〝我々〟とは講師を務めるベテラン作家たちのことだ。

私は彼がそういったときのことをはっきり覚えている。私たちのほうをまっすぐ見て、それから目を落とし、口からそっと言葉を押し出した。ほんとうに困ったときはそうしてくれ。彼はそう伝えようとしていると私には思えた。

ヴォネガットの教え子のロニー・サンドロフはこれに関してある逸話を語っている。


私が書いた小説で「The Frump Queen」という短編があった。アイオワ・シティで行なわれるホームカミング・パレード〔大学などの学園祭で行なわれるパレード〕を題材にしたものよ。ヴォネガットはそれが気に入って、僕から『レッドブック』という女性誌に送ってやるよ、といってくれた。でも私は断ったの。お願いママ、自分でやらせてって感じよ。で、その短編は『レッドブック』に採用された――私にとって初めて雑誌に売れた作品になった。だけどそれから十年以上たったときに、じつはヴォネガットが『レッドブック』に手紙を書いて、私の作品を見落とさないように頼んでいたことがわかったの。『レッドブック』の編集者たちは、ヴォネガットから手紙をもらって大喜びしたらしい。恥ずかしかったわ。私はそれまで何年も、みんなにこういってたんだもの。素人が持ちこみで雑誌に小説を売ることはできる、現に私はできた、とね。私はそう信じたかったの。世の中、コネじゃなくて、能力が大切なんだと。

その後、ふたつの中編を収めた『Party Party and Girlfriends（未）』という本が初めて出版されることになって、その頃には私も世の中の不公平を直視することができるようになっていたので、ヴォネガットに推薦文を頼んだ。「力強く、想像力に富んでいて、恐ろしいほど率直」と彼は書いてくれた。私をJ・D・サリンジャーにたとえてもいたけど、その部分は編集者にカットされたわ。

※

ヴォネガットはあるインタビューで、アメリカのどの地域でも、文芸創作のクラスに二十人の学生がいたら、そのうち六人は「すばらしい才能があり」、ふたりは実際に本を出版するだろうといっている。そして、出版にこぎつけるふたりと、同じくらい才能のある他の学生との違いは何かと問われて、こう答えている。

頭の中に文学以外の何かを持っていることだ。それに、売りこみがうまいということもあるだろう。誰かに見つけてもらうまでじっと待っているようなことはしないという意味だ。なんとかして読んでもらおうとがんばる。[498]

ヴォネガットはある種の厚かましさを愛した。

作家のダン・グリースンはそれについて詳しく語っている。「一九六七年の冬、僕は薄っぺらいトタン板でできた古いプレハブ校舎の中で震えていた［……］じりじりしながら、偉大なカート・ヴォネガットの最初で最後の授業が始まるのを待っていたのだ」。グリースンはジャーナリズム専攻の学部生で、ヴォネガットの講座には登録していなかったが聴講を希望していた。しかし座席はなく、立って聴講するしかなかった。ヴォネガットは彼に、次のセメスターが始まる前に僕のところへきたら登録できる、といっていた。

僕は実際、その忠告に従うつもりだった。しかし次の授業のとき［……］僕は別の校舎から椅子をくすねてきて、それをヴォネガットのクラスに持っていき、どっかり腰を下ろした。［……］ヴォネガットと目が合ったとき、彼はぎょっとした様子で、きみはこのクラスの学生かと聞いた。

僕は「そうです、こないだの授業にいたんですが覚えてませんか？」といった。

彼はいぶかしげな目で僕を見て、一瞬黙り込んだあと、うなずいてこういった。「ああ、そうか

「……」じゃあいいよ」

数週間後、ヴォネガットは学生会館の中で僕を見かけて、すわるようにいった。「きみは売春宿に隠れている三人の少年が出てくる短編を提出したね？」

僕は、はいと答えた。

「あれはとてもよかった。だが正直にいってくれ。きみはあのクラスに登録していないだろう？」

「はい、たぶん」

ヴォネガットは顔をくしゃくしゃにして、ニカッと大きく笑った。「ばかだなぁ、知ってたよ。だけど聴講は許した。きみのずぶとさが気に入ったから。この世界はずぶとくないとやっていけない」

これが、僕がヴォネガットから学んだ「三番目に」大事な教えだ——ずぶとさは扉を開く。[499]

＊

出版にこぎつけるにはコネがすべてだと世をすねた考えをする者は浅はかだ。

出版社は商売をしている。その商売が繁盛することを望んでいる。売れないと思ったり、将来性がまったくないと思ったり、自分たちの評判を傷つけたりするようなものは出さない。『レッドブック』の編集者は、ロニー・サンドロフの短編の出来が悪かったり、自分たちの読者に合わないと思ったら、採用しなかっただろう。

コネが役に立つのは、持ち込まれた作品——出版業界では〝プロジェクト〟というが——がよくできている場合だ。他の条件が同じなら、たしかに有力な人物の推薦があるほうが競争相手にくらべて選ばれる確率が高くなるだろう。それは職探しでも同じだ。したがって、コネはたしかに役に立つこともある。ときには手助けになり、ときにはかえって邪魔になったりする。コネがあろうとなかろうと、最高の努力をしなくてはならない。

それに関して、ヴォネガットの経歴からふたつの例を紹介しよう。彼はコーネル大学で、のちに作家兼編集者として活躍するノックス・バーガーと出会った。そして『コリアーズ』に短編小説を持ち込んだときに再会した。ノックス・バーガーは編集補佐としてそこで働いていたのだ。彼はヴォネガットの短編を「ちょっと高尚すぎて、うちの雑誌には合わない」といって、不採用にした（写真参照）。

しかしその後、ノックス・バーガーは編集者として、友人として、ヴォネガットの初期の作品の出版に大いに貢献することになる。ヴォネガットの最初の短編小説の出版を後押ししたし、最初の短編集『Canary in a Cat House（未）』の出版を手がけ、『母なる夜』の編集もした。[500]

出版業者のサム・ロレンスはヴォネガットが書いた辞典の書評を読んで感動し、彼の新作を三冊出版する契約を結んだ。[501]ヴォネガットが辞典の書評の中で、たまたまロレンスのかつての上司だったベネット・サーフに言及していたことが、もしかしたら役に立ったのかもしれない——しかしそれは、いわゆる〝コネ〟の範疇には入らないし、意図的なものでもなく、いわゆる守護妖精の〝偶然の気まぐれ〟の類だった。いずれにせよ、ヴォネガットの書評が出来そこないだったら、サーフに言及したことも何の意味もなかっただろう。

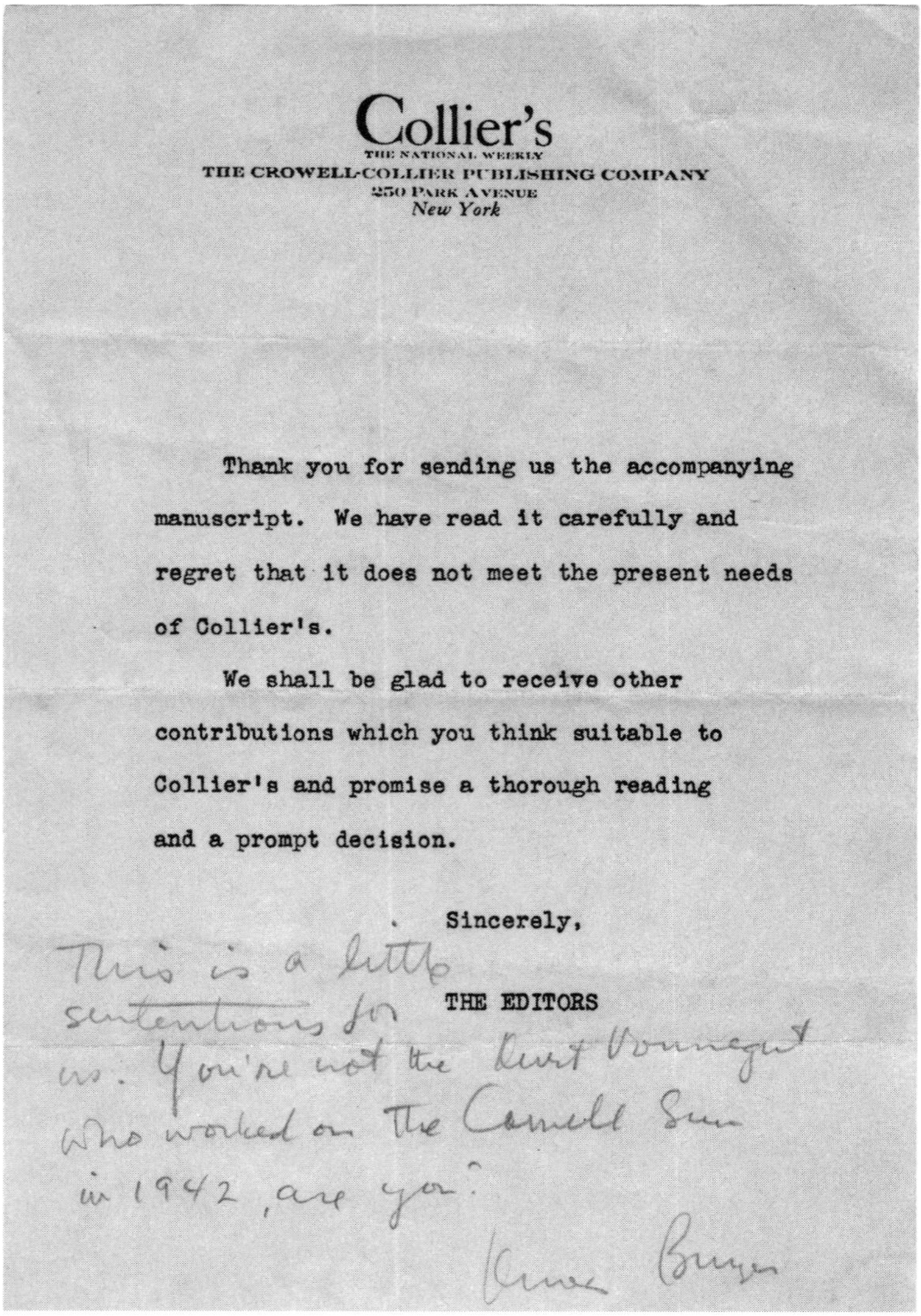

Collier's
THE NATIONAL WEEKLY
THE CROWELL-COLLIER PUBLISHING COMPANY
250 PARK AVENUE
New York

Thank you for sending us the accompanying manuscript. We have read it carefully and regret that it does not meet the present needs of Collier's.

We shall be glad to receive other contributions which you think suitable to Collier's and promise a thorough reading and a prompt decision.

Sincerely,

THE EDITORS

This is a little sententious for us. You're not the Kurt Vonnegut who worked on The Cornell Sun in 1942, are you?

Knox Burger

『コリアーズ』からヴォネガットへ出された不採用を知らせる手紙。インディアナ州ブルーミントン、インディアナ大学リリー・ライブラリー提供。

〈訳〉
このたびは同封の玉稿をお送りいただき、ありがとうございました。こちらで慎重に読ませていただきましたが、残念ながら現在の『コリアーズ』のニーズには合致しないものと判断いたしました。
小誌に適当とお考えの作品がほかにございましたら、ご投稿を歓迎いたします。慎重に検討し、速やかにお返事を差し上げることをお約束します。／編集者一同
（以下、手書き文字）この作品はちょっと高尚すぎて、うちの雑誌には合いません。ところできみは1942年にコーネル大学の『サン』にいたカート・ヴォネガットだよね？／ノックス・バーガー

文芸誌の世界でも、同様のことがいえる。私が編集を務める『ベルヴュー・リテラリー・レヴュー』では、コネにからんだ不公正を忌み嫌い、ときにはそのせいで損害を被ることもある。ある賞のスポンサーでもある有名な富豪の作品を掲載しなかったら、そのあとで、その賞の賞金額をかなり引き下げられることになった。私たちは、うちの雑誌のコンテストで審査員を務めた人物の投稿は受け付けないということさえしている。私たち編集者にとって大切なのは、作品そのものと、そのとき検討中の号におけるバランスだけだ。

ずぶとさも役に立つが限界がある。コネも同じだ。

＊

『母なる夜』の語り手の脚本家は、刑務所の庭でアドルフ・アイヒマンから、ある質問を書いたメモをこっそり渡される。

「著作権エージェントはどうしても必要だと思うかね？」そのメモにはアイヒマンの署名が入っていた。

私はこう返事した。「アメリカでは、ブック・クラブや映画会社に作品を売るために、どうしても必要であります(502)」

息子のマークが新聞配達をして貯めた金を借りてから十年後、ヴォネガットはマークの言葉を借りると、「あっという間に貧乏人から金持ちの有名人になった[503]」。その「あっという間」に、ヴォネガットはあるインタビューでこう語っている。

※

正直、金には困惑している。成功したおかげで、世の中がおかしくなったように感じるよ。成功すると、ほとんどどんなものでも出版できる。それに対してどう反応するかというと、単に書くことをやめてしまうんだ。私が新しい分野の仕事を求めているのはそのせいだ[504]。

比較的無名の存在から一躍スポットライトを浴びるようになれば、たしかに困惑するだろう。名声は人を不安にさせる。一九八〇年代の初め、ジョン・アーヴィングが有名になったときに、カートは彼のことが心配だと私に話した。「僕に同じことが起こったときは、少なくとも、もう四十代だったから」と彼はいった。

世間は、ある人物の社会的なイメージと本物の人格を混同する。むやみに恐れたり、いろいろと要求したり、勘ぐったり、期待したりする。

これもヴォネガットから直接聞いたことだが、同じ頃、ある大学で朗読会があって、そのあと、彼のためにパーティーが開かれた。ところが、誰もカートや彼の妻のジルに話しかけてこなかったという。みんな気後れしたのだ。

インディアナポリスの住人ジョーゼフ・シップリーは、ついこのあいだの九月、私がブルックリン・ブック・フェスティバルのカート・ヴォネガット記念図書館のブースを手伝っていたとき、こんな逸話を教えてくれた。ジョーゼフはハイスクールの二年生のとき『猫のゆりかご』と『スローターハウス5』を読んだ。その直後の秋のある日、インディアナポリスの中心街で、カート・ヴォネガット本人と路上ですれちがった。

「あなたのこと知ってます！」ジョーゼフは思わず口にした。

「いや、知らないだろう」カートは答えた。

＊

都会風のしゃべり方をしようとして失敗した、とアイオワ大の教室で恥ずかしそうに話していたカートは、数年のうちに、他の有名作家たちとともにホワイトハウスに招待されるほどの名士になった。このように急激に出世すると、友人や家族もなかなかたいへんだ。自分の父親や夫や叔父が——あるいは教師が——急に別人のようになってしまうのだ。手の届かない誰か、ファンから知り合いのように思われる誰か、家族や友人とはあまりいっしょに過ごせない誰かになってしまう。

「僕はいつも、うちにもうちょっとお金があったら完璧に幸せになれるのに、と思って育ってきた。だけど、金が入ってきたら、何もかもめちゃくちゃになってしまった」マーク・ヴォネガットはそういっている。「父が有名になったとたん、人々が父のまわりに集まってきた。腹を空かせたグッピーがパンの切れ端に群がってくるみたいだった。父はみんなが腹いっぱいになれるほど大きなパン切れではなかった[505]」

そういう状況に慣れるのは、関係者全員にとって骨の折れることだった。

✻

カートは晩年、一家の財政を立て直すことができて誇りに思っているとマークに語った。それによって、彼は母親のいちばんの夢を実現させたのだ[506]。

✻

ヴォネガットは成功したことによって、創造性を伸ばすことができた。また、有名人でなければできないような形で社会と関わり、影響力を発揮できるようになった——講演をして、公正な社会の実現のために声をあげたのだ。よき市民になるという目標を達成しただけでなく、それ以上のことをした。

＊

心配しなくても、たいていの人は名声と富のもたらすマイナス面を耐え忍ぶ必要はないだろう。だが、プラス面をまねすることはできる。

第34章 心身のケアをすること

CARING FOR YOUR PIECE IN THE GAME

生きるということに対して私がいちばん嫌気が差すのはそれだ——生きているかぎり、いとも簡単に、まったく恐ろしい過ちを犯してしまう。(507)

何よりも大切なのは、健康であることだ。心も体も含めた自分自身こそ、この宇宙の営みにおける自分の住み家であり、使用する道具だ。作家としての仕事に必要なのも自分自身。だから自分の心身の状態に注意を払い、健康を維持しなければならない。

「若い頃の私の人生を台無しにしたものがふたつある。生命保険と嫉妬だ」ヴォネガットはインタビューでそういっている。ゼネラルエレクトリック社をやめて専業の作家になることは「ひじょうに不安なこと」だったという。

家族がどうなるかものすごく不安だったので、私は生命保険という粗暴なたかり屋のような商品を購入してしまった。稼いだ金はことごとくそこにつぎ込まれて、とうとう、私が大金を手に入れるには死ぬしかない、ということがはっきりしてきた。そしてその考えが頭から離れなくなった。[508]

カートは冶金学者の友人に、どれくらいの生命保険に入っているかたずねた。その友人はまったく入っていなかった。自分が死んだあとどうなるかなんて心配じゃないと彼はいった。だってもう死んでいるんだから。カートは保険を解約した。[509] その結果、彼はこうアドバイスする。

もつべきものは科学者の友だ——彼らは合理的に考える。

嫉妬については、そうだな、そのせいで身が焼き尽くされそうだった。硫酸をたっぷり注射されたみたいに。いまはもう、上手に克服してるけどね。[510]

※

あるとき私たちは文芸創作講座でカートが感情を爆発させるのを目撃した。その少なくとも一部は、嫉妬から生じたものと思われる。デイヴィッド・ミルチという学生が、会社員をあざけるような短編小説を提出したときのことだ。当時はジェネレーションギャップが激しく、「三十歳以上の人間は信じるな」という考えの全盛期だったし、軍産複合体や企業、そしてそれらを運営する人々に対する怒りが激しかった。会社員をばかにすることはめずらしくなかった。

しかしヴォネガットはミルチを激しく非難した。「そういう人々は僕の仲間だ！　僕は彼らのような人々といっしょに働いていたんだ！」会社員は家族を養って必死に働いている、だから尊敬に値する、とヴォネガットはいった。

デイヴィッド・ミルチはカリスマ性があり、イェール大学を優秀な成績で卒業していた。権威ある文学賞も受賞し、作家のロバート・ペン・ウォーレンの愛弟子でもあった。

「ヴォネガットはアイヴィーリーグ〔ハーヴァード大やイェール大を含む米国北東部の名門八大学〕が嫌いで、僕はその出身だった」ミルチはそう回想している。「反教養主義を標榜していた。僕の経歴が不適格者の印になったんだ」。しかし、私たちのクラスには、ほかにもアイヴィーリーグ出身者がいた。この一件が起きる前から、ヴォネガットはミルチのことが気に障ってしかたがないらしいとクラス中に知れ渡っていた。

しかしその確執は、リチャード・イェーツが中に入ったことや、ミルチがヴォネガットの娘のエミーと仲よくなったことや、ヴォネガットもミルチも「ドネリーズ」という近所のバーの常連だったことなどによって和らいだ。

皮肉にも、ミルチは芸術修士号を取ったあとイェール大学で教職に就いたが、やがてその職を退き、ロサンゼルスでテレビドラマ「ヒル・ストリート・ブルーズ」の脚本を書き、「ＮＹＰＤブルー」、「デッドウッド〜銃とＳＥＸとワイルドタウン」などの制作にもたずさわって、純文学の世界から遠ざかった。

このように正直に感情的な反応を示すところは、私たちを教える作家講師たち、とくにヴォネガットの特徴で、作家ではない講師たちと違うところだった。そしてそれは成長をうながすものでもあった。ミルチはヴォネガットに非難されたことで、「教師と学生の溝や、異なるバックグラウンドを持つ人々のあいだの溝は、自分が思っていたよりずっと深い」ということに気づいた。私自身が学んだのは、ヴォネガットの「文学の歴史に反応して書くのではなく、人生そのものに激しく反応して書く」という考え方には感銘するが、そういう姿勢は公正さを欠くこともありえる、ということだ。特権が剥奪されたという思いこみからくる嫉妬は、なんの罪もない成功者を傷つけかねない。

緑色の目をした怪物、すなわち嫉妬については文学でもよく書かれてきた。まさに〝硫酸〟だ。その怪物はぴったりと張りつくように魂を包み込む。とても気持ちが悪い。その怪物はとても卑劣だ。取り憑いた人に、自分の選択に対して責任なんて取らなくていいとそそのかす。自分の目標に目を向けるより、横目で人のものを見ろという。他人の魂や運命については知っていて当然だといういっぽうで、自分自身の魂や運命については知らなくていいという。

嫉妬は誰もが経験する。

＊

晩年、ヴォネガットは富と名声を手に入れた。そして、同じような地位にいる人々とつきあうようになってからの年月が、貧乏だったときの年月と同じくらいになった頃、『ホーカス・ポーカス』を書いた。

その中に、次のような一節がある。

偉大な社会主義者の作家ジョージ・オーウェルは、金持ちとは金を持っている貧乏人だと思っていた。その意見に私は賛同する。[511]

一九九七年、ヴォネガットはある卒業式のスピーチでこう述べている。

我が国のリーダーにも、他のどんな国のリーダーにも、よそから受けた侮辱や危害に対して武力で報復することを思いとどまらせるのは無理かもしれません。〔……〕しかし我々個人の人生においては、少なくともその内面生活においては、恨みを晴らすことに熱中したり、病的な興奮を覚えたりすることなく、特定の個人、集団、団体、人種、あるいは国家と和解する生き方を学ぶことができます。そうして初めて、我々は自分の犯した過ちに許しを請う権利を得るのです。なぜなら我々も、我々に対して過ちを犯した者を許すからです[512]。

※

カート・ヴォネガットはうつ病に苦しんだ。それは、打てば響くような生き生きした授業中の態度からはわからなかった。彼がうつで苦しんでいることに私が気づいたのは、アンドレ・デビュースの妻のパットに、私はヴォネガットにとても憧れているのと話したときのことだ。パットはこう答えた。「そう、でも私なら彼と結婚はしたくないわ」

「どうして？」と私はきいた。

「ひどいうつだもの」

そのとき私はカートが家で『スローターハウス5』を書きながら、その話とそれを書くという重荷に何年も苦しんできたことを想像した。それに加えて、彼は家族に対する責任も負っていたが、それについても当時の私はぼんやりとしか気づいていなかった。

※

アイオワ大学メディカルセンターのナンシー・アンドレアセン博士は、ヴォネガットの言葉によると、「我々〔作家〕の神経症は、一般の人々の神経症と違いがあるかどうか」について、生涯を通じて研究してきた。

ヴォネガットは『パームサンデー』にこう書いている。

アイオワ大学病院の精神科は〔……〕多くの著名な作家たちがアイオワ・シティを訪れることを利用していた。〔……〕その精神科の医者たちは、我々作家に、自分だけでなく先祖や親兄弟の精神状態まで質問した。その結果、私が聞いたところでは、〔……〕作家の大多数はうつ状態にあり、心理学的にいって、正常な人々より多くの時間をうつ状態で過ごしていた人々の子孫であることが明らかになっているという(513)。

これが事実かどうか、私は大いに疑わしいと思うが、もし事実だとしても、環境も関係しているだろう。ヴォネガットが作家として暮らした環境について、いくつか紹介しよう。

＊

小説を書くということは、孤独の中で、くる日もくる日も、じっとすわって仕事をするということです。ときたま私はこんな独り言をいいます。「これは生命に対する冒瀆だ(514)」

こういう肉体的に不健康な状況に関して、ヴォネガットはあるインタビュアーにこんな話をしている。

友人のヴァンス・ブージェリが、私もなるほどと思うアイデアを思いついた。まずタイプライターのキーボードを、ひとつひとつのキーがディナー皿くらいになるように巨大化する。そしてそのキーボードを書斎の壁に立てかける。朝起きたらシャワーを浴びて、ウィーティーズ〔小麦のシリアル食品〕、別名〝チャンピオンたちの朝食〟を食べて、スウェットスーツを着て、ボクシング用のグローブを手につける。そして午前中いっぱい、壁のキーボードのキーをパンチして過ごすんだ。そうすれば体重が減って血のめぐりもよくなり、昼食もたっぷり食べられて、健康になれる。ブージェリは冗談でいったんだが、それは彼にとっても私にとっても、笑い事ではなかった。私か彼のどっちかが、ほんとうにその巨大キーボードをつくるかもしれないよ［笑い］[515]。

今日では、多くの人が、くる日もくる日もじっとすわっていなければならないことに悩んでいる。そのうえ、私たちはほとんど筋肉を使う必要のない機器を使用している。手動式のタイプライターを使ってみたら、それがいかに肩や腕や指を酷使するものかわかるだろう。

肉体的な苦痛を感じることなく執筆を続けるためには、人間工学に気を配る必要がある。快適で効率のよい仕事場をつくり、健康管理の専門家のいうことをぜんぶやってみる。しょっちゅう立って、動き回ったり、ストレッチをしたり、運動をしたりする。健康のための基本中の基本は「自分の体を大切にすること」だ。

ヴォネガットは「衣替えには」という短編小説で、人間が肉体に縛られている問題を完全に解決している。それはこういう思いに端を発している。

私はただ、［人間が］自分の体を維持するためにしなければならないことをひどく恥ずかしく思うのです[516]。

ヴォネガットはよい姿勢の基本的なルールにことごとく反するように、低い机に置いたタイプライターの上に、長い体をかがめて書いた。

＊

＊

孤独という問題に関していえば、ヴォネガットはホセ・ドノソにこんな手紙を書いている。

これまでにたくさんの作家に会ってきたが、彼らはみんな、どこへ行こうと二十エーカーのサハラ砂漠を抱えていく。なぜそんなことをするのか僕には説明できないが、ただひとついえるのは、作家の場合、組織で仕事を分担するのではなく、自分ひとりでなにもかもやらざるを得ないということだ。(517)

これはたしかにひとりで担うにはたいへんな重荷だ。何年ものあいだ、ほかの人間は見ることもできず、理解することもできない芸術の制作を、長期にわたって、ビジョンを持って実行しなければならないのだから。

文学以外の芸術は、たいていの場合、もっと共同作業があったり、少なくとも目に見えるものだったりする。ダンサーや俳優、劇作家、建築家、音楽家は他の人々と協力し合う。視覚芸術の作品は、制作途中でも見ることができるし、その意味では人と共有することができる。

逆にいえば、作家の場合、普通なら他人と共有するようなことのすべてを――すばらしく守りの固いプライバシーとともに――独り占めできるということだ。

「これまで映画や演劇やテレビの世界に手を出してきた」一九七一年、ヴォネガットはゲイル・ゴドウィンへの手紙にこう書いている。「そしてやっとわかったんだが、私がやりたいことは、私以外の人間にはあまり手伝うことができないんだ。だから、私は本と小説の世界へもどる[518]」

＊

自己疑念。拒絶。これらは人が定期的にうつにおちいることにたしかに手を貸している。

一九五一年、ヴォネガットは友人のミラー・ハリスへ宛てた手紙に、『ザ・ニューヨーカー』からの不採用通知を同封している。

親愛なるミラーへ

僕はこういう通知を何百通も雑記帳に綴じている[519]。

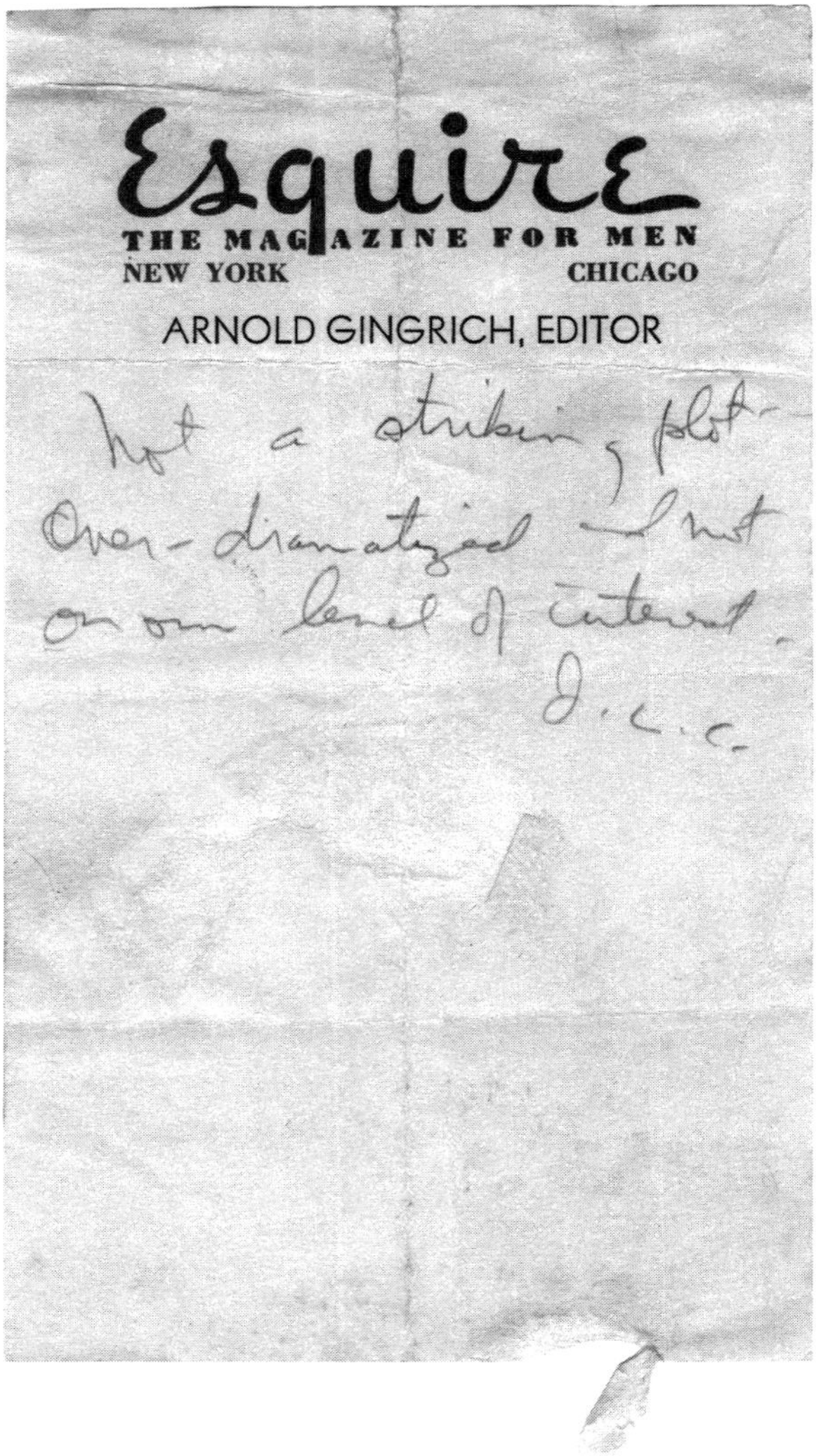
Esquire
THE MAGAZINE FOR MEN
NEW YORK CHICAGO
ARNOLD GINGRICH, EDITOR

Not a striking plot.
Over-dramatized and not
on our level of interest.
J.L.C.

『エスクァイア』誌からヴォネガットへの不採用通知。インディアナ州ブルーミントン、インディアナ大学リリー・ライブラリー提供。

〈訳〉
アーノルド・ギングリッチ、編集者

印象的なプロットではない。
大げさすぎる。
我々の興味を引くレベルではない。
J.L.C.

そんなにべもない通知のひとつがインディアナ大学の資料館に保管されている（写真参照）。出版社に採用されても、その作品の出来が自分の理想に及ばないこともある。『チャンピオンたちの朝食』の序文でヴォネガットはこう述べている。

私自身はこの本についてどう思っているのか？　お粗末な出来だと思っているが、そう思うのは毎度のことだ。友人のノックス・バーガーは、ある種の複雑で長ったらしい小説について「[……]フィルボイド・スタッジ〔イギリスの小説家サキの短編小説に登場するシリアル食品の名前〕が書いたみたいだ」といったことがある。もともと自分の中にプログラムされていたことを書いているときの私は、まさにフィルボイド・スタッジだと思う。

※

駆け出しの作家だったヴォネガットはいったいどのようにして、じっとすわっている苦痛や、孤独や、自己疑念や、拒絶や、経済苦などの困難に対処していたのか？

一九五三年の冬、ケープコッドでいよいよ苦しい状況におちいったとき、三十歳だったヴォネガットは、ニューヨークにいる友人でいつも自分を擁護してくれるノックス・バーガーに手紙で助けを求めている。

やあ、元気かい。

僕はちょっと精神的に参っている。それで、その手のセラピーか何かについてそっちで聞きつけた噂があれば、教えてもらえればありがたいんだが。

じつは、僕はもう小説を書くこともできないし、家族にも優しくできないでいる。［……］［……］だから、お願いだ、精神療法を受けてちょっとでもよくなった人物を知っていたら教えてほしい。それが作家だったらいちばんありがたい。

カート(520)

この手紙からまもなく、ヴォネガットはまたノックスに手紙を書いている。

十歳の少年ふたりに頼んで、八十フィート〔約二十四メートル〕の私道の雪かきをしてもらった。これでサウス・デニスの精神科医のところまで行って、頭を診てもらうことができる。こういうのは普通、秘密にしておくことかな？(521)

＊

私自身も、作家としての意気がとことんくじかれたときに、またしてもヴォネガットに泣きついた。当時、私は結婚し、夫とともにロフトをこしらえ、教師として働き、一年間執筆から遠ざかっていたあ

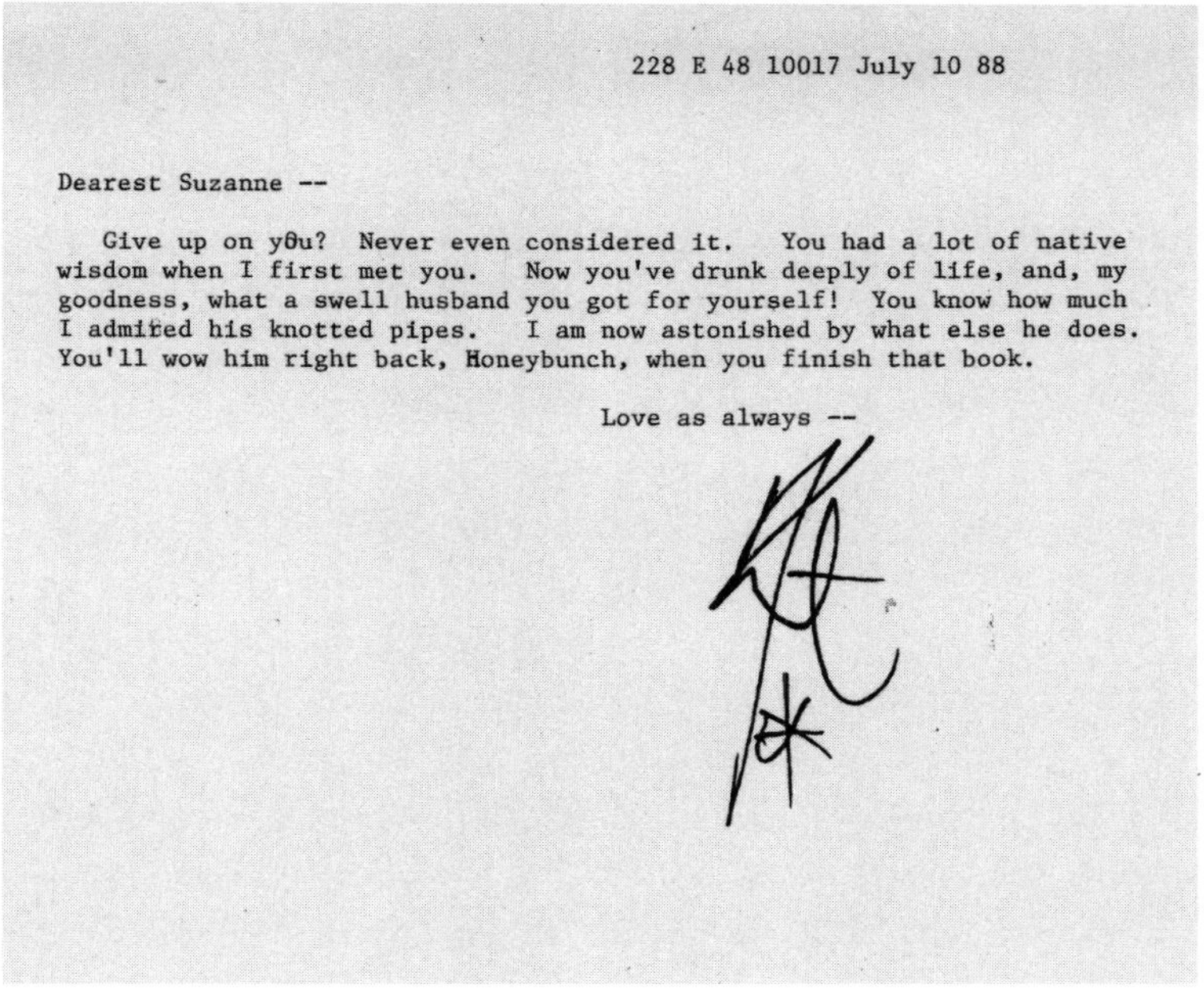

228 E 48 10017 July 10 88

Dearest Suzanne --

Give up on yθu? Never even considered it. You had a lot of native wisdom when I first met you. Now you've drunk deeply of life, and, my goodness, what a swell husband you got for yourself! You know how much I admired his knotted pipes. I am now astonished by what else he does. You'll wow him right back, Honeybunch, when you finish that book.

Love as always --

1988年7月10日付のカート・ヴォネガットからスザンヌ・マッコーネルへの手紙。著者提供。

〈訳〉
228 E 48 10017 1988年7月10日
親愛なるスザンヌへ
　きみを見捨てるだって？　そんなこと考えたこともないよ。僕が初めて会ったときから、きみにはもともとたくさんの知恵が備わっていた。いまきみは人生経験を深め、なんとまあ、すばらしい芸術家の伴侶まで得たじゃないか！　パイプを結んだ彼の彫刻作品にはほれぼれしたよ。そしていま、彼がほかにどんなことをしているかを知って驚いた。ねえスザンヌ、きみもその本を完成させたら、きっと彼をうならせることができる。
ではまた
カート（サイン）

と、ふたたび長編小説を書きはじめていた。しかし、それを書く価値があるという確証がまったく見出せなくなって絶望していた。私はヴォネガットに「私を見捨てないで」と懇願する手紙を送った。彼はこんな返事を寄こした（写真参照）。

＊

〝うつ〟という言葉は長期にわたって憂うつな気分におちいっているという意味でよく使われる。いっぽう、精神疾患のうつ病はそれとはまったく異なるもので、心身を衰弱させる病だ。

ヴォネガットは生涯、精神病を理解しようと格闘し、精神病について書いてきた。なぜなら彼と彼の家族の多くが――母親や妻や息子などを含め――それを患ってきたからだ。

マーク［ヴォネガットの息子］がおかしくなるずっと前から、精神病は化学物質によってもたらされるものだと思っていて、小説にもそう書いていた。何かの出来事や人物が、他の人物を狂気に落とし入れるような小説は書いたことがなかった。狂気は化学物質が原因だと子どもの頃でさえ思っていた。なぜなら、我が家の家族ぐるみの友人で、大きくておっかない州立精神病院の院長の、物知りで親切でしかめっつらで陰気なウォルター・ブルエッチ博士が、よくこういっていたからだ。うちにくる患者の病気は化学物質によるもので、その化学的性質がよく解明されるまではほとんど何もできない(522)。

しばらくしてヴォネガットは、この化学物質原因説が自分の精神状態にもあてはまると気がついた。『プレイボーイ』のインタビュアーは、うつ病についてヴォネガットにたずねているが、その中で「薬で問題が解決しましたか？」と質問している。

いいや――だが、アンフェタミン系の処方薬にははまっていた。なぜかというと私はよく寝るんだ。［……］うつ病によくある症状でね。すごく長い昼寝をするので、それは時間の無駄だと思った。そこで医者に相談したら、リタリンを処方してくれたんだ。よく効いたよ。すごく感心したね。そんなにたくさんのんじゃいないのに、とても不思議だった。うつになっても、待ち針の頭ほどのちっちゃな薬をのむだけで、すごく気分がよくなるんだ。それまで、自分はアッティカで起きた囚人暴動とかヴェトナムのハイフォンの機雷封鎖とかに反応してうつになっているんだと思っていた。ところがそうじゃなかった。私は明らかに体内の化学物質に反応していたんだ。私がやらなければならないことは、この小さな錠剤を一粒のむことだけ。薬はもうやめたけど、自分の気分が薬で変えられるという事実にはひじょうに興味があるね。［……］

つい最近まで、私は二十日おきにかんしゃくを起こしていた。長年、この定期的な爆発には、しごくもっともな理由があると思っていた。自分のまわりの人々がそれを誘発していると思っていたんだ。でも最近になってようやく、六歳の頃からずっと定期的にこれを繰り返してきたことに気がついた。まわりの人間はそれに対してほとんどどうしようもなかった。たぶん、一日か二日、放っておくしかなかっただろう。でも、それはほんとうにきっちりとした間隔で起こるんだ。［……］週に一回、ずっと医者に通っているよ。精神分析を受けてるんじゃない。もっと表面的なことで、女医さんに自分のうつのことを話して、その本質を理解しようとしている。驚いたことに、うつの原因の多くは生理学的なものなんだ。最近完成したばかりの『チャンピオンたちの朝食』という本では、すべての登場人物の動機が体の中の化学現象で説明される。(523)

この十二年後に出版された『ガラパゴスの箱舟』では、環境危機が限界を超えたあとの未来に舞台が設定されているが、そこでもヴォネガットは脳の化学現象の問題に取り組んでいる。こんどは脳そのものがほとんど登場人物になってしまうのだ。

＊

当時の人類の成人の脳は、ほとんどの場合、重さがおよそ三キログラムにも達していた！〔……〕これらのとてつもなく巨大な脳を別にすれば、ここはひじょうに無害な惑星だった。[524]

かつての人類の名誉のためにいっておけば、当時においても、ますます多くの人が、こう考えるようになっていた。自分たち人間の脳は無責任で、信用できなくて、恐ろしく危険で、とんでもなく非現実的だ——要するにろくでもないしろものだ。[525]

一時的な脳の機能障害をわびる文句が、あらゆる人々の会話にひんぱんに登場した。「これは失敬」とか「すみません」とか「お気を悪くなさらないで」とか「私としたことがなんということを」とか「とっさのことで、考える暇がありませんで」とか「この種の事故には保険をかけていますす」とか「とても自分を許すことができません」とか「弾が入っているとは知らなかったのです」

とか、その他もろもろ。[526]

このように、人間の脳が総体として愚かな振る舞いをすることが示される。その結果、大惨事が起こる。

百万年前、可能なかぎり多くの人間の活動を機械に置き換えようとする不可解な熱狂が起こった。それは、自分たちの脳がろくでもないしろものであることを人々が認めた証拠のひとつにほかならない。[527]

『ガラパゴスの箱舟』の登場人物たちは、判断力において途方もない欠陥を露わにする。メアリー・ヘップバーンはかつてハイスクールで生物の教師を務め「人間の脳は進化によって生み出されたものの中で、もっとももすばらしい生存の道具だ」と信じていたが、いまは自分の脳に自殺しろと責めたてられて苦しんでいた。[528]

［ヘラルド・デルガード二等兵は］まだ十八歳で、妄想型統合失調症を患っていた。そもそも実弾を支給されるべき人間ではなかった。

巨大な脳が彼に語っていたのは、ありとあらゆる妄想だった。［……］［デルガード二等兵は］自分にとって厄介な問題は、小さな無線機を持った敵がたくさんいることだと考えた。[529]

カート・ヴォネガット《限界》1980年6月8日。ナネット・ヴォネガット提供。

〈訳〉
人間の思考には限界がある。

語り手はこう告白する。

〔私もしばしば〕自分の巨大脳から助言を受けた。それらの助言は私自身の生存、もっといえば人類の生存という観点から見て、控え目にいっても疑わしいたわごとだ。[530]

＊

ところで、研究者たちが発見したところによると、ヒトマイクロバイオーム——人間の体内に存在する〝微生物の集合体〟——は臓器のひとつのように働き、しかも脳と同じくらいの重さがあるとい

う。私たちの体内に、重量にしてあの大きな脳に匹敵するくらいの微生物がいるのだ。驚くべきことではないか！(531)

＊

脳のメカニズムに関する最新の研究は、そのテーマに関するヴォネガットの考えがそこそこ正しかったことを裏付けている。うつ病や双極性障害のような精神状態を引き起こしている部位が正確に特定され、ときには神経回路の配線を変えるような方法で苦痛を緩和することできるようになりつつある。(532)

＊

人間の体や心はすばらしいものだが、病気でなくても一時的に不具合におちいることはある。そんなときは、たとえばヴォネガットが友人に助けを求めたように、誰かの手助けが役に立つ。なぜなら、どんな人生にも厄介な問題は起こるからだ。『ホーカス・ポーカス』の主人公はこういっている。

この図書館には、一般に成功の物語とされる本がいっぱいあるというが、それはひじょうにうさんくさいことだと私は思う。偉大な成功の物語は、人々を誤った認識に導く。なぜなら、中流階級や上流階級の白人でさえ、私の経験からいえば、失敗するのがごくあたりまえだからだ。とくに若者に関しては、恐ろしい大失敗に対してまったく無防備のまま放置しておくのはよくない。彼らはどたばた喜劇のどじな主役のような役柄を演じるはめにおちいったり、それよりはるかにひどい状態におちいるかもしれないのだから。(533)

「ドレスデンで捕虜収容所に抑留され、爆撃を経験したことで、あなたは変わりましたか？」『プレイボーイ』のインタビュアーはヴォネガットにたずねた。

いや、変わらない。変わったはずだときみが思うのも無理ないけど。それが決まり文句のようになっているからね。私の人生におけるドレスデンの重要性はものすごく誇張されている。それについて書いた本がベストセラーになったからだ。もしベストセラーになっていなかったら、それは私の人生におけるほんの小さな経験とみなされていただろう。それに、私は人生があんな短期間の出来事で変わるとは思わない。ドレスデンの出来事は驚くべきことだったが、驚くべきことを経験したからといって、人は必ずしも変わるわけではないんだ。(534)

その後、ヴォネガットは改めて断言している。

ドレスデンの破壊の現場にいたことよりはるかに大きく私の人格に影響を及ぼしたのは、母があんな風に死んだことや、姉の子どもたちを引き取ったこと、その子たちや実の子たちがもう自分に依存していないとつぜん気づいたこと、結婚生活が破綻したこと、そのほかにもいろいろとある。[535]

実際、厄介な問題は社会全体にも起こる。別の言い方をすれば、社会全体が恐ろしい失敗を犯すのだ。アメリカ精神医学会でのスピーチで、ヴォネガットはこんな見解を述べた。

ほとんどの作家と同じように、私の家には書き進められなかった本の出だしの原稿がたくさんあります。〔……〕（そのひとつが）『ナチス親衛隊の精神科医』というタイトルの本です。それは精神分析を受けたあと、アウシュビッツに派遣された医師の物語です。そこでの彼の仕事は、自分のやっていることを厭わしく思う職員たちのうつを治すことです。〔……〕

私は今日、その本でいいたかったことを、本を完成させることなくいうことができると思います。それは、時代や場所にかかわらず、精神医療に従事する人々はみな、自分たちに何が求められているか気づかねばならないということです。それは、狂気におちいった文化や社会の中で、健全な人々が少しでも居心地よく過ごせるようにすることなのです。

断っておきますが、我が国の状態は、そこまでひどいものではありません。しかし、この国がいま現在目指していることは、知的で教養のある人々を訓練して、愚かなことをしゃべらせ、もっと人気者にすることのように私には思えます。[536]

ヴォネガットはこのスピーチを『死よりも悪い運命』の中に再録するにあたって、このスピーチは「ブッシュ対デュカキスの恥ずべきアメリカ合衆国大統領選の最中に」行なわれたと紹介している。今日、トランプ氏が大統領に選ばれたことについて、ヴォネガットが生きていたらなんというだろう。それに関しては、『The Vonnegut Encyclopedia〔「ヴォネガット事典」の意〕（未）』の著者マーク・リードが、「カート・ヴォネガットはドナルド・トランプのことをどう思うだろう」というエッセイの中で、よく吟味された仮説を展開しているので、参照してほしい。(537)

※

ヴォネガットは個人や社会の依存症について、たくさんの金言を提供している。

「あるものがほかの何よりも気持ちいいからといって、それが自分の体にとっていいものとはかぎらない」と［ボアズは］心の中で思った。(538)

いまは亡きイギリスの哲学者バートランド・ラッセルはこういった。私はアルコールか、宗教か、チェスのどれかの依存症のせいで何人も友人を失った。キルゴア・トラウトはインクで〔二十六種の表音記号と十種の数字と八種の句読点を〕奇妙な配列で横並びに描くことに取り付かれていた。［……］

［……］私の妻のジェインとジルはふたりとも、私はその点でトラウトそっくりだとよくいった。私の母は、金持ちであることや、使用人や、無制限のつけ払いや、ぜいたくなディナー・パーティーや、一等船室で行くヨーロッパ旅行などの依存症だった。だから母は大恐慌のあいだずっと禁断症状に苦しんでいたといえる。[539]

いうまでもなく、私はニコチン中毒だ。これで死ねたらといつも願っている。タバコの一方の先には火が、もう一方には愚か者がいる。

しかしこれだけはいっておきたい。一度だけ、すごくハイな状態になったことがある。それはクラック・コカインをやってもとうてい得られそうにないくらいの状態だった。初めて運転免許を取ったときのことだ。さあ、みんな気をつけろよ、カート・ヴォネガット様の登場だ！

そのときの車の燃料は［……］現代のほとんどの輸送機関やほかの機器や、発電所や溶鉱炉で使われている、もっとも乱用され、もっとも常習性が高く、もっとも有害なドラッグ、つまり化石燃料だった。

［……］ここでほんとうのことをいってもいいだろうか。じつは、誰も認めようとしないが、我々は全員、化石燃料中毒なのだ。そして現在、ドラッグを絶たれる寸前の中毒患者のように、我々の指導者たちは暴力的犯罪を犯している。それは我々が頼っている、なけなしのドラッグを手に入れるためなのだ。[540]

この惑星の文化の育成において、アメリカのこれまでで最大の貢献は何だろう？　多くの人がジャズと答えるだろう。私もジャズを愛する人間だが、あえてジャズではなくアルコール依存症更生会だと答えよう。

〔……〕アルコール依存症更生会の取り組みは〔……〕一時的に激しい快楽を与えるが長期的には本人とそのまわりの人間の人生をめちゃくちゃにしてしまう物質への依存的傾向――人類の一部、恐らく無作為に選んだサンプルの十パーセントに存在する傾向――をコントロールすることに一定の成功をおさめた初めての取り組みだ。

〔……〕我々人間の中には、悲しいことに戦争の準備をすることに病みつきになった人間がいると思わざるを得ない。

〔……〕もし西洋文明が人間なら、もよりの戦争準備依存症更生会の会合に参加するよう勧めてやるのだが。[541]

※

アメリカ精神医学会でのスピーチの中で、ヴォネガットは作家の精神状態に関するアイオワ大学の研究に言及し、次のような結論を引き出している。

作家の多くは私も含めて、うつ病質の家系のうつ病患者であることがわかっています。

その研究から、私はある大ざっぱな法則を引き出しました。もちろんひじょうに適当な法則です。それは、優れた純文学作家であるためには、うつ病でなければならない、というものです。[542]

これは冗談だったのだろうか？　それともヴォネガットは、それが自分自身の経験なので本気で信じていたのだろうか（つまり、自分はこうだからすべての人はこうだという例の〝方法論主義〟がここでも顔を出していたのだろうか）？　実際のところ、本気で信じていた節もあるが、その論理が疑わしいことも承知していたようだ。なぜなら彼は、結局でたらめだと判明した似たような法則について言及しているからだ。

いまはもう通用しなくなったようですが、かつて我々が文化の歴史から導いた法則に、アメリカ人の作家がノーベル賞を取るためには、アルコール依存症でなくてはならない、というものがありました――シンクレア・ルイスしかり、ユージン・オニールしかり、ジョン・スタインベックしかり、自殺したアーネスト・ヘミングウェイしかり。[543]［太字は筆者による］

アルコールが創造性の燃料として不可欠だという神話は、別の文化的概念、おそらく男らしさの概念と結びついていたらしい。この法則は女性にはあてはめられなかったようだ。アルコール依存症から回復したレイモンド・カーヴァーやその他のアーティストは、アルコールが創造性の霊薬だという神話が誤りであることを証明した。しかしその神話はしぶとく生き残っている。[544]

同様に、狂気やうつ病と創造性を結びつける考えも、文化的神話だろう。

二〇一四年、つまりヴォネガットがアイオワ大学病院で調査対象として質問を受けてから四十五年後、『アトランティック・マンスリー』という雑誌に、アンドレアセン博士の論文が掲載された。それは博士が生涯調査してきた創造的な脳についての研究論文で、今回はその調査対象に科学者も含まれていた。[545] それによると、創造的な職業にたずさわる人々の精神病の発症率は実際に高い。そのいっぽうで創造的な人々には、共通する〝性格特性〟があり、それが精神病の発症率の高さに影響を与えている可能性があると認めている。

彼らは〔あえて〕リスクを冒し〔……〕疑念や拒絶に直面せざるを得ないが、それでも、あくまでもやり続ける。なぜなら、自分がやっていることの価値を強く信じているからだ。だがそれは精神的苦痛につながることもあり、それがうつや不安などの症状として現れたり、不快な症状をアルコールなどに頼って和らげようとする行動につながったりする。

「科学の世界ではとくに、最高の研究は最先端の現場で成される（科学者のあいだでよくいわれる警句に『刃の切っ先で仕事をしていると血が出やすい』というものがある）。」とアンドレアセン博士は書いている。[546] 似たような言い回しが作家の世界にもある。「書くことなんて簡単だ。タイプライターの前にすわって、血管を裂き、血を流せばいいだけだ」

どちらが先に生まれたのだろう？　卵とニワトリのように、どちらが先とはいえないのではないか。

それはともかく、関心のある問題と、長期にわたって、深く格闘すること——自分の魂を育てること——は、精神的に強くないとできない。すべての車輪を回し続けるためには、相当な安定が要求される。それは創造的な仕事をするすべての人々の人生に共通する。おそらく、普通の人々よりずっと精神的な安定が必要だろう。

創造的な人々が普通の人々にくらべて生まれつき精神病にかかりやすいという説に、私は疑いを持っている。しかし、それがほんとうかどうかはさておき、アンドレアセン博士はその説の中に、ほんの少し慰めも用意している。博士が研究の過程で発見したところによると、「創造的な人々は普通の人々よりずっと熱心に仕事をする——その理由は、たいていの場合、自分の仕事を愛しているからだ」。そして、不思議なことに、「彼らの多くは気分障害や不安障害を患っているにもかかわらず、自分の才能に強い喜びや興奮を感じている」というのだ。(547)

創造性と精神病をセットにする考えに固執することには問題がある。私たちは心身共に健康であるほうがよい。病気（disease）は不快（dis-ease）で、それが生産性を高めたり、ロマンチックだったりすることはない。ヴォネガットも『母なる夜』でこう忠告している。

我々が表向き装っているものこそ我々の実態にほかならない。だから、我々はどんなふりをするか、慎重に考えなければならない。

＊

日々、健康な状態を維持するために、ヴォネガットの作品に基づく三つの指針を紹介しよう。

その一。自分やまわりの人間の心身の不一致の問題に思いやりをもつこと。

「どうしようもないんだ」と私はいった。「僕の魂は僕の肉体が悪いことをしているのを知っていて、恥ずかしいと思っている。だが、僕の肉体はただもう、悪いこと、ばかなことをやり続けるんだ」

「きみの何と何だって？」彼はいった。

「僕の魂と肉体だよ」

「それは別々のものなのかい？」

「もちろん、別々であってほしい」私はそういって笑った。「僕は自分の肉体がやることに責任をもつのはごめんだ」

私は冗談半分に彼にこう話した。私の考えでは、私自身も含めて、すべての人間の魂は体内にある柔らかいネオン管みたいなもので、自分の肉体に起こったことについて知らせを受けることしかできない。魂は肉体に対してなんのコントロールもできないのだ。(548)

その二。困難に直面したときは、自分自身にやさしくすること。刑務所から出所したばかりの『ジェイルバード』の語り手が発見した、自己を慈しみ受容する方法を身につけよう。

> そこに映った私の腕の位置にはどこかおかしなところがあった。はて、これはなんだろう。なんだか赤ん坊を抱いているように見える。そこで私は納得した。この腕は私の気分を反映しているのだ。私は自分にもあると思ったささやかな未来を、赤ん坊のように抱いていた。その赤ん坊にエンパイアステートビルやクライスラービルの頂きを見せた。ニューヨーク公共図書館の正面のライオン像を見せた。その赤ん坊を抱いてグランドセントラル駅の入口まで行った。もしこの町に飽きたら、ふたりでここで切符を買って、どこにでも行けるのだ。[549]

その三。立ち止まって幸せをかみしめる習慣を身につける。ある大学の卒業生に向けたスピーチで、ヴォネガットはこう語っている。

> 私は卒業生に贈るスピーチをしたときは、最後に必ず父の弟のアレックス・ヴォネガットについての話をしてきました。アレックスおじさんは、ハーヴァード大の出身で、インディアナポリスで保険代理人を務めていた、読書家で頭のいい人でした。
>
> ［……］おじさんが発見した人間の好ましくない性質のひとつは、幸せなときに、そのことにめったに気づかないということです。おじさん自身は、幸せなときにそのことに気づくよう、最大限に

努力していました。たとえば、夏、アレックスおじさんといっしょにリンゴの木の下でレモネードを飲んだとすると、おじさんは会話をさえぎってこういうのです。「これが幸せでなきゃ、何を幸せというんだ」

ですからみなさんにも、この先ずっと、アレックスおじさんと同じようにしてほしいと思います。気持ちよく、平和なときは、ぜひちょっと立ち止まって、「これが幸せでなきゃ、何を幸せというんだ」と声に出していってください。(550)

第35章 人生と芸術で遊びほうけること

FARTING AROUND IN LIFE AND ART

ヴォネガットは作家が健康面でどのような危険にさらされるか忠告するだけでなく、心身ともに健やかでいる秘訣についても、ひじょうによいアドバイスをしている。

健康の維持管理はおそらく、人間がやるべきもっとも重要なことだろう。

この先のページに書かれているアドバイスは、体と心という家を管理するための家事のヒントのように考えてほしい。スランプや、退屈や、不安といった不要なゴミをもたらす塵旋風のような悪魔を撃退し、作家として、人間としてのエンジンを元気よく回し続けるためのヒントだ。

＊

朝起きて、外に出て、何かするというのはすばらしいことではないか。我々がここ地球にいるのは、遊びほうけるためだ。誰にも違うとはいわせない[551]。

ヴォネガットはテニスをするのが好きで、卓球も熱心にやった。クロスワードパズルやチェスもして、水泳もした。楽しく過ごすのが好きだった。それを見習って、楽しい時間を過ごせる趣味や娯楽があるなら、なんでもやってみよう。

専門外の芸術に手を出すのもいい。それは気分がうきうきして心が満たされる最高の遊びとなるだろう。ドラムをたたいたり、粘土で何かつくったり、演技をしたり——どんな芸術でも、自分自身と創作活動に新たな活力を与えてくれるはずだ。もしかしたらヴォネガットのように、自分のもつ別の才能を開花させられる趣味が見つかるかもしれない。

専門外の芸術に手を出すことが楽しい理由のひとつは、自分も含めた専門家の批判を免れることができるからだ。だが、その分野ではアマチュアで初心者であるから、恥ずかしい思いもするだろう。したがって、他の芸術に手を染めるときは、あくまでもアマチュアであり、初心者である権利を主張しなければならない。

あるインタビュアーがヴォネガットにこんなことをいった。「新米の芸人たちにとって問題なのは、〔テレビのおかげで〕世界一の芸人と張り合わなければならないことだとおっしゃいましたね」

そのとおり。それは残念なことでもあるよね。たとえば私の故郷のインディアナポリスを例にとっても、かつては地元にボクサーやレスラーやソングライターや歌手や画家なんかがいた。それがいまでは、みんなよそから呼ばなきゃいけない。「きみ、それでおもしろいと思ってるの？　おもしろくないよ。うちはボブ・ホープ〔二〇世紀のアメリカを代表するコメディアン〕を呼ぶからね」てなもんだ。［……］

そういうのは人生をすごくつまらなくする。私はダンスでそういう経験をしたことを覚えている。あるときケープコッドで最初の妻と踊ってて、とても楽しかった。ところが、どこかの意地悪な若造がドラムをたたいていて、「あんた、ほんとにジルバを踊るのがうまいね」とせせら笑いながらいったもんだから、私は頭にきてそいつを殴り倒してやりたかった［笑い］。彼から見たら私は踊りがへただったので、踊る楽しみを奪ってやれと思ったんだろう。(552)

✼

カート・ヴォネガットは手仕事も好きだった。それについて記事を書くことを申し出たこともあったほどだ（写真参照）。

「父が手を汚して仕事をする日は、いつもより幸せだった」ヴォネガットの娘のナニーがそう回想している。タイプライターのタ、タ、タ、タ、タ、ティンという音がする普段の日より楽しかったというのだ。(553)あるときヴォネガットは、バーンスタブルの自宅の裏の踏み石に、ジョイスの『ユリシーズ』の登場人物モリー・ブルームの独白の最後の言葉（…yes, I said yes yes I will Yes.）をのみで彫り込んだ。シャベルで雪かきもしたし、大工仕事もしたし、彫刻もした。

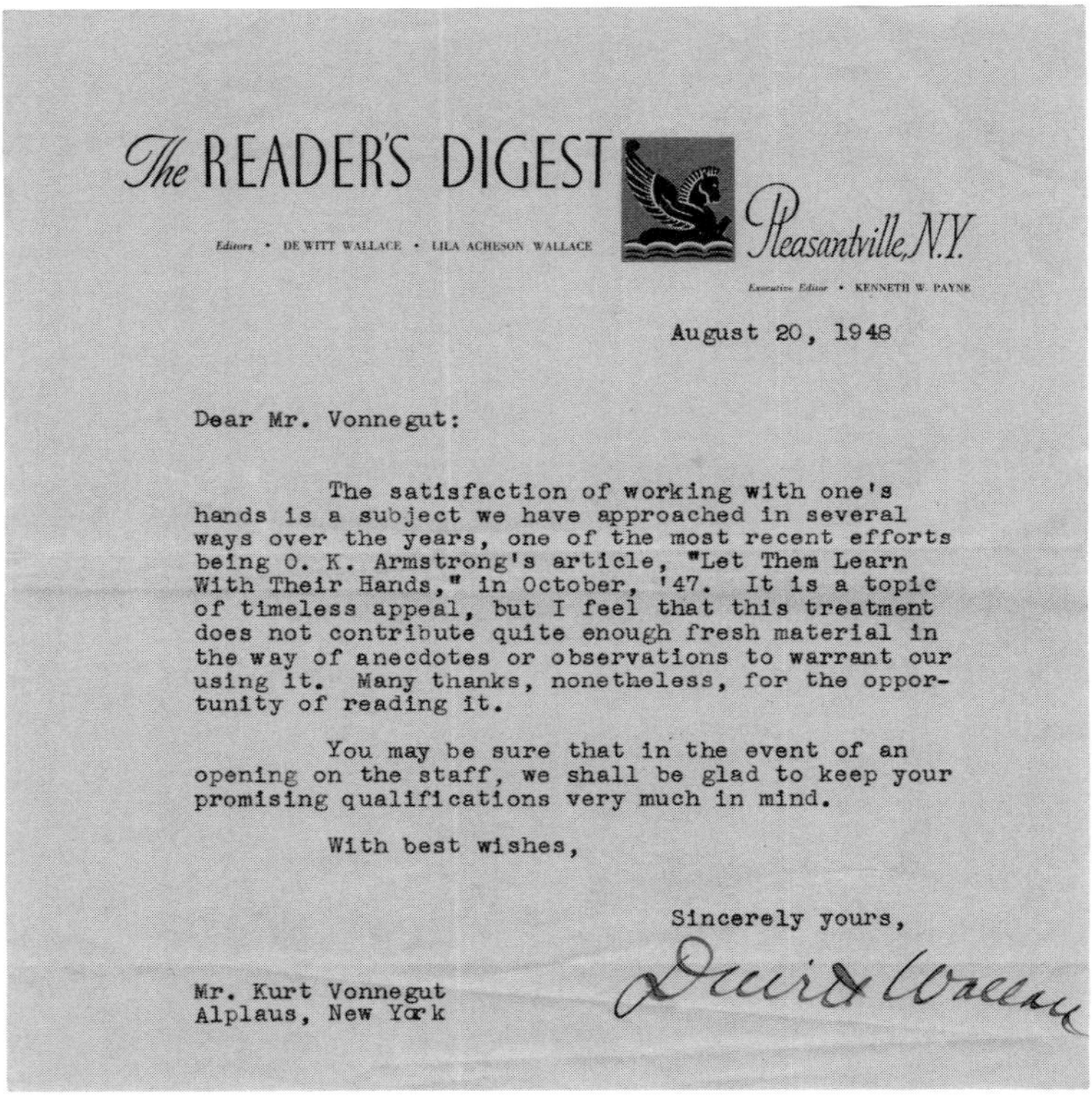
The READER'S DIGEST

Editors • DE WITT WALLACE • LILA ACHESON WALLACE

Pleasantville, N.Y.

Executive Editor • KENNETH W. PAYNE

August 20, 1948

Dear Mr. Vonnegut:

The satisfaction of working with one's hands is a subject we have approached in several ways over the years, one of the most recent efforts being O. K. Armstrong's article, "Let Them Learn With Their Hands," in October, '47. It is a topic of timeless appeal, but I feel that this treatment does not contribute quite enough fresh material in the way of anecdotes or observations to warrant our using it. Many thanks, nonetheless, for the opportunity of reading it.

You may be sure that in the event of an opening on the staff, we shall be glad to keep your promising qualifications very much in mind.

With best wishes,

Sincerely yours,

Mr. Kurt Vonnegut
Alplaus, New York

1948年8月20日にデウィット・ウォレスからカート・ヴォネガットに宛てた手紙。インディアナ州ブルーミントン、インディアナ大学リリー・ライブラリー提供。

〈訳〉

1948年8月20日

親愛なるヴォネガット様

手仕事の喜びは、小誌でも数年来、様々な形で取り組んできたテーマです。いちばん最近では、1947年10月に掲載されたO.K.アームストロングの「手を使って学ぼう」という記事があります。このテーマは時代を超えた魅力がありますが、いただいた論稿は逸話という点でも、意見という点でも、あまり新鮮な材料を提供しているようには思えず、採用を保証することはいたしかねます。しかしながら、玉稿を読ませていただく機会を得たことは大いに感謝しております。

　スタッフに空きが出た折には、あなたに有望な資質があることをしっかり心に留めておくことをお約束します。

ご多幸を祈って。

ニューヨーク州アルプラウス
カート・ヴォネガット様
デウィット・ウォレス

『母なる夜』では、意気消沈した主人公が、手仕事をしていくらか元気を取りもどす場面がある。

そして一九五八年のある日、そんな風に［すっかり腑抜けた世捨て人として］暮らして十三年たったのちに、軍の放出物資の彫刻刀セットを買った。［……］

それを持ち帰ると、家のほうきの柄を、とくに目的もなく彫りはじめた。そのときとつぜん、チェスセットをつくろうと思いついた。

「とつぜん」といったのは、気づいたときにはもう、自分でも驚くほど熱心にそれにとりかかっていたからだ。すさまじい情熱に駆られて、十二時間ぶっとおしで彫り続け、鋭いのみで左のてのひらを十回くらい突き刺したが、それでも彫るのをやめなかった。彫り終わったときには血まみれになっていたが、気分が高揚していた。自分の労働の証となる立派なチェスの駒を一そろい手に入れたのだ。

すると、またひとつ、奇妙な衝動に駆られた。

自分がつくったこのすばらしいものを、どうしても誰かに見せたい、まだ生者の世界にいる誰かに、見せずにはおれないと思ったのだ。

そこで、創造性とアルコールの両方の作用でばかに元気になった私は、階下へ降りていき、隣人の部屋のドアをたたいた。そこに誰が住んでいるかも知らなかったのに。(554)

その隣人は画家だった。ふたりは語り手がつくったばかりの駒を使って、すぐにチェスを始め、それから一年間、毎日チェスをすることになる。

※

ヴォネガットは授業中も、原稿にも、落書きをして遊んでいた。

そうやってひっきりなしに書いていた落書きは、出版された本にイラストとして登場することになった。最初は『スローターハウス5』で、そのあと『チャンピオンたちの朝食』で。[555] 一九六〇年代の草稿には、ページの左側の裸身像の落書きの上に、鼻の形が描かれている。ヴォネガットはある時期、画家になることを真剣に考えたことがあった。一九八〇年代には、大きなアセテート板に作品を描いた。一九九三年にはジョー・ペトロ二世というアーティストと組んで作品を作り始めた。ヴォネガットの作品をジョー・ペトロがシルクスクリーンで印刷するのだ。ヴォネガットは何を描いていたのか？　おもに顔だ。

「人間の顔は、あらゆる形の中で、もっともおもしろい」あるインタビューで彼はそういっている。「なぜなら、我々は人の顔を即座に読み取りながら人生を過ごしているからだ」

それらの作品のうち三十点が、一九八三年にニューヨークのマーゴ・フェイデン・ギャラリーで開かれた個展で展示された。ヴォネガットの死後の二〇一四年にも同じ場所でまた個展が開かれたが、それは娘のナニーが序文を書き編集した『Kurt Vonnegut's Drawings〔「カート・ヴォネガットのドローイング」の意〕（未）』という美しい本の出版を記念したものだった。二〇一五年九月にも、コーネル大学のハーバート・F・ジョンソン美術館で個展が開かれた。ヴォネガットは何を使って描いていたか？　カラーフェルトペンだ。

「油絵はたいへんなんだ」と彼はいっている。(556)

ヴォネガットの絵はどんな感じか？　写実的なものだろうか？　とんでもない。奇抜で、ときにはぞっとするような、驚きに満ちたものだ。

おもしろいことに、ヴォネガットの絵には、彼が物語のプロットについて書いたグラフと共通点がある。ピーター・リードは『Kurt Vonnegut's Drawings』の中で、こう述べている。「ヴォネガットが絵を描く様子を見ていると、まず垂直の線を一本描き、次に水平の線を一本描いた。まるでこれからグラフを書くような感じだった」(557)。もしかしたらヴォネガットは顔をプロットとみなしていたのかもしれない。

二〇一七年には、退役軍人の美術作品を二千五百点以上所蔵するシカゴの国立退役軍人美術館が、ヴォネガットのシルクスクリーンの作品三十一点を取得し、その年の一月から五月まで展示した。(558)

＊

私はアイオワ大学の文芸創作講座にいた頃、画家だったクラスメイトからヘンリー・ミラー〔米国の小説家〕の小さな本『描くことは再び愛すること』をもらったことがある。その本の中でミラーは、色と

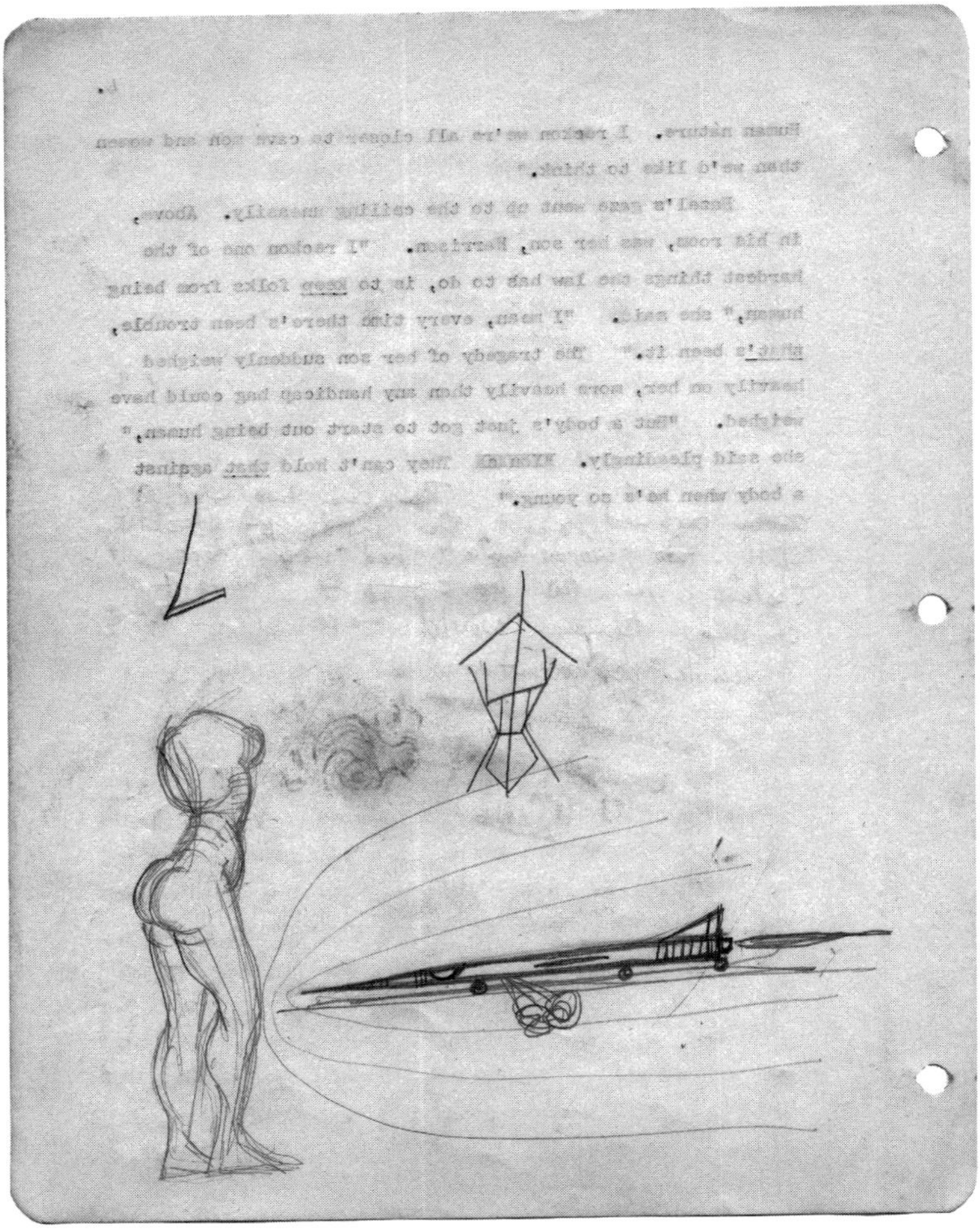

短編小説「ハリスン・バージロン」の草稿に描かれたヴォネガットによる落書き。インディアナ州ブルーミントン、インディアナ大学リリー・ライブラリー提供。

戯れ、文学以外の芸術と戯れることの喜びを生き生きと語っている。「優れた芸術家はみな［趣味を］持っている。それは例外ではなくてあたりまえのことだ[559]」。アイオワ大で文芸創作講座をつくった人々は、賢明にも、他の表現媒体を試してみることの価値を知っていたらしい。芸術修士号をとるには、専門外の芸術科目の履修が必須だったのだ。

どの芸術にも創造的なプロセスがある。しかし、それぞれに違いがある。専門外の芸術の手法を深く掘り下げることによって、単に刺激を受けるだけでなく、発奮をうながされたり、驚くほど新鮮な視点や洞察を得ることがある。そして、どんな表現媒体を使おうと、ヴォネガットの絵が証明しているように、自分は自分でしかない。

ミラーと同じように、ヴォネガットも執筆がうまく進まないときに、創作の泉をふたたび満たすために、絵を描くことに向かった。とくに晩年の長編『ホーカス・ポーカス』と『タイムクエイク』を書こうと奮闘しているときがそうだった。小説を書くこと自体はつらい労働でしかなく、その報酬は完成しないと得られない。しかし画家は「描いているときから大いに楽しむができる」とヴォネガットは述べている[560]。

＊

ヴァンス・ブージェリは「レッド・バード・ファーム」と名づけた郊外の自宅のスタジオでジャム・セッションを開き、創作講座の関係者を招いた。カートはクラリネットを持っていった。ヴァンスはトランペットを担当していた。そんなセッションのあったある夜、ヴァンスは、もしトランペットがもっとうまかったら、トランペット奏者になりたかったと告白した。

「私が知っている作家はほぼ全員、ミュージシャンになりたかったといっている」カートはそれから何年もあとにそう書いている。「なぜなら音楽は、作家には決して与えられない喜びを与えることができるからだ[561]」

彼は人々が文学から得る喜びを過小評価していたのかもしれない。しかし絵画と同様に、音楽の演奏は直接的で体感的だ。

ニューヨークでは、カートはウディ・アレンがパブで行なっていたディキシーランド・ジャズのセッションにときどき参加していた。カートの友人で弁護士のドン・ファーバーによると、彼は「ひじょうに腕のいい」ミュージシャンだったという。「あまり知られていなかったが、カートはピアノもひじょうにうまかった[562]」

息子のマークも「父はクラリネットよりピアノのほうがうまかった」とあたりまえのようにいっている。そのときマークは、自作の絵や家具が所せましと並ぶ家の中を私に見せてくれていて、たまたまピアノの前を通りがかったところだった。ヴォネガットの子どもたちはみんな、芸術に対する父親の信条を受け継いでいた。みんな、プロのアーティストであるとともにアマチュア芸術家で、ひとつの芸術に打ちこみながら、他の芸術にも手を出している。以前、バーンスタブルで上演されたすばらしいミュージカルを見に行ったことがあるが、それはカートの娘で本業は画家のエディーが脚本、演出、出演、そしておそらく衣装まで、すべてを担当して作り上げたものだった。芸術にたずさわることは精神によい影響を及ぼすとヴォネガットは熱心に説いた。ヴォネガットがそれを心から信じていたことは、何よりも、彼の子どもたちに芸術への愛が受け継がれていることから明らかだろう。

＊

小児科医であるマークはこういっている。「僕は木工細工をするようになってから、子どもたちをより注意深く測定するようになった。ときには三十二分の一インチ〔約〇・八ミリ〕単位まで測る」(563)

＊

アイオワ大学の学生だったディック・カミンズは、ヴォネガットの講義の第一学期の最後の授業のことを覚えている。その日は、期末試験があるはずだった。

それは一月のことで〔……〕僕たちのいるプレハブ校舎の扉には風が粉雪を打ちつけていた。〔……〕十五分ほど過ぎたとき、扉がぱっと開いて、ヴォネガットが背後に雪を舞い散らしながら、すたすたと入ってきた。片足で扉を押して閉め、抱えていた紫色の箱とSP盤のレコードジャケットを机の上に置く。箱は子ども用のポータブル・レコードプレーヤーで、ヴォネガットはその掛け金をはずし、蝶番でつながったふたつのサイドスピーカーを広げた。そして、学生たちと目を合わせることなく、人民解放軍の防寒帽のような帽子を、分厚い耳当てについたあごひもをほどいて脱ぎ、机にたたきつけて雪を払った。それからレコードをほこりよけのカバーから取り出し、センタースピンドルに差しこんで、プレーヤーのボリュームつまみを最大まで回すと、最後にトーンアームを上げてレコードの上に下ろした。アームの上には音飛びを防ぐために、五セント硬貨がテープで留められていた。

[……]「作家で飯を食っていきたいなら、こいつを越える必要がある！」ヴォネガットは大音量で鳴るレコードに負けないように声を張り上げていった。それからまた防寒帽をしっかりかぶると、扉を開けっぱなしにして、ふたたび雪の中へもどっていった。レコードはチャイコフスキーの序曲『一八一二年』だった。あまりに大音量だったので、スピーカーがガタガタ揺れ、雑音が耳についた。

とうとう、最前列にいたハーブという学生が手を伸ばしてレコードを止めた。

授業のあと、僕たちは吹雪の戸外へ向かいながら、どんな成績がつくんだろうなとぶつぶつ文句を言い合った。

[……]二学期の初めに成績を確認すると、ヴォネガットは全員にAをつけていた。(564)

＊

政府や企業やメディアや宗教団体や慈善団体などが、どれほど堕落し、貪欲で、残酷なものになろ

うと、音楽はいつもすばらしい。(565)

同じように、さまざまな芸術に手を出して遊びほうけることも、いつもすばらしい。

第36章 愛、結婚、そしてベビーカー
LOVE, MARRIAGE, AND BABY CARRIAGE

ある日、ジェイン・ヴォネガットとマリア・ピラル・ドノソ（作家のホセ・ドノソの妻）が道端で熱心に話しこんでいた。私がアイオワ・シティのブラックス・ガスライト・ヴィレッジというところでヴォネガット家の隣に住んでいた頃のことだ。私はふたりの前を通りかかって足を止めた。ふたりは「男性と結婚について話していたの」と私にいった。そしてジェインはこう言い放った。「要するに、女は男といっしょには生きていけないし、男がいなくても生きていけないということよ」

当時まだ若かった私は、独身より結婚しているほうが望ましいと思いこんでいた。しかし、この出会いによって、その考えが揺らいだ。実際は、独身にも結婚にも、いい面と悪い面がある。

作家やアーティストが「誰かといっしょに生きていく」としたら、どのような点に注意すればいいのか。ヴォネガットはそのための教訓と手本をいくつか提供している。

パートナー選びについての彼のアドバイスは、『パームサンデー』の巻頭の題辞になっている。

自由主義を標榜しながら、迷信にとらわれた配偶者を選ぶ者は、みずからの自由と幸福を危険にさらす。

＊

この言葉の出典については、こう明かされている。

〔私はこの文言を〕一九〇〇年に出版された『Instruction in Morals〔「道徳の教え」の意〕（未）』という薄っぺらい本から引用した。その本は、自由思想家だった私の曾祖父クレメンズ・ヴォネガットが七十六歳のときに書いたものだ。(566)

作家やアーティストの場合は、この忠告のように、根本的な主義主張が似通っていて、結婚におけるその他の条件もすべて許容範囲にある人物を選ぶだけでは不十分だ。それに加えて、最低でも、パートナーの芸術活動を尊重してくれる人物でないといけない。さらに、どのような形でもよいから、その活動を積極的に支えくれる人物であればなおよい。カート・ヴォネガットは二回結婚した。まったく異なったタイプのふたりの女性と、まったく異なった状況で。そしてふたりとも、まったく異なった形で、作家としての彼を励まし、支えた。

カート・ヴォネガットとジェイン・コックスは幼稚園で出会った。ダン・ウェイクフィールドがヴォネガットの書簡集『Letters』のまえがきで述べているように、ジェインはウーマン・リブ以前の妻として、家政婦兼子どもたちの養育係の役割を果たすだけでなく、作家の妻として、編集助手や広報宣伝係の役割を果たすことも期待された。ジェインは名門スワースモア・カレッジを卒業し、ファイベータカッパ・クラブの会員資格も有する才女だったが、夫を天才だと思っていた。夫を支えるために、タイピング以外、自分にできることをすべてやった。

カートが作家になるためにゼネラルエレクトリック社をやめ、経済的な安定を危険にさらすことに対して、もしもジェインが反対していたら、あるいは三人の実子に加えて養子に迎えた甥たちの世話を一手に引き受けることを拒否していたら、カートの創作活動は頓挫していただろう。彼が誰にも邪魔されずに小説を書ける時間を確保できたのは、間違いなくジェインのおかげだ。ふたりは協力してカートのキャリアを築いたのであり、それは彼も「文句なく認めていた」ことだ。(567)

カートとジル・クレメンツは、一九七一年、カートとジェインの結婚生活が揺らぎ、彼の名声がピークに達した頃に出会った。ふたりは一九七九年に結婚している。ジルはカートより二十歳近く若く、ニューヨークですでによく知られた野心的な写真家だった。結婚後もジルは自分のキャリアを追求し続けたが、カートの社会活動の手はずを整え、対外的な処理やスケジュールの調整を引き受けた。彼女が撮った魅力的なカートの肖像写真は、彼の本のジャケットやその他の広報物を引き立てた。ふたりはリリ

ジェイン・ヴォネガット。1969年マサチューセッツ州バーンスタブル湾にて著者撮影。

ーという養子を迎え、それによってカートはまた親になることができた。

＊

作家の妻で美しくない女性にはお目にかかったことがない。[568]

＊

私は一九六九年にカートとジェインといっしょにケープコッドで過ごしたことがある。いまでも覚えているが、あるときジェインはリビングルームを通ってガレージへ向かっていた。子どものひとりを連れてボストンまで買い出しに出かけるためだが、そのとき彼女は本来そこにあるべきでないものを拾い集めながら進んでいた。そして、ちょっと立ち止まって、家事についての持論を私に伝授した。「スイスチーズ論」というの、とジェインはいった。どんな〝穴〟でも、出くわしたら、出くわしたときに対処するのよ。

結婚についての私の持論のひとつは「ルームメイト論」だ。それは、「結婚生活では、多くの場面で、ルームメイトがいるときと同じ問題を解決する必要が生じる」というものだ。配偶者はルームメイトだ。ルームメイト問題は他の問題と分けて考えるのがよい。それはまさに、カートがジェインに宛てて書いた契約書で行なったことだ（第一章参照）。

＊

私の妻はふたりとも、私が原稿のことばかり気にして、彼女たちのことをちっとも気にしていないといって、よく怒った。

それに対して私がいえることはこれしかない。どんな人間でも、真剣に何かをしようとして成功する秘訣は、全神経を集中することだ。偉大なアスリートにきいてみるがいい。

妻たちに公平を期すために、そして正直であるために、ヴォネガットはこう付け加えている。

それについて、別の言い方をすればこうなる。私はときどき、自分は生きるのが下手だと思う。だから仕事に隠れるのだ。

さらに、作家としての自分に公平を期すために、こう付け加えている。

私はデリラがサムソンを赤ん坊のように弱くするためにほんとうは何をしたか知っている。デリラはサムソンの髪の毛を切る必要はなかった。彼の集中力を途切れさせるだけでよかったのだ。(569)〔旧約聖書中の女性デリラは愛人サムソンの殺害を企てるペリシテ人に加担し、サムソンの力の源である毛髪を切った〕

カート・ヴォネガットはケープコッドでもニューヨークでも専用の書斎を持っていて、そこで執筆した。しかし、家に書斎がなくても、コーヒーショップや貸しオフィス、図書館などの公共のスペースでプライバシーを確保し、家族の干渉から免れることができる。いっぽう、自分専用の部屋があっても、ドアを開けられたり、肩越しにのぞかれたり、邪魔をされたりすることはある。自分が仕事をするために最低限必要なことを決めるのは自分自身だ。だが、人の心は誰も読めない。だから配偶者――ルームメイト――には、それについて説明し、理解してもらわなければいけない。そういうとき、小説を書くという仕事について、自分がほんとうに真剣に考えているかどうかが試される。執筆の最中に、ごく平凡な、日常的な形で、試されるのだ。(570)

＊

「私は愛についてはそこそこ経験がある。少なくとも、自分ではそう思っている」ヴォネガットは一九七六年に『スラップスティック』の序文でそう書いている。

とはいえ、私がいままでもっとも気に入っていた関係は、〝ごくふつうの親切〟といって片づけることができるかもしれない。少しのあいだ、あるいはかなりの長期間にわたって、誰かを大事にして、その誰かもお返しに私を大事にしてくれた。そういうつきあいは、必ずしも愛とは関係がなかった。

また、私は人間に対する愛と犬に対する愛の違いがわからない。

愛は気づくとそこにあるものだ。愛を探しにいくのは愚かなことだと思うし、それによって人を傷つけてしまうこともよくあると思う。

一般的に愛し合うべきだと思われている人々がけんかしたとき、こんな風に言い合ったらいいと思う。「お願いだから――愛を少し減らして、ごくふつうの親切を少し増やして」

私がいちばん長く、ごくふつうに親切にした相手は、たったひとりの男兄弟で兄のバーナードにほかならない。バーナードはニューヨーク州立大学オールバニー校の大気科学者だ。

ヴォネガットは、当初出版されなかった最初の長編小説『Basic Training』でも、「愛」が人間関係の複雑な諸相をすべてカバーするという考えに疑問を投げかけている。将軍と呼ばれる登場人物は、娘が赤ん坊の頃に戦争に行ったので、娘と〝理解し合う時間が足りていない〟。その人物が、娘にこういう。

「おまえはわしのことが嫌いなんだろう。わしはいばりちらして、人をいじめるのが好きだと思っているんだろう」

「そんなことない」ホープは涙ぐんで反論した。「あたしはパパを愛してる。ほんとうよ」

「それはそうだろう。おまえの愛を疑ったことはない。それはまったく関係のないことだ(571)」


『青ひげ』では、ふたりの登場人物が、恋愛とはどんなものか議論する。


「僕らは恋人同士だとみんな思っている」私はある日、散歩の途中で彼女にそういった。するとと彼女は「そのとおりよ」といった。

「僕のいいたいことはわかるだろう」と私はいった。

「それはともかく、あなたは恋愛とはどういうものだと思ってるの?」と彼女。

「よくわからない」と私。

「いちばんいいところは知っているはずよ――」彼女はいった。「こんな風に散歩しているだけで、何もかも気持ちよく感じること。恋愛についてそれ以外のことを知らなくても、ぜんぜん気の毒だとは思わないわ(572)」

＊

ヴォネガットはよく、社会が伝統的に形成してきた男女の役割を描き、それが結婚にどんな影響を及ぼしているかを示している。それは作家たちにも影響を及ぼしている。

『ガラパゴスの箱舟』の中で、犬が苦手な男が女性にプロポーズをしている。その最中に、犬が吠えはじめる。男はあわてて木の上に逃げ、そのまま一時間もそこにいる。そのあと、男はプロポーズをした女性にこういう。

「僕は男じゃない。とても男とはいえない。もちろん、もう二度ときみにプロポーズしたりしない。今後、どんな女性にもプロポーズしたりしない(573)」

『ホーカス・ポーカス』では、ヴェトナム戦争から帰還した語り手が、妻と義理の母親についてこぼしている。

あの母娘はぐるになって、私のことを、まるで掃除機みたいに、つまり、必要だけどつまらない電化製品みたいに扱った(574)。

『プレイヤー・ピアノ』では、主人公の妻が夫とその友人に対して、一歩も引こうとしない。すると夫の友人が、男性のプライバシーに敬意を払わないなら、きみに引けを取らない機械をつくってやる、という。

その機械はきみとそっくり同じで、しかも男性に敬意を払うことができる。［……］そいつはステンレススチール製だ。それにスポンジゴムをかぶせて電熱で体温と同じにまであったためるのさ。[575]

『チャンピオンたちの朝食』ではこうだ。

パティ・キーンはわざとばかなふりをしていた。ミッドランド・シティでは、ほとんどの女がそうしていた。女たちはみんな大きな脳を持っていたが［……］あまりそれを使っていなかった。その理由はこうだ。人と違う考え方をすると敵をつくることになる。いっぽう、女が何がしかの安全と安泰を手に入れるためには、できるだけ多くの友人が必要だ。

そこで生存のために、女たちは考える機械ではなく、同意する機械になるように自分を訓練していた。[576]

次にあげるのは、『猫のゆりかご』で、語り手とモナが、禁じられた儀式〈ボコマル〉を行なった直後のシーンだ。

「これからは、僕以外の誰とも〈ボコマル〉をしないでほしい」私はきっぱりといった。［……］「きみの夫として、僕はきみの愛のすべてを自分のものにしたいんだ」［……］

彼女はまだ床にすわっていた。いっぽう私はもう靴と靴下を履いて立っていた。私は実際はそんなに背が高くはないのだが、とても背が高くなったように感じた。実際はそんなに強くはないのだが、とても強くなったような気がした。自分の声が、誰か立派な人物の声のように聞こえた。その声には耳新しい金属的な威厳があった。

ハンマーで打ちつけるような声で話し続けるうちに、何が起こっているのか、何が起こったのか、だんだんわかってきた。私はすでに支配を始めていたのだ。[577]

※

ヴォネガットの最後から二番目の長編小説『ガラパゴスの箱舟』では、結婚は二三〇一一年から廃止されていた。語り手は結婚という制度がなぜそんなに問題だったのか、明らかにしている。

当時、結婚がそれほど困難になったのは、またしても、ほかのさまざまな心痛の根源でもあった巨大すぎる脳のせいだった。その大きくて扱いにくいコンピュータは、ひじょうに多くのテーマに関して、ひじょうに多くの矛盾する意見を同時に考えることができ、ある意見やあるテーマから他の意見や他のテーマに瞬時に切り替えることができた。そのせいで、ストレスにさらされた夫と妻の議論は、目隠しをしてローラースケートを履いた人々のケンカのようになってしまいがちだった。[578]

もしマンダラックス（翻訳機械）がまだ存在していたら、結婚については、ほぼ不快なことしかいわないだろう。たとえばこんな具合に。

> 結婚とは、主人と女主人とふたりの奴隷からなる、合計ふたりだけのコミュニティだ。
>
> ――アンブローズ・ビアス（一八四二年〜没年不明）[579]〔米国の作家〕

幸福な結婚でさえ、好ましくない一面がある。それもヴォネガットは描いている。『母なる夜』の二重スパイの語り手は『ダス・ライヒ・デア・ツヴァイ（ふたりの国家）』というタイトルの脚本を書こうと考える。

> それは、私と妻の互いへの愛についての物語になるはずだった。狂気におちいった世界で、一組の恋人たちが、自分たちだけの国――ふたりの国家――にのみ忠実であることによって、生き延びる様を描くはずだった。〔……〕
>
> 〔……〕ああ――何十億というキャストとともに、政治的悲劇の中でおのおのの役を演ずる若者にとって、無条件の愛こそ求め得るたったひとつのほんとうの宝なのだ。
>
> ヘルガと私の〈ふたりの国家〉は〔……〕私たちの大きなダブルベッドの外にはほとんど領地を広げられなかった。〔……〕

ああ、私たちは、私とヘルガは、どれほど強く抱き合ったことか。どれほど夢中で抱き合ったことか！

私たちは相手の言葉を聞いていなかった。自分たちの声のメロディーだけを聞いていた。(580)

互いの腕に埋もれて、ふたりは世界に反応することを避け、相手の真実の姿にさえ反応することを避けたのだ。

＊

ヴォネガットはある教会でのスピーチで、離婚に関して、当事者としてこんな見解を示している。

隣人を愛しなさいですって？　私は今日、自分の妻や子どもと言葉を交わすことさえしていないのに、どうしてそんなことができましょう？　私と妻［ジル］は、先日、インテリアの飾り付けをめぐって猛烈なケンカをしました。そのあと妻は、「もうあなたのことなんか愛していないから」といいました。そこで私は「いまさらいうことか」と返しました。彼女はあのとき、たしかに私を愛していませんでしたが、それはまったく正常なことです。時間がたてば、また愛することもあるでしょう——私はそう思います。そう願っています。それはあり得ることです。

もし彼女が私との結婚を終わらせたいと思い、引き返せない地点まで持っていきたかったなら、こういうべきでした。「もうあなたのことなんか尊敬していないから」。そう——それこそ最後通牒です。

現在アメリカで進行中のたくさんの不必要な悲劇のひとつは［……］もう愛し合っていないからという理由で人々が離婚していることです。それは灰皿がいっぱいになったからといって車を手放すようなものです。配偶者を尊敬できなくなったとき——そのときこそ、車にたとえれば、変速ギアが使えなくなって、シリンダーブロックに亀裂が入ってしまった状態です。［……］「互いを尊敬し合いなさい」さあ、みなさん、これこそ精神的にそこそこまともな人間なら、ほとんど誰もが年がら年中、毎日でもできて、明らかにみんなのためになることです。[581]

✼

しかし、カートとジェインは離婚はしたものの、互いに対する尊敬は決して失わなかった。

✼

私の義理の娘は、三十九歳で初めての子を出産してから数週間たったとき、彼女らしいすばらしく控え目な言い方でこういった。「出産のおかげで、フルタイムの仕事という言葉にまったく新しい意味が加わったわ」

『青ひげ』の中で、登場人物たちが芸術と家庭について議論をしている。

「僕は昔から画家になりたかったんだ」私はいった。
「そんなこと、聞いたこともないわ」彼女はいった。
「なれるとは思わなかったからだ。でも、いまはなれると思う」
「もう手遅れよ――それに、家族のいる男性には危険すぎる。目を覚まして！　どうしていい家族がいるだけで満足できないの？　ほかの人はみんな満足してるのに」(582)

『パームサンデー』の中で、ヴォネガットはこう述べている。

私は実際、『The Class of '57〔「五十七年度クラス」の意〕』［普通の人々の夢と人生を歌ったカントリーミュージック］がしばらくのあいだ国歌になればいいと思う。多くの人が、我々［私の世代］にはすでに我々を代表する詩があるといっていて、それは私の友人のアレン・ギンズバークの『Howl（吠える）』だという。〔……〕私も『吠える』は大好きだ。好きでない者などいるだろうか。ただ、それは私や私の友人の身に起こったこととはあまり関係がない。〔……〕
また、これも気を悪くしないでほしいんだが、私や私のような多くの人々が経験したことで、もっとも意義があって、しばしば胸が張り裂けそうな、はらはらするようなことといったら、子育てに関することなんだ。『吠える』はそういうことを書いていない。(583)

「意義があって」、「胸が張り裂けそう」。子育ては人生を変える。これ以上ないほど多くが要求される。画家や作家はたいていが親としてはできそこないというのが世間の常識だ。作家で親になるつもりの人は、覚悟してなるように。育児もまたひとつの芸術だ。

「僕の父と母は」とマーク・ヴォネガットは書いている。「三十五歳というけっこうな年齢になって、経済的にも苦しかったときに（『スローターハウス５』が世に出る十年前）、四人の子と、二匹の犬と、一羽のウサギを引き取った。それ以外に、両親が生存中、どんないいことや悪いことをしたとしても、それだけは文句なく立派なことだった」(584)

ヴォネガットは『タイタンの妖女』のコンスタントという登場人物を通じてこういっている。

人生の目的は［……］身近にいる愛されるべき人を愛することだ。(585)

✼

立派なことをするには犠牲が伴う。

カートとジェインの二十五年あまりの結婚生活が破局にいたったのにはさまざまな要因があるだろう。しかしそのひとつは、実際問題として、あんなに多くの子どもたちを、あんなに長期間愛さなければならないことからくるストレスだったかもしれない。

カート・ヴォネガットはどんな父親だったのか？　一九八二年に長女のエディーが語った思い出話がその一端を垣間見せてくれる。

＊

あたしが十六歳で生意気盛りだった頃、父のことを〝ジュニア〟と呼ぶことにしたの。何もつけずに、ただの〝ジュニア〟。「ねえ、ハイアニスまで車で送ってくれない、ジュニア？」とかいう感じ。そのことで罰を受けたことは一切なかったわ。実際、それについて何かいわれたこともない。父は何も変わったことはないように、その呼び名に答えた。急になれなれしい呼び方をされたことに喜んでいたわけではないと思う。ジュニアというのは父親にはふさわしくない呼び名だし、あんな背の高い父親ならなおさらよね。ちっぽけなものという感じがする言葉だもの。でも父は決して文句をいわなかった。あたしはそう呼ぶのがおもしろかったし、愛情を込めているつもりだった。そう呼ぶことで、父を自分と同じサイズにしたのよ。そんな風に父を矮小化してもかまわないと思った理由は、たぶんあたしが十二歳のときに起こったことと関係があると思う。あたしはその頃、人生とか神とか、そういったことがぜんぶ、わけがわからなくて混乱していた。それで父に、いったいどういうことなの、とたずねた。父は大人で父親だから、わかっているはずだと思っていたから。そのとき父がいったことが、あたしにとっては人生初の大発見だったわけ。父はこういったのよ。

大きなスケールで考えたら、パパもおまえもたいした違いはない。自分の視点から見たら大きな違いがあるように見えるだろうけど、もっと大きな観点から見たら、パパはおまえよりせいぜい〇・五秒先にいるにすぎないだろう［……］おまえもパパも同じことを、同じときに、初めて経験しているんだ。たとえば、うちの犬が死んだのは、おまえにとってもパパにとっても初めての経験だ。いろいろなことに戸惑うのは、おまえもパパも同じなんだよ。これはあたしにとってはほんとうに初耳だった。それまでは、もう少し大人になったら、父が自分の知っていることをぜんぶ教えてくれるだろうと思っていた。それ以来、あたしは父のことをある種の仲間というか、相棒みたいにみなすようになった。暗闇で物事を整理しようとしているごく普通の人、自分と同じ人間だと思うようになったの。あたしはそのことを感謝しているし、父が偉そうなふりをしなかったことを、すごいと思っている。おかげであたしは父を、父親である前に人間として考えるようになった。また、物事を理解することに関しては、自分自身しか頼れるものはないと、すごく早い段階で、徹底的に思い知らされた。あたしはこういうことが全部、真理だと思っているし、それがわかったことをありがたく思っている。［……］そんなわけでジュニアと呼ぶようになったんだけど［……］そのあと、父は公式に自分の名前からジュニアを取ってしまった。それにはいろいろな考えがあったんだと思う。それとも、しょっちゅう娘にジュニアと呼ばれてうんざりしたのかしら。いまはもう父のことをジュニアとは呼ばないわ。パパと呼んでいる。ほんとうはジュニアとか、スクーターとか、ブッチとか、懐かしくておもしろくてなれなれしい名前で呼びたくてたまらないんだけど。ファジーとかダッキーとかいうのがぴったりかな。[586]

第37章 いっしょのほうがいい、すなわちコミュニティ

BETTER TOGETHER OR COMMUNITY

小説の執筆について、もっとも関心を持っているのは作家だ。作家の伴侶や家族や友人は、作家本人には関心があるかもしれない。しかし、伴侶や家族や友人は、その人自身が書くことに情熱を持っていないかぎり、執筆そのものに、あるいは作家が書いているものに、作家仲間ほど関心を向けてくれることはないだろう。

カートは『ガラパゴスの箱舟』の下調べをするために、ジルといっしょにガラパゴス島へ旅行に行った。ふたりが帰ってきてまもなく、私は彼らとランチを共にし、旅行はどうだったとたずねた。カートは熱心に答えたが、ジルはそうでもなかった。ジルは親切で旅行につきあってくれたんだ、とカートはいった。彼女はガラパゴスなど好きなタイプではなかったからだ。

自分が好きなものは、友人やパートナーも必ず好きになってほしいと期待するのは間違っている。まして、自分の右腕になってもらおうとか、編集者やコーチの役割を果たしてもらおうなどと期待しては

いけない。そういうわけで、作家仲間のコミュニティは、いくらゆるいつながりでも、作家としての心構えや手腕を高めるために、もっとも貴重なツールとなる。

※

コミュニティは人間にとって、ひじょうに居心地のよいものだ。[587]

つい最近まで、人間はたいてい、親族から成る永続的なコミュニティに属していた。みんな、いつでも行ける家をたくさん持っていた。だから、結婚したカップルがけんかをしたら、どちらかが三軒先の家へ行って、けんかした相手をまた思いやれるようになるまで、しばらく近親者と過ごす。子どもがキレたときも［……］おじさんのところへしばらく行ったりできる。だけど、そういうのはもうできなくなった。どの家族も、自分の小さな家に閉じこもっている。[588]

さまざまな分野のアーティストは、一種の拡大家族を構成している。［……］アーティストはたいてい、誰にも説明してもらわなくても、互いのことをひじょうによく理解している。[589]

※

カート・ヴォネガットは共同体的な拡大家族の価値を、子どもの頃、インディアナ州北部の湖のほとりで夏を過ごした折りに学んだ。そこでは彼の父と父の妹や弟が共同で別荘を所有していた。

［インディアナポリスの］電話帳にはヴォネガットという名字がたくさんあった。［……］そしてマクシンカッキー湖畔では［……］私はいつも親類に囲まれていた。つまり、いとことか、叔父とか、叔母とかだ。それは天国だった。[590]

もし道に迷っても、

湖のほとりをぐるりと取り巻く道を歩くと、必ずうちへもどれる。湖を見下ろす崖の上に、私の家族の暖房のない木造コテージと、それに隣接して四棟のコテージが建っていて、そこには親戚の人々が大勢いた。それらの五軒の家の家長たち、つまり私の父の世代の人々も、マクシンカッキー湖畔で子供時代の夏を過ごしていた。[591]

カートが除隊したあと、花嫁をハネムーンに連れてきたのもこのコテージだったが、その頃にはすでに人手に渡っていた。

その後、〝地元の歴史を愛する〟ある男性が、志を同じくする投資家のコミュニティを形成し、二〇一二年に、かつてのヴォネガット家のコテージを不動産開発業者による解体から救った。現在では貸し別荘となっていて、そのホームページによると、「ヴォネガット家が楽しんだ避暑地文化の精神を受け継ぎ復元」したものとなっている。[592] 誰でもそれを体験することができる。もちろん親戚づきあいは体験できないだろうが。

＊

コミュニティについてのヴォネガットの考えは、人類学を学んだおかげでさらに深まり、一九七〇年に戦禍に見舞われたビアフラを訪問したことで、確固たるものになった。ビアフラの訪問記に彼はこう書いている。

オジュク将軍は、なぜビアフラの人々がこれほど多くの犠牲を、こんなに長く、文句もいわずに耐えることができたのか、そのヒントを我々に与えてくれたように思う。彼らはみんな、巨大な家族からもたらされる感情的、精神的な強靭さを持っていた。［……］［将軍の家族には］三千人のメンバーがいて、将軍はすべてのメンバーの顔も名前も評判も知っていた。
もっと一般的なビアフラ人の家族は、二、三百人から成る［……］家族がそれぞれの構成員の面倒をみていた。［……］
家族は土地に根付いていた。［……］
男も女も、家族の問題について意思表示するために、しょっちゅう集まった。[593]

このような生存のメカニズムは、ビアフラのように極限状態で生きる術としてでなくても、単に幸せになるために、可能なかぎり応用して取り入れるべきだとヴォネガットはほのめかしている。

コミュニティに所属することのメリットと、所属すべきコミュニティがないことの悲しみは、ヴォネガットの作品のあちこちに顔を出す。脇役の登場人物たちはしばしば親族がいることへのあこがれを表明し、一時的なはかないコミュニティでもどんなにありがたいものかを示している。たとえば『チャンピオンの朝食』では、キルゴア・トラウトがトラックの運転手といっしょにドライブをする。

その運転手は［……］ちょっとでも意味のある友情を築くのが自分には難しいといった。なぜならほとんどの時間トラックを運転して旅に出ているからだ。［……］

運転手はトラウトに、アルミニウム製雨戸や網戸の仕事をしているなら、仕事をしながら長続きする友情を築く機会がたくさんあっただろう、といった。「なんたって、窓を取り付けたりして、毎日いっしょに働く仲間がいるじゃないか。そしたらみなお互いに気心が知れてくるだろう」

「私はひとりで仕事をしているんだ」とトラウトはいった。

「……」「それでもさ」運転手はしつこくいった。「仕事がはけたあとに会う仲間がいるだろう。ちょっとビールでも飲んでさ。トランプでもやって。冗談をいって笑い合う」

トラウトは肩をすくめた。

「同じ道を毎日歩くんだろう」運転手はいった。「あんたはたくさんの人を知ってる。で、向こうもあんたを知ってる。なんせ、同じ道を毎日歩くんだから。あんたが『こんにちは』っていったら、向こうも『こんにちは』って返事して、お互いに名前で呼び合うんだろうが。もしあんたがほんとに困ったら、みんな助けてくれる。仲間だから。あんたには仲間がいるんだ。毎日会ってるんだから(594)」

『ジェイルバード』では、刑務所帰りの語り手が、出所後初めての朝、コーヒーショップに向かうが、自分がひどく醜い老人のように思えて、みんなに吐き気を催させるのではないかと心配になる。だが、私はなんとか勇気を奮い起こして店の中へ入った——すると、驚くなかれ、もうくたばって天国に来たのではなかろうかと思うようなことが起こった。ひとりのウェイトレスが私に向かって、「ハンサムさん、そこにかけて下さいな。すぐにコーヒーをお持ちしますから」といったのだ。私は彼女に一言も声をかけていないのに。

そこで私はすわった。まわりを見ると、さまざまな種類の客がみな愛情をもって迎えられていた。ウェイトレスにとっては、誰でも「ハンサムさん」であり「ダーリン」であり「いとしい人」なのだ。それはまるで大災害のあとの救急病棟のようだった。被害者の人種や階級がどうであろうと関係ない。全員が同じ奇跡の薬、つまりコーヒーを与えられる。もちろん、このときの大災害とは、太陽がまた昇ったということにすぎなかった(595)。

＊

「この国で拡大家族の発展をうながすような方法が何かあるでしょうか？」雑誌『プレイボーイ』のインタビュアーがヴォネガットにたずねた。

法律を制定することだね。私はいまちょうど、それに関するキルゴア・トラウトの物語を書いている。［……］

［……］それで、大統領がたまたまナイジェリアを訪問するんだが、そこは大昔からずっと、拡大家族があたりまえの国なんだ。［……］そこで大統領は社会保障局のコンピュータを使って、全国民に数千人の親類を割り当てる。(596)

親類の割り当てという奇抜なアイデアは、トラウトの物語から芽生えて、長編小説『スラップスティック』の主要な枠組みとなった。その小説のサブタイトルは「もう孤独じゃない」だ。その中で、のちの大統領がそれをスローガンに掲げて選挙運動を行なう。

私はアメリカ人の孤独について語った。それは私が選挙に勝つために必要な唯一のテーマだった。そしてそれはラッキーなことだった。私にはそれしか語ることがなかったのだから。

私はこういった。このシンプルで実行可能な反孤独政策を、もっと早くアメリカに導入できなかったことを残念に思います。過去のアメリカ人たちが犯したひどい残虐行為はすべて、彼らが罪悪を好んだからというより、孤独だったからこそ行なわれたのです。

演説のあと、ひとりの老人が演壇まで這いのぼってきて、こんな話をした。自分はこれまで生命保険や投資信託や家電製品や自動車などさまざまなものを買ってきたが、それはそれらの商品が好きだったからでも必要だったからでもない。セールスマンが親類になってあげますよと約束しているような気がしたからだ、と。

「わしは身内がひとりもおらんので、身内が必要だったんじゃ」老人はいった。

「誰でも身内は必要です」私はいった。

老人は一時期酒におぼれたともいった。バーにいる人々と親類になりたかったからだ。「バーテンダーは父親みたいなもんじゃった――ところが、とつぜん閉店の時間がくる」

「わかります」私はそういって、自分自身についての半分ほんとうの話をした。「私もかつてはとても孤独でした。それは、これまでの選挙運動を通じて、受けるとわかっていた話だった。自分の心の底の思いを打ち明けられるのは、〝バドワイザー〟という名の馬だけでしたよ」(597)

＊

「もしあんたが大統領になって［……］もしどうしても我慢ならないような親類が割り当てられた

ら、どうしたらいいんだ?」

「我慢ならない親類なんて、いまに始まったことじゃないでしょう」私は彼にいった。

[……]私はいままで公の場でアメリカ国民に対して下品な言葉を使ったことはない。

したがって、ついに下品なしゃべり方をしたときは、ひじょうに効果的だった。[……]

「グラソーさん、もし私が大統領になって、あなたに我慢ならない親類が割り当てられたとして、あなたがその親類に悪態をつかなかったら、私としてはひじょうにがっかりします。『こんちくしょう、兄だか姉だかいとこだかなんだか知らねえが、ころがるドーナッツとファックでもしてろ!』とか『月に飛んでいってファックでもしてろ!』とかいってほしいもんですね(598)」

✻

『ジェイルバード』では、クリーヴランド・ローズという登場人物——KKKによって家族がひどい目に遭わされた黒人——が、朝鮮戦争中に北朝鮮の収容所でハーヴァード出の中国人と仲良くなり、「戦争が終わったらジョージア州へ帰らずに中国へこないか」と誘われる。

こうして彼は、先ほどもいったように、黄海で甲板員として二年間働いた。その間、何度か恋に落ちたが、ふられてばかりだった。

「だから帰ってきたのか?」私はたずねた。

帰ってきた理由は、何よりも教会の音楽が恋しかったからだ、と彼はいった。

「中国では、いっしょに歌う仲間がひとりもいなかったんだ。それから食い物だな」彼はいった。

「食い物がまずかったのかい？」私はたずねた。

「いんや、うまかったよ。ただ、誰かに話したくなるような食い物じゃないんだ」

「ふうん」

「食い物はただ食べればいいってもんじゃない。それについてしゃべらなくっちゃつまらない。それも、その食い物のことをよく知っている人間にしゃべらなくちゃいけないんだ[599]」

職業であれ、出自であれ、目標であれ、何であれ、人が集団を形成するときに用いる手立て、いわば「その食い物のことをよく知っている人間」とつるむための多種多様な方法について、ヴォネガットは指摘している。

アメリカでは、人工的な拡大家族という考えは何も新しいものではない。医者は他の医者を親戚のように思っているし、弁護士は弁護士を、作家は作家を、アスリートはアスリートを、政治家は政治家を、それぞれ身内とみなしている[600]。

「私がいちばん消息を知りたいと思う人々は、奇妙なことに、昔の職場の同僚だ」ヴォネガットはそんな告白をしている。

つまり、ニューヨーク州スケネクタディにあるゼネラルエレクトリック社の広報部で、一九四八年から一九五一年まで、私が二十六歳から二十九歳までいっしょに働いていた仲間だ。［……］

こういう話は、人から聞いたこともある。自分が初めて社会に出たときにいっしょに過ごした人々に、なぜか好意を持ち続けるという話だ。それはよくあることなのだ。

ある年、ヴァージニア大学でスピーチをするためにヴァージニア州シャーロッツヴィルを訪れたヴォネガットは、かつてインディアナポリスで隣に住んでいた友人から伝言をもらう。

しかしシャーロッツヴィルを訪れていちばんよかったことは、子どもの頃の遊び友だちの消息がわかったことだ。［……］

私たちは近所にいた犬たちの思い出話をした。私たちがよく知っていて、向こうもこっちのことをよく知っていた犬たちの思い出だ。(601)

孤独で支えがないと感じたときにやるとよいことは、みずから望んだものであれ、偶然の結果であれ、自分が一員となっている集団をリストアップすることだ。それには血縁関係のある親類や隣人や友人から、同じヨガ教室に通っている人々や地元のスターバックスで同じ時間にコーヒーを飲みにくる人まで、いろいろあるはずだ。もちろんペットも忘れないように。

アメリカ人はどうやって大恐慌に打ち勝ったのか？　団結したんだ。当時、労働組合の組合員は、お互いを「兄弟」「姉妹」と呼び合ったが、彼らは本気でそう思っていた。(602)

✲

ドナルド・トランプの大統領就任式のあと、一月三十一日から二月二日までの三日間、アメリカ国民は自分の選挙区の議員に直接苦情を訴えるため、アメリカ史上最高の件数となる電話を連邦議会議事堂の代表番号にかけ続け、回線をパンクさせた。(603)　また、推定で四十七万人の人々がワシントンDCで行なわれた女性たちの行進《ウイメンズ・マーチ》に参加した。アメリカ各地の都市でも国民の百人にひとりがデモ行進し、世界中で同様のデモ行進が行なわれた。(604)　トランプ氏が当選したことによって、人々は市民の自由や、環境や、生殖に関する女性の権利や、移民の権利や、その他多くの権利を守る組織への参加に駆りたてられた。タウンミーティングへの参加人数が一気に増加し、市民グループの数も急増して、国会への陳情や電話の件数も急上昇した。

危機に際して、人々は共通の目的のために協力する。個人的にも、政治的にも。

ヴォネガットはアルコール依存症更生会の会員たちの絆について、スピーチやインタビューなどの中でたびたび言及している。

しかしもちろん私はアルコール依存症更生会やキャンブル依存症更生会やコカイン依存症更生会や買い物依存症更生会や過食症更生会やそのほかさまざまな依存症更生会を心からすばらしいと思っています。[……]なぜならそれらの組織はアメリカの人々に、ビタミンCのように健康に欠かせないものを提供しているからです。それは、この特殊な文明の中で、大多数の人が所有できないもの、すなわち拡大家族です。(605)

[アルコール依存症更生会のようなグループは]血縁の同胞に近い関係を築いている。なぜなら、全員が同じ破滅的な状況を経験しているからだ。そしてこの会の魅力のひとつは[……]飲んだくれ[というか、いわゆるアルコール依存症]でない人々もたくさん参加していることだ。[……]その理由は、そこに参加することによって社会的、精神的にひじょうに大きな利益がもたらされるからだ。(606)

作家もまた、アルコール依存症患者と同じように、涙を誘う身の上話や、抱負や、創作のヒントや、助言や、元気の出る情報など、互いに提供しあえるネタを持っている。現在取り組んでいる作品を交換し合って、感想や意見を聞いたり、助け合ったりしている。仲よく交際している。国際ペンクラブのような組織をつくって、言論の自由や報道の自由を守ったり、危険にさらされている世界中の作家を援助したりしている。

軍隊は危機を想定した、はっきりとした目的を持つ組織であり、家庭から切り離された人々から成る。そこで軍隊は、人間の持つ連帯への渇望を利用している。カート・ヴォネガットとバーナード・オウヘアが友だちになったのもそのおかげだ（オウヘアについては『スローターハウス5』で触れられている）。

＊

陸軍はすでに〝バディ・システム〟という方法を採用していた。一等兵、二等兵、上等兵などのすべての兵卒は、同じ分隊にいる誰かを選んで、お互いによく相手を知り、助け合うように命令される。ほかには誰もそんなことをしてくれないからだ。もちろん、相手に対する関心や責任は相互にもたなければならない。誰もひとり者として放っておかれることはない。［……］そうやってオウヘアと私は、いわば結婚したカップルのようにくっついた。

それはうまくいった。ヴォネガットとオウヘアは歩兵大隊の偵察斥候兵となった。オウヘアは戦線より前へ行って敵情を偵察する訓練を受けていたが、ヴォネガットは訓練を受けていなかった。

私はオウヘア以外の誰にも、歩兵の基礎訓練を受けていないことをいわなかった。そんなことをいったら、受けないといけないと誰かに言われるかもしれないからだ。［……］それに、**私はオウヘア**

と離れたくなかった。[607]［太字は筆者による］

ふたりはともに戦闘と捕虜生活とドレスデンの爆撃を耐え抜いた。そして生涯、友人であり続けた。

＊

ヴォネガットは人々を支える砦としてコミュニティを賛美すると同時に、コミュニティの問題点も指摘し、集団の一員になりたいという人間の嗜好が有害なものとなる場合もあると警告している。

人間は何かの思想をよくない思想だからという理由では拒めない。その理由は、トラウトによると、こういうことだった。「地球上のさまざまな思想は、その思想の持ち主が友人であるか敵であるかを示すバッジだった。思想の内容はどうでもよい。友人は友情を示すために友人に賛成した。敵は敵意を示すために敵に反対した。

［……］同意は良識や分別や自衛のためでなく、親睦のために与えられ続けた。

地球人は、友情を示すのではなく、考えなければいけない場合にも、友情を示し続けた。［……］

そうして地球人は破滅を招いたのだ[608]」

コミュニティはその定義からして、とうぜん排他的だ。特定の人物、特定の階級は含まれるが、そのほかの人物や階級は含まれない。極端な場合、ヴォネガットが『チャンピオンたちの朝食』の語り手を通して述べたように、それは破壊的なものになり得る。

ヴェトナム戦争があんなに長く続いたのは、自分の知り合いではなく知り合いになりたいとも思わない人々は、どんなに苦しんでいても、取るに足らない存在として無視してしまう人間の本性のせいにほかならない。中にはそういうごく自然な本性に抗って、気の毒な他人に同情を示した人々も少しはいる。しかし歴史が示すとおり、歴史が叫ぶとおり、「そういう人々が多数を占めることは決してなかった！」(609)

ヴォネガットを教えた人類学の教授たちは、自分たちが研究している緊密なコミュニティの有害な側面を指摘していた。

第一に、民俗社会は周囲から孤立し、自分たちの固有の領域とみなす地域の中に閉じこもっている。その社会は土地から生まれ、土地以外にその社会を育むものはない。〔……〕人生とはどういうものか、考え得るあらゆる状況に際してどう振る舞うべきかについて、ひじょうに普遍的な合意があり、それに対してほとんど議論の余地がない。

〔……〕レッドフィールド博士は民俗社会に対する感傷的なあこがれを公然と非難し、そういう社会は、活発な想像力や飽くことのない好奇心を持つ人間、新たな試みや発明などを希求する人間、

さらには抑えがたいユーモアの心を持つ人間にとって地獄だと述べた。(610)

たとえばカート・ヴォネガットのような人間だ。

ビタミンやミネラルの欠乏症はつねに悪い影響をもたらしてきた。民俗社会欠乏症（以下頭文字を取ってFSDと呼ぶことにする）も、しょっちゅう悪影響をもたらしている。FSDに罹患した人間は、まず考えることをやめ、人工的な拡大家族の一員になるが、その家族はまともでないことが多い。その筆頭としてまず頭に浮かぶのは、チャールズ・マンソンの殺人〝ファミリー〟だろう。あるいは［……］ジム・ジョーンズ師のカルト集団もそうだ。(611)

※

ヴォネガットはその大きな脳で民俗社会の不都合な点についてよく理解していたにもかかわらず、次のような告白をしている。

それでも私はいまだに、温帯地方の森の湖畔の開墾地に住む、似通った思想を持つ人々から成る孤立した小集団について、楽しく夢想することがある。(612)

彼は生涯コミュニティを探し求めた。

> 大都市のモーテルにひとりで泊まると、必ず電話帳を見て、ヴォネガットやリーバー〔ヴォネガットの母親の旧姓〕という名前が載っていないか調べるんだ。[613]

コーネル大学の熱心な学生だった若き日のカート・ヴォネガット・ジュニアは、ある学生同好会の集合写真の前列中央に、未来の妻と並んで床にすわって写っている。

カートと妻のジェインがアイオワ・シティに引っ越したとき、ふたりはコミュニティの一員になるために地元のカントリークラブに入会した。私はそのカントリークラブで一年間ウェイトレスをした経験があるが、ふたりがそのクラブの一員として満足している姿は想像できない。実際、それはうまくいかなかった。あまり歓迎されなかったよ、とヴォネガットはのちに私に語った。そこでふたりは退会した。そして、アイオワ大学文芸創作講座の講師陣や学生たちから成る、もっとおもしろくて相性のよいコミュニティを見つけることになる。

ヴォネガットは劇場を、共同体的な活気に満ちているという理由で愛していた。ケープコッドにいたときは、地元の図書館の活動とともに、劇場の活動にも積極的に参加した。そしてのちには、脚本の執筆に一時期のめり込んだ。ヴォネガットの短編小説の中に、ある演出家が見ず知らずの女性を、自分の演出する劇のオーディションに誘う場面がある。その女性は新しい請求書作成機の使い方を教えるためにほうぼうを旅しており、美しいが「少し冷淡で、彼女自身が機械のように見えた」。

彼女は驚いたようだったが、少し打ち解けた。「じつは、そういう地域の催しに参加するよう頼まれたのは初めてなんです」と彼女はいった。

「なるほど」僕はいった。「たくさんのすてきな人と手っ取り早く知り合うには、いっしょに演劇をするのがいちばんですよ」[614]

＊

同じ考えを持つ集団を求める我々の嗜好を明確にするために、ヴォネガットがもっとも複雑なスタンスを取っているのは、おそらく『猫のゆりかご』に登場するこの造語に関してだろう。

〈カラース〉とは、「人間が組織する多くの集団のひとつで、（何をしているのか無自覚なまま）神の御心を行なう集団」である[615]

そういう集団の一員であることを自覚していないことが〈カラース〉のメンバーと他の集団のメンバーの違いだ。その決定的な違いを強調するために、ヴォネガットは別の言葉を作り出した。

ヘイズルが世界中のインディアナ州出身者《フージャー》に対して抱いている妄想に近い仲間意識は、偽の〈カラース〉の典型で、一見〈カラース〉のようでも、それは神の御心を行なうという点では無意味である。それはボコノンが〈グランファルーン〉と呼ぶ集団の典型的な例だ。ほかの〈グランファルーン〉の例として、共産党や、アメリカ愛国婦人会や、ゼネラルエレクトリック社や、国際秘密共済組合や、そのほかあらゆる時代、あらゆる地域の国家などが挙げられる。(616)

これらの〈グランファルーン〉は「神の御心を行なう」という点では無意味かもしれないが、ヴォネガットがおもしろおかしく描いているように、そのメンバーが幸福感を味わうためには意味がある。ヴォネガットのつくったおかしな造語は、コミュニティの功罪のすべてを表している。

＊

私は『猫のゆりかご』を授業で教えているときに、読者が〈カラース〉という言葉を誤って使いやすいことに気づいた。〈カラース〉が、趣味嗜好のように外から見て判別しやすい特徴を持つ、親近性のある人々の集団と勘違いされているのだ。たとえば、熱狂的なヴォネガットのファンが同じファンに対して「きみは僕の〈カラース〉の一員だ！」と叫ぶような感じだ。

グーグルで〈カラース〉を検索してみると、新しい定義がいくつも見つかる。その中には、「同調者」や「シンパ」の方向に傾いているものや、ヴォネガットのもともとの定義を別の言葉で言い直したものや、似たような音の別の言葉から派生したものだとほのめかすものもある（そう思う人は、第二十一章を読み直してほしい）。どれもこれもっともらしいし、ほほえましい。カート本人もその言葉を誤用していたというものまであった！　私たちはみんな、この世界を理解したくてたまらないし、コミュニティの一員でありたくてしかたないのだ。

しかし、誰が自分と同じ〈カラース〉の一員なのか特定するのは、そもそもの定義に反する。〈カラース〉の一員は自分がその一員であることを知らないのだ。彼らは神の不可思議で計り知れない御心に従っているのであって、みずからの意志で行動しているのではない。

ボコノン教の教祖で〈カラース〉という言葉をつくったボコノンはそれについてこういっている。

「もしあなたの人生がほかの誰かの人生となんら必然性のないまま絡み合うことになったら、その人物はおそらくあなたの〈カラース〉の一員だ」とボコノンは書いている。

［……］「人間はチェス盤をつくった。神は〈カラース〉をつくった」［……］〈カラース〉には国家や制度や職業や血縁や階級の境はない。

それはアメーバのように自由な形をとる。(617)

＊

生まれつき備わったこういう頭脳のおかげで、そしてその頭脳がかなり混乱していたにもかかわらず、［兄の］バーナードと私は人工的な拡大家族に属し、そのおかげで世界中に身内と呼べる人々ができることになった。[618]

バーナードは科学者たちから成る拡大家族に属し、カートは作家たちの拡大家族に属していた。自分は作家だと自覚している人は、やはり作家家族の一員だ。それについてのヴォネガットのアドバイスは？　家族をせいぜい利用しろ、だ。

※

ヴォネガットは作家になって間もない頃、ＳＦ作家の会議に出席した。[619]ニューヨークに引っ越してからは、国際的な作家団体である国際ペンクラブのメンバーとして活発に活動した。親友のシドニー・オフィットと初めて出会ったのも、一九七〇年のペンクラブのセミナーでのことだった。

「すべての作家は」このクラブに入るべきだと思う。ファシストでも、ＫＫＫのメンバーでもかまわない――作家なら、国際ペンクラブに所属するんだ。[620]

アメリカペンクラブの場合、その掲げる使命は「文学と人権の交差点に立ち、アメリカ合衆国と世界中の国における表現の自由を守る」ことであり、それを考えると、ファシストやＫＫＫのメンバーが入会したいと思うとは考えられない。

私のメールの受信箱には、今日、こんなタイトルのメールが入っていた。「作家のみなさん、あなたはひとりではありません」。差出人は作家や詩人向けの雑誌『ポエッツ・アンド・ライターズ・マガジン』だ。

二十一世紀の今日、作家が世界とつながる方法はいくらでもある——講習会、雑誌、ウェブサイト、ブログ、フェイスブック、会議、大学での指導や制作、ワークショップ、読書会、各種組織、作家仲間のグループ等々。

＊

一九五一年、ヴォネガットが小説を書きながら孤軍奮闘していた頃、友人のミラー・ハリスにこんな手紙を書いている。

親愛なるミラーへ
こないだきみに出した手紙に付け加えたいことを、ぼんやり考えていた。［……］聡明だけど神経症ぎみのスロートキンという指導教官［シカゴ大学の人類学部にいた］のおかげで、僕は一派という概念に興味を持った。［……］
［……］スロートキン先生はこういった。偉大な成果をあげた芸術家は誰でも、決して自分ひとり

で仕事をしてはいなかった。そういう芸術家は、志を同じくする多くの芸術家のグループの中心人物だった。この説はキュビズム派にはひじょうによく当てはまるし、ゲーテやソローやヘミングウェイや、そのほかどんな芸術家にも当てはまり、それを証明するしっかりした証拠もたくさんあるという。

もしそれが百パーセント真実ではないとしても、興味を持つには十分だ――それにたぶん役にも立つ。

一派という集団は、スロートキン先生によると、個人が文化に貢献するために必要な途方もない量の精神力を与えてくれる。士気や、連帯感や、多くの頭脳という資源を与えてくれる。そして、一派が与えてくれるものの中でおそらくもっとも重要なのが、確信的な偏愛だ。〔……〕先生はこうもいっていた。芸術にたずさわる人間は、善かれ悪しかれ、どこかの一派に属さずにはいられない。きみがどんな一派に属しているのか、僕は知らない。僕の一派はいまのところリタウア&ウィルキンスン（僕のエージェント）と、バーガーと、ほかには誰もいない。〔……〕それは救世主を見つけるという問題ではなく、一派が救世主をつくるという問題だ――だがそれは難しいことで、時間がかかる。

もしこの種のことがどこかで行なわれているなら（パリはだめだ、とテネシー・ウィリアムズはいっているが）、僕は喜んで参加したい。(621)

この手紙から何年もあと、『エスクァイア』に寄せたジャクソン・ポロックについてのエッセイの中で、ヴォネガットはこう述べている。

多くの重要な芸術運動の創始者の中でもポロックがひときわユニークな点は、彼の仲間や信奉者が、彼と同じ手法で描かなったことだ。［……］ポロックはドリップペインティングの一派の隆盛を導かなかった。彼はドリップペインティング派のたったひとりの画家だった。［……］ポロックの属する（拡大）家族を結びつけていたのは、どういう絵を描くべきかについての共通認識ではなかった。その家族のメンバー全員が共有していたのは、インスピレーションはどこからもたらされるべきかという信念だった。それは、無意識からもたらされるべきだった。無意識は活気に満ちた精神の一領域で、物を写実的にとらえることはせず、道徳も利害もなく、退屈な古い物語をわざわざ蒸し返すこともなかった。[622]

音楽家のブライアン・イーノは〈シーニアス〉という造語によって、カートがミラー・ハリスへの手紙でほのめかしていたのと同じようなことを述べている。「〈シーニアス〉とは、芸術の発生する場面全体が持つ知性と直感的洞察を表している。個人としての天才《ジーニアス》ではなく共同体としての天才《ジーニアス》だ」言い換えると、「〈シーニアス〉は天才《ジーニアス》と似ているが、その種は遺伝子《ジーン》の中ではなく、場面《シーン》の中にあり……グループや場所や〝場面《シーン》〟からときおりもたらされる、とてつもない創造性である」という。[623]

シュールレアリストやビート族のような、えり抜きの一派のメンバーとなる幸運に恵まれるかどうかはともかく、ヴォネガットの指導教員がいったように、芸術家や作家であるかぎり、なんらかのグループの一員であるはずだ。そのグループはたとえば、マジックリアリストやブラックユーモアリストやエコファビュリストなど、似通った感性で線引きされるものかもしれないし、ジャンルや人種や性別や地域や国などによって大まかに区別されるものかもしれない。そこで、若き日のヴォネガットの嗜好にならって、自分の作品が属すると思われる一派に参入し、共通点のある人々と団結して、力を授けてもらうようにしよう。

✼

本を一冊仕上げた人物は誰でも、その本が出版されようがされまいが、よい本であろうがなかろうが、我々の仲間だ。(624)

ヴォネガットは初めて長編小説を書いたある作家に、あなたからインスピレーションをいただきましたと感謝の言葉を述べられたとき、こう答えている。

自分が誇れる小説を完成させたという事実、自分に可能なかぎり最高の作品に仕上げたという事実によって、きみは私にとって兄のバーナードと同じくらい近い身内だ。[625]

カートは他の作家に対して寛大だった。他の作家を擁護したり励ましたりした。親切な身内のようだった。[626]

さあ、身内になろう。

そして、自分を支えてくれる人に感謝することも必要だ。感謝の言葉には大きな力がある。

＊

カートはかつて授業中、私たち学生に、天国と地獄の定義について話した。彼がどこかで聞いて、ひじょうに気に入ったというその定義とはこうだ。

地獄ではみんな、食べ物がどっさり並んだテーブルに鎖でつながれていて、みんな自分ひとりで食べようとするが食べられない。天国でも状況はまったく同じだが、人々が互いに食べさせ合っている。

＊

ここで読者のみなさんを、ヴォネガットが導くすばらしい会衆の一員に招待したい。

信仰

あなたのことは知らないが
私は組織化されていない宗教の信奉者で
権威も序列もない団体に属している。
我々は自分たちのことを
〈絶え間ない驚きを与えるマリア〉と呼んでいる。
あなたは我々が祈る姿を見たことがあるかもしれない
愛を求めて
上等なレストランの
前の路上で、
晴れの日も雨の日も。
我々に投げキッスを送ってほしい
そこに着いたときや帰るときに
すると我々は絶頂に達する。
一斉に。
それはなかなかの見ものだ
とくにそのとき雨が降っていて

それも土砂降りだったりしたら(627)。

『猫のゆりかご』に出てくるボコノン教徒の、まったく虚構の神聖なる儀式〈ボコマル〉を実践してみるのもいい。それはふたり一組で、足の裏と裏を合わせ、祈りの言葉を唱え合いながら行なわれる。その祈りは次のように始まる。


「ゴット・メイト・ムット」フォン・ケーニヒスヴァルト博士がつぶやいた。

「ダイヨット・ミート・マット」〝パパ〟モンザーノが唱和した。

ふたりはそれぞれの国の言葉で「神は泥をつくられた」といったのだ。これ以降はふたりのお国言葉ではなく、その意味を記すことにする。

「神は寂しくなられた」フォン・ケーニヒスヴァルトがいった。

「神は寂しくなられた」

「そこで神は泥の一部にこう言われた。『起きよ!』」

「そこで神は泥の一部にこう言われた。『起きよ!』」

「『私がつくったすべてのものを見よ』神は言われた。『丘に海に空に星』」

「『私がつくったすべてのものを見よ』神は言われた。『丘に海に空に星』」

「そこで私こと泥の一部は起きてまわりを見た」

「そこで私こと泥の一部は起きてまわりを見た」

「幸いなるかな、私。幸いなるかな、泥」(628)

「幸いなるかな、私。幸いなるかな、泥」

訳者あとがき

カート・ヴォネガットはかつて、「名文の書き方（How to Write with Style）」というタイトルのエッセイを『ニューヨーク・タイムズ』紙に寄稿した。それは、「自宅の前にある深い穴についての市長への嘆願書」から、「隣家の女の子へのラブレター」まで、相手と内容にかかわらず、何かを書きたいと「心から思っている人」に向けて書かれたものだ。くわしくは本文をごらんいただきたいが、たとえば「簡潔に書くこと」という項では、シェイクスピアやジョイスなどの偉大な文学者が、もっとも重要な場面で、最も簡潔な文を、いかに効果的に書いたかが楽しく解説されている。また、「読者を憐れむこと」という項では、読むという行為がいかに大変なことか、そのことをしっかり考えてほしいと書き手に注意を促している。

どの項も、文章を書く際の実用的なアドバイスとして秀逸なだけではなく、ユーモアにあふれ、書く人と読む人への愛にあふれている。

このエッセイからもわかるように、ヴォネガットは作家であっただけでなく、文章や小説の書き方を教える教師でもあった。本書は、そんなヴォネガットのさまざまなエッセイや小説や手紙やインタビューなどをもとに、おもに作家志望の人に向けて書かれた創作指南の書だ。「名文の書き方」のようなよい文章の書き方だけでなく、プロットや登場人物の作り方など、創作に関するアドバイスから作家活動を経済的に支える方法まで、作家と作家活動をめぐるさまざまな問題が、ヴォネガットらしい言葉で解説されている。

たとえば、書くうちに自分の言いたいことがはっきりしてくる過程について。

「タイプライターから現れるメッセージはひじょうに粗削りだったり、分別に欠けていたり、誤った印象を与えるようなものだったりするが、十分に時間をかけてタイプを打っていけば、やがて私の中のもっとも知的な部分が顔を出して、それが語ろうとしていることを理解できるようになる」

小説ならではの描き方について。

「ニュー・ジャーナリズムでも小説でも、ひとりの個性的なレポーターがいる。しかしニュー・ジャーナリズムのレポーターは、小説のレポーターたる小説家にくらべると、話の伝え方も見せ方も、はるかに制限されている。［……］小説家は読者をどこへでも［……］たとえば木星にだって、そこに見るべきものがあるなら連れていけるのだ」

創作の壁にぶちあたったときの対処法について。

「アイオワ大学文芸創作講座の創設者、ポール・エングルは［……］こういった。もしこの講座が自前のビルを建てるとしたら、そのエントランスに掲げる言葉は［……］『あんまり真剣になるな』だ」

また、書くことが好きで、作家になりたいのだけれど、これまであまりたいした経験をしたことがない、たとえば死人を見たことすらない、と悩む若い人へのアドバイスはこんな感じだ。

「小説を書くために、死や破壊や苦悩を経験する必要はない。ただ、何かに関心をもつ必要があるだけだ。関心のあることは、もしかしたら楽しいことかもしれない」

しかし、小説を書くことは必ずしも楽しいことではない。ヴォネガットの代表作のひとつ『スローターハウス5』は第二次世界大戦中の彼の経験をもとにした作品だが、これができあがるまで、彼がどれほど同じテーマのまわりをうろうろし、回り道をしたか、どのような苦しみを味わったか。本書は彼の作品を年代順に振り返ることによってその過程を分析し、作家にとっての小説のテーマとはどういうものなのかを教えてくれる。

「作家はいずれにせよ、自分の人生について書くことになる。［……］西部劇を書いていたとしても、書いている本人は自分の人生のことを書いているとは気づかない。なぜなら、作品のどこかに、作家の精神的な問題がそれとなく紛れ込むからだ」

ヴォネガットのこの言葉を紹介したあと、著者はこう続けている。

「このアドバイスはあと知恵によるものだということに注意してほしい。［……］ヴォネガット自身、書いているときは気づかなかった。たいていの作家はそうだろう。だから、自分がそれを書いているかどうかは気にしなくてもいい」

創作に悩む人にとっては、まさにかゆいところに手が届くような優しいアドバイスではないか。

しかし、この本のユニークなところは、創作の手引であるとともに、ヴォネガットの回想録であるという点だろう。著者のスザンヌ・マッコーネルはヴォネガットが講師を務めたアイオワ大学文芸創作講座の受講生で、教え子として、友人として長年交流があった女性作家だ。ヴォネガットの言葉をたよりに作家志望の人にアドバイスをするという目的のために、彼の小説やエッセイをはじめ、手紙やインタビューや未公開の資料も探って執筆するうちに、それはヴォネガットの人となりや人生をたどる探索の旅《クエスト》となった。この本を読めば、教師として、家族を養う家庭人として、ウーマンリブ以前の男性として、学歴やなまりにコンプレックスを抱く地方出身者としての、人間ヴォネガットのさまざまな姿が浮かび上がる。

長年うつ病を患っていたヴォネガットにとって、小説を書くことは、「自分の神経症を治療すること」であった。小説を書く人はみな同じことに気づくだろうとも述べている。くしくも今年は一九二二年生まれのヴォネガットの生誕百年にあたる。二十世紀に逆戻りしたかのような戦争がヨーロッパで勃発し、多くの人が無力感に苛まれるなか、ヴォネガットのように想像力を駆使して小説を書き、苦悩を癒す人が増えるかもしれない。

最後に、この本を訳出するにあたって、多くの質問に忍耐強く答えてくださった著者のスザンヌ・マッコーネルさん、編集作業をしてくださったフィルムアート社の薮崎今日子さん、原文とのつきあわせをしてくださった田中亜希子さん、中村久里子さんに、この場を借りて心からお礼を申し上げたい。

二〇二二年五月

金原瑞人・石田文子

注

1　Wilfred Sheed, "The Now Generation Knew Him When," in *Conversations with Kurt Vonnegut*, ed. William Rodney Allen (Jackson: University Press of Mississippi, 1988), 13.

2　この件に関して、作家の作品と実像のギャップについて論じた以下のすばらしい記事を参照のこと。Margo Rabb, "Fallen Idols," *New York Times Book Review*, July 25, 2013.

3　"Kurt Vonnegut: In His Own Words," *London Times*, April 12, 2007, https://www.thetimes.co.uk/article/kurt-vonnegut-in-his-own-words-mccg7v0g8cg.（2022年3月10日閲覧）

4　Kurt Vonnegut, *Palm Sunday* (New York: Delacorte Press, 1981), chap. 4.

5　Kurt Vonnegut, "How to Write with Style," International Paper Company Publicity Handout, May 1980, also appeared in the *New York Times*; collected in *Palm Sunday.*

6　Vonnegut, *Palm Sunday*, chap. 13.

7　Suzanne McConnell, "The Disposal," *Fiddlehead*, no. 110 (Summer 1976), 99–107.

8　じつは、私が最初にカート・ヴォネガットを見かけたのは、アイオワ・シティのジェファーソン・ホテルの地下にある「ステーキ・アウト」というレストランで、私はそのときウェイトレスとして、彼のテーブルの注文を取りにいっていた。カートと彼の妻のジェイン、ヴァンスとティナのボアジェイリー夫妻、ホセとピラルのドノソ夫妻、そしてネルソン・オルグレンと彼の妻もいっしょだったと思う。みんなの注文を取るのに、ずいぶん時間がかかった。彼らはお互いに対して興味津々の様子だった。第一学期の最初のころで、ボアジェイリー夫妻以外は全員アイオワ・シティは初めてだった。そしてみんな知り合ったばかりだった。

9　Kurt Vonnegut, *Letters*, ed. Dan Wakefield (New York: Delacorte Press, 2012), 14–16.

10　Kurt Vonnegut, *Armageddon* in Retrospect (New York: G. P. Putnam's Sons, 2008), 11–13.

11　Vonnegut, *Palm Sunday*, chap. 4.

12　*The Daily Show With Jon Stewart,* season 10, episode 115, "Kurt Vonnegut," directed by Chuck O'Neil, aired September 13, 2005, on Comedy Central.

13　Vonnegut, "How to Write with Style."

14　Jill Krementz, ed., *Happy Birthday, Kurt Vonnegut: A Festschrift for Kurt Vonnegut on His Sixtieth Birthday* (New York, Delacorte Press, 1982), 49.

15　Kurt Vonnegut, "Fluctuations Between Good and Ill Fortune in Simple Tales (unpublished proposed master's thesis, University of Chicago, 1965)," 23, Kurt Vonnegut Papers, Lilly Library, Indiana University, Bloomington, IN.

16　Vonnegut, "How to Write with Style."

17　これは、ピーター・エルボウの *Writing without Teachers* (New York: Oxford University Press, 1973)という一冊の本から始まった。簡単な本だが、当時私が勤めていた国語科に大きな変革をもたらした。この本のタイトルは、60年代の私たちの感性に訴えかけるものがあった。

18　Joe David Bellamy and John Casey, "Kurt Vonnegut Jr.," in *Conversations*, 158.

19　平叙文とは、主語、動詞、目的語の順番に述べて、何かを断言する文で、「もし〜ならば」とか「〜のとき」とか「〜だけれど」などで始まる従属節がなくても、文として成り立つ。

20　Vonnegut, "How to Write with Style."

21　Grace Paley, "Distance," in *Enormous*

Changes at the Last Minute (New York: Farrar, Straus and Giroux, 1985), 13.
22 Ernest Hemingway, "The Killers," in *The Snows of Kilimanjaro and Other Stories* (New York: Charles Scribner's Sons, 1927), 71.
23 Toni Cade Bambara, "My Man Bovanne," in *Gorilla, My Love* (New York: Random House, 1972), 3.
24 Dylan Thomas, "The Orchards," in *Adventures in the Skin Trade* (Cambridge: New Directions, 1969), 137.
25 Kurt Vonnegut, *Jailbird* (New York: Delacorte Press, 1979), chap. 9.
26 Kurt Vonnegut, *The Sirens of Titan* (New York: Delacorte Press, 1959), chap. 10.
27 Kurt Vonnegut, *Breakfast of Champions* (New York: Delacorte Press, 1973), chap. 18.
28 Vonnegut, *Breakfast*, chap. 15.
29 Kurt Vonnegut, preface to *Wampeters, Foma & Granfalloons* (New York: Delacorte Press, 1974).
30 Vonnegut, "How to Write with Style."
31 Vonnegut, *Breakfast*, chap. 19.
32 Vonnegut, *Breakfast*, chap. 20–21.
33 Ernest Hemingway, "The Art of Fiction No. 21," interview by George Plimpton, *Paris Review*, no. 18 (Spring 1958).
34 Frank McLaughlin, "An Interview with Kurt Vonnegut, Jr.," in *Conversations*, 73.
35 Kurt Vonnegut, "Harrison Bergeron" (unpublished manuscript, ca. 1961), Kurt Vonnegut Papers, Lilly Library, Indiana University, Bloomington, IN.
36 Kurt Vonnegut, "Harrison Bergeron," in *Welcome to the Monkey House* (New York: Delacorte Press, 1968).
37 Vonnegut, "How to Write with Style."
38 学者たちはアルファベットの起源についてあれこれと議論している。たとえば、フェニキア人がつくった初めての表音記号だっだとか、子音だけから成るセム族の記号であったとか、あるいは、もっと細かく定められた母音と子音から成るギリシャの記号システムであったとか、そのギリシャ文字のアルファとベータが〝アルファベット〟という単語のもとになったとかいう説がある。
39 Annie Murphey Paul, "Your Brain on Fiction," *New York Times*, March 17, 2012.
40 "The U.S. Illiteracy Rate Hasn't Changed in 10 Years," *Huffington Post*, last modified November 27, 2017, https://www.huffingtonpost.com/2013/09/06/illiteracy-rate_n_3880355.html.（2022年3月10日閲覧）
41 Kurt Vonnegut, *Cat's Cradle* (New York: Delacorte Press, 1963), chap. 20.
42 Vonnegut, *Wampeters*, preface.
43 Vonnegut, Kurt, *Wampeters*, 281.
44 McLaughlin, "Interview," 73.
45 Kurt Vonnegut, *Player Piano* (New York: Delacorte Press, 1952).
46 Kurt Vonnegut, *Bluebeard* (New York: Delacorte Press, 1987), chap. 3.
47 Kurt Vonnegut, *Mother Night* (New York: New York: Harper and Row, 1961), chap. 37.
48 Kurt Vonnegut, *Hocus Pocus* (New York: G. P. Putnam's Sons, 1990), chap 6.
49 Vonnegut, *Mother Night*, chap. 25.
50 Kurt Vonnegut, *God Bless You, Mr. Rosewater* (New York: Delacorte Press, 1965), chap. 2.
51 Kurt Vonnegut, *Fates Worse than Death* (New York: G. P. Putnam's Sons, 1991), chap. 14.
52 Vonnegut, *Letters*, 316.
53 Vonnegut, *Letters*, 318–19.
54 *Kurt Vonnegut: So It Goes*, directed by Nigel Finch (1983; Princeton: Films for the Humanities and Sciences; 2002), DVD, 63 minutes.
55 Kurt Vonnegut, "Mythologies of North American Indian Nativistic Cults" (master's thesis, University of Chicago, 1947).

56 Vonnegut, "Mythologies."
57 Vonnegut, "Mythologies."
58 Vonnegut, *Player Piano*, chap. 17.
59 Finch, *Kurt Vonnegut*.
60 Kurt Vonnegut, introduction to *Bagombo Snuff Box* (New York: G. P. Putnam's Sons, 1999).
61 Vonnegut, *Player Piano*, chap. 1.
62 Bellamy and Casey, "Vonnegut," 157.
63 Vonnegut, *Palm Sunday*, chap. 5.
64 Kurt Vonnegut, *We Are What We Pretend to Be* (New York: Vanguard Press, 2012), chap. 4.
65 Vonnegut, *Player Piano*, chap. 33.
66 Vonnegut, *Sirens*, chap. 4.
67 Vonnegut, *Mother Night*, chap. 4.
68 Vonnegut, *Cat's Cradle*, chap. 120.
69 Vonnegut, *God Bless You*, chap. 13–14.
70 Kurt Vonnegut, "Kurt Vonnegut at NYU," lecture, New York University, November 6, 1970, New York, radio broadcast, KPFT, copy of a reel-to-reel tape, 40 minutes, Pacifica Radio Archives, https://www.pacificaradioarchives.org/recording/bc1568.（2022年3月10日閲覧）
71 Suzanne McConnell, "Do Lord," in *Fence of Earth, Hamilton Review*, no. 11 (Spring 2007), http://www.hamiltonstone.org/hsr11fiction.html#dolord.（2022年3月10日閲覧）
72 Edward Weeks to Kurt Vonnegut, 29 August 1949, Kurt Vonnegut Papers, Lilly Library, Indiana University, Bloomington, IN.
73 Vonnegut, *Palm Sunday*, chap. 6.
74 Vonnegut, *Player Piano*, chap. 14.
75 Robert Taylor, "Kurt Vonnegut," in *Conversations*, 9–10.
76 Kurt Vonnegut, *Slaughterhouse-Five* (New York: Delacorte Press, 1969), chap. 1.
77 Kurt Vonnegut, "There Must Be More to Love than Death," interview by Robert K. Musil, in *The Last Interview and Other Conversations*, ed. Tom McCartan (Brooklyn: Melville House Publishing, 2011), 67.
78 Kurt Vonnegut, *A Man Without a Country* (New York: Seven Stories Press, 2005), 18.
79 Taylor, "Vonnegut," 9.
80 Vonnegut, *Cat's Cradle*, chap. 31.
81 Vonnegut, *Cat's Cradle*, chap. 1.
82 Jerome Klinkowitz, telephone conversation with Suzanne McConnell, October 2015. 偶然にも、そしていささか気味の悪いことに、タイプライターを使ってドレスデンの破壊を視覚的に表現しようとしたヴォネガットの衝動は、ティム・ユードが『チャンピオンたちの朝食』をタイプしてできあがった作品と通じるものがある。ティム・ユードの作品については本書「はじめに」を参照のこと。
83 Kurt Vonnegut, "New Dictionary," in *Monkey House*.
84 全力で打ちこむことと、それと同時発生する事柄の影響力について、もっと詳しいことは次の本を参照のこと。*The Artist's Way: A Spiritual Path to Higher Creativity* by Julia Cameron (New York: G. P. Putnam's Sons, 1992).
85 Vonnegut, *Man Without*, 19.
86 Vonnegut, *Slaughterhouse-Five*, chap. 2.
87 みずからの作家としてのビジョンを理解しそこねることに関しては、以下のすばらしいエッセイを参照のこと。Michael Cunningham, "Found in Translation," *New York Times*, October 2, 2010, http://www.nytimes.com/2010/10/03/opinion/03cunningham.html.（2022年3月10日閲覧）
88 Bellamy and Casey, "Vonnegut," 161–62.
89 Steve Blakeslee, "The Man from Slaughterhouse-Five: A Remembrance of Kurt Vonnegut," *Open Spaces: Views from the Northwest* 9, no. 3 (2007).
90 Vonnegut, *Man Without*, 20.
91 Vonnegut, *Slaughterhouse-Five*, chap. 3.

92 Vonnegut, *Mother Night*, chap. 22.

93 Kurt Vonnegut, "Poems Written During the First Five Months of 2005" (unpublished manuscript, 2005).

94 Vonnegut, *Palm Sunday*, chap. 5.

95 Vonnegut, *Palm Sunday*, chap. 2.

96 Kurt Vonnegut, *If This Isn't Nice, What Is?*, ed. Dan Wakefield (New York: Seven Stories Press, 2014), 9.

97 Vonnegut, *Palm Sunday*, chap. 5.

98 Vonnegut, *Fates*, chap 11.

99 Vonnegut, *Palm Sunday*, chap. 5.

100 Vonnegut, *Palm Sunday*, chap. 5.

101 Vonnegut, *Breakfast*, chap 16.

102 Barry Schwartz and Amy Wrzesniewski, "The Secret of Effective Motivation," *New York Times*, July 6, 2014.

103 Charles Shields, *And So It Goes* (New York: Holt and Company, 2011), 229.

104 Kurt Vonnegut, "Despite Tough Guys, Life Is Not the Only School for Real Novelists," *New York Times*, May 24, 1999.

105 Mark Vonnegut, introduction to *Armageddon in Retrospect*, 1.

106 Alder Yarrow, "So You Wanna Be a Wine Writer," Vinography (blog), December 10, 2009, http://www.vinography.com/archives/2009/12/so_you_wanna_be_a_wine_writer.html.（2022年3月10日閲覧）

107 Vonnegut, *Man Without*, 56.

108 Vonnegut, *Man Without*, 24.

109 Vonnegut, *Breakfast*, chap. 19.

110 Vonnegut, *Wampeters*, preface.

111 Louise DeSalvo, *Writing as a Way of Healing* (Boston: Beacon Press, 2000), 25.

112 Josephine Humphreys, review of *The Collected Stories*, by John McGahern, *New York Times*, February 28, 1993.

113 Vonnegut, "More to Love," 74.

114 Vonnegut, "More to Love," 67–68.

115 Bellamy and Casey, "Vonnegut," 163.

116 Kurt Vonnegut, prologue to *Slapstick* (New York: Delacorte Press, 1976).

117 Kurt Vonnegut, *Deadeye Dick* (New York: Delacorte Press, 1982), chap. 13.

118 Vonnegut, *Wampeters*, 280–81.

119 Kurt Vonnegut and Lee Stringer, *Like Shaking Hands with God* (New York: Seven Stories Press, 1999), 29.

120 Reynolds Price, review of *The Collected Stories* by William Trevor, *New York Times*, February 28, 1993.

121 Vonnegut, *Fates*, chap. 2.

122 Vonnegut, *Wampeters*, 254.

123 Vonnegut, *Wampeters*, 254–55, 284.

124 David Standish, "Playboy Interview," in *Conversations*, 87, 108.

125 Vonnegut, *Breakfast*, chap. 18.

126 Vonnegut, *Palm Sunday*, chap. 18.

127 Vonnegut, *Wampeters*, 283.

128 Charles Reilly, "Two Conversations with Kurt Vonnegut," in *Conversations*, 202.

129 Richard Todd, "The Masks of Kurt Vonnegut, Jr.," in *Conversations*, 33.

130 Vonnegut, *Wampeters*, 283.

131 David J. Morris, "After PTSD, More Trauma," *New York Times*, January 17, 2015.

132 Vonnegut, *God Bless You*, chap. 6.

133 Vonnegut, *Sirens*, chap. 9.

134 Vonnegut, *Bluebeard*, chap. 37.

135 Vonnegut, *Palm Sunday*, chap. 19.

136 Vonnegut, *Sirens*, chap. 5.

137 William Butler Yeats, "The Circus Animals' Desertion," in *Selected Poems and Two Plays of William Butler Yeats* (New York: Collier, 1962), 184.

138 Vonnegut, *Breakfast*, chap. 19.

139 Vonnegut, *Bluebeard*, chap. 9.

140 Vonnegut, *Palm Sunday*, chap. 17.

141 Vonnegut, *Deadeye Dick*, chap. 24.

142　Vonnegut, *Wampeters*, 283.
143　Vonnegut, *Wampeters*, 237–38.
144　McLaughlin, "Interview," 72.
145　ヴォネガットの自由思想家の先祖についてのより詳しい情報は、『パームサンデー』の中の「ルーツ」と「宗教」の章を参照のこと。
146　"Indiana War Memorial Museum," Indiana State Official Government Website, https://www.in.gov/iwm.（2022年3月10日閲覧）
147　Bellamy and Casey, "Vonnegut," 166.
148　Standish, "Playboy," 76.
149　Vonnegut, introduction to *Bagombo*.
150　Vonnegut, *Player Piano*, chap. 1.
151　Vonnegut, *Player Piano*, chap. 1.
152　Alex Davies, "I Rode 500 Miles in a Self-Driving Car and Saw the Future. It's Delightfully Dull," *Wired*, January 7, 2015, https://www.wired.com/2015/01/rode-500-miles-self-driving-car-saw-future-boring.(2022年3月10日閲覧）
153　Vonnegut, *Fates*, chap. 14.
154　Vonnegut, *Palm Sunday*, chap. 4.
155　Vonnegut, *Bluebeard*, chap. 24.
156　Jonathan Becher, "Gladwell vs Vonnegut on Change Specialists," *Forbes*, October 14, 2014, https://www.forbes.com/sites/sap/2014/10/14/gladwell-vs-vonnegut-on-change-specialists/#c445b4d46f7d.（2022年3月10日閲覧）
157　Vonnegut, *Breakfast*, chap. 7.
158　Vonnegut, *Jailbird*, chap. 3.
159　Vonnegut, *Mother Night*, chap. 12.
160　Vonnegut, *God Bless You*, chap. 2.
161　Vonnegut, *Cat's Cradle*, chap. 103.
162　Vonnegut, *Slaughterhouse-Five*, chap. 3.
163　Carol Kramer, "Kurt's College Cult Adopts Him as Literary Guru at 48," in *Conversations*, 27.
164　Vonnegut, *Bluebeard*, chap. 30.
165　Vonnegut, *Mother Night*, chap 5.
166　Dan Wakefield, introduction to *If This Isn't Nice, What Is?*, by Kurt Vonnegut, ed. Dan Wakefield (New York: Seven Stories, 2014), xiv.
167　（私の守護妖精は、私がこの本を執筆中に、ジャック・レゲットの死亡記事の中にこれらの情報を盛りこんで提供してくれた。レゲットは1970年から1987年までアイオワ大学の文芸創作講座の代表を務めた。）Bruce Weber, "Jack Leggett, Who Cultivated Writers in Iowa, Dies at 97," *New York Times*, January 30, 2015.
168　Vonnegut, *If This Isn't Nice*, 29.
169　Vonnegut, *Cat's Cradle*, chap. 70.
170　Vonnegut, *Wampeters*, 274.
171　Vonnegut, *If This Isn't Nice*, 41–42.
172　Vonnegut, *Wampeters*, 259.
173　Vonnegut, *If This Isn't Nice*, 42.
174　ハウイーが主導した原野探索の旅について詳しい情報は以下のサイトを参照のこと。Cottonwood Gulch's website, http://www.cottonwoodgulch.org.（2022年3月10日閲覧）
175　Standish, "Playboy," 104.
176　Vonnegut, *If This Isn't Nice*, 94.
177　Vonnegut, *Palm Sunday*, chap. 10.
178　Kurt Vonnegut, *Galápagos* (New York: Delacorte Press, 1985), book 1, chap. 6.
179　Vonnegut, *Galápagos*, book 1, chap. 19.
180　Vonnegut, *Galápagos*, book 1, chap. 20.
181　Vonnegut, *Hocus Pocus*, chap. 34.
182　Vonnegut, *Hocus Pocus*, chap. 21.
183　Vonnegut, *Hocus Pocus*, chap. 18.
184　Vonnegut, *Hocus Pocus*, chap. 37.
185　Vonnegut, *Jailbird*, chap. 18.
186　Kurt Vonnegut, *Timequake* (New York: G. P. Putnam's Sons, 1997), chap. 42.
187　Vance Bourjaily, "Dear Hualing," in *A Community of Writers: Paul Engle and the Iowa Writers' Workshop*, ed. Robert Dana (Iowa City: University of Iowa Press, 1999).

188 Hank Nuwer, "A Skull Session with Kurt Vonnegut," in *Conversations*, 242–43.
189 Vonnegut, *Palm Sunday*, chap. 5.
190 Suzanne McConnell, "Kurt Vonnegut and the Writers' Workshop," Brooklyn Rail, December 10, 2011, https://brooklynrail.org/2011/12/fiction/kurt-vonnegut-at-the-writers-workshop.（2022年3月10日閲覧）
191 Vonnegut, *Letters*, 131.
192 Alexander Neubauer, ed., *Conversations on Writing Fiction* (New York: HarperCollins, 1994), 143.
193 Gail Godwin, "Waltzing with the Black Crayon," *Yale Review* 87, no. 1 (January 1999).
194 Godwin, "Waltzing."
195 Vonnegut, *Palm Sunday*, chap. 18.
196 Krementz, *Happy Birthday*, 71–75.
197 Godwin, "Waltzing," 52.
198 二枚目の課題指示書に書かれている「p.114, Journey」という走り書きは、ルイ・フェルディナン・セリーヌの『夜の果てへの旅』の114ページを見るようにと私が自分のために書いたメモ書きだ。『夜の果てへの旅』はヴォネガットが課題に取り上げた作品で、課題指示書の4に「ものすごく気が滅入る」と書かれている本だ。ヴォネガットはこの本とセオドア・レトキの詩を、『スローターハウス5』の調査のため最初にドレスデンを再訪したときに読んだ。
199 Vonnegut, *Palm Sunday*, chap. 7.
200 From Kurt Vonnegut's letter to David Hoppe, Indiana journalist and friend of Kurt's. May 23, 2005.
201 Vonnegut, *Man Without*, 8–9.
202 Kurt Vonnegut, "*God Bless You*, Mr. Vonnegut," interview by J. Rentilly, in The Last Interview, 158.
203 Vonnegut, *Fates*, "On Literature by Karel Capek, From Toward the Radical Center."
204 Vonnegut, *Cat's Cradle*, chap. 70.
205 Vonnegut, *Timequake*, chap. 1.
206 Vonnegut, *Player Piano*, chap. 24.
207 Vonnegut, *Fates*, chap. 19.
208 Vonnegut, *If This Isn't Nice*, 29–30.
209 Pam Belluck, "For Better Social Skills, Scientists Recommend a Little Chekhov," *New York Times*, October 3, 2013.
210 Paul, "Your Brain."
211 "Literature and Medicine." Maine Humanities Council, https://mainehumanities.org/programs/literature-medicine-overview/.（2022年3月10日閲覧）
212 このセミナーで取り上げた課題作品は、本文で紹介した順に以下の通り。Helen Benedict, *The Sand Queen* (New York: Soho Press, 2011); Jean-Dominique Bauby, *The Diving Bell and the Butterfly* (New York: Alfred A. Knopf, 1997); *The Diving Bell and the Butterfly*, directed by Julian Schnabel (2007; Paris, France: Pathé Renn Productions, 2008), DVD; Joan Leegant, "Sisters of Mercy," in *Bellevue Literary Review* 11, no. 2 (Spring 2011); and *Bellevue Literary Review* 15, no. 2, "Embattled: The Ramifications of War" (Fall 2015).
213 Tom Bradshaw and Bonnie Nichols, *Reading at Risk: A Survey of Literary Reading in America* (Washington: National Endowment for the Arts, June 2004), https://www.arts.gov/sites/default/files/ReadingAtRisk.pdf.（2022年3月10日閲覧）
214 「ビッグ・リード」運動に関して詳しい情報は以下のサイトを参照のこと。"NEA Big Read," Arts Midwest, https://www.artsmidwest.org/programs/neabigread/about.（2022年3月10日閲覧）
215 Vonnegut, *Palm Sunday*, chap. 7.
216 Vonnegut, *If This Isn't Nice*, 1.
217 Vonnegut, *Palm Sunday*, chap. 5.
218 Vonnegut, *Wampeters*, 259.
219 Mark Vonnegut, introduction to *Armageddon*, 1.

220 Vonnegut, *Palm Sunday*, chap. 5.
221 Krementz, *Happy Birthday*, 72.
222 Vonnegut, *Palm Sunday*, chap. 4.
223 Vonnegut, "Despite Tough Guys."
224 Reilly, "Two Conversations," 196–97.
225 Sidney Offit, "The Library of America Interviews Sidney Offit About Kurt Vonnegut," interview by Rich Kelley, *The Library of America e-Newsletter* (New York: Library of America, 2011), 5, https://loa-shared.s3.amazonaws.com/static/pdf/LOA_Offit_on_Vonnegut.pdf.（2022年3月10日閲覧）
226 Vonnegut, "Despite Tough Guys."
227 この問題に関しては、雑誌『アトランティック』の記事（Jon Reiner, "Live First, Write Later: The Case for Less Creative-Writing Schooling," Atlantic, April 9, 2013）を参照のこと。また、"against writing programs"というワードでグーグル検索してみると、ひじょうに多くの議論があることがわかる。
228 Reilly, "Two Conversations," 199.
229 ロニー・サンドロフは30年間編集者を務めた。『メディカ』の編集長、『オン・ザ・イシュー』で編集者、『コンシューマー・レポーツ』の健康及び家族部門の論説員などを歴任。二冊の長編小説を出版し、多数の短編小説を発表している。
230 McLaughlin, "Interview," 73.
231 Michelangelo Buonarroti, "To Giovanni da Pistoia When the Author Was Painting the Vault of the Sistine Chapel," trans. Gail Mazur, in *Zeppo's First Wife: New and Selected Poems* by Gail Mazur (Chicago: University of Chicago Press, 2013), 116.
232 サンガル修道院付属図書館についての詳しい情報やすばらしい写真は以下の書籍を参照のこと。Johannes Huber, Ernst Tremp, and Karl Schmuki, *The Abbey Library of Saint Gall,* trans. Jenifer Horlent (St Gallen: Verlag am Klosterhof St. Gall), 2007.
233 Vonnegut, *Fates*, chap. 3.
234 Dana Snodgrass, "Outstanding Hoosier Women Honored by Theta Sigma Phi," *Indianapolis Star*, April 3, 1965.
235 Vonnegut, *Fates*, chap. 3.
236 ありがとう、エリザベス・クック。
237 Vonnegut, *Timequake*, chap. 35.
238 Jon Winokur, ed., *W.O.W.: Writers on Writing* (Philadelphia: Running Press, 1986).
239 Vonnegut, introduction to *Bagombo.*
240 Shields, *And So It Goes*, 146.
241 Vonnegut, *Palm Sunday*, chap. 5.
242 Vonnegut, *Bluebeard*, chap. 7.
243 Vonnegut, *Deadeye Dick*, chap. 19.
244 Vonnegut, *Jailbird*, chap. 12.
245 Vonnegut, *Monkey House.*
246 Finch, *Kurt Vonnegut.*
247 Vonnegut, "More to Love," 81–82.
248 Vonnegut, *Fates*, chap. 3.
249 Bellamy and Casey, "Vonnegut," 160.
250 Vonnegut, *Wampeters*, 261.
251 Vonnegut, *Palm Sunday*, chap. 8.
252 Vonnegut, *Slaughterhouse-Five*, chap. 4.
253 Krementz, *Happy Birthday*, 35.
254 Vonnegut, *Slaughterhouse-Five*, chap. 3.
255 長年、神学者のラインホールド・ニーバー（1892–1971）の作とされてきたが、その起源はそれよりはるかに古い可能性がある。以下の記事参照。"Serenity Prayer Stirs up Doubt: Who Wrote It," *New York Times*, July 11, 2008.
256 Vonnegut, *Sirens*, chap. 7.
257 Vonnegut, *Cat's Cradle*, chap. 47.
258 Vonnegut, *Cat's Cradle*, chap. 61.
259 Todd, "Masks," 39.
260 Offit, "Library of America," 6.
261 Kurt Vonnegut to José Donoso, 26 May 1973, José Donoso Papers, Department of Rare Books and Special Collections, Princeton University.
262 Vonnegut, *Deadeye Dick*, chap. 24.
263 Vonnegut, *Deadeye Dick*, chap. 23.

264 Vonnegut, *Fates*, chap. 2.
265 Vonnegut, *Player Piano*, chap. 9.
266 Vonnegut, *Sirens*, chap. 10.
267 Vonnegut, *Sirens*, chap. 10.
268 Vonnegut, *Player Piano*, chap. 21.
269 Vonnegut, *Galápagos*, book 1, chap. 21.
270 Shields, *And So It Goes*, 85–86.
271 Kurt Vonnegut, "The Salon Interview: Kurt Vonnegut," interview by Frank Houston, Salon, October 8, 1999, https://www.salon.com/1999/10/08/vonnegut_interview.（2022年3月10日閲覧）
272 Krementz, *Happy Birthday*, 39.
273 Bellamy and Casey, "Vonnegut," 158.
274 Vonnegut, *Fates*, chap. 4.
275 Vonnegut, introduction to *Bagombo*.
276 Reilly, "Two Conversations," 199.
277 Vonnegut, introduction to *Bagombo*.
278 Vonnegut, "Despite Tough Guys."
279 ヴォネガットの教え子のロニー・サンドロフは、ヴォネガットがこれをアイオワ大の創作講座の授業中に、学生たちへの忠告として述べたと報告している。私もそれを聞いた覚えがある。
280 Vonnegut, introduction to *Bagombo*.
281 Vonnegut, introduction to *Bagombo*.
282 Offit, "Library of America," 6.
283 John Cloud, "Inherit the Wind," *Time*, April 18, 2011.『風とともに去りぬ』は出版にこぎつけるまで38回も断られ続けたが、1936年の夏にようやく刊行され、その年のクリスマスまでに百万部売れた。マーガレット・ミッチェルは翌年ピューリッツァー賞を受賞した。今日までに累計3000万部売れている。2014年のハリス世論調査では、『風と共に去りぬ』は聖書に次いで二番目にアメリカ人が好きな本であることが判明した。
284 Vonnegut, *Player Piano*, chap. 1.
285 Vonnegut, *Sirens*, chap. 1.
286 Vonnegut, *God Bless You*, chap. 1.
287 Kurt Vonnegut, "Report on the Barnhouse Effect," in *Monkey House*.
288 Kurt Vonnegut, "Unready to Wear," in *Monkey House*.
289 Kurt Vonnegut, "Welcome to the Monkey House," in *Monkey House*.
290 Vonnegut, introduction to *Bagombo*.
291 Godwin, "Waltzing," 47.
292 ロニー・サンドロフから筆者へ2014年5月29日にメールで送られてきた回想録。未刊行。
293 Godwin, "Waltzing," 48.
294 Vonnegut, *Mother Night*, chap. 40.
295 Vonnegut, introduction to *Bagombo*.
296 Vonnegut, *Palm Sunday*, chap. 5.
297 Vonnegut, *Palm Sunday*, chap. 5.
298 Vonnegut, *Palm Sunday*, chap. 5.
299 Vonnegut, introduction to *Bagombo*.
300 Jeffrey Ely, Alexander Frankel, and Emir Kamenia, "The Economics of Suspense," *New York Times*, April 26, 2015.
301 Godwin, "Waltzing," 47.
302 Vonnegut, "Fluctuations."
303 Offit, "Library of America," 5.
304 これらのグラフのうちいくつかは、グラフ用紙の体裁ではないが、『パームサンデー』と『国のない男』の中で再現されている。
305 Shields, *And So It Goes*, 194.
306 Robert Lehrman, "The Political Speechwriter's Life," *New York Times*, November 3, 2012, https://opinionator.blogs.nytimes.com/2012/11/03/the-political-speechwriters-life/.（2022年3月10日閲覧）
307 Vonnegut, *God Bless You*, chap 13.
308 Vonnegut, *Player Piano*, chap. 31.
309 Vonnegut, *Player Piano*, chap. 31.
310 Vonnegut, *Palm Sunday*, chap. 10.
311 ヴォネガットは私が提出した小説形式論のレポートのひとつに、こんなコメントを書いている。「生き生きしてるよ、スザンヌ、僕がみんなに求めているのはまさにそれだけなんだ（本当に、ほとんどの学生は生き生きしていない）」そして、大

きなAの走り書き。次に会ったとき、彼は私をほめたたえた。私のレポートはたいしてすばらしいものではなかった。短編小説という形式のメリットを長編小説のそれと比較せよという課題に対して、小説の形でレポートを書いたのだ。語り手はちょっとまぬけな女性で、ふたつの意見が町を二分し、文化戦争が起きているという設定だった。たぶん、ほかの学生たちのレポートは、綿密な考えを述べた評論のようなものがほとんどだったと思う。八十人のレポートの成績をつけなければいけない教師が、学識より精彩を重視しているという事実によって、私は読者に居眠りをさせないことの大切さを強く印象づけられた。

312 Vonnegut, *Palm Sunday*, chap. 8.

313 Vonnegut, *What We Pretend*, chap. 7.

314 Vonnegut, "Fluctuations."

315 Vonnegut, *Cat's Cradle*, chap. 46.

316 Vonnegut, *Palm Sunday*, chap. 5.

317 Vonnegut, *Breakfast*, chap. 19.

318 Mel Gussow, "Vonnegut Is Having Fun Doing a Play," in *Conversations*, 24.

319 Vonnegut, *Breakfast*, chap. 20.

320 Vonnegut, *Timequake*, chap. 18.

321 Vonnegut, *Breakfast*, chap. 24.

322 Vonnegut, *Palm Sunday*, chap. 5.

323 Kurt Vonnegut, "Acceptance Speech" (speech, Eugene V. Debs Award ceremony, Terre Haute, IN, November 7, 1981), Kurt Vonnegut Papers, Lilly Library, Indiana University, Bloomington, IN.

324 Vonnegut, introduction to *Bagombo*.

325 Vonnegut, *Sirens*, epilogue.

326 Vonnegut, *Breakfast*, chap. 19.

327 Vonnegut, *Palm Sunday*, chap. 8.

328 Nuwer, "Skull Session," 244–45.

329 Vonnegut, *Slaughterhouse-Five*, chap. 2.

330 Vonnegut, *God Bless You*, chap. 7.

331 Maurice Merleau-Ponty, *Sense and Non-Sense*, trans. Hubert L. Dreyfus and Patricia Allen Dreyfus (Evanston: Northwestern University Press, 1964).

332 Kurt Vonnegut, "Adam," in Monkey House.

333 Vonnegut, *Galápagos*, book 1, chap. 2.

334 Kurt Vonnegut, "The Foster Portfolio," in *Monkey House*.

335 Vonnegut, "Fluctuations."

336 Vonnegut, *Deadeye Dick*, chap. 14.

337 Vonnegut, *Slaughterhouse-Five*, chap 8.

338 Vonnegut, "Adam."

339 Vonnegut, *Mother Night*, chap. 23.

340 A. E. Hotchner, *Papa Hemingway* (New York: Random House, 1955), 26.

341 Nanette Kuehn, foreword to *We Are What We Pretend to Be*, by Kurt Vonnegut (New York: Vanguard Press, 2012).

342 Bellamy and Casey, "Vonnegut," 159–60.

343 Vonnegut, *Sirens*, chap. 7.

344 Bellamy and Casey, "Vonnegut," 160.

345 Vonnegut, *Palm Sunday*, chap. 5.

346 Gifford Boies Doxsee to Ada Zouche German, #6311, 10 January 1981, Division of Rare and Manuscript Collections, Cornell University Library.
ギフォード・ボイエス・ドクシーからエイダ・ズーチ・ジャーマンへ宛てた18ページに及ぶこの手紙は、ドクシーの第二次世界大戦の体験、「とくに、ドレスデンで［……］捕虜になったときのこと」を語ったものだ。この手紙は2015年9月にコーネル大学のハーバート・F・ジョンソン美術館でヴォネガットの絵と思い出の品の展覧会があったときに展示された。

347 Nuwer, "Skull Session," 263.

348 Kurt Vonnegut, "Long Walk to Forever," in *Monkey House*.

349 Kurt Vonnegut, preface to *Between Time and Timbuktu* (New York: Dell Publishing, 1972).

350 Vonnegut, *Palm Sunday*, chap. 8.

351 Mark Vonnegut, introduction to

Armageddon, 1.
352 Finch, *Kurt Vonnegut*.
353 Vonnegut, *Man Without*, 66.
354 Vonnegut, *Sirens*, chap. 8.
355 Vonnegut, *Mother Night*, chap. 2.
356 Vonnegut, *Galápagos*, book 2, chap. 6.
357 Vonnegut, *Man Without*, 67–68.
358 Vonnegut, *Hocus Pocus*, chap. 1.
359 Vonnegut, "Foster Portfolio."
360 Vonnegut, *Player Piano*, chap. 1.
361 Vonnegut, *Player Piano*, chap. 20.
362 Vonnegut, *Cat's Cradle*, chap. 42.
363 Vonnegut, *Jailbird*, chap. 20.
364 Vonnegut, *Cat's Cradle*, chap. 110.
365 Vonnegut, *Fates*, chap. 6. ヴォネガットはそのレクイエムの最初の英訳がどんなものか、読者が「自分で判断できるように」、『死よりも悪い運命』の巻末に付録として掲載している。
366 Vonnegut, *Fates*, appendix.
367 Vonnegut, *Fates*, chap. 6.
368 Vonnegut, *God Bless You*, chap. 13.
369 Vonnegut, *God Bless You*, chap. 4.
370 Vonnegut, *Slaughterhouse-Five*, chap. 3.
371 Vonnegut, *Slaughterhouse-Five*, chap. 2.
372 Vonnegut, *Player Piano*, chap. 3.
373 Vonnegut, *Galápagos*, book 2, chap. 4.
374 Vonnegut, *Mother Night*, chap. 9.
375 Vonnegut, *Galápagos*, book 1, chap. 25.
376 Vonnegut, *Galápagos*, book 1, chap. 30.
377 このテーマに関してのダン・ウェイクフィールドのすばらしい評論は以下のサイトを参照のこと。Dan Wakefield, "Kurt Vonnegut, Christ-Loving Atheist," Image, no. 82, https://imagejournal.org/article/kurt-vonnegut/.（2022年3月10日閲覧）
378 Vonnegut, *Galápagos*, book 1, chap. 32.
379 Vonnegut, *Sirens*, chap. 9.
380 Bellamy and Casey, "Vonnegut," 160.
381 Vonnegut, *Slaughterhouse-Five*, chap. 3.
382 Vonnegut, *Slaughterhouse-Five*, chap. 2.
383 Vonnegut, *Sirens*, chap. 4.
384 Jerome Klinkowitz, *The Vonnegut Statement* (New York: Doubleday, 1973), 197.
385 Vonnegut, *Sirens*, chap. 8.
386 Vonnegut, *Breakfast*, chap. 12.
387 Vonnegut, *Slaughterhouse-Five*, chap. 5.
388 Reilly, "Two Conversations," 197.
389 Vonnegut, *Breakfast*, preface.
390 Vonnegut, *Slaughterhouse-Five*, chap. 5.
391 Vonnegut, *Slaughterhouse-Five*, chap. 2.
392 Vonnegut, *Slaughterhouse-Five*, chap. 2.
393 Finch, *Kurt Vonnegut*.
394 Finch, *Kurt Vonnegut*.
395 Finch, *Kurt Vonnegut*.
396 Vonnegut, *Hocus Pocus*, chap. 16.
397 Bellamy and Casey, "Vonnegut," 157–58.
398 Vonnegut, *Man Without*, 23.
399 Vonnegut, *Player Piano*, chap. 1.
400 Vonnegut, *Palm Sunday*, chap. 9.
401 Vonnegut, *Palm Sunday*, chap. 9.
402 Vonnegut, *Wampeters*, 258–59.
403 Vonnegut, *God Bless You*, chap. 12.
404 Vonnegut, *Player Piano*, chap. 6.
405 Vonnegut, *God Bless You*, chap. 9.
406 Vonnegut, *Fates*, chap. 6.
407 Vonnegut, *God Bless You*, chap. 5.
408 Vonnegut, *Breakfast*, chap. 4.
409 Vonnegut, *Breakfast*, chap. 21.
410 Vonnegut, *Palm Sunday*, chap. 5.
411 Vonnegut, *Jailbird*, chap. 12.
412 Vonnegut, *Jailbird*, chap. 20.
413 Vonnegut, *Jailbird*, chap. 20.
414 Vonnegut, *God Bless You*, chap. 12.
415 Vonnegut, *Palm Sunday*, chap. 9.
416 Vonnegut, *Fates*, chap. 8.
417 Vonnegut, *God Bless You*, chap. 13.
418 Vonnegut, *Slaughterhouse-Five*, chap. 5.
419 Vonnegut, *Timequake*, chap. 45.
420 Vonnegut, *Bluebeard*, chap. 31.
421 Vonnegut, *Wampeters*, 256.

422 Vonnegut, *Cat's Cradle*, chap. 73.
423 Bellamy and Casey, "Vonnegut," 156.
424 Vonnegut, *Wampeters*, 256–58.
425 Krementz, *Happy Birthday*, 72–73.
426 Vonnegut, *Cat's Cradle*, chap. 69.
427 Vonnegut, *If This Isn't Nice*, 57.
428 Vonnegut, *Timequake*, chap. 35.
429 Vonnegut, *Timequake*, chap. 38.
430 Vonnegut, *Jailbird*, chap. 11.
431 Vonnegut, *Man Without*, 39–40.
432 Vonnegut, *Wampeters*, 142.
433 Vonnegut, *Wampeters*, 144, 153.
434 Vonnegut, *Wampeters*, 145.
435 Vonnegut, *Wampeters*, 145–46.
436 Vonnegut, *Palm Sunday*, chap. 9.
437 Vonnegut, *Wampeters*, 259.
438 Vonnegut, *Palm Sunday*, chap. 9.
439 Vonnegut, *Fates*, chap. 19.
440 Vonnegut, *Palm Sunday*, chap. 8.
441 Vonnegut, *Hocus Pocus*, chap. 6.
442 Vonnegut, *Slapstick*, chap. 7.
443 Vonnegut, *Palm Sunday*, chap. 5.
444 Vonnegut, *Wampeters*, preface.
445 Kurt Vonnegut, "Kurt Vonnegut, The Art of Fiction," interview by David Hayman, David Michaelis, George Plimpton, and Richard Rhodes, in *The Last Interview*, 7.
446 Vonnegut, *Wampeters*, preface.
447 Vonnegut, *Armageddon*, chap. 2.
448 Offit, "Library of America," 8.
449 Todd, "Masks," 33.
450 Vonnegut, *Letters*, 168.
451 Vonnegut, *Wampeters*, 281.
452 Kurt Vonnegut, "Slaughterhouse-Five" (unpublished manuscript), Kurt Vonnegut Papers, Lilly Library, Indiana University, Bloomington, IN.
453 Vonnegut, *Slaughterhouse-Five*, chap. 3.
454 Vonnegut, introduction to *Bagombo*.
455 Vonnegut, *Letters*, 58.
456 Iowa Writers' Workshop, *Word by Word* (Iowa City: University of Iowa Printing and Mailing Services, 2011), 38.
457 Vonnegut, *Letters*, 88.
458 Bellamy and Casey, "Vonnegut," 166.
459 Kramer, "Kurt's College," 29.
小説の見直しに関して、私が腹立ちまぎれに書いた「Book」という超短編小説は、偶然にもこれと似たようなプロットになっており、以下のサイトで読むことができる。*Per Contra*, no. 22 (Spring 2011), http://percontra.net/archive/22mcconnell.htm.（2022年3月10日閲覧）
460 Morgan Entrekin, editorial notes to Kurt Vonnegut, 1 March 1982, Kurt Vonnegut Papers, Lilly Library, Indiana University, Bloomington, IN.
461 Finch, *Kurt Vonnegut*.
462 Vonnegut, *Jailbird*, prologue.
463 Vonnegut, *Cat's Cradle*, chap. 70.
464 Vonnegut, *Palm Sunday*, chap. 5.
465 Vonnegut, *Slapstick*, chap. 14.
466 Vonnegut, *Palm Sunday*, chap. 5.
467 Vonnegut, *Fates*, chap. 3.
468 Vonnegut, *Player Piano*, chap. 32.
469 Vonnegut, *Breakfast*, chap. 8.
470 Krementz, *Happy Birthday*, 75.
471 Vonnegut, *Breakfast*, chap. 10.
472 Vonnegut, *Deadeye Dick*, chap. 24.
473 Rentilly, "God Bless," 157.
474 McLaughlin, "Interview," 70.
475 Carol Pinchefsky, "Wizard Oil," *Orson Scott Card's Intergalactic Medicine Show*, December 2006, http://www.intergalacticmedicineshow.com/cgi-bin/mag.cgi?do=columns&vol=carol_pinchefsky&article=015.（2022年3月10日閲覧）
476 Sara Sheridan, "What Writers Earn: A Cultural Myth," *Huffington Post*, updated June 24, 2016, https://www.huffingtonpost.co.uk/sara-sheridan/writers-earnings-cultural-

myth_b_3136859.html?guccounter=1&guce_referrer_us=aHR0cHM6Ly93d3cuZ29vZ2xlLmNvbS8&guce_referrer_cs=fahUDQ-l9b4CWlw0wtpjwA.（2022年3月10日閲覧）

477 Patrick Wensink, “My Amazon Best Seller Made Me Nothing,” *Salon*, March 15, 2013, https://www.salon.com/2013/03/15/hey_amazon_wheres_my_money.（2022年3月10日閲覧）

478 Vonnegut, *Palm Sunday*, chap. 5.

479 Andrew Perrin, “Book Reading,” Pew Research Center, September 2016, http://www.pewinternet.org/2016/09/01/book-reading-2016.（2022年3月10日閲覧）

480 Vonnegut and Stringer, *Like Shaking*, 19–20.

481 Finch, *Kurt Vonnegut*.

482 Vonnegut, *Letters*, 27.

483 Vonnegut, *Letters*, 32–34.

484 Finch, *Kurt Vonnegut*.

485 Mark Vonnegut, *Just Like Someone*, 15.

486 Vonnegut, *God Bless You*, chap. 2.

487 Finch, *Kurt Vonnegut*.

488 Vonnegut, *Fates*, chap. 20.

489 Lehrman, “Political Speechwriter's.”

490 Vonnegut, *God Bless You*, chap. 8.

491 私の初めて出版された短編小説「Disposal」は「私はここで皿洗いをしている」という文で始まる。

492 William Rodney Allen and Paul Smith, “Having Enough: A Talk with Kurt Vonnegut,” in *Conversations*, 299.

493 Finch, *Kurt Vonnegut*.

494 これについてもっと詳しく知りたい場合は、以下の記事を参照のこと。M. Allen Cunningham, “Rethinking Restriction,” *Poets & Writers*, January/February 2014.

495 Vonnegut, *Palm Sunday*, chap. 5.

496 C. D. B. Bryan, “Kurt Vonnegut, Head Bokononist,” in *Conversations*, 4.

497 Shields, *And So It Goes*, 216.

498 Vonnegut, *Palm Sunday*, chap. 5.

499 Iowa Writers' Workshop, *Word by Word*, 36.

500 Shields, *And So It Goes*, 219.
残念ながら、ノックス・バーガーが著作権エージェントとして独立したとき、ヴォネガットはノックスのエージェント会社へ移籍するという約束を反故にした。ヴォネガットは『パリス・レヴュー』のインタビューでこういっている。「ここで記録に残しておきたいんだが、ノックス・バーガーは僕と同年代で、この年代のどんな編集者よりも多くの若い有能な作家たちを発見し、励ましてきた」

501 Shields, *And So It Goes*, 219.

502 Vonnegut, *Mother Night*, chap. 29.

503 Mark Vonnegut, *Just Like Someone without Mental Illness Only More So* (New York: Delacorte Press, 2010), 15.

504 Publishers Weekly, “The Conscience of the Writer,” in *Conversations*, 45.

505 Mark Vonnegut, *Just Like Someone*, 15.

506 C. G. Jung, “Christ, a Symbol of the Self,” in *The Collected Works of C. G. Jung: Complete Digital Edition Vol. 9 Part II: Aion: Researches into the Phenomenology of Self*, trans. R. F. C. Hull (Princeton: Princeton University Press, 1959), 101. https://the-eye.eu/public/concen.org/Princeton%20Jung/9.2%20Aion_Researches%20into%20the%20Phenomenology%20of%20the%20Self%20%20(Collected%20Works%20of%20C.%20G.%20Jung%20Volume%209,%20 Part%202).pdf.（2022年3月10日閲覧不可）
ヴォネガットは本人も認めているように、母親の夢のいくつかを実現した。C・G・ユングによると、意図していようがいまいが、「心理学的な法則」では、「内面の状況が意識化されない場合、それは外側で運命として起こる［……］つまり、個人が［……］自分の内面に存在する敵対者を意識していない場合でも、世界はいやおうなく葛藤

を生ぜしめる」簡単に言うと、「意識に上らないことは、運命として我々の前に立ち現れる」ということだ。

507 Vonnegut, *Deadeye Dick*, chap. 1.

508 Bellamy and Casey, "Vonnegut," 161.

509 Shields, *And So It Goes*, 168. シールズによると、ヴォネガットは「保険金目当てに人々が自殺するようになる伝染病」についての短編小説を書いた。それは「Epizootic」というタイトルだったという。

510 Bellamy and Casey, "Vonnegut," 161.

511 Vonnegut, *Hocus Pocus*, chap. 27.

512 Vonnegut, *If This Isn't Nice*, chap. 2.

513 Vonnegut, *Palm Sunday*, chap. 6.

514 リーハイ大学でのスピーチ中のカート・ヴォネガットの言葉。2014年7月19日にチャールズ・シールズからスザンヌ・マッコーネルへ送られてきたメールからの引用。

515 McLaughlin, "Interview," 73.

516 Vonnegut, "Unready to Wear," 249.

517 Kurt Vonnegut to José Donoso, 26 May 1973.

518 Vonnegut, *Letters*, 178.

519 Vonnegut, *Letters*, 40.

520 Vonnegut, *Letters*, 46.

521 Vonnegut, *Letters*, 47.

522 Vonnegut, *Fates*, chap. 2.

523 Vonnegut, *Wampeters*, 251–53.

524 Vonnegut, *Galápagos*, book 1, chap. 2.

525 Vonnegut, *Galápagos*, book 1, chap. 6.

526 Vonnegut, *Galápagos*, book 1, chap. 29.

527 Vonnegut, *Galápagos*, book 1, chap. 8.

528 Vonnegut, *Galápagos*, book 1, chap. 6.

529 Vonnegut, *Galápagos*, book 1, chap. 27.

530 Vonnegut, *Galápagos*, book 1, chap. 6.

531 Martin J. Blaser, *Missing Microbes* (New York: Henry Holt and Company, 2014), 25.

532 これらのトピックに関してさらに詳しい情報が欲しい場合は、以下の二つの優れたPBSドキュメンタリーの視聴をお勧めする。Ed Moore, dir., *Ride the Tiger: A Guide Through the Bipolar Brain* (2016; Detroit: Detroit Public Television), http://www.pbs.org/ride-the-tiger/home/; and Larkin McPhee, dir., *Depression: Out of the Shadows* (2008; Twin Cities Public Television, Inc. and WGBH Boston for PBS), http://www.pbs.org/wgbh/takeonestep/depression/.（2022年3月10日閲覧）

533 Vonnegut, *Hocus Pocus*, chap. 4.

534 Vonnegut, *Wampeters*, 263.

535 Vonnegut, *Palm Sunday*, chap. 17.

536 Vonnegut, *Fates*, chap. 2.

537 Mark Leeds, "What Would Kurt Vonnegut Think of Donald Trump?," June 15, 2017, Literary Hub, https://lithub.com/what-would-kurt-vonnegut-think-of-donald-trump/.（2022年3月10日閲覧）

538 Vonnegut, *Sirens*, chap. 9.

539 Vonnegut, *Timequake*, chap. 8.

540 Vonnegut, *Man Without*, chap. 4.

541 Vonnegut, *Fates*, chap. 14.

542 Vonnegut, *Fates*, chap. 2.

543 Vonnegut, *Fates*, chap. 2.

544 See Leslie Jamison, "Does Recovery Kill Great Writing?" *New York Times Magazine*, March 13, 2018, excerpted from her book *The Recovering: Intoxication and Its Aftermath* (New York: Little, Brown and Company, 2018).

545 Nancy C. Andreasen, "Secrets of the Creative Brain," *Atlantic*, July/August 2014.

546 この名言や類似の名言の作者として、レッド・スミスやヘミングウェイをはじめ、さまざまな名前があがっている。以下のサイトを参照のこと。"Writing Is Easy; You Just Open a Vein and Bleed," Quote Investigator, http://quoteinvestigator.com/2011/09/14/writing-bleed/.（2022年3月10日閲覧）

547 Andreasen, "Secrets."

548 Vonnegut, *Bluebeard*, chap. 32.

549 Vonnegut, *Jailbird*, chap. 12.

550 Vonnegut, *If This Isn't Nice*, 30–31.
551 Vonnegut, *Man Without*, chap. 6.
552 Allen and Smith, "Having Enough," 295.
553 Nanette Vonnegut, "My Father the Doodler," in *Kurt Vonnegut Drawings*, by Peter Reed, Nanette Vonnegut, and Kurt Vonnegut (New York: Monacelli Press, 2014), 9.
554 Vonnegut, *Mother Night*, chap. 11.
555 Peter Reed, "The Remarkable Artwork of Kurt Vonnegut," in *Kurt Vonnegut Drawings*, by Peter Reed, Nanette Vonnegut, and Kurt Vonnegut (New York: Monacelli Press, 2014), 13.
556 *At the Johnson: The Members' Newsletter of the Herbert F. Johnson Museum of Art*, Fall 2015.
557 Reed, "Remarkable Artwork," 15.
558 Tribune News Services, "Chicago Veterans Museum Acquires Kurt Vonnegut Art Prints," *Chicago Tribune*, January 11, 2017, https://www.chicagotribune.com/entertainment/ct-chicago-veterans-museum-kurt-vonnegut-art-prints-20170111-story.html.（2022年3月10日閲覧）
559 Maria Popova, "To Paint Is to Love Again," Brain Pickings, accessed November 27, 2017, https://www.brainpickings.org/2015/01/21/to-paint-is-to-love-again-henry-miller.（2022年3月10日閲覧）
560 Reed, "Remarkable Artwork," 19.
561 Vonnegut and Stringer, *Like Shaking*, 47.
562 James Sullivan, "A Celebration of Kurt Vonnegut on Cape Cod," *Boston Globe*, October 7, 2014, https://www.bostonglobe.com/arts/2014/10/06/celebration-vonnegut-cape/RUegb0NmUXBmi449E5TbJI/story.html.（2022年3月10日閲覧）
563 Mark Vonnegut, *Just Like Someone*, 172.
564 Iowa Writers' Workshop, *Word by Word*, 40–41.
565 Vonnegut, *Man Without*, 66.
566 Vonnegut, *Palm Sunday*, chap. 11.
567 この点についての綿密な検討は、以下の記事を参照のこと。Ginger Strand, "How Jane Vonnegut Made Kurt Vonnegut a Writer," *New Yorker*, December 3, 2015.
568 Vonnegut, preface to *Monkey House*.
569 Vonnegut, *Palm Sunday*, chap. 19.
570 以下のふたつの記事は、プライバシーと人間関係についてのすばらしい見解を示している。Joshua Rothman, "Virginia Woolf's Idea of Privacy," July 9, 2014, http://www.newyorker.com/books/joshua-rothman/virginia-woolfs-idea-of-privacy; and Alain de Botton, "The True Hard Work of Love and Relationships," *On Being*, August 2, 2018, http://onbeing.org/programs/alain-de-botton-the-true-hard-work-of-love-and-relationships/#.WKOB5sF5Nvw.email.（2022年3月10日閲覧）
571 Kurt Vonnegut, "Basic Training," in *What We Pretend*, chap. 4, 46.
572 Vonnegut, *Bluebeard*, chap. 20.
573 Vonnegut, *Galápagos*, book 2, chap. 5.
574 Vonnegut, *Hocus Pocus*, chap. 1.
575 Vonnegut, *Player Piano*, chap. 4.
576 Vonnegut, *Breakfast*, chap. 15.
577 Vonnegut, *Cat's Cradle*, chap. 93.
578 Vonnegut, *Galápagos*, book 1, chap. 14. 夫婦の議論が「目隠しをしてローラースケートを履いた人々のケンカ」のようになってしまった愉快な例は、『プレイヤー・ピアノ』の第18章を参照のこと。
579 Vonnegut, *Gapápagos*, book 1, chap. 14.
580 Vonnegut, *Mother Night*, chap. 9–10.
581 Vonnegut, *Fates*, chap. 16.
582 Vonnegut, *Bluebeard*, chap. 31.
583 Vonnegut, *Palm Sunday*, chap. 7.
584 Mark Vonnegut, *Just Like Someone*, 21.
585 Vonnegut, *Sirens*, epilogue.
586 Krementz, *Happy Birthday*, 156.

587 Vonnegut, *Wampeters*, 241.
588 Vonnegut, *Wampeters*, 242.
589 Vonnegut, *Wampeters*, 244.
590 Kurt Vonnegut, "The Last Interview," interview by Heather Augustyn, in *The Last Interview*, 166–67.
591 Vonnegut, *Fates*, chap. 4.
592 Lee Sandweiss, "Historic Vonnegut Cottage on Lake Maxinkuckee Saved from Demolition," Herald-Times (Hoosier Times), June 11, 2016, https://www.hoosiertimes.com/herald_times_online/life/at_home/historic-vonnegut-cottage-on-lake-maxinkuckee-saved-from-demolition/article_714e551a-8b26-59aa-947d-f36a2761ab40.html.（2022年3月10日閲覧）
593 Vonnegut, *Wampeters*, 147–48.
594 Vonnegut, *Breakfast*, chap. 12.
595 Vonnegut, *Jailbird*, chap. 12.
596 Vonnegut, *Wampeters*, 247–48.
597 Vonnegut, *Slapstick*, chap. 33.
598 Vonnegut, *Slapstick*, chap. 33.
599 Vonnegut, *Jailbird*, chap. 8.
600 Vonnegut, *Slapstick*, chap. 32.
601 Vonnegut, *Palm Sunday*, chap. 7.
602 Vonnegut, *Wampeters*, 274.
603 Kathryn Schulz, "Call and Response," *New Yorker*, March 6, 2017.
604 Barb Darrow, "Turns Out Attendance at Women's March Events Was Bigger than Estimated," *Fortune*, July 23, 2017, http://fortune.com/2017/01/23/womens-march-crowd-estimates.（2022年3月10日閲覧）
605 Vonnegut, *Fates*, chap. 2.
606 Vonnegut, *Wampeters*, 241.
607 Vonnegut, *Fates*, chap. 10.
608 Vonnegut, *Breakfast*, chap. 2.
コミュニティについての以下のふたつの引用をじっくり検討してほしい。ひとつはドナルド・トランプ・ジュニアが狩猟に関して述べたもので、もう一つは写真家のキャサリン・オーピーがSMグループ（加虐、被虐の性的嗜好のあるグループ）に関して述べたものだ。どちらも、それらのグループに所属して活動することのいちばんのメリットは、なによりもコミュニティの中にいるという感覚と関係があると認めている。
「ドナルド・トランプ・ジュニアによると、コミュニティを実感することこそ狩りの醍醐味であり、それは狩猟家でないと味わえないことだという。『世間では狩猟イコール殺すことという考えにとらわれすぎている。それはひとつの重要な要素だ。しかしもっと大事なのは、実際に体験することであり、人間関係だ。アシや草なんかでつくった隠れ場の中で、七人のチームでじっと待機したり、朝食をつくったりする。僕にとって、それは世界を見るためのすばらしい方法だった。その中で、引き金を引くのに要する3秒間なんて、ほんとにつまらないものだ』」
Laura Holsen, "Donald Trump Jr. Is His Own Kind Of Trump, *New York Times*, March 18, 2017, https://www.nytimes.com/2017/03/18/style/donald-trump-jr-business-politics-hunting-twitter-vanessa-haydon.html.（2022年3月10日閲覧）
「実際のところ、倒錯的性行為に関してオーピーがもっとも気に入ったのは、それによって家族的な感情が生じることだった。『私にとってSMは、要するにコミュニティなの』ある日の午後、ロサンゼルスにあるオーピーの家の明るいキッチンで、彼女はそういった」Ariel Levy, "Catherine Opie, All-American Subversive," *New Yorker*, March 13, 2017, https://www.newyorker.com/magazine/2017/03/13/catherine-opie-all-american-subversive.（2022年3月10日閲覧）
609 Vonnegut, *Hocus Pocus*, chap. 32.
610 Vonnegut, *Fates*, chap. 13.
611 Vonnegut, *Fates*, chap. 13.
612 Vonnegut, *Fates*, chap. 13.
613 Vonnegut, *Wampeters*, 248.
614 Vonnegut, "Who Am I This Time?," in

Monkey House.
615 Vonnegut, *Cat's Cradle*, chap. 1.
616 Vonnegut, *Cat's Cradle*, chap. 42.
617 Vonnegut, *Cat's Cradle*, chap. 2.
618 Vonnegut, prologue to *Slapstick*.
619 Mark Vonnegut, *Just Like Someone*, 14.
620 Allen and Smith, "Having Enough," 279.
621 Vonnegut, *Letters*, 38–40.
622 Vonnegut, *Fates*, chap. 3.
623 〈シーニアス〉についてより詳しい説明は、以下の記事を参照のこと。Kevin Kelly, "Scenius, or Communal Genius," *Technium* (blog), KK.org, June 10, 2008, http://kk.org/thetechnium/scenius-or-comm/.（2022年3月10日閲覧）
624 Vonnegut and Stringer, *Like Shaking*, 48.
625 Rogers Cadenhead, "How to Join Kurt Vonnegut's Family," *Workbench* (blog), August 16, 2010, https://workbench.cadenhead.org/news/3631/join-kurt-vonneguts-family.（2022年3月10日閲覧）
626 私が作家として受け取ったもっとも心温まる言葉は、カートからのものだった。本書第31章に掲載の手紙を参照のこと。
627 Vonnegut, "Poems."
628 Vonnegut, *Cat's Cradle*, chap. 99.

文献一覧

- 邦訳がある場合は原書の後に〔　〕で記した。また邦訳書の版が複数ある場合は、発行年のもっとも新しい書誌情報を記載した。
- カート・ヴォネガット作品においては、原著で挙げられた文献以外に、本書の訳出の際に参照した既訳書も合わせて記載した。本書引用箇所の翻訳はすべて、以下で記載する既訳を参照しつつ本書訳者が新たに訳出し直したが、すべてのヴォネガット作品の日本語版が畏敬すべき訳業であることを特筆するとともにこの場で謝意を記しておく。

＊カート・ヴォネガット作品、インタビューなど

Vonnegut, Kurt. *Armageddon in Retrospect*. New York: G. P. Putnam's Sons, 2008.〔カート・ヴォネガット『追憶のハルマゲドン』浅倉久志訳、早川書房、2008年〕

Vonnegut, Kurt. *Bagombo Snuff Box: Uncollected Short Fiction*. New York: G. P. Putnam's Sons, 1999.〔カート・ヴォネガット『バゴンボの嗅ぎタバコ入れ』浅倉久志・伊藤典夫訳、ハヤカワ文庫、2007年〕

Vonnegut, Kurt. *Between Time and Timbuktu: or, Prometheus-5, A Space Fantasy*. New York: Dell Publishing, 1972.

Vonnegut, Kurt. *Bluebeard*. New York: Delacorte Press, 1987.〔カート・ヴォネガット『青ひげ』浅倉久志訳、ハヤカワ文庫、1997年〕

Vonnegut, Kurt. *Breakfast of Champions*. New York: Delacorte Press, 1973.〔カート・ヴォネガット・ジュニア『チャンピオンたちの朝食』浅倉久志訳、ハヤカワ文庫、1989年〕

Vonnegut, Kurt. *Cat's Cradle*. New York: Delacorte Press, 1963.〔カート・ヴォネガット・ジュニア『猫のゆりかご』伊藤典夫訳、ハヤカワ文庫、1979年〕

Vonnegut, Kurt. *Deadeye Dick*. New York: Delacorte Press, 1982.〔カート・ヴォネガット『デッドアイ・ディック』浅倉久志訳、ハヤカワ文庫、1998年〕

Vonnegut, Kurt. "Despite Tough Guys, Life Is Not the Only School for Real Novelists." *New York Times*, May 24, 1999.

Vonnegut, Kurt. *Fates Worse than Death*. New York: G. P. Putnam's Sons, 1991.〔カート・ヴォネガット『死よりも悪い運命』浅倉久志訳、ハヤカワ文庫、2008年〕

Vonnegut, Kurt. *Galápagos*. New York: Delacorte Press, 1985.〔カート・ヴォネガット『ガラパゴスの箱舟』浅倉久志訳、ハヤカワ文庫、1995年〕

Vonnegut, Kurt. *God Bless You, Mr. Rosewater or Pearls Before Swine*. New York: Delacorte Press, 1965.〔カート・ヴォネガット・ジュニア『ローズウォーターさん、あなたに神のお恵みを』浅倉久志訳、ハヤカワ文庫、1984年〕

Vonnegut, Kurt. *Hocus Pocus*. New York: G. P. Putnam's Sons, 1990.〔カート・ヴォネガット『ホーカス・ポーカス』浅倉久志訳、ハヤカワ文庫、1998年〕

Vonnegut, Kurt. *If This Isn't Nice, What Is?: Advice to the Young—The Graduation Speeches*. Edited by Dan Wakefield. New York: Seven Stories, 2014.〔カート・ヴォネガット『これで駄目なら：若い君たちへ――卒業式講演集』円城塔訳、飛鳥新社、2016年〕

Vonnegut, Kurt. *Jailbird*. New York: Delacorte Press, 1979.〔カート・ヴォネガット『ジェイルバ

ード』浅倉久志訳、ハヤカワ文庫、1985年〕
Vonnegut, Kurt. "Kurt Vonnegut at NYU." Radio broadcast of lecture, New York University. November 6, 1970. Pacifica Radio Archives, 1970. Copy of reel-to-reel tape, 40 minutes. https://www.pacificaradioarchives.org/recording/bc1568.（2022年5月17日閲覧）
Vonnegut, Kurt. *The Last Interview and Other Conversations*. Edited by Tom McCartan. Brooklyn: Melville House Publishing, 2011.
Vonnegut, Kurt. *Letters*. Edited by Dan Wakefield. New York: Delacorte Press, 2012.
Vonnegut, Kurt, and Lee Stringer. *Like Shaking Hands with God: A Conversation About Writing*. New York: Seven Stories Press, 1999.
Vonnegut, Kurt. *Look At the Birdie: Unpublished Short Fiction*. New York: Delacorte Press, 2009.〔カート・ヴォネガット『はい、チーズ』大森望訳、河出文庫、2018年〕
Vonnegut, Kurt. *A Man Without a Country*. New York: Seven Stories Press, 2005.〔カート・ヴォネガット『国のない男』金原瑞人訳、中公文庫、2017年〕
Vonnegut, Kurt. *Mother Night*. New York: Harper and Row, 1961.〔カート・ヴォネガット・ジュニア『母なる夜』飛田茂雄訳、ハヤカワ文庫、1987年〕
Vonnegut, Kurt. "Mythologies of North American Indian Nativistic Cults." Master's thesis, University of Chicago, 1947.
Vonnegut, Kurt. *Palm Sunday*. New York: Delacorte Press, 1981.〔カート・ヴォネガット『パームサンデー ── 自伝的コラージュ』飛田茂雄訳、ハヤカワ文庫、2009年〕
Vonnegut, Kurt. Papers. Lilly Library, Indiana University, Bloomington.
Vonnegut, Kurt. *Player Piano*. New York: Delacorte Press, 1952.〔カート・ヴォネガット・ジュニア『プレイヤー・ピアノ』浅倉久志訳、ハヤカワ文庫、2005年〕
Vonnegut, Kurt. "Poems Written During the First Five Months of 2005." Unpublished manuscript, 2005.
Vonnegut, Kurt. "The Salon Interview: Kurt Vonnegut." By Frank Houston. *Salon*, October 8, 1999. https://www.salon.com/1999/10/08/vonnegut_interview.（2022年3月10日閲覧）
Vonnegut, Kurt. *The Sirens of Titan*. New York: Delacorte Press, 1959.〔カート・ヴォネガット・ジュニア『タイタンの妖女』浅倉久志訳、ハヤカワ文庫、2009年〕
Vonnegut, Kurt. *Slapstick*. New York: Delacorte Press, 1976.〔カート・ヴォネガット『スラップスティック ── または、もう孤独じゃない!』浅倉久志訳、ハヤカワ文庫、1983年〕
Vonnegut, Kurt. *Slaughterhouse-Five*. New York: Delacorte Press, 1969.〔カート・ヴォネガット・ジュニア『スローターハウス5』伊藤典夫訳、ハヤカワ文庫、1983年〕
Vonnegut, Kurt, and Ivan Chermayeff. *Sun Moon Star*. London: Hutchinson, 1980.〔カート・ヴォネガット、アイヴァン・チャマイエフ『お日さまお月さまお星さま』浅倉久志訳、国書刊行会、2009年〕
Vonnegut, Kurt. *Timequake*. New York: G. P. Putnam's Sons, 1997.〔カート・ヴォネガット『タイムクエイク』浅倉久志訳、ハヤカワ文庫、2003年〕
Vonnegut, Kurt. *Wampeters, Foma & Granfalloons*. New York: Delacorte Press, 1974.〔カート・ヴォネガット『ヴォネガット、大いに語る』飛田茂雄訳、ハヤカワ文庫、2008年〕

Vonnegut, Kurt. *We Are What We Pretend to Be*. New York: Vanguard Press, 2012.

Vonnegut, Kurt. *Welcome to the Monkey House*. New York: Delacorte Press, 1968.〔カート・ヴォネガット・ジュニア『モンキーハウスへようこそ（全2巻）』伊藤典夫・吉田誠一・浅倉久志・吉田誠一・宮脇孝雄・森慎一・斎藤伯好訳、ハヤカワ文庫、1989年〕

〈日本語版〉

カート・ヴォネガット『カート・ヴォネガット全短篇1 —— バターより銃』大森望監修・翻訳、浅倉久志・伊藤典夫・宮脇孝雄・鳴庭真人訳、早川書房、2018年

カート・ヴォネガット『カート・ヴォネガット全短篇2 —— バーンハウス効果に関する報告書』大森望監修・翻訳、浅倉久志・伊藤典夫・円城塔・鳴庭真人・宮脇孝雄訳、早川書房、2018年

カート・ヴォネガット『カート・ヴォネガット全短篇3 —— 夢の家』大森望監修・翻訳、浅倉久志・伊藤典夫・谷崎由依・鳴庭真人・宮脇孝雄訳、早川書房、2018年

カート・ヴォネガット『カート・ヴォネガット全短篇4 —— 明日も明日もその明日も』大森望監修・翻訳、浅倉久志・伊藤典夫・柴田元幸・鳴庭真人・宮脇孝雄訳、早川書房、2019年

カート・ヴォネガット『人みな眠りて』大森望訳、河出文庫、2018年

＊その他の作品

Allen, William Rodney, ed. *Conversations with Kurt Vonnegut*. Jackson: University Press of Mississippi, 1988.

Andreasen, Nancy C. "Secrets of the Creative Brain." *Atlantic*, July/August 2014. Arts Midwest. "NEA Big Read." https://www.artsmidwest.org/programs/neabigread.（2022年3月10日閲覧）

Bambara, Toni Cade. "My Man Bovanne." In *Gorilla, My Love*. New York: Random House, 1972.〔阿部知暁『ゴリラを訪ねて三千里』理論社、1993年〕

Bauby, Jean-Dominique. *The Diving Bell and the Butterfly*. New York: Knopf, 1997.

Becher, Jonathan. "Gladwell vs Vonnegut on Change Specialists." *Forbes*, October 14, 2014. https://www.forbes.com/sites/sap/2014/10/14/gladwell-vs-vonnegut-on-change-specialists/#c445b4d46f7d.（2022年3月10日閲覧）

Belluck, Pam. "For Better Social Skills, Scientists Recommend a Little Chekhov." *New York Times*, October 3, 2013.

Benedict, Helen. *Sand Queen*. New York: Soho Press, 2012.

Blakeslee, Steve. "The Man from Slaughterhouse-Five: A Remembrance of Kurt Vonnegut." *Open Spaces: Views from the Northwest* 9, no. 3 (2007).

Blaser, Martin J. *Missing Microbes*. New York: Henry Holt and Company, 2014.〔マーティン・J・ブレイザー『失われてゆく、我々の内なる細菌』山本太郎訳、みすず書房、2015年〕

Bourjaily, Vance. "Dear Hualing." In *A Community of Writers: Paul Engle and the Iowa Writers' Workshop*, edited by Robert Dana. Iowa City: University of Iowa Press, 1999.

Bradshaw, Tom, and Bonnie Nichols. *Reading at Risk: A Survey of Literary Reading in America*. Washington: National Endowment for the Arts, June 2004. https://www.arts.

gov/sites/default/files/ReadingAtRisk.pdf.（2022年3月10日閲覧）
Buonarroti, Michelangelo. "To Giovanni da Pistoia When the Author Was Painting the Vault of the Sistine Chapel." Translated by Gail Mazur. In *Zeppo's First Wife: New and Selected Poems* by Gail Mazur. Chicago: University of Chicago Press, 2013.
Cadenhead, Rogers. "How to Join Kurt Vonnegut's Family." Workbench (blog). August 16, 2010. https://workbench.cadenhead.org/news/3631/join-kurt-vonneguts-family.（2022年3月10日閲覧）
Cameron, Julie. *The Artist's Way: A Spiritual Path to Higher Creativity*. New York: G. P. Putnam's Sons, 1992.〔ジュリア・キャメロン『ずっとやりたかったことを、やりなさい。』菅靖彦訳、サンマーク出版、2017年〕
Céline, Louis-Ferdinand. *Journey to the End of the Night*. Translated by Ralph Manheim. New York: New Directions, 2006.〔セリーヌ『夜の果てへの旅（上下巻）』生田耕作訳、中公文庫、2021年〕
Cloud, John. "Inherit the Wind." *Time*, April 18, 2011.
Cottonwood Gulch Expeditions website, http://www.cottonwoodgulch.org.（2022年3月10日閲覧）
Cunningham, M. Allen. "Rethinking Restriction: Creative Limitation as a Positive Force." *Poets & Writers*, January/February 2014.
Cunningham, Michael. "Found in Translation." *New York Times*, October 2, 2010. http://www.nytimes.com/2010/10/03/opinion/03cunningham.html.（2022年3月10日閲覧）
Darrow, Barb. "Turns Out Attendance at Women's March Events Was Bigger Than Estimated." *Fortune*, July 23, 2017. http://fortune.com/2017/01/23/womens-march-crowd-estimates.（2022年3月10日閲覧）
Davies, Alex. "I Rode 500 Miles in a Self-Driving Car and Saw the Future. It's Delightfully Dull." *Wired*, January 7, 2015. https://www.wired.com/2015/01/rode-500-miles-self-driving-car-saw-future-boring.（2022年3月10日閲覧）
De Botton, Alain. "The True Hard Work of Love and Relationships." *On Being*, August 2, 2018. http://onbeing.org/programs/alain-de-botton-the-true-hard-work-of-love-and-relationships/#.WKOB5sF5Nvw.email.（2022年3月10日閲覧）
DeSalvo, Louise. *Writing as a Way of Healing: How Telling Our Stories Transforms Our Lives*. Boston: Beacon Press, 2000.
Donoso, José. Papers. Department of Rare Books and Special Collections, Princeton University.
Elbow, Peter. *Writing Without Teachers*. New York: Oxford University Press, 1973.
Ely, Jeffrey, Alexander Frankel, and Emir Kamenia. "The Mathematics of Suspense." *New York Times*, April 26, 2015.
"Embattled: The Ramifications of War." Special issue, *Bellevue Literary Review* 15, no. 2 (Fall 2015).
Finch, Nigel, dir. *Kurt Vonnegut: So It Goes*. Aired 1983. Princeton: Films for the Humanities and Sciences, 2002. DVD, 63 minutes.

Godwin, Gail. "Waltzing with the Black Crayon." *Yale Review* 87, no. 1 (January 1999).

Goldberg, Natalie. *Writing Down the Bones: Freeing the Writer Within*. Boulder: Shambhala, 2016.

Goodstein, Laurie. "Serenity Prayer Stirs Up Doubt: Who Wrote It?" *New York Times*, July 11, 2008. https://www.nytimes.com/2008/07/11/us/11prayer.html.（2022年3月10日閲覧）

Hemingway, Ernest. "The Art of Fiction No. 21." By George Plimpton. *Paris Review*, no. 18, Spring 1958.

Hemingway, Ernest. "The Killers." In *The Snows of Kilimanjaro and Other Stories*. New York: Charles Scribner's Sons, 1927.〔アーネスト・ヘミングウェイ『キリマンジャロの雪；フランシス・マカンバーの短く幸せな生涯』金原瑞人編訳、青灯社、2014年〕

Holsen, Laura. "Donald Trump Jr. Is His Own Kind of Trump." *New York Times*, March 18, 2017. https://www.nytimes.com/2017/03/18/style/donald-trump-jr-business-politics-hunting-twitter-vanessa-haydon.html.（2022年3月10日閲覧）

Hotchner, A. E. *Papa Hemingway*. New York: Random House, 1955.〔A・E・ホッチナー『パパ・ヘミングウェイ』中田耕治訳、ハヤカワ文庫、1989年〕

Huber, Johannes, Ernst Tremp, and Karl Schmuki. *The Abbey Library of Saint Gall*. Translated by Jenifer Horlent. St. Gallen: Verlag am Klosterhof, 2007.

Humphreys, Josephine. Review of The Collected Stories, by John McGahern. *New York Times*, February 28, 1993.

"Indiana War Memorial Museum." Indiana State Official Government Website. Accessed November 20, 2018. https://www.in.gov/iwm.（2022年3月10日閲覧）

Iowa Writers' Workshop. *Word by Word*. Iowa City: University of Iowa Printing and Mailing Services, 2011.

Jamison, Leslie. "Does Recovery Kill Great Writing?" *New York Times Magazine*, March 13, 2018.

Jung, C. G. "Christ, a Symbol of the Self." In *The Collected Works of C.G. Jung: Complete Digital Edition Vol. 9. Part II: Aion: Researches into the Phenomenology of Self.* Translated by R. F. C. Hull. Princeton: Princeton University Press, 1959. https://the-eye.eu/public/concen.org/Princeton%20Jung/9.2%20Aion_Researches%20into%20the%20Phenomenology%20of%20the%20Self%20 %20(Collected%20Works%20of%20C.%20G.%20Jung%20Volume%209,%20 Part%202).pdf.（2022年3月10日閲覧不可）

Kelly, Kevin. "Scenius, or Communal Genius." The Technium (blog). KK.org, June 10, 2008. https://kk.org/thetechnium/scenius-or-comm/.（2022年3月10日閲覧）

Klinkowitz, Jerome. *Kurt Vonnegut's America*. Columbia: University of South Carolina Press, 2009.

Klinkowitz, Jerome. *The Vonnegut Statement*. New York: Doubleday, 1973.

Krementz, Jill, ed. *Happy Birthday, Kurt Vonnegut: A Festschrift for Kurt Vonnegut on His Sixtieth Birthday*. New York: Delacorte Press, 1982.

"Kurt Vonnegut: In His Own Words." *London Times*, April 12, 2007. https://www.thetimes.

co.uk/article/kurt-vonnegut-in-his-own-words-mccg7v0g8cg.（2022年3月10日閲覧）

Leegant, Joan. “Sisters of Mercy.” *Bellevue Literary Review* 11, no. 2 (Spring 2011).

Lehrman, Robert. “The Political Speechwriter's Life.” *New York Times*, November 3, 2012. https://opinionator.blogs.nytimes.com/2012/11/03/the-political-speechwriters-life.（2022年3月10日閲覧）

Levy, Ariel. “Catherine Opie, All-American Subversive.” *New Yorker*, March 13, 2017. https://www.newyorker.com/magazine/2017/03/13/catherine-opie-all-american-subversive.

“Literature and Medicine.” Maine Humanities Council, https://mainehumanities.org/programs/literature-medicine-overview/.（2022年3月10日閲覧）

McConnell, Suzanne. “Book.” *Per Contra*, no. 22 (Spring 2011), http://percontra.net/archive/22mcconnell.htm.

McConnell, Suzanne. “Do Lord.” In Fence of Earth. Hamilton Review, no. 11 (Spring 2007). http://www.hamiltonstone.org/hsr11fiction.html#dolord.（2022年3月10日閲覧）

McConnell, Suzanne. “Kurt Vonnegut at the Writers' Workshop.” *Brooklyn Rail*, December 10, 2011. https://brooklynrail.org/2011/12/fiction/kurt-vonnegut-at-the-writers-workshop.（2022年3月10日閲覧）

McConnell, Suzanne. “Spirit, You Know the Way.” *Cape Women Magazine*, 2002.

McConnell, Suzanne. “The Disposal.” *Fiddlehead*, no. 110 (Summer 1976).

McPhee, Larkin, dir. *Depression: Out of the Shadows*. 2008; Twin Cities Public Television, Inc. and WGBH Boston for PBS. http://www.pbs.org/wgbh/takeonestep/depression/.（2022年3月10日閲覧）

Merleau-Ponty, Maurice. *Sense and Non-Sense*. Translated by Hubert L. Dreyfus and Patricia Allen Dreyfus. Evanston: Northwestern University Press, 1964.〔モーリス・メルロ＝ポンティ『意味と無意味』滝浦静雄・粟津則雄・木田元・海老坂武訳、みすず書房、1983年〕

Miller, Henry. “To Paint Is to Love Again.” New York: Grossman, 1968.

Moore, Ed, dir. *Ride the Tiger: A Guide Through the Bipolar Brain*. 2016; Detroit: Detroit Public Television. http://www.pbs.org/wgbh/takeonestep/depression/.（2022年3月10日閲覧）

Neubauer, Alexander, ed. *Conversations on Writing Fiction: Interviews with 13 Distinguished Teaches of Fiction Writing in America*. New York: Harper Collins, 1994.

Morris, David J. “After PTSD, More Trauma.” *New York Times*, January 17, 2015.

Offit, Sidney. “The Library of America Interviews Sidney Offit About Kurt Vonnegut.” By Rich Kelley. *The Library of America e-Newsletter*. New York: Library of America, 2011. https://loa-shared.s3.amazonaws.com/static/pdf/LOA_Offit_on_Vonnegut.pdf.（2022年3月10日閲覧）

O'Neil, Chuck, dir. *The Daily Show with Jon Stewart*. Season 10, episode 115, “Kurt Vonnegut.” Aired September 13, 2005, on Comedy Central.

Paley, Grace. “Distance.” In *Enormous Changes at the Last Minute*. New York: Farrar, Straus

and Giroux, 1985.〔グレイス・ペイリー「道のり」、『最後の瞬間のすごく大きな変化』村上春樹訳、文春文庫、2005年〕

Paul, Annie Murphey. "Your Brain on Fiction." *New York Times*, March 17, 2012.

Perrin, Andrew. "Book Reading." Pew Research Center, September 2016. http://www.pewinternet.org/2016/09/01/book-reading-2016.（2022年3月10日閲覧）

Pinchefsky, Carol. "Wizard Oil." *Orson Scott Card's InterGalactic Medicine Show*, December 2006. http://www.intergalacticmedicineshow.com/cgi-bin/mag.cgi?do=columns&vol=carol_pinchefsky&article=015.（2022年3月10日閲覧）

Popova, Maria. "To Paint Is to Love Again: Henry Miller on Art, How Hobbies Enrich Us, and Why Good Friends Are Essential for Creative Work." *Brain Pickings*. Accessed November 27, 2017. https://www.brainpickings. org/2015/01/21/to-paint-is-to-love-again-henry-miller.（2022年3月10日閲覧）

Price, Reynolds. Review of The Collected Stories, by William Trevor. *New York Times*, February 28, 1993.

Rabb, Margo. "Fallen Idols." *New York Times*, July 25, 2013.

Reed, Peter, Nanette Vonnegut, and Kurt Vonnegut. *Kurt Vonnegut Drawings*. New York: Monacelli Press, 2014.

Reiner, Jon. "Live First, Write Later: The Case for Less Creative-Writing Schooling." *Atlantic*, April 9, 2013.

Rothman, Joshua. "Virginia's Woolf's Idea of Privacy." *New Yorker*, July 9, 2014. https://www.newyorker.com/books/joshua-rothman/virginia-woolfs-idea-of-privacy.（2022年3月10日閲覧）

Sandweiss, Lee. "Historic Vonnegut Cottage on Lake Maxinkuckee Saved from Demolition." *Herald-Times (Hoosier Times)*, June 11, 2016. https://www.hoosiertimes.com/herald_times_online/life/at_home/historic-vonnegut-cottage-on-lake-maxinkuckee-saved-from-demolition/article_714e551a-8b26-59aa-947d-f36a2761ab40.html.（2022年3月10日閲覧）

Schnabel, Julian, dir. *The Diving Bell and the Butterfly*. 2007; Paris, France: Pathé Renn Productions, 2008. DVD.

Schultz, Kathryn. "Call and Response." *New Yorker*, March 6, 2017.

Schutz, Will. *Profound Simplicity*. New York: Bantam, 1979.

Schwartz, Barry, and Amy Wrzesniewski. "The Secret of Effective Motivation." *New York Times*, July 6, 2014.

Sheridan, Sara. "What Writers Earn: A Cultural Myth." *Huffington Post*. Updated June 24, 2016. https://www.huffingtonpost.co.uk/sara-sheridan/writers-earnings-cultural-myth_b_3136859.html?guccounter=1&guce_referrer_us=aHR0cHM6Ly93d3cuZ29vZ2xlLmNvbS8&guce_referrer_cs=fahUDQ-l9b4CWlw0wtpjwA.（2022年3月10日閲覧）

Shields, Charles. *And So It Goes*. New York: Holt and Company, 2011.〔チャールズ・J・シールズ『人生なんて、そんなものさ——カート・ヴォネガットの生涯』金原瑞人・桑原洋子・野沢

佳織訳、柏書房、2013年〕

Snodgrass, Dana. "Outstanding Hoosier Women Honored by Theta Sigma Phi." *Indianapolis Star*, April 3, 1965.

Strand, Ginger. "How Jane Vonnegut Made Kurt Vonnegut a Writer." *New Yorker*, December 3, 2015.

Sullivan, James. "A Celebration of Kurt Vonnegut on Cape Cod." *Boston Globe*, October 7, 2014. https://www.bostonglobe.com/arts/2014/10/06/celebration-vonnegut-cape/RUegb0NmUXBmi449E5TbJI/story.html.（2022年3月10日閲覧）

Sumner, Gregory. *Unstuck in Time: A Journey Through Kurt Vonnegut's Life and Letters*. New York: Seven Stories Press, 2011.

Thomas, Dylan. "The Orchards." In *Adventures in the Skin Trade*. Cambridge: New Directions, 1969.〔ディラン・トマス『皮商売の冒険』北村太郎訳、晶文社、1971年〕

Tribune News Services. "Chicago Veterans Museum Acquires Kurt Vonnegut Art Prints." *Chicago Tribune*, January 11, 2017. https://www.chicagotribune.com/entertainment/ct-chicago-veterans-museum-kurt-vonnegut-art-prints-20170111-story.html.（2022年3月10日閲覧）

Truss, Lynne. *Eats, Shoots & Leaves: The Zero Tolerance Approach to Punctuation*. London: Profile Books, 2003.

"The U.S. Illiteracy Rate Hasn't Changed in 10 Years." *Huffington Post*. Last modified November 27, 2017. https://www.huffingtonpost.com/2013/09/06/illiteracy-rate_n_3880355.html.（2022年3月10日閲覧）

Vonnegut, Mark. *Just Like Someone without Mental Illness Only More So*. New York: Delacorte Press, 2010.

Wakefield, Dan. "Kurt Vonnegut, Christ-Loving Atheist." *Image*, no. 82. https://imagejournal.org/article/kurt-vonnegut/.（2022年3月10日閲覧）

Weber, Bruce. "Jack Leggett, Who Cultivated Writers in Iowa, Dies at 97." *New York Times*, January 30, 2015.

Wensink, Patrick. "My Amazon Best Seller Made Me Nothing." *Salon*, March 15, 2013. https://www.salon.com/2013/03/15/hey_amazon_wheres_my_money.（2022年3月10日閲覧）

Winokur, Jon, ed. *W.O.W.: Writers on Writing*. Philadelphia: Running Press, 1986.

"Writing Is Easy; You Just Open a Vein and Bleed." Quote Investigator. Accessed April 9, 2019. https://quoteinvestigator.com/2011/09/14/writing-bleed/.（2022年3月10日閲覧）

Yarrow, Alder. "So You Wanna Be a Wine Writer." *Vinography* (blog). December 10, 2009. http://www.vinography.com/archives/2009/12/so_you_wanna_ be_a_wine_writer.html.（2022年3月10日閲覧）

Yeats, William Butler. "The Circus Animals' Desertion." In *Selected Poems and Two Plays of William Butler Yeats*. New York: Collier, 1962.〔「サーカスの動物たちは逃げた」、『対訳　イェイツ詩集』高松雄一編、岩波文庫、2009年〕

許諾一覧

本書への各種資料の引用、転載については、以下の団体、個人のご厚意により許可をいただいた。

カート・ヴォネガットの書簡、書籍、記事、インタビュー、論文などからのすべての引用｜Trust u/w of Kurt Vonnegut, Jr.

50頁	『タイタンの妖女』の草稿
114–115頁	『スローターハウス5』の草稿
312–314頁	「単純な物語における幸と不幸の推移」の図表
439–440頁	『猫のゆりかご』の草稿
484頁	『コリアーズ』からカート・ヴォネガットへの不採用通知
500頁	『エスクァイア』からカート・ヴォネガットへの不採用通知
524頁	デウィット・ウォレスからカート・ヴォネガットへの手紙
528頁	短編小説「ハリスン・バージロン」の草稿に書かれた落書き
前見返し・後見返し	「名文の書き方」

すべて、Lilly Library, Indiana University, Bloomington Indiana

21–22頁	ティム・ユード《カート・ヴォネガットの『チャンピオンたちの朝食』》｜Tim Youd and Christin Tierney Gallery, New York
108頁	カート・ヴォネガット・シニアからカート・ヴォネガット・ジュニアへの手紙｜ヴォネガット家
138頁	カート・ヴォネガットからホセ・ドノソへの手紙｜Department of Rare Books and Special Collections, Princeton University, Princeton, New Jersey
169頁	ゲイリー・キューン《実践者の喜び》｜Gary Kuehn
220頁	1966年、カート・ヴォネガット・ジュニアのアイオワ大学文芸創作講座の授業風景｜Robert Lehman, John Zielinski
508頁	カート・ヴォネガット《限界》1980年6月8日｜Nanette Vonnegut

［著者］

カート・ヴォネガット（Kurt Vonnegut）
一九二二年インディアナ州インディアナポリス生まれ。二〇〇七年没。現代アメリカ文学を代表する作家。一四の長編小説のほか、講演集、エッセイ集、書簡集、戯曲などさまざまな作品がある。代表作に『プレイヤー・ピアノ』『タイタンの妖女』『母なる夜』『猫のゆりかご』『スローターハウス5』『チャンピオンたちの朝食』ほか多数。アイオワ大学文芸創作講座での教師時代には、ジョン・アーヴィングらも指導した。ヴォネガットの小説は、想像力が生きる力となることを示し、今なお新たな世代に影響を及ぼし続けている。ヴォネガット生誕一〇〇年を迎え、新たなヴォネガット像を鮮やかに伝える本書が彼の教え子の手で書かれたことは、世界中の読者にとって思いがけない幸運といえるだろう。

スザンヌ・マッコーネル（Suzanne McConnell）
作家、編集者、文芸創作の教師。一九六五年から六七年まで、アイオワ大学文芸創作講座でカート・ヴォネガットに教えを受けた（ヴォネガットは『スローターハウス5』を執筆中の時期だった）。ヴォネガットとマッコーネルは友人となり、その友情はヴォネガットが亡くなるまで続いた。マッコーネルはヴォネガットに関する短い回想録を『ブルックリン・レイル』と『ライターズ・ダイジェスト』の二誌に発表している。二〇一四年には、作家および文芸創作教育協会（ＡＷＰ）主催の「ヴォネガットのレガシー：戦争その他の人間の存在を脅かす災難について書くこと」という討論会でパネリストを務めた。また、ハンター・カレッジで三〇年間文芸創作の教師を務め、『ベルヴュー・リテラリー・レヴュー』誌で小説部門の編集者を務めている。彼女の小説はプッシュカート賞に二度ノミネートされ、『ニュー・オハイオ・レヴュー』誌の二〇一五年度小説コンテストで最優秀賞、『プライム・ナンバー・マガジン』誌の二〇一四年度超短編小説部門で最優秀賞、『ソー・トゥー・スピーク』誌の二〇〇八年度小説コンテストで次席賞を受賞している。

［訳者］

金原瑞人（かねはら・みずひと）

一九五四年岡山市生まれ。法政大学教授・翻訳家。児童書、ヤングアダルト小説、一般書、ノンフィクションなど六〇〇点近くの翻訳を手がける。訳書にヴォネガット『国のない男』、シールズ『人生なんて、そんなものさ　カート・ヴォネガットの生涯』、マコックラン『不思議を売る男』、シアラー『青空のむこう』、グリーン『さよならを待つふたりのために』、モーム『月と六ペンス』、クールマン『リンドバーグ　空飛ぶネズミの大冒険』、サリンジャー『このサンドイッチ、マヨネーズ忘れてる　ハプワース16、１９２４年』など。エッセイ集に『サリンジャーにマティーニを教わった』、日本の古典の翻案に『雨月物語』『仮名手本忠臣蔵』など。ＨＰはhttp://www.kanehara.jp/

石田文子（いしだ・ふみこ）

一九六一年大阪府生まれ。大阪大学人間科学部卒業。金原氏に師事して翻訳関係の仕事にたずさわる。訳書にドイル『シャーロック・ホームズの冒険』『名探偵シャーロック・ホームズ』、アーバイン『小説タンタンの冒険』、シアラー『スノー・ドーム』、ハプティー『オットーと空飛ぶふたご』、ローズ『ティモレオン』（共訳）、アームストロング『カナリーズソング』（共訳）、カリー『天才たちの日課』『天才たちの日課　女性編』（共訳）、バーサド&エルダキン『文学効能事典』（共訳）などがある。京都府在住。

読者に憐れみを

ヴォネガットが教える「書くことについて」

2022年6月30日　初版発行
2024年9月10日　第2刷

著　カート・ヴォネガット＆スザンヌ・マッコーネル
訳　金原瑞人／石田文子

デザイン　戸塚泰雄（nu）
装画　堀節子
編集　薮崎今日子

発行者　上原哲郎
発行所　株式会社フィルムアート社
〒150-0022
東京都渋谷区恵比寿南1-20-6　プレファス恵比寿南
tel 03-5725-2001　fax 03-5725-2626
http://www.filmart.co.jp
印刷・製本　シナノ印刷株式会社

ISBN978-4-8459-2003-7　C0098

（→）モンキーレンチと同じくらい装飾性に欠ける語彙を使用している。

アパラチア山脈の山懐に抱かれた辺境の地では、子どもたちがいまもエリザベス朝時代の歌や言い回しを聞いて育つという。そう、そして多くのアメリカ人が、英語以外の言語や、大部分のアメリカ人には理解できないような方言を聞いて育っている。

これらの多様な話し言葉は、どれも美しい。どの種類の蝶も美しいのと同じだ。自分の生まれ育った場所の言葉がどんなものであれ、それは生涯大切にすべきだ。たとえそれが標準語でなくても、あるいは標準語で書こうとしたときにそれが自然と表に出たとしても、その結果はたいてい魅力的だ。たとえていうなら、片方が青い目で、もう片方は緑の目のとてもかわいい女の子のような感じになるだろう。

私自身、自分の書いたものにいちばん自信がもてて、人からもいちばん信頼されるように思うのは、インディアナポリスの人間らしい響き、すなわち自分らしい響きがあるときだ。この私に、ほかにどんなやりようがあるだろう？　それについて、学校の教師たちからもっとも熱心に勧められたのは、一世紀かそこら前の教養あるイギリス人のように書け、ということだった。同じようなことをいわれた経験のある人は多いだろう。

6. いいたいことを的確にいうこと

私はそういう教師たちに、かつては猛烈に腹が立った。しかし、いまはもうそんなことはない。私がいま理解するところによると、当時、教師たちから、自分の書いたものと比較してみなさいといわれた昔のエッセイや小説などは、その古めかしさや異国的な響きのせいで優れていたのではない。それは、作者のいいたいことが的確に表現されているから優れていたのだ。教師たちは、正確に書きなさいといった。かならず、もっとも効果的な言葉を選び、ひとつひとつの言葉を機械の部品のように精密に、誤解の余地がないように結びつけなさいと要求した。彼らは結局、生徒をイギリス人に仕立てたいわけではなかった。ただ、わかりやすい文章を書くこと――それによって、人に理解してもらえるように書くことを望んでいたのだ。こうして、パブロ・ピカソが絵でやったことや、ジャズの名手たちが音楽でやったことを言葉でやるという私の夢はついえた。もしも句読点のルールをまったく無視して、どの言葉にも自分の好きな意味をもたせ、それをでたらめにつなぎ合わせたりしたら、誰にも理解してもらえないだろう。だから、もし何か語るべきことがあって、それを人に理解してもらいたいと思うなら、ピカソ風やジャズ風の書き方は避けたほうがいい。

読者はページの上に書かれているものが、いままでに読んだものとよく似ていることを望んでいる。なぜかというと、読者もまた、読むという骨の折れる仕事をせねばならず、書き手の全面的な支援を必要としているからだ。

7. 読者を憐れむこと

読者は紙に書かれた無数の小さな印を識別し、その意味を即座に理解しなければならない。つまり、読者は読まなければならないのだが、読むという技術はひじょうに難しく、ほとんどの人は小学校から高校まで、十二年間も勉強しても、完全にマスターすることはできない。

そこで結局、この論考では、私たち書き手が取り得る文体の選択肢は、それほど多くもなく華麗でもないという結論に至らざるを得ない。それは、私たちが相手とする読者が、ひじょうに不完全な読み手だからだ。読者は書き手に、思いやりのある辛抱強い教師であることを求め、つねに簡単で明瞭な文を書くことを望んでいる――書き手がいくら大衆の群れから高く舞い上がり、ナイチンゲールのように美しく歌いあげたいと願っても無駄なのだ。

これは悪いニュースだ。いっぽうでよいニュースもある。我々アメリカ人が頂くかけがえのない憲法は、どんなことでも、好きなように書いても、なんの罰も受けないという権利を保障している。したがって、我々の書く文のもっとも重要な側面、すなわち何について書くかということは、まったく自由なのだ。

8. もっと詳細なアドバイス

もっと狭い意味での、もっと技術的な文章の体裁については、ウィリアム・ストランク・ジュニアおよびE.B.ホワイトによる『The Elements of Style（文体の基礎）』(Macmillan, 1979) を参照されたい。E.B.ホワイトはもちろん、わが国がこれまでに輩出した名文家の中でも屈指の名文家だ。

同時に、ぜひとも理解していただきたいのは、ホワイト氏がいかに上手な文を書いたとしても、彼のいわんとする内容が申し分なく魅力的でなければ、誰も気にかけなかっただろうということだ。

写真3｜「自分自身に厳しくあれ。もしある文が肝心の主題を新しく意味のある形で際立たせていないなら、その文は削除すること」
写真4｜「街頭演説をしたいくらい深く関心を抱いている主題を選ぶこと」

butterflies are beautiful. No matter what your first language, you should treasure it all your life. If it happens not to be standard English, and if it shows itself when you write standard English, the result is usually delightful, like a very pretty girl with one eye that is green and one that is blue.

I myself find that I trust my own writing most, and others seem to trust it most, too, when I sound most like a person from Indianapolis, which is what I am. What alternatives do I have? The one most vehemently recommended by teachers has no doubt been pressed on you, as well: to write like cultivated Englishmen of a century or more ago.

6. Say what you mean to say

I used to be exasperated by such teachers, but am no more. I understand now that all those antique essays and stories with which I was to compare my own work were not magnificent for their datedness or foreignness, but for saying precisely what their authors

they need all the help they can get from us.

7. Pity the readers

They have to identify thousands of little marks on paper, and make sense of them immediately. They have to *read*, an art so difficult that most people don't really master it even after having studied it all through grade school and high school – twelve long years.

"Pick a subject you care so deeply about that you'd speak on a soapbox about it."

erary stylists this country has so far produced.

You should realize, too, that no one would care how well or badly Mr. White expressed himself, if he did not have perfectly enchanting things to say.

Today, the printed word is more vital than ever. Now there is more need than ever for all of us to *read* better, *write* better, and *communicate* better.

International Paper offers this series in the hope that, even in a small way, we can help.

If you'd like to share this article with others—students, friends, employees, family—we'll gladly send you reprints. So far we've sent out over 23,000,000 in response to requests from people everywhere.

Please write: "Power of the Printed Word," International Paper Company, Dept. 5SP, P.O. Box 954, Madison Square Station, New York, NY 10010.

INTERNATIONAL PAPER COMPANY

We believe in the power of the printed word.